D1245932

Lumière du monde

Du même auteur
chez le même éditeur

Série Dave Robicheaux

La Pluie de néon
Prisonniers du ciel
Black Cherry Blues
Une tache sur l'éternité
Une saison pour la peur
Dans la brume électrique avec les morts confédérés
Dixie City
Le Brasier de l'ange
Cadillac Juke-Box
Sunset Limited
Purple Cane Road
Jolie Blon's Bounce
Dernier tramway pour les Champs-Élysées
L'Emblème du croisé
La Descente de Pégase
La Nuit la plus longue
Swan Peak
L'Arc-en-ciel de verre
Creole Belle
Lumière du monde

Série Clan Holland

Déposer glaive et bouclier
Texas Forever
La Rose du Cimarron
Heartwood
Bitterroot
Dieux de la pluie

Autres ouvrages

La Moitié du Paradis
Vers une aube radieuse
Le Bagnard
Le Boogie des rêves perdus
Jésus prend la mer

JAMES LEE BURKE

Lumière du monde

Traduit de l'anglais (États-Unis)
par Christophe Mercier

RIVAGES/THRILLER
Collection dirigée par François Guérif

RIVAGES

Retrouvez l'ensemble des parutions
des Éditions Payot & Rivages sur

payot-rivages.fr

Titre original : *Light of the world*
(Simon & Schuster)

Encore une fois, pour mon épouse, Pearl,
et pour nos enfants, James L. Burke III,
Andree Burke Walsh,
Pamala Burke et Alafair Burke.

1

Je n'ai jamais été doué pour les énigmes. Je ne parle pas de celles que résolvent les flics, ni de celles qu'on lit dans les romans, ou qu'on voit à la télévision ou sur des écrans de cinéma. Je ne parle pas non plus du mystère de la Création, ni des présences impalpables qui se tiennent peut-être juste de l'autre côté du monde visible. Je parle du mal, sans majuscule, mais quand même du mal, du type de mal que les sociologues et les psychiatres expliquent difficilement.

Les policiers gardent leurs secrets, peu différents en cela des soldats qui reviennent des champs de bataille avec un syndrome que les survivants de la Grande Guerre appellent le syndrome du regard d'après-combat. Je suis persuadé que la fable de la pomme cueillie sur l'arbre défendu est une métaphore destinée à nous garder de scruter trop profondément les tendances les plus sombres de l'âme humaine. Les photographies des prisonniers de Bergen-Belsen ou du camp d'Andersonville, ou les cadavres dans les fossés de Mỹ Lai, nous dérangent singulièrement, car ces manifestations d'une extrême cruauté humaine ont, la plupart du temps, été le fait de chrétiens baptisés. À un moment donné, nous refermons le volume contenant des images de ce type, nous le mettons de côté, et nous parvenons à nous persuader que ces événements étaient une aberration, due au fait d'avoir laissé des soldats trop longtemps sur le terrain, ou permis à une poignée de misanthropes de prendre le contrôle d'une bureaucratie. Il n'est pas dans notre intérêt d'en extrapoler une signification plus large.

Hitler, Néron, Ted Bundy, la Chienne de Buchenwald ? Leurs actes ne sont pas les nôtres.

Mais si ces individus ne sont pas comme nous, s'ils n'ont pas les mêmes gènes, n'ont pas le même ADN, alors qui sont-ils, et qu'est-ce qui en a fait des monstres ?

N'importe quel flic des homicides vit avec des images dont il ne peut libérer ses rêves ; n'importe quel flic ayant enquêté sur un viol d'enfant a vu un aspect de ses frères humains dont il ne parle jamais à personne, ni à sa femme, ni à ses collègues, ni à son confesseur, ni à son barman. Il existe certains fardeaux qu'on n'impose pas aux gens de bonne volonté.

Quand j'étais policier en civil au NOPD, je traitais ces problèmes dans un bar de Magazine Street, non loin du vieil Irish Channel. Avec son comptoir bordé d'un rail de métal, ses tables de bourrée tapissées de feutre et ses ventilateurs aux pales de bois, il était devenu l'église séculière dans laquelle la Louisiane de ma jeunesse, le monde du Bayou Teche, d'un vert doré, couvert de mousse, ombragé par les chênes, n'était qu'à une gorgée de moi. Je commençais par quatre doigts de Jack dans un verre épais, accompagnés d'une Budweiser mousseuse, et à minuit je me tenais à une extrémité du comptoir, armé, ivre et penché sur mon verre, moralement et psychologiquement détruit.

J'en étais arrivé à ressentir de l'aversion et du dégoût pour la mythologie caractérisant l'époque où je vivais. Je n'avais pas « servi » en Asie du Sud-Est ; j'avais « survécu » et vu des innocents, des hommes meilleurs que moi, mourir par milliers, alors que j'étais épargné par une main extérieure. En tant qu'officier de police, je n'avais pas « servi et protégé », mais été témoin des dysfonctionnements de la justice, de la mainmise du gouvernement sur des corporations, et de l'exploitation de ceux à qui la politique ne donnait pas droit à la parole. Et tout en ruminant sur tout ce qui n'allait pas dans le monde, je continuais à alimenter ma chaudière intérieure à coups de black jack, de Smirnoff et de Hennessy cinq étoiles, accompagnés pour finir de deux mesures de scotch dans un verre de lait, à l'aube, réfrénant constamment mon désir de braquer sur mes ennemis le .45 automatique que j'avais acheté à Saigon, dans le quartier des bordels, et avec lequel je dormais comme j'aurais dormi avec une femme.

Mon véritable problème n'était pas la militarisation de mon pays, ni aucun de ceux que j'ai mentionnés. Le véritable problème remontait à un mystère qui me taraudait depuis la destruction de mon foyer et de ma famille. Mon père, Big Aldous, faisait le singe sur une plate-forme offshore quand la foreuse perça un *paysand*, un « banc témoin », qu'une étincelle jaillit de la tête de puits, et qu'un champignon de pétrole enflammé s'éleva à travers le derrick, comme un enfer montant du fond d'une cage d'ascenseur. Ma mère, Alafair Mae Guillory, avait été séduite par un certain Mack, maquereau et joueur professionnel, qui l'avait fait chanter et que je détestais plus qu'aucune créature humaine, non parce qu'il l'avait transformée en pute de bar, mais à cause des Asiatiques que j'avais tués au lieu de le tuer, lui.

La rage, la soif de sang et les trous noirs alcooliques devinrent la seule forme de sérénité que je connusse. De Saigon aux Philippines, du Chinatown de Los Angeles aux bouges de La Nouvelle-Orléans, la même question me hantait, qui ne me laissait aucun répit. Certains êtres sont-ils différents depuis l'utérus, dépourvus de conscience dès leur naissance, décidés à détruire tout ce qu'il y a de bon dans le monde ? Ou se pouvait-il que, pour n'importe lequel d'entre nous, un vent noir pût faire tourner la girouette dans la mauvaise direction, remodelant nos existences et nous transformant en êtres que nous ne reconnaissons plus ? Je savais qu'existait une réponse quelque part, si seulement je parvenais à boire suffisamment pour arriver à la disposition d'esprit nécessaire pour la découvrir.

Je suis resté nombre d'années imbibé ; j'ai obtenu un diplôme en auto-immolation et un doctorat en psychose chimiquement induite. Quand j'ai fini par recouvrer la sobriété, je pensais que le voile allait se lever, et que je trouverais des réponses à toutes les énigmes byzantines qui m'avaient égaré.

Tel ne devait pas être le cas. Au contraire : un homme qui était l'une des créatures les plus perverses que la terre ait jamais portées s'est insinué dans nos vies. Je ne devrais peut-être pas raconter cette histoire. Mais je n'ai pas non plus envie de la garder pour moi.

Ma fille adoptive, Alafair Robicheaux, remontait à petites foulées un chemin forestier qui sinuait entre des pins ponderosa, des Douglas et des cèdres, en direction du sommet d'une crête surplombant une nationale à deux voies et une crique en crue, tout en bas. La route avait été construite à l'emplacement exact de la piste que Meriwether Lewis et William Clarke avaient suivie à travers Lolo Pass jusque dans l'Idaho actuel pour finir à l'océan Pacifique, en l'an 1805. Ils n'avaient pu accomplir cette prouesse seuls. Après que leurs hommes et eux eurent réduit leurs mocassins en lanières en essayant d'effectuer le portage de leurs canoës à travers plusieurs canyons sur une branche de la Columbia River, une femme Shoshone nommée Sacagawea leur avait indiqué un chemin qui montait en pente douce, au pied de Lolo Peak, jusque dans le pays des Nez-Percés et des chevaux mouchetés appelés appaloosas.

Tout en trottinant sur le chemin de terre qu'un bulldozer avait frayé à travers les arbres, un vent frais soufflant dans les branches, les premiers rayons du soleil de l'Ouest brillant sur la neige fraîche tombée sur Lolo Peak la nuit précédente, Alafair s'interrogeait sur le poids qu'une femme courageuse avait eu sur l'Histoire, car non seulement Sacagawea avait montré au groupe de Lewis et Clarke la route de l'Oregon, mais elle leur avait évité de mourir de faim et d'être massacrés par des francs-tireurs nez-percés.

Alafair écoutait une chanson sur son iPod quand elle sentit une piqûre à son oreille gauche. Elle sentit aussi un souffle d'air sur sa joue, et le frôlement d'une plume sur sa peau. Sans s'arrêter, elle se tapota les cheveux, se pressa la main contre l'oreille, puis la regarda. Elle avait sur la paume une large tache de sang. Au-dessus d'elle, elle vit deux corbeaux glisser dans les branches d'un ponderosa et se mettre à croasser dans le ciel.

Elle continua à remonter le chemin forestier, la respiration sèche, jusqu'en haut de la crête. Puis elle fit demi-tour et entama la descente, les genoux secoués par la pente, tandis que le soleil passait derrière Lolo Peak, le reflet de la lumière disparaissant de la surface de la crique. Elle se toucha à nouveau l'oreille, mais la coupure qu'elle pensait due à un corbeau ne saignait plus, et ne semblait rien de plus qu'une égratignure. C'est alors qu'elle vit le fût d'aluminium d'une flèche garnie d'une plume enfoncé de dix centimètres dans une souche de cèdre, roussie et durcie par le feu.

Elle ralentit, s'arrêta, le cœur battant, et regarda par-dessus son épaule. Le chemin forestier était dans l'ombre, la lisière des arbres si épaisse qu'elle ne sentait plus le vent et ne voyait plus le soleil. L'air sentait la neige, l'arrivée de l'hiver plus que celle de l'été. Elle retira ses écouteurs et tendit l'oreille. Elle perçut le craquement de branches, des cailloux dévalant une pente. Une grosse biche, un cerf à queue noire, à moins de vingt mètres, sauta par-dessus un tas de terre et atterrit carrément au milieu du chemin, sa grise fourrure d'hiver laissée intacte par le printemps.

« Quelqu'un tire à l'arc, par ici ? » cria Alafair.

Pas de réponse.

« On ne tire pas à l'arc dans le Montana au printemps, en tout cas pas sur les biches », hurla-t-elle.

Toujours pas de réponse, sinon la caresse du vent dans les arbres, un bruit comme celui d'une crue soudaine sur un lit de rivière à sec. Elle passa les doigts le long de la flèche, et effleura la plume à sa base. Le fût d'aluminium ne portait aucune trace de terre, de fiente d'oiseau, ni même de poussière. Quand elle passa le pouce sur leur bord, les plumes étaient propres et raides au toucher.

« Si vous avez commis une erreur et que vous êtes embêté, montrez-vous et excusez-vous, cria-t-elle. Qui a tiré cette flèche ? »

D'un bond, la biche s'éloigna, presque comme un kangourou. L'ombre était devenue si dense sous les arbres qu'on ne la distinguait pas, sauf la tache de poils blancs sous sa queue. Inconsciemment, Alafair tira sur son lobe blessé et observa les arbres et la lueur orange à l'ouest qui indiquait que le soleil apparaîtrait dans dix minutes. Elle agrippa des deux mains le fût de la flèche et l'arracha du tronc. La pointe était en acier, brillante et lisse, comme légèrement polie à l'huile, ses bords ondulés aussi affûtés qu'un rasoir.

Elle redescendit péniblement la crête, presque jusqu'en bas, puis s'avança sur une pointe rocheuse en forme de V qui faisait saillie dans le vide, dépourvue d'arbres et de broussailles. En contrebas, elle vit un homme large d'épaules, à la taille étroite, en Wrangler et chapeau de paille blanc, un bandana autour du cou. Il portait une chemise bleu marine à manches longues boutonnée aux poignets, avec des étoiles blanches brodées sur les épaules et des jarretières violettes en haut des bras, comme une danseuse exotique aurait pu en porter sur les cuisses. Il fermait au loquet la porte d'un caisson inséré à l'arrière de son pick-up. « Hé, mon pote ! dit Alafair. Je voudrais vous dire un mot. »

Il se retourna lentement, levant la tête, un rayon de soleil solitaire s'étalant sous le rebord de son chapeau. L'éclat en était sans doute intense, mais l'homme ne cilla pas. C'était un Blanc au profil d'Indien, avec des yeux qui semblaient de verre et n'avaient d'autre couleur que la brillance reflétée du soleil. Son teint évoquait la couenne d'un jambon fumé. « Hello, bonjour-bonjour, dit-il avec un sourire idiot qui paraissait peint sur sa bouche. D'où vient une mignonne petite génisse comme vous ?

– Cette flèche vous appartient ?

– Si vous en voulez pas, je vais la prendre.

– Est-ce que vous m'avez tiré dessus avec cette foutue flèche, ou pas ?

– Avec le vent j'entends pas bien. Quel mot vous avez employé ? » Il se mit une main en coupe sur l'oreille. « Vous voulez descendre ici, qu'on parle un peu ?

– Quelqu'un a failli me tuer avec cette flèche. »

Il sortit de la poche de sa chemise un mince mégot de cigare qu'il alluma avec une allumette en carton, protégeant la flamme de ses mains, avant de secouer l'allumette de façon spectaculaire pour l'éteindre. « Il y a un routier près du casino. Je vous paie un Coca-Cola. Et ils ont des douches, si vous voulez en prendre une.

– C'était un arc, que vous rangiez dans votre caisson ? Vous devez me répondre.

– Je m'appelle M. Wyatt Dixon, de Fort Davis, Texas. Je suis toréador[1], je fais le commerce de gros bétail, et je suis chrétien *born again*[2]. Qu'est-ce que vous dites de ça ? Descendez, petite. Je vais pas vous mordre.

– Je pense que vous devriez partir d'ici.

– C'est le pays des braves et la terre des hommes libres, et Dieu vous bénisse pour la façon dont vous appliquez le premier amendement. Mais je faisais juste semblant de pas avoir entendu ce que vous m'avez dit. La grossièreté ne convient pas à votre sexe. Vous savez qui a dit ça ? Thomas Jefferson, eh oui ! »

---

1. Le *bullfighter* (« toréador »), connu aussi sous le nom de *rodeo clown*, est chargé de protéger les cavaliers mis à bas de leur monture, et de fournir des intermèdes comiques.

2. Littéralement, « chrétien régénéré » : individu qui a connu une régénération spirituelle après s'être réconcilié avec Dieu.

Ses dents semblaient avoir avoir été taillées dans un os de baleine. Tout son corps paraissait tendu par un degré d'énergie et un pouvoir sexuel qu'il avait du mal à contrôler. Même s'il avait une posture détendue, ses jointures paraissaient aussi dures que des roulements à bille. « Alors, vous avez décidé, pour ma proposition, ou un chat vous a volé votre langue ? » insista-t-il.

Elle voulait lui répondre, mais les mots restaient coincés dans sa gorge. Il retira son chapeau et passa un peigne de poche dans ses cheveux roux fins comme de la soie, le menton levé. « Je suis spécialiste en accents. Vous venez du Sud. On se reverra, ma douce. À votre place, je resterais pas dans ces bois. On sait jamais ce qui rôde, là-dedans. »

Il laissa passer un semi-remorque chargé d'un énorme engin d'extraction pétrolière, puis monta dans son pick-up et s'éloigna. Elle sentit un filet de sueur couler de son bandeau sur sa joue. Une odeur âcre montait de ses aisselles.

Au début du printemps, Alafair et ma femme, Molly, ainsi que mon vieux partenaire du NOPD, Clete Purcel, m'avaient accompagné dans l'ouest du Montana avec le projet de passer l'été dans le ranch d'un ami romancier et professeur d'anglais à la retraite, Albert Hollister. Albert avait construit une maison de deux étages en rondins et pierres de taille sur un tertre dominant au nord et au sud des prairies clôturées. C'était une belle maison, rustique mais magnifiquement conçue, une citadelle bucolique d'où Albert pouvait continuer à mener sa croisade contre les intrusions de l'âge industriel. À la mort de sa bien-aimée femme asiatique, je suppose que la maison qu'elle l'avait aidé à imaginer résonnait d'un vide qui devait le rendre fou.

Albert installa Clete dans un chalet pour les invités à l'extrémité de la propriété, et le reste d'entre nous au deuxième étage de la maison. Depuis le balcon, nous avions une vue magnifique sur de basses collines boisées qui semblaient s'étendre sur des kilomètres et des kilomètres avant d'arriver aux Bitterroot Mountains, blanches et brillantes, aussi lumineuses que des glaciers sur les sommets, et striées de brume à l'aube. En face de notre balcon, on voyait une montagne mouchetée de pins, de mélèzes, de sapins et d'affleurements de roche grise, sillonnée, au moment du redoux, début avril, d'arroyos gonflés de neige fondue, d'eau terreuse et d'aiguilles de pin.

Sur une pente ombragée derrière la maison, Albert avait improvisé un stand de tir où on dégommait de grosses boîtes de café ventrues posées sur des piquets au pied de la piste utilisée par le Chef Joseph et les Nez-Percés quand ils avaient tenté de doubler l'armée des États-Unis. Avant que nous ne commencions à tirer, Albert criait « Feu à volonté ! » pour avertir les animaux paissant ou dormant au milieu des arbres. Non seulement il mettait des piquets autour de sa propriété, mais il rendait furieux les chasseurs dans tout le pays en tirant, avec des chaînes, des troncs en travers des chemins publics, de façon à bloquer l'accès des véhicules aux terres de l'U.S. Forest Service durant la saison de la chasse au gros gibier. Je ne sais si je dirais de lui qu'il était un agitateur, mais j'étais convaincu que son ancêtre dans l'histoire était Samuel Adams, et que dix hommes comme lui auraient pu mettre une ville à feu et à sang en moins de vingt-quatre heures.

Quand Alafair est rentrée à la maison, le soleil s'était levé. Elle me raconta sa rencontre avec Wyatt Dixon.

« Tu as relevé son immatriculation ? demandai-je.

– Sa plaque était couverte de boue. Il a dit qu'il allait au casino.

– Tu n'as pas vu l'arc ?

– Je te l'ai déjà dit, Dave.

– Je suis désolé, je voulais juste que ce soit clair. On va y faire un tour. »

On a pris mon pick-up pour suivre le chemin de terre menant à la deux-voies, on a tourné vers l'est, et suivi le ruisseau jusqu'à Lolo, une petite ville commerçante à l'orée des Bitterroot Mountains. Le ciel était violet et tacheté de neige, les enseignes au néon brillant devant le routier et le casino voisin. « Le pick-up orange. C'est le sien », dit-elle.

Je m'apprêtais à faire signe à une voiture de police du comté de Missoula, à l'intersection, avant de me raviser. Jusque-là, nous n'avions rien contre Dixon. J'ai frotté le film de crasse sur la vitre arrière du caisson de son pick-up et regardé à l'intérieur. J'ai distingué un sac de sport bosselé, une selle western, un fusil à levier à canon long avec hausse à crémaillère, un pneu de camion plein de boue et un cric. Je n'ai pas vu d'arc. J'ai regardé côté passager avec le même résultat.

L'intérieur du casino était sombre et climatisé, et sentait le nettoyant pour moquette et le désinfectant de toilettes. Un homme en chapeau de paille blanc de cow-boy était assis au bar, et buvait une cannette de soda en mangeant un sandwich. Une serviette en papier était enfoncée comme un bavoir dans le col de sa chemise. Tandis que nous approchions de lui, il nous observait dans le miroir au-dessus du bar.

« Je m'appelle Dave Robicheaux, dis-je. Et voici ma fille Alafair. J'aimerais qu'on discute un peu. »

Il mordit dans son sandwich et mâcha, se gonflant une joue, se penchant pour qu'aucune miette ne tombe sur le comptoir, ou sur sa chemise ou son jean. Il tourna la tête. « Vous avez l'air d'un flic, monsieur, dit-il.

– Vous êtes déjà tombé, M. Dixon ?

– Tombé dans quoi ?

– Dans un endroit où tous les petits malins finissent par tomber. D'après ce que je sais, vous êtes un homme de rodéo.

– Ce que certains appellent un clown de rodéo. Ce que nous on appelle des toréadors. À un moment donné, je tuais des mustangs pour une entreprise de nourriture pour chiens, sur la frontière. J'ai arrêté.

– Étiez-vous en train de chasser à une dizaine de kilomètres, plus haut, sur la Nationale 12 ?

– Non, monsieur. Je changeais un pneu de mon pick-up.

– Vous avez une idée de qui aurait pu tirer une flèche sur ma fille ?

– Non, mais je commence à en avoir marre de cette histoire.

– Vous avez vu quelqu'un d'autre sur la crête, en dehors de ma fille ?

– Non, je n'ai vu personne. » Il posa son sandwich, retira son bavoir en papier et s'essuya la bouche et les doigts. Il se tourna sur son tabouret. Toute couleur semblait avoir quitté ses yeux, en dehors de ses pupilles, qui ressemblaient à l'extrémité incandescente d'allumettes de bois. « Regardez ça, dit-il.

– Regarder quoi ?

– Ça. » Il saupoudra du sel sur le bar et posa la salière en équilibre sur son arête au milieu des grains, de façon qu'elle se tienne inclinée comme la tour de Pise. « Je parie que vous savez pas faire ça, ni l'un ni l'autre.

– Appelle le 911, dis-je à Alafair.

– Je peux vous poser une question ? demanda-t-il.

– Allez-y.

– Quelqu'un vous a-t-il déjà tiré en plein visage ?

– Ouais, quelqu'un m'a tiré en plein visage. J'ai eu de la chance. C'était un sale type, un dégénéré et un sadique, un tueur au sang froid.

– Je parie que vous l'avez expédié direct sur la table à injection, n'est-ce pas ? dit-il, les yeux exorbités, la bouche pendante en une exultation feinte.

– Non, il n'est pas arrivé jusqu'à la prison. »

Sa bouche s'ouvrit encore plus grande, comme s'il était incapable de contrôler le choc qu'il éprouvait. « Je suis complétement soufflé. J'ai parcouru cette grande nation d'une côte à l'autre, et j'ai été dans la même arène que les plus grands héros de notre temps. Je suis impressionné et flatté de me trouver en présence d'un homme de loi tel que vous. Même si je ne suis qu'un simple cow-boy de rodéo, je m'incline devant vous, monsieur. »

Il se leva, la poitrine gonflée, le corps rigide, comme au garde-à-vous, sa main droite raidie au coin de l'œil. « Dieu vous garde, monsieur. Les gens comme vous me rendent fier de la bannière aux trois couleurs, même si je ne suis pas digne de rester dans votre ombre, dans cette misérable salle de bar au fin fond de l'Amérique, où vont les cœurs brisés et où coulent les eaux pourpres. Vous n'avez rien à envier à des gens comme Colin Kelly et Audie Murphy[1], monsieur. »

Les gens nous regardaient, mais il semblait ne pas y prêter attention.

« Vous avez appelé ma fille "ma petite" et "ma douce", dis-je. Vous l'avez aussi menacée à mots couverts, si vous la revoyiez sur la piste. Ne vous approchez plus de nous, monsieur Dixon. »

Il scruta mon visage. Il avait les commissures tombantes, la peau tendue comme une soie de porc, la fossette de son menton bien rasée et luisante, peut-être d'après-rasage. Par la vitre, il regarda le véhicule du shérif pénétrer sur le parking. L'absence de personnalité de son profil me rappelait celui d'un requin qui frôle la vitre d'un aquarium.

« Vous m'avez entendu ? dis-je.

– L'agent du 911 trouvera rien dans mon pick-up, parce qu'il y a rien à trouver, dit-il. Vous m'avez demandé si j'avais été dedans. J'ai eu la tête éclairée d'une telle quantité d'électricité que j'étais content d'avoir un bâillon de caoutchouc dans la bouche. Ne le prenez pas de haut avec moi, monsieur Robicheaux. Votre fille m'a demandé si cette "foutue flèche" était à moi. Elle m'a parlé comme si j'étais un petit Blanc de merde. »

1. Deux héros américains de la Seconde Guerre mondiale. Le premier est mort aux commandes de son B-17, le second est devenu acteur.

Il se rassit et se remit à manger son sandwich, l'enfournant en grosses bouchées sans le mâcher et sans boire son soda, son expression se reconfigurant comme celle d'un homme incapable de savoir qui il est.

J'aurais dû m'éloigner. Peut-être tout n'était-il pas sa faute. Peut-être Alafair lui avait-elle parlé de haut. Néanmoins, il avait tenté de l'effrayer, et il y a des choses qu'un père ne peut laisser passer. Je lui ai touché l'épaule, là où des étoiles blanches étaient cousues à la toile. « Vous n'êtes pas une victime, partenaire, dis-je. Je vais éplucher votre dossier. J'espère que vous nous avez dit la vérité, monsieur Dixon. »

Il ne s'est pas retourné, mais j'ai vu son dos se raidir et le sang lui monter à la nuque, comme le fluide rouge dans un thermomètre.

2

Le charme du Montana est comme une addiction aux narcotiques. On ne s'en lasse pas, on n'en a jamais assez. Ses étendues sauvages ressemblent sans doute à ce qu'était la terre au premier jour de la Création. Pour moi, c'était aussi un carrousel, un carrousel dont la lumière et la musique n'ont jamais de fin. Le lendemain de la confrontation d'Alafair avec Wyatt Dixon, il y eut de la pluie, puis une rafale de neige dans le soleil, puis de la neige fondue et de la pluie, et à nouveau du soleil, de verts pâturages, des fleurs éclatant dans les jardins et un arc-en-ciel au-dessus des montagnes. Tout ça avant neuf heures du matin.

J'ai traversé la prairie, passant à côté de l'étable d'Albert, avec ses quatre stalles, jusqu'à la cabane de bois où logeait Clete Purcel. Le chalet avait été construit près d'un ruisseau ombragé par des *cottonwoods*[1] et par un bouleau solitaire. Le ruisseau n'avait de l'eau qu'au printemps, et le reste de l'année il était sec et sablonneux, strié d'empreintes de cerfs, de dindes sauvages et, parfois, des grandes pattes des lièvres des neiges.

Les cuissardes de Clete étaient suspendues au toit de la galerie, de l'eau de pluie coulant le long de leur surface de caoutchouc. Ses cannes, à moulinet et à mouche, étaient appuyées à la rambarde de la galerie, les fils à pêche tirés bien droit à travers les œillets, et remontant le long de la canne, les hameçons sur les leurres insérés dans les poignées de liège. Il avait lavé son panier et son filet dans un seau, et les avait accrochés, ainsi que sa veste de toile, sur des pitons qui dépassaient de la paroi de bois. Sa Cadillac

1. Espèce de peuplier.

bordeaux restaurée était garée derrière le chalet, une bâche mouchetée de fientes de corbeaux et de pies tendue sur son toit d'un blanc immaculé.

Par la fenêtre, j'ai vu qu'il était en train de petit-déjeuner, son torse massif courbé sur son assiette, la grille du poêle à bois derrière lui coupée de langues de feu. Il m'a fait signe d'entrer avant que j'aie frappé.

Si des martiens avaient voulu s'emparer de la planète et en balayer la race humaine, il leur aurait suffi de convaincre le reste d'entre nous de prendre le même petit déjeuner que Clete Purcel. Avec des variantes selon le boui-boui, il s'envoyait chaque jour un plein gaufrier de beignets trempés de sirop, ou quatre œufs frits dans du beurre, avec des toasts, du gruau, et un bol de sauce blanche pour accompagner, une côte de porc ou un steak ou des œufs au bacon, et au moins trois tasses de café au lait. Comme il avait conscience d'avoir rempli son système digestif de suffisamment de cholestérol pour boucher le canal de Suez, il accompagnait le tout de tomates à l'étuvée, ou d'un cocktail de fruits, persuadé qu'il pourrait neutraliser la combinaison de graisse, de beurre et de graisse animale par la viscosité d'un lubrifiant de train.

Je lui ai raconté la rencontre d'Alafair avec Wyatt Dixon et notre conversation avec lui au casino. Clete ouvrit la grille de son poêle et jeta dans les flammes deux bûches de pin. « Dixon a laissé l'adjoint fouiller son pick-up ? demanda-t-il.

– Il s'est montré coopératif. La seule arme qu'on ait trouvée, c'est une vieille Winchester à levier.

– Ce n'est peut-être pas lui.

– Alafair dit qu'il n'y avait personne d'autre sur le parking, ni sur la crête. Elle est certaine que Dixon est le seul à avoir pu tirer avec l'arc.

– Tu crois qu'il a un casier ?

– J'ai appelé le shérif il y a une heure. Dixon est dans le coin depuis des années, mais personne ne sait exactement de quoi il vit, ni qui il est. Il a été impliqué dans des milices de la Bitterroot Valley, qui avaient peur de lui. Quand il est tombé pour avoir descendu un violeur, Deer Lodge[1] a eu du mal avec lui.

– Une prison du Montana peut avoir des problèmes avec quelqu'un ?

– Ils lui ont fait des électrochocs.

– Je croyais que ça n'existait plus.

– Ils ont fait une exception. Dixon a été viré de l'armée à quinze ans pour avoir coupé les galons d'un sergent noir du mess, derrière un saloon de San Antonio, et les avoir fourrés dans la bouche du type. Lors d'un rodéo, il a assommé un taureau d'un coup de poing. Il dit qu'il est *born again* et certains prétendent qu'il peut parler en langues[2]. Un professeur d'université tenait une réunion de prière pentecôtiste sur la réserve, et Wyatt Dixon s'est levé pour témoigner. Le professeur d'université a dit qu'il parlait araméen.

– C'est quoi, l'araméen ?

– La langue de Jésus. »

Clete fixait sa tasse de café, l'expression neutre, ses cheveux coupés comme ceux d'un petit garçon fraîchement peignés et humides après sa douche, le visage lisse et jeune dans le soleil du matin. « Ne sois pas fâché de ce que je vais te dire, Dave. Mais ces salopards nous ont canardés sur le bayou. Pas une fois, mais deux. Alafair a connu un gros traumatisme, comme nous. Quand je ferme les yeux, j'imagine des choses.

– Alafair a une coupure à l'oreille.

– On n'est pas sûrs que ce soit la flèche. Tu m'as parlé de corbeaux en train de se battre dans un arbre. Tout ça n'est peut-être qu'une coïncidence. Prudence, non ?

---

1. Prison d'État du Montana.

2. Glossolalie. Le fait de parler ou de prier à haute voix dans une langue inconnue de la personne qui parle.

– Alafair n'est pas folle. Elle ne passe pas son temps à imaginer des choses.

– Elle se montre agressive. Cette fois-ci, c'est avec un cinglé. Le pick-up du type était clean. Fiche-lui la paix, et cesse de chercher les ennuis.

– Tu sais ce que ça me fait, quand je t'entends dire des choses pareilles ?

– Non. Qu'est-ce que ça te fait ?

– Oublie ça. Prends encore quelques tranches de jambon. Ça t'aidera peut-être à réfléchir plus clairement. »

Il expira. « Tu veux le secouer ?

– Il n'est pas du genre à se laisser secouer.

– Tu dis qu'il a été inculpé pour meurtre. Comment il est sorti de taule ?

– Un point technique quelconque.

– OK, on va garder un œil ouvert, mais ce mec n'a aucune raison de faire du mal à Alafair. Et il n'a pas le profil du type qui poursuit des gens au hasard avec un arc et une flèche, en particulier sur son propre terrain. »

Clete était le meilleur flic d'investigation que j'aie jamais connu, et il était difficile de discuter avec lui. Il aurait donné sa vie pour Alafair, pour Molly et pour moi. Il était courageux, et doux, et violent, et autodestructeur, et il se réveillait chaque matin avec un succube qui se nourrissait de son cœur depuis son enfance. Chaque fois que je lui parlais avec impatience, ou que je le blessais, j'éprouvais un remords et un chagrin incommensurables, parce que je savais que Clete Purcel était de ceux qui paient pour le reste d'entre nous. Je savais aussi que s'il n'était pas parmi nous, le monde serait bien pire.

« Je suppose que je m'inquiète trop, dis-je.

– Alafair est ta fille. C'est normal que tu t'inquiètes, noble ami. J'ai encore un toast beurré dans la poêle. Mange un peu. »

Je savais que, pour le toast beurré, il plaisantait, et j'espérais que nos vacances allaient bien se passer, et que mes inquiétudes concernant Alafair et Wyatt Dixon n'étaient pas fondées.

Mais quand il a versé du café dans un gobelet de métal qu'il a poussé vers moi sans que ses yeux verts ne croisent les miens, j'ai compris qu'il pensait à autre chose, et pas à un cow-boy quasiment psychotique dans un casino. Je savais aussi que chaque fois que Clete Purcel essayait de cacher quelque chose, nous foncions tous les deux vers les ennuis.

« Crache le morceau, dis-je.

– Quel morceau ?

– Dis-moi ce qui te perturbe.

– J'allais juste te mettre au courant, c'est tout.

– Au courant de quoi ?

– Gretchen vient d'être diplômée de cette école de cinéma, à Los Angeles.

– Bien, dis-je, de plus en plus mal à l'aise.

– Elle m'a appelé, et elle m'a dit qu'elle aimerait venir me voir.

– Ici ?

– Oui, comme c'est ici que je suis, c'est ici qu'elle aimerait venir me voir. J'en ai déjà parlé à Albert. »

J'ai essayé de garder une expression neutre, l'œil vide, pour me libérer d'une obstruction qui était comme une arête dans ma gorge. Il me regardait fixement, dans l'attente, espérant m'entendre dire des mots que j'étais incapable de prononcer.

Moins d'un an auparavant, Clete avait découvert qu'il avait engendré une fille hors mariage. Elle s'appelait Gretchen Horowitz et elle avait été élevée à Miami par sa mère, une prostituée accro à l'héroïne. Il avait découvert aussi que Gretchen avait été tueuse à gages pour la Mafia, et qu'elle était connue dans le milieu sous le nom de Caruso.

« Tu crois qu'elle aimera le Montana ? ai-je demandé.

– Pourquoi elle n'aimerait pas le Montana ?

– C'est un pays froid. Froid pour une fille qui a été élevée sous les tropiques, je veux dire. »

J'ai vu s'éteindre la lueur dans ses yeux. « Parfois, tu me gonfles vraiment, Belle Mèche.

– Je suis désolé.
– Désolé, c'est le mot », dit-il. Il prit ses assiettes sales et les laissa tomber bruyamment dans l'évier.

Six mois plus tôt, près de la frontière entre le Colorado et le Kansas, un petit garçon regardait par la fenêtre d'une caravane, non loin de l'intersection d'une deux-voies et d'un chemin de terre. Le ciel était chargé de noirs nuages d'orage ; le paysage, à l'ouest, liséré par un ruban de froide lumière bleue. Le vent soufflait fort dans les champs, soulevant dans l'air des nuages de sable, agitant le linge sur le fil derrière la caravane. Même si la terre était couverte de kilomètres et de kilomètres de blé planté à l'automne et moissonné au printemps, le froid de la saison et la rudesse des éléments donnaient l'impression que cette partie du monde était condamnée à un perpétuel hiver. C'était le lieu d'où venait le terme de « syndrome d'enfermement », un lieu où les fermières, en janvier, devenaient folles et se faisaient sauter le caisson, et où un paysan devait tendre une corde depuis le porche de sa grange pour retrouver le chemin de sa maison, quand on ne distinguait que du blanc. C'était un endroit où seuls survivent les plus croyants et les plus déterminés.

Tandis que la mère du petit garçon dormait devant un écran de télévision bourdonnant de parasites, il vit un homme en loques sortir d'un bar au croisement et suivre d'un pas incertain le bord de la deux-voies, agrippant d'une main le chapeau sur sa tête, sa veste battant dans le vent, le visage incliné comme une hache dans les flocons de neige tourbillonnant, aussi minuscules et durs que des morceaux de verre. Plus tard, le garçon devait parler de cette silhouette comme de l'« homme épouvantail ».

Un camion-citerne apparut au loin sur la surface ondulante de la route, phares allumés, sa masse, sa forme cylindrique scintillante et sa fonctionnalité si impressionnantes et obstinées qu'il semblait avancer et danser sur le soleil couchant, sans bruit de moteur ni bruit mécanique, maintenu par son propre équilibre, comme si le véhicule obéissait à un destin prévu depuis longtemps.

De la direction opposée, un fourgon cellulaire avec, à l'avant, un chauffeur et un gardien, approchait du carrefour. Il était suivi par une voiture d'escorte qui s'était arrêtée pour que l'un des policiers de l'État puisse aller aux toilettes. À l'arrière du fourgon cellulaire se trouvait un prisonnier répondant au nom d'Asa Surrette, convoqué pour témoigner à un procès pour meurtre dans une petite ville sur la frontière du Colorado. Son bras gauche avait été cassé par un autre détenu dans un quartier de haute sécurité à El Dorado, Kansas. Le plâtre sur son bras était épais et encombrant ; il lui couvrait du poignet à l'épaule. Comme, en prison, l'individu se montrait docile, ses gardiens ne l'avaient pas enchaîné à la taille, se contentant de menotter sa main droite à un anneau inséré dans le sol, ce qui lui permettait de s'allonger sur un banc de métal perforé soudé à la paroi du fourgon.

Le petit garçon vit l'homme épouvantail sortir de la poche de sa veste une bouteille plate de couleur ambrée qu'il souleva contre le ciel, dévisser la capsule et, sans raison apparente, tituber sur la chaussée devant le camion-citerne. Le garçon commença à émettre des grognements devant la fenêtre. Le chauffeur du camion freina à fond, mettant son chargement en accordéon. La citerne se balança de côté en travers de la route, l'air rempli des crissements de l'acier déchiré, comme un bateau qui se disloque en coulant.

Le chauffeur du fourgon cellulaire n'eut sans doute pas l'occasion de réagir. Il s'écrasa dans la cabine du camion avec une force telle qu'elle parut se désintégrer, lorsque le camion-citerne lui roula dessus. Le feu ne prit pas immédiatement. Des débris tombèrent en pluie sur l'asphalte et dans les fossés le long de la route, tandis qu'une sombre tache d'essence s'étendait depuis l'endroit où la citerne s'était immobilisée. Il y eut un éclair de l'autre côté de la cabine du camion, suivi d'une explosion et d'une boule de flammes jaune et rouge qui fit bouillir la neige gelée dans les champs. Les deux véhicules brûlaient encore quand le camion des pompiers volontaires arriva, une demi-heure plus tard.

Le petit garçon raconta à sa mère ce qu'il avait vu, et elle, à son tour, appela les autorités. Si un homme épouvantail était responsable de l'accident, il n'y avait nulle trace de lui. Et personne dans le bistrot ne se rappelait un ivrogne parti en titubant sur la route, peut-être avec une bouteille de whisky.

Une enquête aboutit aux conclusions suivantes : les deux policiers de l'État dans le véhicule d'escorte étaient coupables de ne pas être demeurés à portée de vue du fourgon cellulaire ; le conducteur du camion-citerne aurait dû prendre l'autoroute, mais il avait fait un détour pour voir sa petite amie ; le chauffeur du fourgon cellulaire et le gardien sur le siège passager étaient sans doute morts sur le coup. Le petit garçon qui avait vu l'homme épouvantail était autiste, et ses professeurs considéraient qu'il avait des visions, et qu'il était inéducable dans un cadre conventionnel.

Quatre personnes étaient mortes, leurs corps si carbonisés qu'ils s'effritèrent quasiment quand les infirmiers tentèrent de les extraire des épaves. Les gros titres ne concernèrent pas la nature macabre de l'accident, ni le fait que des innocents aient perdu la vie, mais la mort du prisonnier. Asa Surrette avait pisté, torturé et tué huit personnes, y compris des enfants, dans la ville de Wichita, et avait échappé à la peine capitale uniquement parce que les crimes qu'il avait avoués avaient été commis avant 1994, époque à laquelle, au Kansas, la peine maximale pour homicide était la prison à vie.

La nouvelle de sa mort passa sur les ondes, et fut bientôt oubliée. De même que fut oublié le récit du garçon autiste dont le souffle avait embué la vitre un instant avant que la silhouette de l'homme épouvantail ne se découpe sur les phares du camion. Les notes en bas de page de l'Histoire sont fastidieuses et peu intéressantes. Pourquoi le conte du petit garçon aurait-il été traité différemment ?

Je ne voulais pas me montrer injuste envers Gretchen. Son enfance avait été marquée par la négligence et le viol. Non, ce n'est pas tout à fait exact. Son enfance avait été atroce. Petite fille, elle avait eu le corps brûlé par des cigarettes. Bien des années plus tard, Clete Purcel avait retrouvé le type, dans les marais, au large de Key West. Plus tard, la peau d'un homme et la plupart de ses os s'étaient échoués sur un banc de sable, un briquet Bic niché dans ce qui restait de son thorax.

À l'âge de six ans, Gretchen avait été sodomisée par le petit ami de sa mère, un psychopathe du nom de Bix Golightly qui braquait des bijouteries et faisait le fourgue pour la Mafia du Sud. L'année dernière, Gretchen avait accepté un contrat à titre gracieux sur Golightly, l'avait trouvé assis dans sa camionnette à Algiers, en face de La Nouvelle-Orléans, de l'autre côté du fleuve, et lui avait collé trois balles en plein visage. Clete avait assisté à la scène et avait signalé les coups de feu, mais en dissimulant l'identité de sa fille. Son amour pour elle et ses tentatives pour se racheter avaient failli lui coûter la vie.

J'aimais bien Gretchen. Elle avait nombre des qualités de son père. Il ne faisait aucun doute qu'elle était intrépide. Il ne faisait aucun doute qu'elle était intelligente. J'étais aussi persuadé qu'elle se repentait sincèrement de son ancienne vie. Cependant il y a en chacun de nous un mécanisme atavique particulier qui ne coïncide pas toujours avec notre processus mental. Un diapason enfoui au fond de la poitrine de chaque homme émet un trémolo quand on entre en contact avec un certain type de personne. Posez la question à n'importe quel flic de carrière à propos des anciens criminels qu'il connaît, qui ont passé longtemps dans un quartier de haute sécurité et se sont tenus correctement et ont pris tout ce que le système pénitentiaire et la culture carcérale pouvaient leur apporter et en sont sortis à peu près intacts et ont trouvé un travail de charpentier ou de soudeur, et ont épousé des femmes bien et ont eu des familles. N'importe quel bon flic est content de voir des réussites de ce genre. Mais quand un de ces mêmes types emménage à côté de chez vous, ou demande à entrer dans votre maison, ou se présente à votre femme ou à vos enfants à l'épicerie, un projecteur se déclenche dans votre tête, et vous voyez des images du passé de cet homme auxquelles vous ne cessez pas de penser. En conséquence, même si ça semble injuste, on crée une douve invisible autour de son château et de ceux qu'on aime, et on avertit discrètement qu'elle ne doit pas être franchie par des indésirables.

J'aidais Albert à nettoyer l'abreuvoir à chevaux dans la pâture sud quand j'ai vu le *hot rod*[1] à caisse coupée de Gretchen déboucher sur le chemin de terre depuis la route secondaire, le grondement amorti de ses silencieux Hollywood résonnant sur les flancs des montagnes. « Albert ? dis-je.

– Quoi ? » répondit-il, visiblement agacé que j'aie choisi son nom comme question plutôt que de la lui poser simplement. Les manches de sa chemise en jean étaient remontées sur ses bras, la peau exposée semée de décolorations violettes et noires pour lesquelles il refusait de voir un dermatologue. Rares étaient ses collègues d'université qui savaient qu'Albert avait été vagabond, manœuvre et travailleur saisonnier à l'âge de dix-sept ans, et avait passé six mois à étaler du goudron parmi des prisonniers en bord de route en Floride. Sa plus grande contradiction résidait dans le mélange antithétique de ses vues sociales égalitaires et de son physique musclé de travailleur manuel, avec ses traits patriciens et ses manières

1. Voiture ancienne (avant 1949), largement modifiée.

du Vieux Sud, comme si son créateur avait décidé de mettre l'âme de Sidney Lanier[1] dans le corps d'un camionneur.

« Clete t'a beaucoup parlé de Miss Gretchen ? ai-je demandé.

– Il m'a dit qu'elle préparait un documentaire sur l'extraction du pétrole de schiste.

– Il t'a parlé de son passé ?

– Il m'a dit qu'elle terminait une école de cinéma.

– Elle a connu des types pas clairs, à Miami. »

Il était penché sur le rebord de l'abreuvoir, grattant sur son flanc un cercle de bactéries rouges séchées. J'entendais sa respiration couvrant le bruit de la brosse qui frottait l'aluminium. « De quel genre de types pas clairs on parle ?

– Des Ritals de Brooklyn et de Staten Island. Peut-être des mafieux cubains de La Havane. »

Il secoua la tête, tout en continuant de passer sa brosse d'avant en arrière. « Je n'ai jamais aimé le terme de Ritals. Je sais que tu l'utilises pour caractériser un état d'esprit, et pas une ethnie. Mais quand même, je n'aime pas ça.

– Oublie le politiquement correct. Elle a été tueuse à gages, Albert. »

Cette fois-ci, il a interrompu son travail. Il était accroupi, un bras posé sur le rebord de l'abreuvoir. « Pourquoi n'est-elle pas en prison ?

– Clete et moi, on a détourné les yeux. Parfois, quand j'y pense, il m'arrive de me sentir gêné.

– Elle est toujours dans la mafia ?

– Non, elle en a fini avec ça. »

Il regarda le *hot rod* de Gretchen remonter le chemin de terre, les chevaux l'escortant en courant le long de la barrière. « Quand j'avais dix-huit ans, j'avais des chaînes aux chevilles. J'ai vu deux ringards mettre un homme sur une fourmilière.

1. Poète et musicien américain, d'ascendance anglaise et française.

J'ai vu un gosse bouclé dans un caisson d'acier ondulé qui a failli lui cramer la cervelle. J'étais dans une prison de paroisse en Louisiane quand un homme a été électrocuté à moins de dix mètres de ma cellule. Quand ils l'ont attaché, je l'entendais pleurer.

– Je devais t'informer, Albert.

– Oui, je sais. Tu ferais quoi, à ma place ? »

Je dus réfléchir avant de répondre. « Je lui demanderais de partir.

– Tu vas à la messe, dimanche ?

– Tu sais remuer le fer dans la plaie. »

Il se mit à arroser l'intérieur de l'abreuvoir, l'inclinant sur le côté pour que l'eau coule par le trou d'évacuation, au fond. « On n'a pas eu cette conversation.

– Pardon ? »

Il jeta un coup d'œil sur le ciel. « On dirait qu'il va encore pleuvoir. On a bien besoin de pluie. Ces satanées compagnies pétrolières font cuire toute la planète. »

Je décidai qu'un jour, je demanderais à Albert pourquoi ses collègues de l'université ne l'avaient pas descendu depuis longtemps.

Gretchen quitta le chemin de terre, passa sous l'arche enjambant l'allée d'Albert et se gara devant la maison. Elle traversa la pelouse, longea les vasques de fleurs suspendues sur la terrasse en bois, et s'arrêta à la porte ouvrant sur la prairie où nous étions en train de nettoyer et de remplir l'abreuvoir des chevaux. Elle avait les cheveux blond-roux et le teint clair de Clete, et des yeux de la couleur des violettes, et la même posture droite qui donnait l'impression que Clete et elle étaient plus grands qu'ils ne l'étaient. Et, de même que son père, elle était effrontée et irrespectueuse, mais on n'aurait pu dire qu'elle était grossière ou excessivement agressive. Néanmoins il faut mettre à ça un sérieux bémol. Comme la plupart des individus qui ont été abandonnés et ont dû souffrir entre les mains de prédateurs,

Gretchen considérait le monde avec méfiance, analysait le moindre mot d'une conversation, estimait suspectes toutes les promesses, et envoyait des signaux d'alerte de tempête à quiconque essayait de lui imposer sa façon d'agir.

Elle était très bronzée, son étoile de David au bout d'une chaînette visible sur sa poitrine, ses cheveux brillant au soleil. « Je ne savais pas si je devais aller jusqu'au chalet ou tourner dans l'allée, dit-elle.

– Salut, Gretchen, dis-je, à la fois mal à l'aise et hypocrite. Je te présente Albert Hollister. C'est lui notre hôte.

– Bienvenue à Lolo, Montana, Miss Horowitz, dit-il. On aime à dire qu'à Lolo nous sommes très modestes.

– Quel endroit magnifique, dit-elle. Vous possédez toute la vallée ?

– Le sommet de la montagne derrière la maison appartient au parc de Plum Creek, mais le reste est à moi. »

Elle regarda l'arroyo qui allait du stand de tir improvisé d'Albert à une route forestière inutilisée qui traversait le sommet de la colline avant de disparaître dans un bosquet de pins Douglas aussi gros que des sapins de Noël. « J'ai vu un homme là-haut. Ça doit être un bûcheron, dit-elle.

– Non, Plum Creek ne met plus en coupe ici. Ils vendent tout, dit Albert.

– J'ai vu un type sur ce chemin forestier. Il m'a regardée droit dans les yeux, dit-elle. Il portait un ciré avec une capuche. Ça doit être humide, là-haut.

– Tu as vu son visage ? demandai-je.

– Non. Il y a des problèmes avec les voisins ?

– Alafair pense qu'un type, plus haut sur la crête, lui a tiré dessus avec une flèche, dis-je.

– Pourquoi quelqu'un ferait-il une chose pareille ?

– On n'en sait rien », dis-je. Je mis mes mains dans mes poches arrière et regardai le sol. J'avais l'impression d'être hypocrite, et de manquer totalement de charité envers quelqu'un qui s'était vu imposer une enfance horrible. Je regrettais d'avoir parlé à Albert du passé de Gretchen. « Je suis content que tu sois là. »

Elle fixa l'ondulation bleue verte des montagnes au sud. Quand son regard revint sur moi, elle souriait, les joues colorées, le soleil brillant sur son visage, ses cheveux, sa chaîne d'or et le haut de sa poitrine. Elle paraissait avoir été saisie par l'objectif d'un appareil photo juste à un instant où elle ne pouvait être décrite que comme quelqu'un d'absolument superbe. « Ça me fait plaisir, Dave. Plus que tu ne peux le penser. Merci de m'avoir invitée, monsieur Hollister. »

Je ne m'étais jamais senti aussi minable.

Je suis entré dans la cuisine où ma femme, Molly, tranchait des tomates sur une planche. « Gretchen Horowitz est là », dis-je.

Le couteau ralentit et s'immobilisa. « Oh, dit-elle.

– J'ai parlé de son passé à Albert. Je lui ai dit que ça serait peut-être mieux que Gretchen ne reste pas là. Je lui ai même conseillé de le lui dire.

– Ne te vante pas, Belle Mèche. Albert a deux façons d'agir. Il y a la façon d'Albert. Et la façon d'Albert. »

Molly avait les épaules et les mains d'une fille de la campagne, une bouche irlandaise, des bras solides et une peau blanche semée de taches de rousseur. Ses cheveux étaient d'un roux mat, et argentés aux extrémités ; elle les gardait courts, mais quand elle travaillait ils lui tombaient sur les yeux. Elle était ma boussole morale, ma navigatrice, ma partenaire en toutes choses, plus courageuse que moi, plus compatissante, plus inébranlable quand approchaient les nuées d'orage. Elle avait été nonne sans jamais prononcer de vœux ; elle travaillait avec les Maryknolls au Salvador et au Guatemala à une époque où les femmes de Maryknoll se faisaient violer et assassiner tandis que l'administration de Washington détournait les yeux. L'ancienne sœur Molly Boyle, à mes yeux du moins, aurait dû se trouver à la tête du Vatican.

Elle regarda par la fenêtre les chevaux qui paissaient à l'ombre sur la pente, leurs queues chassant les insectes qui commençaient à monter de l'herbe au fur et à mesure que le jour se réchauffait. Je savais qu'elle pensait à Gretchen et à la violence que nous croyions avoir laissée derrière nous en Louisiane.

« Gretchen a vu un homme qui la regardait depuis la pente, dis-je. Albert dit qu'il n'y a aucune raison pour qu'il y ait qui que ce soit là-haut.

– Tu penses que c'est le type de rodéo qui a cherché des histoires à Alafair ?

– Je vais monter faire un tour.

– Je t'accompagne.

– Inutile que tu m'accompagnes. Je reviens tout de suite. »

Elle s'essuya les mains sur un torchon. « Mon œil », dit-elle.

Nous avons gravi la piste derrière la maison, à travers des pins et des mélèzes largement espacés dans un arroyo qui restait à l'ombre la plus grande partie de la journée. Au sommet de la piste passait la vieille route forestière de Plum Creek, en forme de fer à cheval et partiellement érodée, creusée, semée de jeunes plants, et obstruée en certains endroits par des tas d'arbres sans écorce et mangés par les vers qui avaient glissé de la falaise au moment de la fonte des neiges. Le haut de la piste était raide, et lorsque nous avons rejoint le chemin près de la crête, je transpirais et soufflais plus que je n'aurais voulu l'admettre. Le vent était frais à mon visage, le soleil brillant à travers la canopée, comme des tunnels de lumière dans une cathédrale. La tête me tournait. Quand j'ai regardé le fond de la vallée derrière moi, la maison à deux étages d'Albert semblait avoir été miniaturisée.

« Ça va, capitaine ? demanda Molly.

– Tout va bien », dis-je, le cœur battant. Sur la route, j'ai regardé dans les deux directions. Je m'attendais à voir des bidons d'essence et de liquide de freins, et des déchets de nourriture abandonnés par les forestiers, mais la route était propre et les pentes en contrebas couvertes d'aiguille de pin, les affleurements de roches grises striés par l'érosion, et mouchetés de fientes d'oiseaux.

C'était un lieu idyllique, qui semblait avoir cicatrisé de lui-même après des années de coupes sauvages et de négligence, et l'un de ces instants où l'on sent qu'il est vrai que la terre est éternelle, et que toutes nos agressions industrielles finiront par s'effacer avec le temps.

À l'endroit où la route forestière se terminait en cul-de-sac sur un gros tas de terre et de souches calcinées, j'ai vu le soleil se refléter sur une surface métallique. « Reste derrière moi, dis-je.

– Qu'y a-t-il ? demanda Molly.

– Sans doute rien du tout. »

Je l'ai précédée à la base de la falaise, un passage peu élevé du chemin, où le sol était sombre à cause de la pluie du matin, marqué par des traces de bottes de cow-boy à bout pointu. Les traces étaient profondes, nettement dessinées, perlées d'humidité au centre, comme si le sol sous la botte n'avait été écrasé que quelques minutes plus tôt. Un peu plus loin, abandonnée sur la terre près d'un rocher rond, une boîte de rillettes vide, des fragments de crackers salés, et une traînée de ce qui ressemblait à des rognures d'ongles.

Il n'y avait aucun mouvement dans les arbres, aucun bruit nulle part, pas même une pomme de pin roulant sur le flanc de la montagne. Un filet de sueur me coulait des aisselles. Plus bas, je voyais le vent courber l'herbe dans les pâtures d'Albert, puis remonter la montagne et balayer la canopée se découpant sur le soleil.

« Mon dieu, c'est quoi, cette odeur ? » demanda Molly.

J'ai marché encore une dizaine de mètres, et j'ai levé la main pour lui faire signe de s'arrêter. « Ne t'approche pas, dis-je.

– Dis-moi ce que c'est.
– C'est dégueulasse, reste en arrière. »

Quelqu'un avait déféqué au milieu du chemin, et n'avait pas creusé de trou, ni rien recouvert. Des mouches grouillaient tout autour. Plus haut, derrière un buisson, se trouvait l'ouverture d'une grotte. J'ai pris un caillou de la dimension d'une balle de base-ball, l'ai jeté dans le buisson et l'ai entendu heurter du roc. « Sors d'ici, podna », dis-je.

Silence. J'ai lancé un deuxième caillou, puis un troisième, avec le même résultat. Je me suis agrippé à un tronc d'arbre, me suis redressé sur la pente et me suis dirigé vers la grotte, sur un sol spongieux de pluie et d'aiguilles de pin. J'entendais Molly gravir la pente derrière moi. Je me suis retourné pour qu'elle ne s'avance pas plus loin. Mais ce n'était pas la façon d'agir de Molly Boyle, et ce ne le serait jamais.

« Hé, mon pote, on n'est pas vos ennemis, dis-je. On veut juste savoir qui vous êtes. On ne va pas appeler les flics. »

Cette fois, quand j'ai parlé, j'étais suffisamment près de la grotte pour susciter un écho et sentir l'air frais et l'odeur de guano de chauve-souris et d'eau croupie. J'ai sorti une lampe de ma poche, je me suis avancé sous le couvert des arbres, et j'ai éclairé la paroi du fond. Je distinguais sur le sol la peau séchée d'un animal, des côtes pointant à travers la fourrure, les orbites vides.

« Qu'y a-t-il là-dedans ? demanda Molly.
– Un lion des montagnes mort. Il a dû être blessé ou recevoir une balle, et il est entré là pour mourir.
– Tu ne penses pas qu'un sans-abri a vécu ici ?
– On est trop loin de la nationale. Je pense que le clown de rodéo est revenu pour espionner la maison.
– Sortons d'ici, Dave. »

Je me suis retourné pour quitter la grotte puis, après réflexion, j'ai dirigé ma lampe de poche le long des parois et des saillies. La surface de la pierre était douce de moisissures, de lichen, de fientes de chauve-souris et de l'eau qui suintait. Près du plafond, on distinguait une série d'entailles dans le lichen, une toile parfaite pour qu'un rescapé d'un autre temps y laisse son message. J'ai supposé qu'il s'était servi d'une pierre pointue en guise de stylo, gravant les lettres aussi profondément que possible, perçant le lichen de la paroi comme s'il avait savouré l'inquiétude, le préjudice et la peur que ses mots infligeraient aux autres.

J'étais là mais vous m'avez pas reconnu. J'étais là avant l'alpha et l'oméga. Je suis celui devant lequel tous s'agenouillent.

« C'est qui, ce type, Molly ? »

3

Le shérif s'appelait Elvis Bisbee. Il pouvait avoir cinquante ans, et mesurait un bon mètre quatre-vingts. Il avait un visage allongé, des yeux bleu pâle et une moustache dont les extrémités blanches pendaient de chaque côté de sa bouche. Il se tenait avec moi au pied de l'arroyo derrière la maison, les yeux levés sur la pente menant à la falaise au-dessus de la route forestière « Le type portait des bottes de cow-boy ? demanda-t-il.

– Je peux vous montrer ses traces.

– Je vous crois sur parole. Vous êtes tout à fait convaincu que Wyatt Dixon en a après votre fille ? » Il portait l'uniforme de son service et un stetson à bord étroit, un pistolet dans un holster avec une ceinture astiquée. Ses yeux semblaient regarder tout et rien à la fois. « Je ne vois pas qui d'autre pourrait traîner par là, dis-je.

– Albert aime bien faire des histoires. En ce moment, c'est à propos de ces gros derricks qui passent en bas de votre route, pour aller à Alberta.

– Les compagnies pétrolières n'embauchent pas de déséquilibrés pour déféquer sur la propriété d'un professeur d'anglais en retraite.

– Ce n'est pas non plus le style de Wyatt Dixon.

– C'est quoi, son style ? Tuer des gens ?

– J'admets que Wyatt a un casier chargé. Mais ce n'est pas un voyeur. Il a des femmes plein les bras.

– Wyatt ?

– C'est un type pas ordinaire. En ce qui concerne le rodéo, il a beaucoup d'admirateurs.

– Je n'en fais pas partie.

– Je peux vous comprendre, dit-il en secouant un paquet pour en sortir une cigarette, les yeux levés sur la pente. Je ne pense pas que ce soit votre homme, mais je vais le convoquer et avoir une petite discussion avec lui. Si vous le voyez autour de la propriété, ou s'il essaie de contacter votre fille, avertissez-moi.

– Il y a autre chose. Quelqu'un a gravé un message dans la paroi d'une grotte, là-haut. » J'ai récité le message, et demandé : « Vous avez déjà vu quelque chose de ce genre écrit dans les parages ?

– Pas que je me souvienne. Ça semble sorti de la Bible.

– En partie, mais la citation est déformée.

– Ça veut dire que Dixon serait le genre de type à déformer un passage des Écritures ?

– Ça m'est venu à l'esprit. »

Il alluma sa cigarette, en tira une bouffée et détourna la tête avant d'expirer la fumée. « Je vais vous dire une chose, déclara-t-il. Une jeune Indienne a été portée disparue il y a six jours. Elle buvait dans un bar près de la réserve, et elle n'est pas rentrée chez elle. Son grand-père adoptif est Love Younger.

– Le magnat du pétrole ?

– Certains disent que c'est la dixième plus grosse fortune des États-Unis. Il a une maison de campagne dans le coin. Je suis censé être chez lui dans une demi-heure. »

Il choisissait mal ses mots. Ou peut-être est-ce moi qui tirais de mauvaises conclusions. Mais un shérif de comté ne se présente pas chez un citoyen privé à son propre domicile, en particulier sur rendez-vous.

« Je ne vous suis pas, shérif.

– Vous êtes inspecteur des homicides, c'est bien ça ?

– C'est exact.

– M. Younger est un vieil homme. Il ne me plaît pas de lui dire que sa petite-fille avait des problèmes personnels. Il ne me plaît pas de lui dire que la petite est sans doute morte, ou pas loin, ou dans un état d'esprit que ne devrait pas connaître une fille de dix-sept ans. Le bar où elle était est un rendez-vous d'anciens détenus, de bikers hors-la-loi, de types qui éventreraient quelqu'un pour un paquet de clopes. On disait autrefois que le Montana était le "dernier bon endroit". Maintenant, c'est comme partout ailleurs. Il y a quelques années, quelqu'un est entré dans un salon de beauté un peu au sud d'ici et a décapité trois femmes. Je vous répéterai ce que m'aura dit Dixon. »

Il écrasa sa cigarette contre un tronc d'arbre, vida le papier et laissa le tabac partir dans le vent.

Alafair avait été en ville pour acheter des flacons de shampooing, d'huile pour bébé et de dissolvant afin d'aider Albert à démêler les nœuds et les concrétions semblables à du ciment qui s'étaient formés sur les crinières et les queues de ses chevaux. Quand elle est rentrée, je suis monté à l'étage dans la chambre de derrière où, chaque jour, elle écrit de l'aube au milieu de l'après-midi, et parfois deux ou trois heures le soir. Son premier roman avait été publié par un éditeur new-yorkais et avait très bien marché ; le deuxième devait paraître cet été, et elle travaillait maintenant au troisième. Depuis son bureau elle avait une vue magnifique sur la pâture nord, sur la pente du toit de la grange, cérusée de givre chaque matin, et qui fumait au lever du soleil, sur un bosquet de pommiers dont les feuilles venaient d'apparaître, et, au-delà, sur les collines dénudées d'un vert pourpre. Elle avait un Thermos de café sur son bureau et elle regardait fixement par la fenêtre, une tasse immobilisée à mi-chemin de sa bouche. Je me suis assis sur le lit et j'ai attendu.

« Oh, salut, Dave, dit-elle. Tu es là depuis longtemps ?

– Je viens d'entrer. Désolé de te déranger.

– Pas de problèmes. Qu'a dit le shérif ?

– Il ne pense pas que Dixon soit un suspect plausible. »

Elle posa sa tasse et la regarda. « Je crois qu'un type m'a suivie en ville.

– Où, en ville ?

– Il me collait au train dans un pick-up Ford délabré sur la nationale. Il avait baissé son pare-soleil, et je ne distinguais pas son visage. À un moment donné, il était à moins de deux mètres de mon pare-chocs. J'ai dû passer à l'orange pour le distancer. Quand je suis sortie de la sellerie, il était garé de l'autre côté de la rue.

– C'était le même type ?

– C'était le même pick-up. Le mec au volant fumait une pipe. Je me suis approchée du trottoir pour mieux le voir, et il a démarré.

– Ce n'était pas Dixon ?

– Si ça avait été lui, je te l'aurais dit.

– C'était juste une question. Tu as vu sa plaque ?

– Non.

– Es-tu bien sûre que le pick-up garé de l'autre côté de la rue était celui qui te collait au train, Alafair ? Tu n'as pas vu le visage du conducteur, non ? »

J'ai perçu une lueur dans ses yeux, une lueur que j'avais vue dans les yeux de nombre d'autres femmes qui avaient dénoncé des obsédés, des hommes qui leur déblatéraient des obscénités au téléphone, des voyeurs, ou des hommes violents et dangereux qui leur gâchaient la vie. Parfois leurs plaintes se perdaient dans la procédure ; parfois elles étaient traitées comme sans gravité, et dûment ignorées. La plupart des cas d'homicides ayant des femmes pour victimes sont précédés par une longue histoire de paperasses. Quiconque estime que ma description est excessivement sombre n'a qu'à visiter un asile pour femmes battues.

« Je n'aurais pas dû t'en parler, Dave.

– Je me suis mal exprimé. Il y avait un sans-abri, ou un déséquilibré, sur la vieille route forestière derrière la maison. J'essaie juste de faire le lien entre ce type et celui dans le pick-up délabré. Les deux ne vont pas ensemble. Pourquoi un type du Montana te prendrait-il comme l'objet de son obsession ?

– Je n'ai pas dit que c'était le cas. Je t'ai dit ce qui s'est passé. Mais tu ne veux pas comprendre. Alors oublie tout ça.

– Le shérif va embarquer Dixon et discuter avec lui. Je vais l'appeler et lui parler du type qui t'a collée au train.

– Il ne s'est pas contenté de me coller au train. Il m'a suivie. Pendant dix kilomètres.

– Je sais.

– Alors arrête de me parler comme à une idiote.

– Le shérif m'a dit qu'une Indienne de dix-sept ans avait disparu il y a six jours. Il pense qu'elle est peut-être morte. Il y a peut-être un type très dangereux qui opère dans le coin, Alafair. »

Elle se frotta les tempes, écarquilla les yeux, puis les ferma avant de les ouvrir à nouveau, comme si elle revivait une expérience qu'elle n'arrivait pas à se sortir de la tête. « Je sais qui c'est. Je sais, je sais, je sais.

– Celui qui a enlevé la jeune Indienne ?

– L'homme qui m'a suivie aujourd'hui. Je pensais que son visage était dans l'ombre parce que son pare-soleil était baissé. En fait, je pense que ce n'est pas ça que j'ai vu. Je crois qu'il n'était pas rasé, et qu'il avait un visage allongé, comme un Viking. Je crois que j'étais assise à une table en face de lui il y a trois ans, et que je lui parlais pendant qu'il respirait par la bouche et essayait de glisser le doigt sur ma main. Je me souviens en particulier de ses cheveux. Un jour, il les a enduits de gel, pour pouvoir les coiffer en arrière et m'impressionner. C'était lui, Dave. Je le sens dans mon corps.

– Asa Surrette est mort. Non seulement il est mort, mais il est probablement en enfer.

– Je savais que tu allais dire ça, je le savais. »

Trois ans plus tôt, Alafair m'avait parlé de son projet d'écrire un document sur un psychopathe qui, pendant des années, avait torturé, violé et assassiné des gens ordinaires dans le pays de Dorothée et de la route de briques jaunes[1], torturant ses victimes au maximum avant de les étrangler ou de les étouffer. Elle m'avait dit ça à la table du petit déjeuner, chez nous, sur East Main, à New Iberia, sur les rives du Bayou Teche, tandis que le soleil brûlait en un orbe de lave en fusion derrière les chênes verts de notre jardin, la mousse dans les branches noire contre le ciel. Ses recherches devaient commencer par une interview dans le quartier de haute sécurité de Wichita, où le tueur était à l'isolement vingt-trois heures sur vingt-quatre.

Je lui ai dit ce que je pensais de son idée.

« Pourquoi faire bruiner sur le défilé quand on peut l'attaquer à la lance à incendie ? » dit-elle.

Elle était diplômée en psychologie de l'université de Reed, n'est-ce pas ? Elle était une étudiante en droit de Stanford qui, sans doute, allait devenir assistante à la neuvième cour d'appel, n'est-ce pas ?

J'ai dit à Alafair de ne pas s'approcher de lui. Je lui ai raconté toutes les histoires horribles que je me rappelais à propos des tueurs en série, des sadiques, des prédateurs sexuels que j'avais connus. Je lui ai parlé de la lueur inique dans leurs yeux quand ils essayaient de tourmenter leurs auditeurs avec des détails sur leurs méthodes de chasse, et le plaisir évident qu'ils prenaient à laisser entendre que dans les environs se trouvaient d'autres corps. Je lui ai parlé de leur incapacité à comprendre le degré de souffrance et de désespoir qu'ils avaient infligé aux autres. Je lui ai dit comment ils se prenaient à leur propre jeu en parlant, et comment leurs yeux regardaient derrière vous et se fixaient

1. Allusion au Kansas, et à la route de brique jaune du *Magicien d'Oz*.

sur quelqu'un qui ne se savait pas observé. Je lui ai parlé de leurs performances théâtrales quand ils jouaient le grand jeu en prison, trouvant pour les défendre un psychiatre qui les croyait lorsqu'ils affirmaient avoir des personnalités multiples, et autres complexités psychologiques qui leur donnaient la dimension de Titans.

Ils se voyaient comme les acteurs d'une épopée homérique, mais quelle était la réalité ? Qu'ils étaient terrorisés à l'idée d'être transférés parmi la population carcérale commune, où ils auraient été surinés dans la cour ou dans les douches, ou éclatés au cocktail Molotov dans leur cellule.

Je les ai comparés aux lâches qui se tenaient dans le box des accusés à Nuremberg. Je lui ai dit que le nom de Jack l'Éventreur était utilisé aujourd'hui avec une connotation presque comique parce que ses victimes étaient les femmes les plus pauvres et les plus démunies de Londres. Je lui ai dit que les journaux de l'époque n'auraient pas surnommé Jack « l'Éventreur » si ses victimes avaient été de riches femmes de la société victorienne. Je lui ai parlé de sa dernière victime, une prostituée irlandaise qui dormait toutes les nuits soit dans une maison close, soit dans une ruelle. Elle s'appelait Mary Jane Kelly. Le dernier mot qu'elle dit à un ami, le soir de sa mort, fut : « Il te plaît, mon joli chapeau ? »

« Si tu entres dans la tête de quelqu'un comme Surrette, tu n'en sortiras pas indemne, dis-je.

– Les reporters de l'*Eagle* de Wichita pourraient supporter ça, et pas moi ?

– Les gens "supportent" le cancer. Ça ne veut pas dire qu'il est agréable de vivre avec.

– Je me suis déjà organisée. Je prends la voiture demain pour aller à Wichita.

– Ouais, dis-je. Je sais que c'est ce que tu vas faire. Tu ne seras pas satisfaite avant de l'avoir fait.

– Tu t'inquiètes trop. Tout se passera bien.

– Alf…

– Arrête de m'appeler comme ça.
– Sois prudente.
– C'est juste un homme. Ce n'est pas Lucifer. Ne me regarde pas comme ça. Je ne suis plus ta petite fille.
– Ne répète jamais ça. *Jamais.* »

Wyatt Dixon ne voyait pas grand mystère dans l'univers. On est éjecté de l'utérus d'une femme ; on se tire de chez soi dès qu'on en a la possibilité ; puis on profite de tous les plaisirs que la terre peut offrir, et on explose quiconque prétend avoir une autorité sur vous. On fait du rodéo, on se fait encorner, défoncer, tirer par les étriers, jeter dans les planches, et battre comme une poupée de chiffon parce qu'on a choisi une prise-suicide, mais on arbore ses blessures comme une décoration, on a les femmes qu'on veut, on boit du whisky comme si c'était du soda, on ne tire son chapeau devant personne et on dit merde à la race humaine.

Puis un jour, longtemps après, par un matin qu'on pensait éternel, on entend un sifflet inattendu et quelques minutes plus tard, contre toutes ses espérances, on monte dans un convoi de fret qui passe et on traverse un canyon le long d'un fleuve qui n'a pas de nom, en se demandant ce que vous réserve la ligne du Partage des eaux. Est-ce la fin de la piste ? Ou la fête ne fait-elle que commencer ?

Il ne s'attardait pas sur son enfance. Il n'était pas certain d'en avoir eu une. Il savait qu'il était né dans un wagon non loin de l'endroit où était né Clyde Barrow. Il savait aussi que sa famille et lui vivaient dans une cabane de métayer dans le nord du Texas, qu'ils cueillaient du coton et castraient le maïs non loin de l'endroit où était né Audie Murphy. Parfois, il rêvait à son père et le voyait assis à la fenêtre, vêtu d'une salopette sans chemise en dessous, ses seins semblables à ceux d'une femme, buvant dans un pot à confitures et fixant une voie de chemin de fer sur laquelle ne passait jamais aucun train. Pour le jeune garçon, le silence du père était comme un cri. Wyat s'éveillait de son rêve, et restait longtemps assis au bord de son lit, attendant qu'une lueur apparaisse à l'est, qui consumerait toutes les ombres dans la chambre.

Il avait appris depuis longtemps à ne pas trop s'éloigner dans les corridors de son âme. Quand il s'autorisait un moment de rêverie, la scène était précise et contrôlée, et toujours semblable : il était dans un corral, prêt à partir, les chevilles liées au flanc du cheval, la vapeur et la poussière montant de l'arène iridescentes dans la lumière qui tombait d'en haut, une grande roue tournant contre un ciel couleur saumon, le public dans les gradins attendant en retenant son souffle l'instant où Wyatt dirait : « Ouvrez ! »

Alors il était soulevé par un cheval qui s'appelait Bad Medicine, un morceau d'éclair noir qui tournait en vrille en faisant des sauts de carpe, si tendu et si méchant que certains cavaliers disaient qu'il n'était pas loin d'être un prédateur. Pendant les trois premières secondes, Wyatt pensa que ses fesses allaient se fendre. Une violente douleur décrivait un arc à travers son rectum jusque dans ses parties génitales, ses dents crissaient, ses disques cervicaux se fondaient en une chaîne de fer tordue qui enflammait son nerf sciatique. Il se penchait tellement en arrière à chaque bond et à chaque ruade des douze cents livres qu'il avait entre les jambes que le rebord de son chapeau touchait la croupe de Bad Medicine. Pendant tout ce temps, Wyatt gardait une main tendue en l'air, soulevait les genoux, cinglait des éperons, les molettes tournant et scintillant comme des pièces de monnaie dentelées, ses jambières frangées de rouge battant, sa boucle de ceinture de champion, plaquée argent, entaillant son nombril, son scrotum picotant du frisson de la victoire, la sonnerie dans sa tête aussi sonore qu'une corne de brume, le public au bord de la folie.

Il possédait une maison et neuf acres sur la Blackfoot, pris en sandwich entre la rive et une voie ferrée abandonnée qui gravissait la montagne. Un hiver, une moitié de la maison de bois avait été saccagée par une inondation et des blocs de glace, et n'avait jamais été réparée, mais Wyatt vivait confortablement dans la moitié restante, préparant ses repas soit dans un fait-tout dans le jardin, soit sur un poêle à bois à l'intérieur, pêchant au ver des truites brunes et des truites arc-en-ciel dans le crépuscule. On accédait à la maison par une vieille route forestière que personne d'autre n'utilisait, ou par un pont tournant réservé aux piétons qui n'avaient pas froid aux yeux.

Wyatt aimait la vie qu'il menait ; ce qu'il n'aimait pas, c'était les gens qui s'en mêlaient. Il fournissait du bétail aux rodéos de Calgary à Cheyenne, et parfois il lui arrivait encore de se maquiller et de chausser ses crampons pour lutter contre les taureaux afin de protéger les cavaliers expédiés dans la poussière. Il payait ses factures, témoignait lors des *revivals* sur la réserve, et remplissait chaque année sa feuille d'impôts. Il appelait ça « balayer devant sa porte ».

Cet après-midi-là, ses voisins de l'autre côté du fleuve faisaient une fête sur la pelouse, et la stéréo hurlait du rap qui, à ses oreilles, était l'équivalent du verre brisé. La solution de Wyatt ? Il s'avança pieds nus dans le courant, les jambes engourdies par le froid, des cailloux lui entaillant la plante des pieds. Il porta les deux mains à sa bouche et hurla : « Arrêtez ce putain de vacarme ou je serai forcé de me lever ! »

Stéréo coupée. Les invités quittent le jardin et disparaissent dans la maison. Tout est calme sur la Blackfoot. Problème réglé.

Puis il prit son pick-up, suivit le chemin de terre jusqu'à la deux-voies et se dirigea vers le bar, le Wigwam, à la lisière de la réserve indienne de Salish.

Quand il arriva, le soleil se couchait, et l'air était frais et adouci par l'odeur de la Jocko River et des arroseurs soufflant une fine brume à travers les champs, de l'électricité grésillant dans un banc de cumulo-nimbus au nord. Des motos étaient alignées devant le bar, et des types en bottes, blousons et jambières de cuir, bronzés par la route, couverts de tatouages de prison et très velus, se tenaient à côté, fumant et descendant des bières, profitant du petit vent et de la vue sur la Jocko Valley et les Mission Mountains qui se dressaient droit dans les nuages, la face rocheuse de chaque montagne si haute au-dessus de la vallée que les cascades étaient gelées d'un bout de l'année à l'autre.

Lorsque Wyatt mit le pied sur le porche et entra, les motards essayèrent de ne pas le regarder en face, de ne pas changer de ton, de ne pas laisser les mots se figer dans leur gorge. Chacun se demandait si quiconque avait remarqué les quelques secondes de peur incontrôlée qui lui avaient étreint le cœur.

Wyatt s'assit à une table au fond du saloon et passa sa commande, et bientôt un énorme Indien, vêtu d'un chapeau noir mou et d'un jean dont les revers étaient tachés de fumier vert, s'assit avec lui, le visage aussi inexpressif qu'une bûche. Wyatt remplit un chèque qu'il arracha à son carnet et le tendit à l'Indien. L'Indien le plia et l'enferma dans la poche de sa chemise, lui serra la main et partit, sans avoir à peine dit un mot. Puis un deuxième et un troisième Indien vinrent à la table, s'assirent avec Wyatt, reçurent un chèque et s'en allèrent. Quand Wyatt releva les yeux, deux hommes baraqués, dont l'un était en uniforme de shérif adjoint et l'autre portait un costume ample, lui bouchaient la lumière.

« Bonjour-bonjour, les gars, dit-il.

– Le shérif veut vous voir, dit l'homme au costume.

– Comment vous avez su où me trouver ?

– Vos voisins de l'autre côté de l'eau », dit l'adjoint en uniforme en souriant. C'était un auxiliaire, à peine plus qu'un gamin, et il avait une bouche de fille.

« Je m'en souviendrai.

– Drôle d'endroit pour boire un soda, Wyatt », dit l'homme au costume. Il jeta un coup d'œil à la scène, où trois filles tournaient et se tortillaient autour de poteaux chromés. « J'aurais imaginé que vous étiez trop vieux pour vous rincer l'œil.

– Je fais des affaires avec un tas de producteurs d'agroalimentaire et d'éleveurs de chevaux de selle sur la Jocko. Et c'est ici que je les retrouve.

– C'est intéressant. On l'ignorait », dit l'homme au costume, qui nota quelque chose dans un carnet. C'était un adjoint en civil du nom de Bill Pepper, dont l'attitude et la façon de travailler semblaient venir d'une autre époque. Il fumait des cigarettes sans filtre, avait les cheveux en brosse, et parlait avec un accent du Sud profond, alors qu'il avait passé des années au LAPD, et ne disait jamais où il avait grandi. Il avait les yeux enfoncés et aussi inexpressifs que de la mitraille, les lèvres grises, la veste légèrement de travers à cause de la matraque chargée de plomb en forme de chaussette à repriser qu'il portait dans sa poche droite.

« C'est à propos de cette fille qui dit que j'ai tiré une flèche sur elle ?

– Ce n'est pas une fille. C'est une femme adulte. Et de nos jours, les femmes adultes sont sensibles à ce genre de choses.

– Alors c'est à propos de ça ?

– À votre avis ?

– Aucune idée.

– J'ai laissé une carte de visite sur votre porte, et une dans la boîte aux lettres.

– Les gens mettent tous les jours des saloperies sur ma porte et dans ma boîte.

– Vous voulez passer la nuit dans une cellule ? » dit Pepper.

Wyatt croisa les mains sur le dessus de la table, l'air tendu. Il se moucha dans un bandana qu'il fourra dans sa poche.

« J'ai pas tiré de flèche sur personne. Je l'ai dit à votre adjoint. Je l'ai dit à la fille et à son père. M'emmerdez pas.

– Un tas de gens disent que vous êtes un dur. C'est vrai, vous êtes un dur ? »

Wyatt regarda droit devant lui, ses pupilles comme de petits insectes noirs pris dans du verre.

« Laissez-moi vous poser une autre question. Vous venez souvent ici ? demanda Pepper.

– Quand ça me chante. »

Le stylo du policier en civil était à sec. Il appuya plusieurs fois sur le pressoir, puis en sortit un autre de la poche de sa chemise. « Vous savez ce que signifie "fortuit" ? Dans le cas présent, ça veut dire qu'on risque de vous voir différemment. Vous étiez là, il y a environ une semaine ?

– Peut-être.

– Vous connaissez une Indienne qui s'appelle Angel Deer Heart ?

– Une toute petite chose, dix-sept ou dix-huit ans, le cul qui déborde de son siège ?

– C'est bien elle.

– C'est la petite-fille d'un grand ponte du pétrole. Ouais, je l'ai vue ici. Plusieurs fois.

– Vous l'avez vue jeudi dernier ?

– Je me souviens pas.

– Mais vous étiez là ?

– J'ai pas dit ça.

– Si, vous l'avez dit. » Pepper nota autre chose dans son carnet. « Vous vous sentez protecteur à l'égard des jeunes filles ?

– Je les fréquente pas assez longtemps pour être protecteur.

– Ça paraît naturel, un homme de rodéo comme vous. Quand vous repérez au bar une jeune fille dont on voit la culotte, vous vous approchez, vous lui offrez un verre, et vous la ramenez chez elle parce qu'elle ne devrait pas traîner dans un lieu rempli de types qui ont envie de lui sauter dessus. Il s'est passé un truc comme ça ?

– Si vous bossiez correctement, elle serait pas entrée boire ici, pour commencer.

– Est-ce que le tribunal vous oblige toujours à prendre tous ces cocktails chimiques ?

– Je les prenais de mon propre chef.

– J'ai entendu dire qu'ils causent des trous noirs.

– Le shérif est toujours dans son bureau ?

– Non, vous le verrez demain.

– Vous m'embarquez ?

– Je ne sais pas encore. C'est vrai que vous parlez en langues ?

– Sur la réserve, c'est courant. Certains le font, d'autres non.

– J'ai l'impression que vous devriez retourner à l'hôpital de Warm Springs, voir si vos batteries n'ont pas besoin d'un petit coup de charge.

– J'ai encore deux fermiers qui m'attendent. Embarquez-moi, ou tirez-vous.

– On se voit au tribunal demain à huit heures, Wyatt. La seule raison pour laquelle je ne vous embarque pas, c'est que je ne pense pas que vous valiez une balle, et encore moins qu'on gaspille une cellule pour vous. » Le policier écarta son carnet et son stylo, et se mit dans la bouche une cigarette non allumée. Il se pencha et frotta une allumette de cuisine sur le dessus de la table, même si la loi de l'État interdisait de fumer dans les bars. Sa veste effleura l'épaule de Wyatt, une odeur de sueur séchée émanant de son corps. Il souffla sur l'allumette et la laissa tomber dans la cannette de soda de Wyatt. « Je pense qu'il va falloir qu'on s'occupe de vous, mon vieux », dit-il.

Quand Pepper se fut éloigné, l'auxiliaire en uniforme dit : « Je suis désolé. Il est dans un mauvais jour. Ça arrive à tout le monde. »

Wyatt leva les yeux sur lui. « Vous avez retrouvé cette Indienne ?

– Il y a six heures », dit l'auxiliaire. Il jeta un coup d'œil vers la porte, puis aux femmes qui dansaient sur la piste. « Wyatt ?

– Quoi ?

– Vous ne l'avez pas fait ?

– Pas fait quoi ?

– Vous savez bien. Avec la fille, je veux dire. Vous n'avez rien à voir avec…

– Putain, tire-toi de là », dit Wyatt.

Soit la chaudière était victime d'un dysfonctionnement, soit quelqu'un l'avait réglée trop fort, mais quand Alafair entra dans le parloir de la prison de Wichita, elle sentit un flux d'air surchauffé qui lui évoqua la sensation d'une laine humide sur sa peau ; elle sentit aussi une odeur qui la fit penser à un placard pas aéré, le tabac à pipe imprégné dans des vêtements. Asa Surrette était assis à une table de métal, les poignets menottés à une chaîne autour de sa taille, sa chemise kaki boutonnée jusqu'en haut. Il avait des épaules larges et minces, un peu comme un veston suspendu à un cintre, et un nez aigu et exsangue qui lui donnait l'air d'un homme qui respire une atmosphère froide ou raréfiée. Ses yeux paraissaient collés sur son visage.

Alafair s'assit en face de lui, et aligna sur la table son carnet, son stylo et un magnétophone. Par les ouvertures oblongues dans la porte et le mur, elle apercevait deux gardiens surveillant sur un écran le couloir et les pièces généralement destinées aux entrevues entre les avocats et leurs clients. « Vous avez un diplôme d'administration judiciaire ? » dit-elle.

Il la regarda prendre son stylo. « J'ai pris aussi des cours d'écriture.

– Mais vous êtes diplômé en science criminelle ?

– Oui, mais je n'ai jamais voulu être policier. J'y ai pensé, mais ce n'était pas pour moi.

– Vous aspiriez à devenir écrivain ? » Quand elle essaya de sourire, elle sentit que son expression était raide, et manquait de naturel. Et elle éprouvait une douleur dans la poitrine, comme si quelqu'un avait enfoncé une épine près de son cœur. Elle essaya de ne pas se mordre le coin des lèvres.

Surrette détourna les yeux, ses menottes se tendant contre la chaîne qu'il avait à la taille. « J'ai étudié avec un professeur qui affirmait être un ami de Leicester Hemingway, le frère d'Ernest. Peut-être qu'il se vantait. Il n'a pas voulu lire une de mes histoires devant la classe.

– Que racontait cette histoire ?

– J'ai oublié. Quelque chose qui le troublait. Il l'a portée au responsable de la classe d'écriture. Je trouvais que c'était un idiot. Il disait qu'il avait publié quelques romans. Je pense qu'il était bidon. » Il la regardait fixement, comme attendant qu'elle confirme ou infirme ses impressions.

« De quoi voudriez-vous parler ? demanda-t-elle.

– J'attends que vous posiez la question qu'ils posent tous.

– Je ne sais pas quelle est cette question.

– Ne mentez pas. Vous savez quelle est la question. Et d'ailleurs ce n'est pas *une* question. C'est *la* question. C'est la seule raison pour laquelle vous êtes là.

– Pourquoi avez-vous torturé et tué ces gens, monsieur Surrette ?

– Vous voyez ? » Il avait les yeux marron foncé, avec une trace de gris, comme de l'eau de pluie dans un tonneau de bois qui ne voit jamais la lumière. Ses dents étaient largement espacées, l'arrière de sa langue visible quand il respirait par la bouche.

« Vous êtes asthmatique ? demanda-t-elle.

– Ça m'arrive. J'étais asthmatique quand il a fallu que je quitte la Marine.

– Je voudrais qu'une chose soit bien claire. Vous comprenez mal pourquoi je suis là, dit-elle. Je ne m'attends pas à ce que vous me disiez, à moi ou à quiconque, pourquoi vous avez torturé et tué tous ces innocents. Selon toute probabilité, vous ne révélerez jamais volontairement vos secrets. Vous refuserez de dire aux familles des victimes où se trouvent enterrés les corps de ceux qu'ils aiment. Votre héritage sera la souffrance que vous laisserez derrière vous, et vous en laisserez un maximum.

– C'est faux.

– Ce que vous ne comprenez pas, monsieur Surrette, c'est que vos actes et vos motivations sont scientifiquement inséparables. Toute cause a un effet. Tout effet a une cause. Rien n'arrive par hasard. Un acte physique est la conséquence d'une impulsion électronique dans le cerveau. C'est comme regarder un papillon de nuit dans une tempête. On sait immédiatement comment ça va se terminer. Ça n'a rien de compliqué. »

Son regard parut s'éteindre, comme si, pendant quelques secondes, il avait dérapé dans le temps et ne se trouvait plus dans la pièce. Elle vit un morceau de nourriture entre ses dents, et du mucus sec au coin de sa bouche. « Qui a dit "N'essayez pas de me comprendre trop vite", déjà ? » demanda-t-il.

Elle tenta de ne pas réagir à la lueur de confiance dans son œil, à sa visible autosatisfaction

« C'est Proust, dit-il.

– Vos premières victimes, du moins les premières qu'on connaît, étaient une mère, un père et leurs deux enfants au sud de Wichita. Vous les avez étranglés ou étouffés, tous les quatre. Vous avez gardé les enfants pour la fin. Le petit garçon avait neuf ans. La fille en avait onze.

– C'est ce qu'on raconte.

– Vous avez tué les parents d'abord. Est-ce parce que vous vouliez passer plus de temps avec les enfants ? Vous éprouviez une grande colère contre eux ?

– Je ne les connaissais pas. Pourquoi aurais-je été en colère contre eux ?

– Donc ce que vous ressentiez pour eux, c'était avant tout sexuel ? Après avoir étranglé la petite fille, vous avez éjaculé sur ses jambes. Je ne crois pas que vous ayez mentionné ça dans votre déclaration. Vous voulez m'en parler maintenant ?

– J'ai juste à adresser un signal au chef, et ce sera terminé.

– Allez-y, alors. »

La chaleur dans la pièce s'était intensifiée. Alafair sentait l'odeur de l'homme, et elle se rappela que le gardien avait dit que Surrette n'avait droit qu'à trois douches par semaine. Les pattes sur ses joues ressemblaient à de la toile émeri. « Dans votre lettre, vous disiez que votre père était officier de police, dit-il.

– Il est inspecteur du shérif en Louisiane.

– C'est comme ça que vous avez appris ces trucs sur les gens comme moi ?

– Je suis diplômée en psychologie de Reed.

– Je l'ignorais.

– Pourquoi avez-vous éjaculé sur la petite fille ? »

Le visage de Surrette était incliné du côté opposé à elle, comme si un vent mordant lui avait heurté la joue. « Je ne peux pas penser à ça maintenant. Je ne peux y penser que lorsque mon avocat vient me voir ici. Je n'en parlerai pas maintenant.

– Pourquoi ? Vous pensez que je peux vous faire du mal ?

– Vous essayez de m'embarrasser. Vous voulez que je me sente mal. Vous me rappelez ce professeur d'écriture que j'avais à WSU. Vous savez ce que je lui ai dit, au moment de l'évaluation des étudiants ? Je lui ai dit que s'il n'aimait pas les histoires de petits garçons qui se sucent mutuellement le zizi, ce n'était pas sa faute. Je ne crois pas qu'il ait beaucoup apprécié mon évaluation. »

L'estomac d'Alafair se serra, et elle dut retenir sa respiration et regarder un espace neutre pour dissimuler sa répulsion. « Désolée, j'ai un rhume des foins », dit-elle. Elle sortit un Kleenex de son sac et se moucha. « Dans votre déclaration, vous avez dit que vous aviez fait un "John Wayne" à une autre victime. Il avait dix-neuf ans. C'était avant que vous ne poignardiez et n'étrangliez sa femme. Que vouliez-vous dire, par un "John Wayne" ?

– Je l'ai descendu. Il a agrippé mon pistolet et essayé de me tuer avec. Il a appuyé deux fois sur la détente, mais il n'a pas fait feu. Alors je l'ai descendu.

– À ce stade, c'était de l'autodéfense ?

– Oui, on pourrait dire ça.

– Ça vous paraît un point de vue rationnel ?

– Vous avez le visage un peu rouge. Il fait trop chaud pour vous ?

– Vous avez emporté le corps d'une femme dans votre église, vous lui avez fait prendre une pose et vous l'avez photographié. Vous avez remis le corps dans votre camionnette, puis vous l'avez jeté dans un fossé. Personne n'a jamais compris ça. Vous voulez en parler ?

– Pourquoi je l'ai emportée *elle*, et pas une autre, à l'église ?

– La question, c'est pourquoi vous tuez une victime dans un endroit, pour la transporter ensuite dans l'église dont vous êtes un paroissien. Pourquoi prendre un risque pareil ? Pourquoi la photographier dans votre église ?

– C'est peut-être mon côté obscur. Tout le monde en a un.

– Si vous n'êtes pas honnête avec moi, je ne pourrai pas écrire un livre sur vous.

– Je pense que vous posez des questions dont vous connaissez déjà les réponses. Je pense que vous posez des questions qui sont censées m'humilier.

– Mon opinion n'a aucune importance. Ceux qui s'intéressent à vous, ce sont l'éditeur et les lecteurs, pas moi. Un grand nombre de gens liront ce que vous me direz aujourd'hui, quoi que ce soit. »

Il avait la tête posée sur une épaule, comme s'il somnolait ou imitait la position d'un pendu. « Vous êtes manipulatrice, mais ça ne veut pas dire que vous êtes intelligente.

– C'est possible », dit-elle.

Il se redressa sur sa chaise et hurla en direction de la porte : « Au portail, patron !

– Vous avez emmené la femme à l'église pour marquer votre territoire, dit-elle. Tous les animaux font ça. »

Ses yeux se rétrécirent, et elle vit que ses narines blanchissaient sur les bords. Quand le gardien l'escorta hors de la pièce, il avait les yeux grands ouverts, enfoncés, le regard dur, et toujours fixé sur elle.

4

Il était neuf heures du soir quand j'ai reçu l'appel du shérif, Elvis Bisbee ; la pluie tombait lourdement sur les arbres, les prairies et les flancs des montagnes, et cascadait le long du toit d'Albert. « On a retrouvé l'Indienne dans une grange, à trois kilomètres environ à l'ouest de chez vous, dit-il. Elle était ficelée dans le pigeonnier, avec un sac en plastique scotché autour de la tête. Il y a sans doute cinq ou six jours que les pies se sont attaquées à elle.

– Vous parlez de la petite-fille de Love Younger ? demandai-je.

– Elle s'appelait Angel Deer Heart. Elle aurait eu dix-huit ans le mois prochain. Je reviens de chez son grand-père. C'est la partie de ce travail à laquelle je n'ai jamais pu m'habituer.

– Pardonnez-moi, shérif, mais je ne suis pas certain de comprendre la raison de votre appel.

– Un de nos inspecteurs a interrogé Wyatt Dixon au Wigwam, le bar où buvait la fille le soir de sa disparition. Il est évident que Dixon est un habitué. Il n'a pas nié s'être trouvé là le soir où elle a disparu.

– Vous pensez qu'il pourrait être votre homme ?

– J'ai réfléchi à ce message biblique dans la grotte, au-dessus de la maison d'Albert, et à la dispute entre Dixon et votre fille. Et plus j'y pense, plus je dois reconnaître que Dixon est un cinglé de première, qu'on doit surveiller de très près. Vous pouvez m'éclairer à propos de cette citation ?

– L'allusion aux genoux à terre est une référence à la déclaration du Christ, selon laquelle toute l'humanité finira par accepter son message de paix. L'allusion à l'alpha et l'oméga se réfère à la déclaration de Yahvé dans l'Ancien

Testament, selon laquelle Il existait avant le commencement des temps.

– Alors, le type qui a écrit ça aurait un petit problème d'ego ?

– On appelle ça le complexe messianique. Il est caractéristique de tous les narcissiques.

– J'enverrai une équipe d'enquêteurs dans la grotte demain matin. »

Par la fenêtre, je voyais des flaques d'eau dans la pâture nord, et les reflets vert sombre des pins quand un éclair surgissait à travers les nuages.

« La victime a été violée ?

– On ne le sait pas encore. On lui a arraché son jean. Elle avait encore son collant. Vous avez eu affaire à beaucoup de cas comme ça ?

– Plus que je n'aimerais m'en souvenir.

– Dixon est censé se présenter à huit heures demain matin. S'il ne se pointe pas, on ira le chercher. Votre fille a toujours cette flèche ?

– Je lui poserai la question.

– Si elle porte les empreintes de Dixon, je vous devrais des excuses, à votre fille et à vous.

– Non, vous ne nous devrez rien du tout. Je pense que vous faites du bon boulot.

– Au cours des deux dernières années, on a eu dix agressions sexuelles sur le campus de l'université, ou tout près. Certaines des victimes affirment avoir été violées par des footballeurs de l'université. Parfois, je me demande si ce pays n'a pas déjà foutu le camp. »

J'avais grandi en un temps où un adolescent noir du nom de Willie Francis avait été condamné à la mort par électrocution dans la prison de la paroisse de St. Martinville, à quinze kilomètres de ma maison. À cette époque, la chaise électrique allait de paroisse en paroisse, accompagnée de ses générateurs, et on la surnommait Gruesome Gertie[1]. La première tentative pour électrocuter le garçon fut ratée par les exécuteurs, dont l'un était un *trusty*[2], parce qu'ils étaient encore ivres de la soirée précédente. Willie Francis hurla pendant une minute entière avant qu'on ne coupe le courant. Plus tard, la Cour suprême des États-Unis soutint l'État de Louisiane, et le gouverneur, qui avait écrit la chanson « You Are My Sunshine », refusa de commuer la sentence. Willie Francis fut attaché une deuxième fois sur la chaise électrique, et mis à mort.

Je n'ai pas raconté ça au shérif, et je ne le raconte pas à ceux qui soupirent après ce qu'ils appellent le bon vieux temps. « À demain matin, dis-je. Attention sur la route. On dirait qu'elle va être emportée. »

Les premières heures de l'aube n'étaient pas un bon moment pour Gretchen Horowitz. C'est à ce moment-là qu'un homme avec de la lumière au bout des doigts entrait dans sa chambre et la touchait avec une froideur si intense qu'elle montait de ses tissus et de ses os à son âme, en l'occurrence l'âme d'une enfant, à peine plus qu'un bébé.

Quand Gretchen se réveilla après sa première nuit dans le Montana, la pluie avait cessé et le chalet était rempli d'une lueur bleue qui semblait dépourvue de source, les vitres barbouillées par la brume, ou peut-être même par les nuages, si bas qu'ils s'enchevêtraient aux arbres sur le flanc de la montagne. Elle s'aspergea le visage, s'habilla et, alors que Clete dormait encore, ouvrit doucement la porte, monta dans son pick-up et suivit la deux-voies jusqu'à Lolo, le long d'un torrent gonflé.

Au McDonald voisin du casino, elle acheta un petit déjeuner constitué de saucisses, d'œufs brouillés, de biscuits

1. L'Horrible Gertie.
2. Prisonnier à qui sont dévolues certaines tâches.

et de café bouillant, puis retourna au ranch, gravit la montagne, étendit son imperméable sur un rocher plat et commença à manger, le premier rayon du soleil effleurant le sommet des arbres tout en bas dans la vallée.

Elle entendit des bruits, plus haut, sur la route forestière, et ce n'est qu'à cet instant qu'elle remarqua le véhicule de patrouille garé derrière la maison d'Albert. En bas, près de la prairie sud, un deuxième véhicule remontait lentement la route, comme si le conducteur cherchait une adresse. Il obliqua sous l'arche, se gara près de la grange et sortit. C'était un homme costaud vêtu d'un costume et de chaussures civils, et d'un chapeau de pluie. Dans sa main gauche, il tenait une paire de bottes de cow-boy. Il ouvrit la porte arrière et fit sortir un homme vêtu d'un Wrangler moulant, d'une chemise rouge à boutons-pression, avec des manches longues, et d'un chapeau de paille. L'homme était pieds nus, et avait les mains menottées dans le dos.

L'homme au costume passa la main sous le bras du cow-boy et commença à le pousser sur la pente à côté du rocher sur lequel Gretchen était assise. Le cow-boy avait un profil d'Indien, une fossette au menton, et des yeux qui ressemblaient à des prothèses. Il dérapa dans la boue et glissa sur la pente, essayant de s'arrêter de ses pieds nus, ses vêtements souillés de terre, de petits cailloux et d'aiguilles de pin.

« Debout ! dit l'homme au costume en l'agrippant par l'arrière de sa chemise, tordant l'étoffe entre ses doigts. Tu m'entends, mon gars ? »

Le cow-boy essaya de se relever, et retomba. L'homme au costume arracha le chapeau de paille de la tête du cow-boy, et commença à s'en servir pour le fouetter, le frappant sur les yeux, les oreilles et le dessus du crâne, encore et encore. « Tu veux un coup de Taser ? Debout !

– À mon avis, vous devez avoir ce qu'on appelle des problèmes de gestion de la colère, dit le cow-boy en plissant les yeux depuis le sol. On m'a dit que vous étiez tombé sur votre ex à l'Union Club et que vous lui avez demandé si son nouveau copain était pas déçu par son vieux vagin usé, et qu'elle a répondu : "Une fois qu'il a eu passé la partie usée, ça lui a bien plu, Bill." C'est vrai, inspecteur Pepper ? »

L'inspecteur laissa tomber les bottes qu'il avait à la main, agrippa le cow-boy par le devant de sa chemise, et, à travers les jeunes pins, l'envoya s'écraser sur une souche. Tout ça se passait à dix mètres de l'endroit où Gretchen Horowitz était assise, sa boîte de polystyrène en équilibre sur les genoux. Elle enfonça les dents de la fourchette en plastique dans un petit morceau de saucisse et un œuf, qu'elle se mit dans la bouche, mâchant lentement, les yeux baissés. Elle entendit le cow-boy retomber, et cette fois il poussa un grognement. Quand elle leva la tête, le cow-boy était assis le dos contre un rocher, essoufflé, la bouche pendante, le visage blanc comme s'il avait reçu un coup de pied dans les côtes ou dans le ventre. L'inspecteur sortit un Taser de la poche de sa veste, le mit en marche, se pencha, et en effleura la nuque du cow-boy. La tête du cow-boy tressauta comme si on l'avait laissée tomber de l'extrémité d'une corde, son visage tordu de douleur. L'inspecteur recula d'un pas, coupa le Taser et jeta un coup d'œil à Gretchen, sur la pente. « Qu'est-ce que vous regardez, vous ? » dit-il.

Gretchen referma sa boîte de polystyrène, la posa sur le rocher, se leva et descendit la pente jusqu'à l'inspecteur. Les arbres, dans l'ombre, étaient humides et immobiles, des bandes d'épais nuages blancs suspendues au sommet de la crête. « Ce que je regarde ? Attendez que je réfléchisse un peu ? Un type menotté qui se fait tabasser ?

– Vous feriez mieux de vous occuper de vos affaires.

– Justement. J'ai été invitée ici. Je prenais mon petit déjeuner. Comment vous vous appelez ?

– Comment *moi*, je m'appelle ?

– C'est bien ce que j'ai dit. »

Il la fixa sans répondre.

« Je m'appelle Gretchen Horowitz. Vous ne donnez pas votre nom, quand vous êtes au boulot ?

– *Hor*owitz ?

– C'est un nom juif. » Elle souleva de sa gorge sa chaînette d'or et sa médaille religieuse et les tendit entre ses doigts pour les lui montrer. « Ça aussi, c'est juif. Ça s'appelle l'étoile de David.

– Vous empêchez de travailler un officier de police dans l'exercice de ses fonctions.

– Redites un peu mon nom ?

– Quoi ?

– Je veux vous entendre prononcer mon nom. Vous avez accentué la première syllabe. Vous trouvez ça drôle ?

– Non. À vous entendre, vous êtes de New York.

– Essayez plutôt Miami. C'est en Floride. New York est au nord de la Floride. Pourquoi vous ne laissez pas le cowboy enfiler ses bottes ?

– Pour qui vous vous prenez ?

– Inutile que vous le sachiez, ducon. Où est votre patron ? »

Tôt ce matin-là, j'avais été à Missoula avec Albert pour acheter une carte de pêche, et ce n'est que lorsque nous sommes arrivés dans l'allée que je me suis aperçu que l'équipe d'enquêteurs était sur la montagne.

« Quel gâchis on fait de l'argent des contribuables, dit Albert.

– Qu'est-ce qui est un gâchis ?

– Le temps qu'ils passent sur cette crête. Des sans-abri n'arrêtent pas de venir là depuis la nationale. Ils campent dans les bois, parce qu'ils n'ont pas d'autre endroit où aller. Ils n'enlèvent pas des filles dans des bars de bikers, et ne tirent pas avec des arcs de chasse.

– Certains sont dérangés et dangereux, Albert.

– Rien de tel que de craindre un homme qui a un trou dans sa chaussure. »

Je n'étais pas d'humeur à discuter les vues prolétariennes d'Albert. « Je vais monter sur la crête, dis-je. On se retrouve à la maison.

– Dis à ces gens qu'il vaudrait mieux pour eux que je ne découvre pas de mégots dégueulasses sur la propriété », dit-il.

Tandis que je montais péniblement la pente, j'entendais des gens parler de l'autre côté des arbres. Puis j'ai vu un adjoint en uniforme, un deuxième homme en costume marron ample, un homme en chemise à carreaux que j'ai pris pour un technicien de scène de crime, et Wyatt Dixon, pieds nus et sans chapeau, adossé au flanc de la montagne, les mains menottées dans le dos, ses vêtements couverts de boue et humides lui collant à la peau. Gretchen Horowitz commençait à redescendre la pente, le visage aussi rouge qu'un poêle à bois.

« Qu'y a-t-il ? demandai-je.

– Ne me pose pas de question. » Elle est passée à côté de moi comme si j'avais été un piquet.

J'ai rejoint le chemin et baissé les yeux sur Dixon. Quand il sourit, ses dents étaient rouges. « Salut, monsieur Robicheaux.

– Ça va, monsieur Dixon ? »

La boue dans ses cheveux et les gouttes qui tombaient des arbres lui coulaient dans les yeux, et pour me voir il dut les plisser. « N'interprétez pas faussement la situation dans laquelle se trouve ce pauvre cow-boy de rodéo. Je suis honoré de me trouver une fois de plus entouré par des hommes aussi nobles que vous. Dieu bénisse l'Amérique et la terre que foulent des hommes tels que vous.

– Où sont vos bottes ? »

Il observa le dessus sanglant de ses pieds comme s'il les voyait pour la première fois. « L'inspecteur a marché sur mes orteils et m'a dit que je n'aurais pas besoin de me couvrir les pieds pendant un moment.

– Que voulez-vous ? » dit l'homme au costume ample.

J'ai ouvert l'étui de mon insigne. « Je suis Dave Robicheaux. Inspecteur aux homicides à New Iberia, Louisiane. Qu'avez-vous fait à ce type ?

– Rien. Il a glissé sur la pente.

– Il a dû glisser sur une longue distance. Vous avez dit quelque chose à Miss Gretchen ?

– De quoi vous parlez ?

– La femme qui vient de s'en aller. Elle était fâchée.

– Je ne suis pas au courant.

– Bon. Comment vous appelez-vous ?

– Inspecteur Bill Pepper. J'ai dit à la femme de ne pas contaminer une éventuelle scène de crime. Si elle tire la gueule, c'est son problème. »

Le technicien se tenait à l'arrière-plan. « Montez à la grotte avec moi, me dit-il. Je voudrais vous montrer quelques trucs. »

J'ai agrippé un petit sapin, me suis hissé sur un sentier, et j'ai suivi l'homme jusqu'à l'entrée de la grotte. Il était rondouillard, avec un teint fleuri et les petites oreilles et le tissu cicatriciel de quelqu'un qui est monté sur le ring. « Comment allez-vous ? demanda-t-il.

– Mieux que ce cow-boy.

– Voilà ce qu'on a trouvé ici. La pluie ne nous a pas aidés. Il était censé y avoir un tas de merde ici, mais je ne le trouve pas. Pareil pour les rognures d'ongles. Et les empreintes de botte sont effacées aussi. Peut-être que quelqu'un est passé ici avant nous.

– Est-ce que Dixon ment, quand il dit qu'on lui a écrasé les pieds ?

– L'inspecteur Pepper a dit qu'il voulait que les bottes de Dixon soient propres quand il essaierait de les comparer avec les traces du type qui se planquait dans la grotte. Il arrive que les façons de faire de Bill nous posent un problème.

– Pourquoi Dixon est-il menotté ? Je croyais qu'il devait aller vous voir de son propre chef.

– Il ne savait pas que le sac de l'Indienne avait été découvert hier soir derrière une meule de foin, dans la grange où elle a été tuée. On a trouvé dedans un reçu pour un bracelet qu'elle a acheté à Dixon. Le bracelet n'était pas sur son corps. La date du reçu était celle du jour de sa disparition.

– Et Dixon, qu'est-ce qu'il dit de ça ?

– Il fabrique des bracelets en argent et en cuivre. Il en portait un au Wigwam, elle l'a vu et a voulu l'acheter. Il dit qu'il le lui a vendu cinquante dollars.

– Quel était le problème avec Miss Gretchen ?

– La nana qui vient de descendre ?

– Dans le Sud, on n'appelle pas une femme une "nana". Et, dans ce cas particulier, je ne ferais pas ça avec elle.

– Il faut que vous compreniez quelque chose, inspecteur Robicheaux. Notre service respecte les gens, en particulier notre shérif actuel. L'adjoint et l'inspecteur qui sont ici représentent une exception. Franchement, ils sont une gêne.

– Que s'est-il passé ?

– La dame, ou appelez-la comme vous voulez, Miss Gretchen, s'est un peu trop énervée contre la façon dont Bill traitait Wyatt Dixon. Quand elle s'est éloignée, l'adjoint a dit : "Elle est assez gouine pour toi, Bill ?" et Pepper a répondu : "Je devrais sans doute m'attacher une planche sur le cul pour pas tomber dedans."

– Elle les a entendus ?

– Sans doute. Vous voulez bien lui dire que je lui présente les excuses du service ?

– À votre place, je dirais à vos amis de le faire eux-mêmes.

– Elle va porter plainte ?

– Non, elle n'est pas du genre à porter plainte, dis-je en me retournant vers l'ouverture de la grotte. Dixon va-t-il être inculpé ?

– Ça dépend de ce que dira le procureur. Je pense qu'on a encore beaucoup de travail. Je n'ai pas trouvé ce que vous disiez. La dame ne va pas porter plainte ? Qu'est-ce qu'elle va faire, alors ? »

J'ai regardé le message biblique gravé dans la douce patine de lichen sur la paroi, et me suis demandé quel esprit confus en était responsable. « J'ai été content de vous connaître. J'espère qu'on se reverra. Dites à ces deux abrutis là-bas qu'ils ont mis le pied dans le mauvais Rubicon.

– Pardon ?

– Dites-leur de chercher. »

Après la première entrevue, Alafair attendit trois jours au motel que l'avocat d'Asa Surrette lui retourne son appel. On était en janvier, et la neige courait parallèlement au sol, le paysage était flétri et rayé de mauvaises herbes, et au loin les collines ressemblaient à des tas de scories ratissées d'une fournaise.

C'était un pays plein de contradictions, fondé par des populistes et des mennonites, mais aussi par des abolitionnistes fanatiques sous l'égide de John Brown. Au printemps les rivières étaient gonflées et striées de bancs de sable rouge, et bordées de *cottonwoods* palpitant de milliers de feuilles vertes qui ressemblaient à des papillons. Le blé dans les champs était le plus résistant au monde, la moisson si abondante que parfois le grain devait être entassé en tas de deux étages près des voies de chemin de fer, car il ne restait plus de place dans les silos.

Parfois le ciel pouvait être assombri par des tempêtes de poussière ou, pire, par des nuages de fumée montant d'une ville paisible, comme Lawrence, où des guérilleros sous les ordres de William Clarke Quantrill et Bloody Bill Anderson passèrent toute une journée au massacre systématique de cent soixante personnes.

Juste au moment où Alafair avait décidé de renoncer et de rentrer à la maison le lendemain matin, elle eut un appel de l'avocat de Surrette, celui qui avait négocié la déclaration et la sentence de son client, essayant de s'assurer que celui-ci ne risquerait pas la peine de mort rétablie en 1994. « Asa aimerait vous revoir, dit-il.

– Pourquoi ? » demanda-t-elle.

Il y eut un silence. « *Pourquoi ?* Pour vous aider dans votre projet. Pour donner sa version des choses.

– Votre client est un narcissique. Il n'a aucun intérêt à aider quiconque en quoi que ce soit. S'il veut que les entretiens se poursuivent, ça se fera à mes conditions. S'il n'essaie pas de me répondre honnêtement, ça sera terminé.

– Il faudra que vous voyez ça avec lui.

– Je verrai ça avec vous. Il n'y aura pas de sujet tabou.

– Je pense que vous trouverez Asa plutôt coopératif. Il vous apprécie.

– Vous parlez sérieusement ?

– S'il ne vous appréciait pas, il ne voudrait pas que vous retourniez le voir. D'ailleurs, que lui avez-vous dit ?

– Il a une seule raison pour souhaiter me voir à nouveau. Je le tracasse. Je lui ai dit pourquoi il avait porté le corps d'une de ses victimes dans son église et l'avait photographié. »

Nouveau silence. « Il y a un sujet qui ne doit pas être abordé dans votre interview, Miss Robicheaux. Et vous savez lequel.

– Non, je l'ignore, mentit-elle.

– Asa a reconnu huit homicides commis au cours des années 70 et 80. Ce seront les seuls crimes dont il parlera, parce que ce sont les seuls qu'il a commis.

– Vous en êtes bien sûr ?

– Je suis sûr de ce qu'il m'a dit. Je suis certain que les autorités, y compris le FBI, n'ont trouvé aucune preuve selon laquelle Asa aurait menti à ce sujet.

– Les mêmes types qui pendant trente ans n'ont pas réussi à le coincer ? Les mêmes qui l'ont coincé uniquement parce qu'il les avait contactés et leur avait envoyé une disquette qui permettait de remonter à un ordinateur sur son lieu de travail ?

– Ça a été un plaisir de vous parler », dit l'avocat.

Le lendemain matin il neigeait, de gros flocons qui flottaient doucement vers le sol, se désagrégeaient et fondaient sur la chaussée, et se trouvaient dispersés en une brume boueuse par les camions quittant une raffinerie de pétrole dont les cheminées rougeoyaient pendant la nuit et, le matin, laissaient échapper des flots de fumée grise qui sentaient les égouts. Quand Alafair entra dans la pièce, Asa Surrette attendait, enchaîné à la taille. Par la fenêtre en meurtrière, elle apercevait la neige soufflée comme des plumes sur une série de collines basses qui semblaient se fondre dans le lointain, puis se dissoudre dans le néant.

« Vous n'arrêtez pas de regarder les collines, dit-il.

– L'hiver ici est étrange. Il est sans lumière.

– Je ne l'ai jamais envisagé de cette façon.

– C'est vrai qu'il y avait ici autrefois dix-huit silos à missiles Titan, tout autour de Wichita ?

– C'est exact. Ils ont tous été démontés.

– Néanmoins, les gens du coin ont vécu pendant des décennies avec la mort mécanisée enfouie sous le blé ?

– Et alors ?

– Si la guerre avait éclaté avec l'Union soviétique, cet endroit serait devenu un Grand Canyon radioactif.

– Ouais, ça paraît logique.

– Quand vous avez commis ces meurtres, vous y avez pensé ? »

Il la regarda avec dans l'œil une lueur entre méfiance et hostilité. « Non. Pourquoi j'y aurais pensé ? »

Alafair ne répondit pas.

« Pourquoi vous n'arrêtez pas de regarder par la fenêtre ? demanda-t-il.

– C'est cette sensation de néant que j'éprouve quand je regarde l'horizon. En réalité, ici, il n'y a *pas* d'horizon. La grisaille semble ne pas avoir de fin, ni de sens. C'est ce que vous ressentiez quand vous suiviez vos victimes ? »

Il plissa le front, tendant le cou autour de lui, la chaîne tintant à sa taille. « Je pense que ce que vous racontez vient de Samuel Beckett. Je l'ai lu en cours de littérature. Je trouve que ce qu'il écrit, c'est de la merde.

– Que ressentiez-vous après avoir tué vos victimes ?

– Je ne ressentais rien.

– Rien ?

– Qu'y a-t-il à ressentir ? Ils sont morts, et pas vous. Un jour je serai mort. Et vous aussi.

– Et la douleur que vous leur avez infligée dans leurs derniers instants ? La souffrance que ceux qu'ils aiment subiront pour le restant de leurs jours ?

– Je suis peut-être désolé de ça.

– Vous éprouviez des remords ?

– J'en ai peut-être éprouvé plus tard. Je ne sais pas. J'ai du mal à penser aux choses dans l'ordre. Les émotions ne suivent aucun ordre. » Quand il voulut lever les mains pour insister sur son point de vue, les menottes à ses poignets tintèrent.

« Vous n'avez pas répondu à ma question, hein ? Que ressentiez-vous après avoir tué vos victimes ? »

Il se redressa contre la chaise, respirant par le nez, l'air posé, son regard parcourant les traits d'Alafair. Il leva les yeux au plafond. « Je me disais que j'avais arrêté le temps, et modifié tous les événements qui se seraient produits. Arraché les aiguilles de la pendule. »

Elle sentit des larmes lui monter aux yeux. « Ils vous suppliaient ?

– Quoi ?

– Pour que vous les épargniez ? Pour que vous épargniez leurs enfants ? Que vous disaient-ils quand ils comprenaient qu'ils allaient mourir ?

– J'ai déjà parlé de tout ça.

– Non, vous n'en avez pas parlé. Vous n'avez dit au tribunal que ce que vous aviez choisi de lui faire entendre. Est-ce que les voix de vos victimes vous visitent pendant votre sommeil ?

– Je sais ce que vous essayez de faire.

– Non, vous ne le savez pas. Je ne suis pas intéressée par des déclarations à propos de votre conduite, ou de vos motivations. Vous êtes un psychopathe, et on ne peut se fier à rien de ce que vous dites. Ça implique que le livre que j'écris sur vous ne sera pas fiable. Vous avez eu une énorme influence sur moi, monsieur Surrette.

– Ah bon ? dit-il en plissant le coin de la bouche.

– J'ai toujours été contre la peine de mort. Maintenant, je ne sais plus. »

Le regard de Surrette se voila, ainsi que lors de leur premier entretien, comme s'il était allé dans un endroit de lui-même où personne ne pouvait le suivre. « Je ne pense pas avoir envie de recommencer.

– Vous n'avez pas cessé de tuer des gens en 1994, n'est-ce pas ? Il y a eu d'autres victimes, dans d'autres villes ou d'autres États, n'est-ce pas ?

– Non.

– Les gens comme vous ne peuvent pas couper le mécanisme. Il est toujours là. C'est comme le besoin de morphine, ou de pornographie, ou d'alcool, ou toute autre addiction, sauf que c'est bien pire. Comment renoncer à arracher les aiguilles de la pendule, et à changer l'histoire ?

– Vous n'allez pas écrire le livre, n'est-ce pas ?

– Non. Non seulement vous n'êtes pas une source fiable, mais vous êtes un personnage trop déprimant. Je vais agir autrement. Je vais publier un article, ou une série d'articles, disant que je suis persuadée que vous n'avez jamais cessé de tuer. Et que si quelqu'un justifie la peine de mort, c'est bien vous. »

Toute la pièce était remplie de son odeur aigre. Il était avachi sur sa chaise, la tête penchée en avant, les yeux brillant sous ses sourcils. Ses joues pas rasées semblaient barbouillées de suie. « Vous êtes venue ici en vous conduisant comme une intellectuelle. Vous n'êtes rien de plus qu'une fente, et vous ne valez pas la peine que je perde mon temps. Au portail, patron ! »

5

Le soir tombait sur le centre de Missoula quand l'inspecteur Bill Pepper entra dans un saloon d'ouvriers qui s'appelait l'Union Club et commanda sa première bière accompagnée d'un petit verre de whisky. Il descendit le petit verre, prit une gorgée de son bock pression et essuya la mousse de sa bouche avec une serviette en papier, puis tapota de l'ongle le rebord du petit verre pour en commander un autre. Il n'avait pas conscience que de l'autre côté de la rue, dans le crépuscule, une jeune femme avec un foulard autour de la tête l'avait vu entrer dans le saloon et attendait maintenant qu'il en sorte.

À huit heures, au moment où le soleil se couchait, il apparut dans la rue et commença à prendre le chemin de son pavillon de brique, sur l'autre rive de la Clark Fork, un affluent de la Columbia River. Au bout de quelques minutes, il arriva à North Higgins et passa devant les vitres embuées d'un restaurant mexicain rempli d'étudiants et de familles, puis longea un vieux théâtre de vaudeville et franchit un long pont, le grondement de l'eau et son odeur froide et forte montant des profondeurs, le soleil tombant en une masse rouge là où la rivière partait en éventail avant de disparaître entre les montagnes.

À l'extrémité du pont, il tourna à droite et descendit une volée de marches menant à une ancienne gare et à un trottoir ombragé d'érables, qui lui rappelait le quartier de Mobile où il vivait étant enfant. Il alluma une cigarette sans filtre, sortit une flasque de la poche de sa veste, en dévissa le bouchon avec le pouce et l'inclina à sa bouche, fermant les yeux quand la brûlure irradia à travers ses organes.

En bas de la rue, un pick-up à caisse coupée avec des silencieux Hollywood ralentit et s'arrêta sous un érable qui interceptait la lumière du lampadaire. La femme au foulard qui était au volant enfila une paire de lunettes noires, se passa du rouge à lèvres, puis sortit et jeta un fourre-tout sur son épaule. Elle commença à avancer du côté opposé de la rue, en direction d'un petit bungalow de brique près de la rivière. Des corbeilles de pétunias étaient suspendues à l'avant-toit du porche. Il y avait une balançoire dans le jardin, et un cercle de basket-ball cloué au-dessus de la porte cochère.

Elle s'arrêta sous un arbre juste en face du pavillon. Les lumières étaient allumées sur le devant, et elle voyait Bill Pepper arpenter son salon tout en parlant dans son portable. Elle ôta ses lunettes noires et sortit de son fourre-tout une petite paire de jumelles, dont elle régla l'objectif. La peau de Pepper était rugueuse, et lui rappelait la peau autour des yeux d'une tortue. Il avait de grandes mains noueuses, les épaules aussi larges que celles d'un déménageur. C'était le genre d'homme qui boit du whisky aussi naturellement qu'on jette un allume-feu sur un barbecue. Il avait sans doute escorté des MP[1], ou participé au CID[2] dans l'armée, ou été sergent administrateur dans l'Air Force, ou bureaucrate au sol dans la Marine. Mais c'était quelqu'un qui savait se servir du système et en profiter pour ce qu'il valait, tout en restant en dehors de la ligne de feu.

Elle avait juré qu'elle en avait terminé avec son ancienne vie. Elle avait vu un psychologue à West Hollywood, avait assisté à Palisades à des réunions d'Adultes Enfants d'Alcooliques, travaillé comme volontaire dans un foyer d'East Los Angeles pour se libérer l'esprit de ses propres problèmes. Malheureusement, ce dernier remède s'était avéré moins thérapeutique que les précédents. Elle voyait des femmes violées, sodomisées, brûlées et battues jusqu'à en devenir méconnaissables. Elle

1. Military Prisoner.
2. Criminal Investigation Department.

était quotidiennement témoin de la terreur qui ne quittait pas leur regard, car chacune d'elles savait qu'elle devrait retourner dans une maison où chaque soir un homme dont elle avait porté les enfants, dont elle avait partagé les problèmes, dont le corps s'était installé entre ses cuisses, arrachait la porte à son montant, et risquait de la tabasser. Gretchen ne pouvait oublier non plus leur regard hanté quand elles demandaient comment elles pourraient changer de vie, où elles pourraient travailler, où elles pourraient se cacher. Elle ne répondait jamais à leurs questions. Si elle leur disait ce que, *elle*, elle aurait fait, elles se seraient probablement enfuies.

Elle se rappela ses premières leçons dans le métier, reçues d'un ancien tueur à gages retiré à Hialeah, que tout le monde appelait Louie, sans nom de famille. Louie avait grandi à Brooklyn avec Joey Gallo et prétendait être le personnage de *The Gang That Couldn't Shoot Straight*[1] qui conduisait le lion apprivoisé de Joey à la station de lavage et attachait sa laisse à la chaîne qui tirait tous les véhicules sous les jets d'eau et les brosses tournantes. « Pas de sentiments, disait Louie. La cible a enfreint les règles, sinon elle ne serait pas la cible. C'est lui qui a fait son choix, pas toi. N'utilise pas plus gros qu'un .25. Il faut que la balle rebondisse à l'intérieur. Une dans l'oreille, une entre les quinquets. Si c'est un salopard, tu lui en colles une troisième dans la bouche. »

Louie n'était pas parti dans un rayon de gloire. Il était mort sur une chaise longue, devant une partie de *shuffleboard*[2] à la maison de retraite où il vivait. À ses funérailles, une femme au premier rang se pencha sur son cercueil et lui cracha au visage. Beaucoup pensèrent qu'il s'agissait de la veuve de l'une de ses victimes. On apprit plus tard qu'il s'agissait de

1. *Le Gary des cafouilleux*, de Jimmy Breslin.

2. Jeu dans lequel les joueurs utilisent une palette en forme de balai pour pousser des palets qui glissent le long d'une allée de forme allongée, le but étant de les envoyer sur une cible rapportant des points.

sa propriétaire, et que Louie l'avait grugée à propos d'un billet de loterie gagnant qu'ils avaient acheté ensemble. Dans la mort, Louie n'était pas plus digne ni plus intrigant qu'il ne l'était dans la vie, et toutes ses leçons n'étaient rien de plus que la logique intéressée d'un psychopathe. Le problème, c'est que Gretchen n'était pas entrée dans le milieu pour de l'argent. Ce qu'elle avait appris de Louie, c'était un moyen pour parvenir à une autre fin, – à savoir se venger pour les brûlures qu'on lui avait infligées enfant, et pour le jour où un certain Golightly lui avait à jamais volé son innocence.

Ne pas faire de sentiments ? Quelle rigolade, pensa-t-elle.

Elle remit ses lunettes noires, plongea la main dans son sac et sentit la bombe de Mace et l'extrémité en mousse de la matraque télescopique qu'elle portait. Elle attendit le passage d'une voiture, puis traversa la rue et gravit les marches du porche obscur de Bill Pepper. L'ampoule au-dessus de la porte produisit un grincement sonore quand elle la dévissa. Derrière la maison, elle voyait la lune briller sur un clocher et entendait la rivière bourdonner à travers les saules et les rocs le long de sa rive.

Rentre chez toi. Il est encore temps. C'est un flic. Ne gâche pas tout pour une insulte, dit une voix en elle.

Une autre voix répondit : *Ne laisse plus jamais personne te dominer.*

Elle frappa à la porte de la main gauche, respirant fort tandis que, par la fenêtre, elle regardait le visage de l'inspecteur approcher du sien.

Quand il ouvrit la porte, elle sentit à travers la moustiquaire l'odeur de whisky et de cigarette. Il manipula l'interrupteur, l'air perplexe. « L'ampoule a dû griller, dit-il. Qui est là ? »

Le foulard de Gretchen était serré sur sa tête, les verres de ses lunettes aussi sombres que les lunettes de protection d'un soudeur. Elle serra plus fort la bombe de Mace. Sur le mur du salon était accrochée la photographie encadrée de l'inspecteur tenant sur ses genoux une petite fille en robe-chasuble ; tous les deux souriaient. Une autre photo le montrait avec un petit garçon.

« Vous êtes la femme de l'église ? demanda-t-il.

– Pardon ?

– Celle qui a appelé pour que Sarah aille dans un camp biblique ? Pourquoi portez-vous des lunettes de soleil ?

– Je suis Gretchen Horowitz, et je suis venue vous parler de la réflexion que vous avez faite. »

Il détourna les yeux, puis il sourit quand la mémoire lui revint. « Ça y est, j'y suis. Entrez, dit-il en poussant la moustiquaire. Il faut que je vous explique certaines choses. »

Ne fais pas ça, dit la voix.

« J'ai entendu ce que vous avez dit, l'adjoint et vous.

– Je suis désolé. J'attends un coup de fil, dit-il en reculant. Ma petite-fille doit venir me voir en juin. Je suis censé l'inscrire à un camp biblique. C'est pour ça que je pensais... » Le téléphone sonna sur la table du vestibule. Il fit la grimace et décrocha, la laissant sur le seuil, lui faisant signe d'entrer tout en parlant.

Elle n'entendit qu'une partie de la conversation, mais il était évident qu'il était agité et agacé, tentant de calmer son irritation et, en même temps, de faire plaisir à son interlocuteur. « Non, monsieur, Dixon est peut-être mêlé au crime, mais pas forcément. Nous avons la flèche qui a été tirée sur la fille Robicheaux. J'ai trouvé au magasin de sport de Bob Ward un vendeur qui se souvenait d'un homme ayant acheté un arc et des flèches semblables il y a trois jours. Il se rappelle que le type portait un bracelet tressé en fils de métal. Non, monsieur, le type a payé en liquide, et donc tout ce qu'on a sur lui, c'est la description du vendeur. Faites-moi confiance, monsieur. Je vais coincer l'homme qui a fait ça à votre petite-fille. »

Quand il raccrocha, elle se tenait dans l'encadrement de la porte. Il paraissait la regarder sans la voir.

« C'était le grand-père de la jeune Indienne qui a été assassinée ? demanda-t-elle.

– C'était juste un peu de travail de proximité, dit-il. Où en étions-nous ? À la façon dont j'ai traité Wyatt Dixon ce matin ? Il a trompé les gens du coin, mais je le connaissais quand il appartenait à une milice blanche dans la Bitterroot Valley, la même bande qu'à Hayden Lake, dans l'Idaho. J'ai vu ce que quelqu'un a fait à cette gamine indienne, et ce matin je me suis un peu énervé. J'ai perdu la tête, je le regrette. »

Elle avait retiré ses lunettes et les avait mises dans son sac. Elle continuait à le fixer, sans un mot.

« Vous voulez boire quelque chose ? » proposa-t-il.

Comme elle ne répondait pas, il s'assit sur un divan avec une couverture fleurie bas de gamme. « Laissez-moi reprendre mon souffle. Asseyez-vous, vous voulez bien, s'il vous plaît ? OK, voilà ce qui s'est passé : je gravissais le chemin forestier, l'adjoint a fait une remarque de petit malin sexiste et je me suis dit que j'allais lui répondre quelque chose de drôle. J'ai ouvert la gueule. J'en suis désolé. Écoutez, ça n'excuse pas ma conduite, mais j'ai moi-même quelques problèmes, un avec ma prostate, l'autre avec ma fille, qui n'arrive pas à mettre sa vie d'aplomb. »

Il baissa les yeux sur sa tasse de thé, puis la prit et la vida d'une gorgée. « J'ai un cancer. Il se peut que je m'en sorte, il se peut que non. Si j'agissais à ma guise, je serais à Muscle Shoals, à pêcher des crabes avec mes petits-enfants. Sauf que j'ai besoin de mon salaire pour ma fille et ses gosses et que je ne peux pas prendre ma retraite. Et à ce sujet, vous pouvez peut-être m'aider.

– J'en doute.

– Votre amie, la fille Robicheaux ? Elle est certaine de ne pas avoir vu qui lui a tiré cette flèche ?

– Posez-lui la question.

– Ainsi que je le disais au téléphone, elle nous a donné la flèche, mais les seules empreintes qu'il y a dessus, ce sont les siennes. Ce qui veut dire que le type qui a tiré l'a essuyée. Ce qui veut dire qu'il agissait de façon préméditée, pour commettre un homicide. Wyatt Dixon n'a aucune raison de prendre pour cible la fille Robicheaux.

– Alors qui c'était ? »

Il se frotta les paumes sur ses cuisses, une étincelle d'électricité statique jaillissant de sa main. « J'ai une théorie. Fermez la porte et asseyez-vous. Vous voulez un verre de vin, ou un Pepsi ? À mon avis, vous préféreriez un Pepsi.

– Qu'est-ce qui vous fait penser ça ?

– Parce que vous êtes travail-travail, madame. Vous ne perdez pas votre temps. Et je doute que vous ayez jamais laissé un homme vous causer des ennuis. »

Il alla à la petite cuisine à côté du salon, ouvrit le réfrigérateur, posa sur le comptoir le bac à glaçons et un grand verre, arracha la languette d'une cannette de soda et remplit le verre, le dos tourné, tout en lui parlant de ses petits-enfants. Quand il rentra dans le salon, elle était debout au même endroit. « Ça ne vous dérange pas que je la ferme ? Je pense qu'il va se remettre à pleuvoir, dit-il en poussant la porte d'entrée. Dixon n'a peut-être pas tiré sur votre amie, mais ça ne veut pas dire qu'il soit innocent. Pour duper, il reste un maître. Il adorait ce que je lui ai fait ce matin, parce qu'il était au centre de la scène. J'ai connu des gens comme lui toute ma vie, des péquenauds ignorants qui n'arrêtent pas de cracher des phrases de la Bible, qui disent qu'ils sont *born again*, mais ils vous couperaient la gorge pour un quarter, et pour une pièce supplémentaire, ils lécheraient la blessure.

– Vous semblez vraiment le haïr.

– Ce que je déteste, c'est la sournoiserie. Je vais vous dire une chose que je ne dis pas à beaucoup de gens. Mon père était serre-frein sur la vieille ligne L et N. Il a eu pitié d'un vagabond noir ; il l'a nourri et l'a laissé dormir dans un wagon garé sur une voie de garage. Quand le type s'est réveillé, il a tué mon père avec un canif, a pris son portefeuille et a abandonné son cadavre sur les rails. On a déménagé dans une ruelle de Macon, et j'ai grandi en cirant des godasses, pendant que ma mère et ma petite sœur faisaient des ménages. En regardant le monde depuis une caisse de cireur, on en apprend beaucoup. Comment cette jeune Indienne a-t-elle été tuée, selon vous ? Quelqu'un l'a trompée. Nous savons qu'elle connaissait Dixon, parce qu'elle lui a acheté un bracelet. Peut-être son assassin était-il l'ami de Dixon, peut-être un associé. »

Elle s'assit sur la chaise en face de lui. « Répétez-moi ça. »

Il entreprit un récit tortueux sur le passé de Dixon, les crimes dont il avait été soupçonné sans être inculpé, le fait qu'il ait appartenu à un groupe séparatiste du Texas, à la périphérie des cercles de Timothy McVeigh[1]. Elle but une gorgée, rattrapée par la fatigue de la journée, sa concentration s'éparpillant. Elle remarqua la tristesse propre de la pièce, les tapis élimés, les meubles rayés, comme la recréation d'une maison de classe moyenne il y a bien des années. Il semblait déçu de son manque d'attention, ses mains s'agitant plus rapidement, sa poitrine se gonflant. « Vous m'écoutez ?

– Bien sûr.

– Pourquoi êtes-vous venue ici ?

– Pour parler.

– Alors pourquoi ne parlez-vous pas ? Vous êtes peut-être venue pour autre chose.

– Je pense que le problème est réglé.

– Et si ce n'avait pas été le cas ? »

Elle avait la bouche sèche, elle respirait difficilement.

« Pourquoi ne répondez-vous pas à ma question ? insista-t-il.

– Qu'est-ce que vous avez dit ?

– Je parlais de mensonge. Vous ne m'écoutiez pas ? Vous me semblez un peu cotonneuse. »

Elle posa son verre sur la table basse, et le regarda. Elle en avait bu la moitié, et la glace avait fondu et semblait aussi

1. Auteur de l'attentat d'Oklahoma City, en 1995.

mince qu'une pièce de monnaie nappée de givre flottant à la surface du Pepsi. Sa peau était caoutchouteuse et insensible au toucher, sa langue épaisse, ses mots indistincts quand elle essayait de parler.

« On a l'impression d'être dans un film au ralenti, n'est-ce pas ? dit-il. Je vous ai eue, ma petite. »

Rohypnol, pensa-t-elle.

Il prit son fourre-tout sur le sol, l'ouvrit en forçant sur la fermeture, et en sortit la bombe de Mace et la matraque télescopique connue sous son nom de marque, ASP. « J'ai fait des recherches sur vous, aujourd'hui. La police de Miami-Dade dit que vous avez été au service de la Mafia. On est dans le Montana, ma fille. On ne tabasse pas un inspecteur du comté de Missoula. Vous vous êtes mise dans une sacrée merde, ce soir. » Il se leva du divan et coupa la lumière de la cuisine et les lampes sur la table du salon. « Ma camionnette est derrière. Mais pour que vous sachiez que je ne vous en veux pas... »

Quand il se pencha sur elle, la chaleur et la puanteur de ces vêtements la firent presque suffoquer. Elle sentit le tabac sur sa langue lorsqu'il la mit dans sa bouche.

L'accident sur la nationale eut lieu près de l'embranchement du chemin de terre menant au ranch d'Albert Hollister. Deux pneus d'un semi-remorque portant une machine d'extraction pétrolière haute de deux étages en route pour le Canada avaient éclaté, et l'engin avait dérapé sur le bas-côté, déversant son chargement dans un bosquet de *cottonwoods* au bord du torrent. Les quelques voitures descendant de la crête de Lolo Pass s'étaient arrêtées, ainsi que les véhicules qui venaient de la ville. Clete et moi sommes sortis de mon pick-up et nous sommes dirigés vers l'accident. Il y avait une trace pourpre au bas du ciel, l'étoile du soir scintillait juste au-dessus des montagnes. Un hélicoptère survolait la scène. J'ai pensé qu'il transportait une équipe d'une chaîne de télévision locale. Je me trompais. L'hélico atterrit sur la route, pas dans un champ mais sur la route, et il en sortit l'un des hommes les plus riches des États-Unis.

Je l'avais déjà vu une fois, à Lafayette, juste après une explosion offshore qui avait tué onze hommes sur le derrick, et souillé la mer de kilomètres de filaments d'huile de la couleur de la matière fécale. Si jamais j'avais vu un Jacksonien, c'était bien Love Younger. Il était aussi mal dégrossi qu'un chêne sculpté, avec le front large et les yeux écartés qu'on associe généralement aux volontaires anglo-écossais qui ont tiré les premiers coups de feu à Lexington et Concord. Il avait grandi dans un endroit de l'est du Kentucky où j'avais été une fois, une misérable communauté de cabanes, certaines au sol en terre battue, dont les habitants allaient chercher l'eau dans le même torrent qui leur servait de toilettes. Paradoxalement, il n'était pas venu à Lafayette pour parler de l'explosion du puits de pétrole, mais afin d'instituer une bourse scolaire, destinée aux méritants et aux nécessiteux, à l'université de Louisiane.

Je vis Alafair debout à côté de sa Honda, les yeux baissés sur la masse de matériel tombée du semi-remorque sur le bord du torrent, arrachant toutes les chaînes comme des ficelles. Le bosquet de *cottonwoods* sur lequel il s'était échoué avait été écrasé dans la boue. « Il roulait trop vite ? demandai-je en levant les yeux sur Lolo Pass.

– J'ai entendu le chauffeur dire que ses pneus avaient éclaté », me répondit-elle.

Il était évident que cette explication ne convenait pas à Love Younger. Il discutait avec un policier de la route, pointant son doigt en l'air, montrant le sommet d'une montagne de l'autre côté de la route. Le policier n'arrêtait pas d'acquiescer, les lèvres pincées, ne levant les yeux que pour acquiescer de nouveau.

« Ce type s'appelle Love ? demanda Clete.

– Il affirme qu'il descend de Cole Younger. »

Clete ne parut pas impressionné. « Et en plus, il a diffamé un type décoré de la Silver Star et de la Purple Heart.

– Vous avez des nouvelles de Gretchen ? demanda Alafair.

– Pourquoi ? dit Clete.

– On devait prendre un verre à Missoula. Son portable ne répond pas.

– À quelle heure tu l'as eue pour la dernière fois ?

– À six heures. »

Il consulta son portable pour voir s'il n'avait pas d'appels manqués. « Elle a dit où elle allait ?

– Elle a dit qu'elle avait une affaire personnelle à régler. »

Clete la regarda. « Quel genre d'affaire personnelle ?

– Le genre personnel. Elle ne m'a pas dit quoi.

– Est-ce que ça avait un rapport avec ces flics qui étaient sur la crête ce matin ? demandai-je.

– Peut-être. Sur le moment, je n'y ai pas pensé. J'ai remis la flèche à un inspecteur en civil, Pepper. Il m'a donné la nausée.

– En quel sens ? demandai-je.

– Ses yeux. Ils vous regardent, mais il n'y a aucune lumière derrière. »

Du pouce, Clete composa un numéro sur son portable. « Je tombe directement sur la messagerie, dit-il. Comment s'appelle ce flic en civil, déjà ?

– Bill Pepper, dis-je. Je vais aller voir pour combien de temps il y en a. » Je me suis approché à un peu plus d'un mètre du policier de la route, de Love Younger et de deux de ses assistants qui se tenaient tout près. Aucun d'eux n'a remarqué ma présence.

« Mon chauffeur affirme qu'il est quasiment certain d'avoir perçu un claquement de fusil, dit Love Younger au policier.

– Ce n'est pas ce que je l'ai entendu dire, monsieur.

– Vous êtes en train de me traiter de menteur ?

– Non, monsieur. Votre chauffeur dit qu'il a entendu deux explosions. Ça peut être les pneus.

– Corrigez-moi si je me trompe, dit Younger. On est à trois kilomètres du ranch d'Albert Hollister. Il est bien connu comme fanatique de l'environnement et comme agitateur. Lui et le Sierra Club ont fait tout ce qui était en leur pouvoir pour empêcher le transport de mon matériel. »

J'ai ouvert l'étui de mon insigne. « Est-ce que ça vous dérangerait si on dégageait l'accotement et qu'on aille jusqu'au prochain embranchement ?

– D'accord, monsieur, allez-y, dit le policier.

– Je peux vous parler un instant, monsieur Younger ? demandai-je.

– À propos de quoi ?

– De votre petite-fille. »

À la lumière des signaux lumineux et des phares, j'ai vu le regard de Younger se durcir et se fixer sur le mien. Il avait sur les joues de minuscules veines bleues et rouges, un peu de chaume sur la gorge juste au-dessus de son col, et sur le visage une expression d'une intensité qui, en général, dissimule soit une immense tragédie, soit une immense colère.

« Sur cette crête juste à l'ouest de là où nous sommes, quelqu'un a tiré une flèche sur ma fille. Elle a une coupure à l'oreille, dis-je. À un centimètre près, elle serait sans doute morte. Nous pensons que le type qui a fait ça pourrait être lié à la mort de votre petite-fille.

– Quel est votre nom ?

– Dave Robicheaux. Je suis inspecteur à New Iberia, en Louisiane.

– Prenez son témoignage, dit Younger à l'un de ses assistants.

– Non, monsieur. Soit je vous parle à vous, soit on ne parle pas du tout. »

Il se tourna vers moi, le visage sans expression, et sembla me jauger une deuxième fois. Il sortit de la poche de sa chemise un bloc-notes qu'il me tendit. « Écrivez-moi votre numéro. Je vous appellerai dès que j'aurai mis de l'ordre dans ce bazar. Comment vous vous appelez, déjà ? »

Je lui ai répété mon nom.

« Vous avez été mêlé à une fusillade en Louisiane. J'étais là quand ça s'est passé. Vous avez tué un nommé Alexis Dupree, dit-il. Je le connaissais.

– Ce n'est pas moi qui l'ai tué, c'est un ami à moi. J'étais présent, j'ai regardé, et j'ai pensé que mon ami faisait ce qu'il fallait faire. Je pense que ça a rendu le monde meilleur. J'attends votre appel, monsieur Younger. Et je vous présente mes condoléances. » J'ai remonté la file de voitures pour rejoindre Alafair et Clete.

« Que se passe-t-il ? dit Clete.

– La démocratie jacksonienne est largement surestimée, dis-je. Des nouvelles de Gretchen ?

– Non. Il y a quelque chose de bizarre. Elle me dit toujours où elle va, même quand elle est en Californie. Arrive-t-il un jour où on cesse de s'inquiéter pour son gosse ?

– Jamais », dis-je.

Allongée, impuissante, à l'arrière de la camionnette, les poignets attachés dans son dos par des liens de plastique, elle voyait par la vitre arrière les formes noires des montagnes, et la pluie cogner sur le toit et balayer la route. Ses muscles étaient comme du beurre, son cou si faible qu'il avait du mal à supporter le poids de sa tête. Elle jugea que le véhicule n'était pas sur la quatre-voies depuis plus de dix minutes quand il tourna, et elle supposa qu'ils se trouvaient maintenant sur une route secondaire à deux voies qui traversait la vieille ville industrielle de Bonnet avant de remonter le long de la Blackfoot River. Pepper n'avait pas dit un mot, remplissant l'habitacle de la camionnette de la fumée de ses cigarettes sans filtre.

Elle entendit le grondement creux d'un pont sous la camionnette. Soudain, le véhicule quitta l'asphalte pour rouler sur de la terre, des gravillons cliquetant contre le bas-de-caisse. Quelques minutes plus tard, il gravit une pente raide et redescendit de l'autre côté, puis tourna à gauche sur une piste caillouteuse grêlée de trous, et sans doute jonchée de branches desséchées qui se brisaient et volaient en éclats sous le châssis.

Bill Pepper freina brutalement, projetant Gretchen contre le siège. Quand il coupa le moteur, elle entendit la pluie crépiter sur le toit, et elle vit le vent aplatir les gouttes de pluie sur la vitre arrière. Elle ne se souvenait pas d'un moment de sa vie où elle eût été aussi sensible au moindre détail de la nature. Pepper continua à fumer sa cigarette, se penchant pour mieux voir le ciel, comme un marin ou un pêcheur qui essaie d'anticiper une bourrasque. « Ici, ça me va », dit-il en regardant droit devant lui.

Quand elle essaya de parler, sa voix parut étouffée par du coton.

« Mon papa nous emmenait pêcher des truites mouchetées au sud de Mobile Bay, ma petite sœur et moi, dit-il. Quand la pluie commençait à rider l'eau, elles se rassemblaient. On pouvait les sentir, pareil que quand elles fraient. »

Il baissa à moitié sa vitre et jeta sa cigarette dans l'obscurité. Un ballon jaune de lumière électrique s'enflamma et courut à travers les nuages, puis disparut silencieusement derrière les montagnes de l'autre côté de la Blackfoot River. « Vous l'avez bien cherché. Vous le savez, non ? dit-il.

– Mon père est..., commença-t-elle.

– Ouais, je sais, il va me buter. Alors pourquoi vous ne l'avez pas envoyé après moi, au lieu de vous pointer à la maison avec une Mace et une ASP dans votre sac ?

– Mon père s'appelle Clete Purcel.

– Peu importe comment il s'appelle. Maintenant, il n'y a plus que vous et moi. Vous êtes venue chez moi pour me faire du mal. Si vous me faites du mal, vous faites du mal à mes petits-enfants, et je ne le tolérerai pas. »

Il sortit de la camionnette, s'approcha de l'arrière et ouvrit les portières, la pluie éclaboussant son chapeau et sa veste de cuir. Il monta sur le pare-chocs arrière, puis dans la voiture, et referma les portes derrière lui. Il sortit de sa poche une petite lampe qu'il alluma et posa sur le sol. « Un flic des mœurs de Broward County m'a dit que vous vous êtes fait sauter par les Florida Outlaws[1].

– Il vous a menti.

– Pourquoi il m'aurait menti ?

– Parce qu'il savait que c'est ce que vous vouliez entendre.

– Vous ressemblez à une fille à motards, sauf que je pense que votre QI est plus élevé. »

Il changea de position, et elle l'entendit sortir quelque chose de sa poche, puis le claquement d'un mécanisme métallique qui se referme. De la main gauche, il agrippa le bras de Gretchen. « Le même flic des mœurs m'a dit qu'il se pouvait aussi que vous ayez descendu quelques cibles pour la Mafia. Il mentait encore ?

– Tout ce que j'ai fait, c'est parce que je l'ai bien voulu. »

Il passa la main sur la nuque de Gretchen et glissa ses doigts dans ses cheveux. « Vous trouvez que c'est mal, ce que je vous ai fait là-bas, ou ça vous a plu un peu ? »

Elle tendit le cou et, du coin de l'œil, vit la lame terne du couteau pliant, et la longue traînée brillante sur sa partie inférieure, là où il l'avait aiguisé sur une meule.

Elle redressa les bras et les épaules, ouvrit et ferma les yeux, comme une poupée, une douleur parcourant son épaule droite tandis que ses terminaisons nerveuses revenaient à la vie.

« Parfois, les contraires s'attirent, dit-il. Je peux être bon pour une femme et l'aimer comme un père ou un mari. »

Elle fixait le coffrage latéral de la camionnette et, dans sa tête, elle se retirait dans un endroit privé où, il y a bien

1. Gang de bikers de Floride.

longtemps, elle avait appris à couper son système sensoriel et à échapper aux mains qui surgissaient dans l'obscurité et la touchaient comme aucune créature humaine ne devrait l'être

« Vous êtes attirante. Il se peut que je me mette à travailler pour un homme très riche. Je pourrais prendre soin de vous. Vous m'écoutez ?

– Mon père vous aura. Et s'il ne vous a pas, c'est moi qui vous aurai.

– À votre place, je ne parlerais pas comme ça. Cette nuit pourrait bien être votre dernière nuit sur terre.

– Je vous aurai de toute façon. Je reviendrai. Je préférerais mourir que de vous laisser poser les mains sur moi. »

Elle vit le pouce de l'homme glisser plus haut sur le manche du couteau, assurant une prise plus ferme.

« Vous puez, et vous avez des pellicules. Vous êtes tout ce qu'une femme déteste, dit-elle. Même les putes veulent pas se faire sauter par un homme comme vous.

– Vous commencez à m'énerver, Gretchen. »

Elle sentit ses doigts couverts de cals pénétrer sous sa chemise, se déplacer le long de sa clavicule, se poser sur sa carotide. De l'ongle de son pouce, il la chatouilla sous la mâchoire, autour de l'oreille, puis étala la main au milieu de son dos, pressant sur ses muscles. « J'aurais pu être beaucoup plus méchant avec vous, dit-il.

– Tuez-moi.

– Vous pensez vraiment ce que vous dites ?

– Va te faire foutre, connard », dit-elle, si remplie de haine et de désespoir qu'elle avait du mal à prononcer ces mots.

Elle l'entendit enfiler une paire de gants en latex ; puis il passa la lame de son couteau sur le dos de sa chemise, puis à travers la bride de son soutien-gorge, et à l'arrière de son jean et de sa culotte. Il lui arracha ses vêtements, y compris ses bottes en daim et ses chaussettes. Il ouvrit un flacon de décolorant dont il humecta une poignée de serviettes en papier, et en frotta les cheveux et la peau de Gretchen, puis descendit de la camionnette, la prit par les aisselles et la tira par-dessus le pare-chocs, jusque sur le sol.

Elle était allongée dans la boue, la pluie sur le visage, tandis qu'il allait à l'avant du véhicule et prenait un sac en papier derrière un siège. Il en sortit une demi-pinte de whisky et un sac zippé rempli d'herbe, puis lui aspergea de whisky l'intérieur de la bouche, son visage, ses seins nus, ses cheveux. Ensuite il lui enfonça de l'herbe dans la bouche, en frotta ses lèvres et ses dents, ses mains, ses avant-bras, ses oreilles et son nez, soufflant sous l'effort.

Il rassembla ses vêtements et ses bottes, qu'il fourra dans le sac, puis inséra son couteau sous ses liens et lui libéra les poignets. « J'ai jeté votre sac dans les arbres il y a environ cinq kilomètres. Dites-vous que c'était une expérience. Pour moi, si vous voulez qu'on oublie le passé, l'affaire est terminée. Personne ne vous croira, Gretchen, les gens m'aiment bien. Je suis un brave type. Vous, vous êtes de la merde en barre. »

Il monta dans la camionnette, démarra et passa près d'elle, vitre baissée, allumant une autre cigarette, la pluie battant ses feux arrière.

Elle marcha près de deux kilomètres le long du chemin. Le froid lui picotait la peau, ses cheveux étaient aplatis et dégoulinaient de pluie, de terre et de petites branches. Une Jeep passa et obliqua au milieu des arbres au sommet de la pente. Un garçon et une fille en sortirent et la regardèrent. Une tente en nylon rouge avec une lanterne qui sifflait à l'intérieur était montée au milieu d'un bouquet de cèdres. En bas de la montagne, Gretchen voyait la rivière, et les rapides scintiller entre d'énormes rochers, comme une longue traînée d'huile noire brillant au clair de lune.

« Seigneur ! Ça va, madame ? » dit le garçon.

De ses bras, elle essaya de se couvrir les seins et comprit que rien de ce qu'elle pourrait dire ou faire ne changerait ni n'expliquerait sa situation, ni ne réparerait le dommage qu'elle avait subi. Ni maintenant ni jamais. Et le préjudice le plus grave, c'était le fait de savoir que ce qui avait permis ça, c'était sa tendance à la pitié.

6

Le téléphone sonna à 7 h 14 le lendemain matin. L'appel était masqué. J'ai décroché et regardé par la fenêtre. Pendant la nuit, la température avait chuté ; les sommets des sapins sur la pente étaient raidis et blanchis par le givre, et se courbaient dans le vent. « Allô ? dis-je.

– Si je vous donne l'adresse, vous pouvez venir immédiatement ?

– Monsieur Younger ?

– Je pourrais me déplacer jusque chez vous, mais je crains de ne pas être le bienvenu pour Albert Hollister.

– Donnez-moi votre numéro. Je vous rappelle.

– Vous me rappelez ? Au cas où vous l'auriez oublié, c'est vous qui êtes venu me voir, monsieur Robicheaux. Vous voulez qu'on parle, ou pas ?

– Je veux amener quelqu'un avec moi. C'est le meilleur enquêteur que j'aie jamais connu. Il s'appelle Clete Purcel.

– Je me fiche de qui vous amenez avec vous. Si vous avez une information concernant la mort de ma petite-fille, je veux la connaître. Sinon, on arrête ce cinéma.

– Bien, monsieur », dis-je.

J'ai enfilé un treillis et une épaisse chemise à manches longues, je me suis lavé les dents, peigné, et je suis descendu. Albert était en train de poser une cafetière et des tasses sur la table de la cuisine. « C'était qui, au téléphone ? demanda-t-il.

– J'ai décroché en pensant que c'était peut-être Gretchen.

– Elle est rentrée. J'ai vu son pick-up près du chalet. À qui tu parlais ?

– À Love Younger. »

Il ne manifesta aucune réaction.

« Je vais chez lui, dis-je. Je pense qu'il existe peut-être un lien entre le meurtre de sa petite-fille et le type qui a tiré sur Alafair.

– Prends garde à Love Younger, dit-il, la tasse qu'il avait dans la main cliquetant quand il la posa sur la soucoupe. C'est un fils de pute de première.

– Il a donné trois millions de dollars pour une bourse à l'université de Louisiane.

– Le diable ne fait pas payer le chauffage central à ses locataires.

– Tu es un vrai puritain, Albert.

– Tu veux bien me laisser commencer la journée tranquille, s'il te plaît ? »

J'ai marché jusqu'au chalet de Clete, à l'extrémité de la pâture nord. Le *hot rod* de Gretchen était garé au milieu des *cottonwoods* près de la rivière. À l'est, on voyait une lueur rouge au bas des nuages. Deux biches à queue blanche sautèrent dans les herbes, et bondirent par-dessus une clôture jusque dans un bosquet de pommiers non entretenus dont Albert ne cueillait jamais les fruits, de façon qu'il y ait toujours sur sa propriété de quoi manger pour les herbivores. J'ai frappé discrètement à la porte du chalet. Clete est sorti sur la galerie, tirant la porte-moustiquaire derrière lui. « Gretchen est rentrée vers trois heures du matin, dit-il.

– Tout va bien ?

– Elle a passé un long moment sous la douche, puis elle a été se coucher avec une arme sous son oreiller. Un Airweight .38.

– Elle t'a dit où elle avait été ?

– Elle m'a dit de m'occuper de mes oignons.

– Viens avec moi faire un tour chez Love Younger. »

Je sentais qu'il n'avait pas envie de me voir changer de conversation, mais je ne croyais pas que Clete, ni moi, ni quiconque, soit capable de résoudre les problèmes de Gretchen Horowitz.

« Je n'aime pas les façons de ce type, dit Clete.
– Qui a jamais aimé les types qu'on fréquente ?
– Il y a une différence. Il embauche des gens pour effectuer son sale boulot. »

L'anecdote était de nature politique, et bien connue. Comme la plupart des anecdotes politiques, elle appartenait déjà à l'Histoire, et la plus grande partie des Américains la considéraient comme sans importance. Un sénateur des États-Unis s'était dressé sur le chemin de Love Younger, et avait découvert que ses citations dans la marine fluviale avaient été fabriquées. Comme nombre de mes concitoyens, je ne prenais plus la peine d'endosser les causes des autres. Quelqu'un avait failli tuer ma fille avec une flèche de chasse affûtée, et j'étais déterminé à savoir qui avait fait ça.

« Tu viens, ou pas ? dis-je.
– Attends une seconde que j'aille voir Gretchen », dit Clete.

La résidence d'été de Younger se trouvait sur un domaine de mille mètres carrés à l'ouest de Missoula, sur une cime qui dominait la Clark Fork. Elle était beige, dans le style Tudor, ses hautes fenêtres et son porche aéré décorés de pierres pourpres, la pelouse plantée d'érables, d'épicéas bleus, et de pommiers sauvages d'ornement, qui prenaient au soleil la teinte d'un sucre d'orge rouge fondu. Devant la maison, il y avait une allée gravillonnée circulaire, une porte cochère sur le côté et, garée derrière, une Lincoln Continental restaurée. Lorsque j'ai soulevé le heurtoir, des carillons électroniques ont résonné à l'intérieur. Quand nous étions sortis de sa Caddy, Clete avait allumé une cigarette. « Tu veux bien te débarrasser de ça ? dis-je.
– Aucun problème », dit-il. Il tira encore deux bouffées et, d'une pichenette, expédia le mégot sur la pelouse par-dessus le muret du porche à l'instant où une femme répondait à la porte. Elle avait le teint si pâle qu'elle paraissait exsangue, au

point que les grains de beauté qu'elle avait sur les épaules, et celui près de sa bouche, semblaient avoir été collés un à un sur son corps. Ses cheveux avaient un éclat sombre avec des mèches brunes, et ses yeux possédaient une liquescence que j'associe d'habitude à l'hostilité, ou à une curiosité invasive qui frôle le mépris. Je dus me forcer à me rappeler la perte que venait de subir la famille Younger.

Je me suis présenté, j'ai présenté Clete, et j'ai présenté nos condoléances, pensant qu'ensuite elle nous inviterait à entrer. Mais elle a regardé derrière elle, avant de ramener les yeux sur nous. « Qui avez-vous dit que vous étiez ? demanda-t-elle.

– J'ai parlé tout à l'heure avec Love Younger. Il m'a demandé de venir, dis-je. Je suis bien chez lui, non ?

– Dis-leur d'entrer, Felicity », dit une voix dans le vestibule.

Un homme mince s'est approché de nous, un sourire incertain aux lèvres. Il ne nous a pas tendu la main. Il n'était pas rasé, et portait des pantoufles et une chemise habillée ouverte au col. « Je suis Caspian, dit-il. Vous êtes officier de police ?

– Pas ici, en Louisiane, dis-je.

– Vous savez quelque chose à propos de la mort d'Angel ?

– Pas directement, mais j'ai des informations que j'estime devoir partager avec vous. Je pense qu'on a essayé de tuer ma fille. Et là où nous logeons, il y a quelqu'un qui nous épie. On peut s'asseoir ?

– Attendez ici, je vous prie, dit-il.

– Comme vous l'a dit Dave, on nous a demandé de venir, intervint Clete. Apparemment, on ne s'est pas bien fait comprendre.

– Pardon ? dit Caspian.

– Rien ne nous oblige à venir ici, dit Clete. Nous voulions juste vous rendre service.

– Je vois, dit Caspian. Je sais que mon père sera content de vous voir. »

L'homme et la femme allèrent à l'arrière de la maison. Clete et moi avons attendu sur un canapé de cuir près d'une immense cheminée pleine de cendres et de bûches effondrées, sans feu. Les fenêtres, munies de rideaux de velours, arrivaient presque jusqu'au plafond, et les murs étaient décorés de tableaux, des portraits d'individus vêtus comme au XIXe siècle. Les tapis étaient iraniens, les meubles anciens, les poutres du plafond, récupérées sur un chantier de démolition, dignes d'une cathédrale, leur bois marqué de la rouille de boulons de métal et de pointes. Dans un petit hall je vis un long cabinet vitré dans lequel étaient alignés des mousquets et des revolvers à capsules.

Clete jeta un coup d'œil à sa montre. « Des enfoirés pareils, tu y crois, toi ?

– Ne t'énerve pas.

– Ils sont tous pareils.

– Je le sais. Tu ne pourras pas les changer. Alors inutile d'essayer. »

Je savais que la famille Younger et sa grossièreté innée n'étaient pas la véritable cause du mécontentement de Clete.

« Gretchen n'a jamais dormi avec une arme, dit-il. Elle n'a jamais eu peur de rien. Elle est restée sous la douche si longtemps qu'elle a vidé tout le ballon d'eau chaude. J'ai remarqué un bleu sur sa nuque. Elle a dit qu'elle avait glissé en gravissant la montagne derrière la maison. » Il se pencha en avant, les mains sur les genoux. « Ça ne me plaît pas de me trouver ici, Dave. Ce sont des gens comme ça qui nous traitaient comme leurs éboueurs.

– On s'en va dans quelques minutes. Promis.

– Ce type a été invité à la Maison Blanche. Il dit qu'il est dans l'énergie éolienne. Qui peut croire à des conneries pareilles ? Qu'il aille se faire foutre. »

Je pensais comprendre le ressentiment de Clete envers le monde dans lequel il avait grandi, et je n'avais pas envie de discuter. L'anecdote la plus révélatrice sur son passé, il me l'avait racontée un soir où il était ivre. Enfant, l'été, il lui arrivait d'accompagner son père dans sa tournée de laitier. C'était un homme brutal et puéril, qui aimait ses enfants, et pourtant se montrait souvent cruel envers chacun d'eux. Un jour, une femme riche du Garden District vit Clete assis tout seul sur le pare-chocs arrière du camion de lait, pieds nus, vêtu d'un jean déchiré aux genoux, en train de manger un sandwich au beurre de cacahuète. La femme lui caressa la tête, ses yeux remplis de pitié et d'amour. « Tu es un si beau petit garçon, dit-elle. Reviens samedi à une heure, et on mangera ensemble des glaces et des gâteaux. »

Il mit le costume blanc qu'un oncle lui avait acheté pour sa confirmation, et alla chez la femme, à un pâté de maisons d'Audubon Park. Quand il frappa à la porte d'entrée, un maître d'hôtel noir vint lui ouvrir, et lui dit de faire le tour par-derrière. Clete suivit le chemin dallé sur le côté, et passa sous une arche en lattis treillissée de bignones orange. La cour de derrière était pleine d'enfants noirs venus de l'autre côté de Magazine. La femme qui lui avait caressé la tête n'était pas là, et à aucun moment elle ne se montra.

Ce soir-là, il revint avec une boîte de cailloux et cassa toutes les vitres de la serre de la femme, et détruisit les fleurs de son jardin.

À un moment donné, chacun doit renoncer à sa colère, sinon elle vous détruit l'âme, de la même façon qu'un cancer détruit les tissus vivants. C'est du moins ce que je me disais, même si je n'étais pas très bon pour suivre mes propres conseils. Je détestais voir Clete souffrir en raison des injustices dont il avait été victime de la part de son père alcoolique. Il n'aimait pas les gens comme Love Younger, et moi non plus. Mais pourquoi souffrir à cause d'eux ? Je n'en avais pas connu un seul qui n'ait signé sa propre fin, alors pourquoi ne pas les abandonner à leur destin ?

On ne manquait pas d'informations publiques à propos de M. Younger. Il était devenu millionnaire en achetant à terme du blé dans le Midwest avec de l'argent emprunté à une église, alors qu'en dehors du gouvernement peu de gens savaient que l'administration Nixon s'apprêtait à ouvrir de nouveaux marchés en Russie. Plus tard, lors d'une partie de poker, il avait gagné un intérêt de trente pour cent dans une compagnie de forage indépendante, qui était au bord de la banqueroute. Il avait repris le forage d'anciens puits abandonnés, descendant jusqu'à la profondeur record de huit mille mètres, et était tombé sur l'un des plus gros dômes géologiques de l'histoire de la Louisiane. Love Younger avait la main verte. Tout ce qu'il touchait se transformait en argent, en énormes quantités d'argent, des millions qui se transformaient en milliards, le genre de fortune qui peut acheter des gouvernements ou tout un pays du Tiers-Monde.

Le reste de son histoire était une autre affaire. Un de ses fils, pilote, tomba dans le désert alors qu'il portait des provisions à des mercenaires français, et connut une mort horrible due au soleil et à la soif. Un autre planta sa Porsche dans le flanc d'un train à Katy, Texas. Une fille qui souffrait d'hallucinations et d'agitation dépressive subit une opération expérimentale dans une clinique brésilienne choisie par son père. Comme promis, elle se réveilla de l'anesthésie complètement libérée de sa dépression et de ses peurs imaginaires. Mais elle était devenue un légume.

Felicity revint dans le salon. « Suivez-moi, dit-elle.

– Ça peut se faire », dit Clete .

Elle se retourna et le regarda. Elle portait une blouse de paysanne, une légère jupe de coton qui lui descendait aux chevilles, et des mocassins blancs en peau de biche, comme un des *flower children* des années soixante. « Je pense que vous n'êtes pas là sans raison, dit-elle.

– Ma fille est peut-être en danger, dis-je. Elle est persuadée qu'un psychopathe qu'elle a interviewé dans une prison du Kansas se trouve dans la région.

– Et vous pensez que c'est ce psychopathe qui a assassiné Angel ?

– Je ne sais pas trop quoi penser.

– Vous êtes en train de me dire que votre fille est peut-être la raison de la présence dans la région d'un homme qui a tué Angel ?

– Tirez vos propres conclusions, madame Younger.

– J'utilise mon nom de jeune fille. Felicity Louviere. Vous voulez parler à mon beau-père maintenant, ou vous préférez partir ? »

Elle était beaucoup plus petite que Clete et moi, mais elle me dévisageait avec une telle animosité que c'est tout juste si je n'ai pas reculé d'un pas. « Je ne voulais pas vous offenser, dis-je.

– On traverse une sale période, dit-elle. Il ne faut pas m'en vouloir. »

Elle nous précéda, sa silhouette se découpant contre la porte-fenêtre éclairée par le soleil. « Elle n'a pas de sous-vêtements. Cette maison est un asile de fous, entendis-je Clete murmurer.

– Tu veux bien te taire ?

– Qu'est-ce que j'ai dit ? »

Les fenêtres de derrière du cabinet de travail de Love Younger donnaient sur la rivière et sur une crête montagneuse dentelée et bleue, aux pics marbrés de neige. Younger était assis devant un grand établi jonché de chiffons graisseux, d'écouvillons, de petits outils d'armurier, et des mécanismes internes d'armes à feu anciennes, semblables à ceux d'une montre. Il leva les yeux sur moi, interrompant son travail sur un revolver Colt de 1851, quasiment indemne de rouille et d'usure. « Merci d'être venus, messieurs, dit-il. Je suis désolé d'avoir été un peu sec avec vous ce matin, monsieur Robicheaux.

– C'est oublié.

– Vous connaissez un inspecteur du nom de Bill Pepper ?

– Oui. Je pense qu'il a maltraité un homme qu'il avait sous sa garde, un clown de rodéo qui s'appelle Wyatt Dixon.

– Maltraité de quelle façon ?

– Il l'a tabassé alors qu'il avait les poignets menottés dans le dos.

– J'ai eu un rapport de Pepper, mais j'ignorais ça. Il dit qu'il se peut que Dixon ait un associé, et que cet associé soit l'homme qui a tiré une flèche sur votre fille. Pepper a interrogé un vendeur dans un magasin de sport, qui a vendu un arc de chasse à un homme portant un bracelet semblable à celui que Dixon a vendu à ma petite-fille.

– Pepper ne m'a pas donné cette information, monsieur Younger.

– Il ne vous a rien dit ?

– Non, monsieur. Je vous présente Clete Purcel. C'est l'ami dont je vous avais parlé.

– Enchanté, monsieur Purcel », dit Younger. Il se souleva légèrement de sa chaise et serra la main de Clete. Ni son fils ni sa belle-fille n'avaient émis le moindre mot depuis que nous étions entrés dans la pièce, et j'avais le sentiment qu'ils parlaient rarement, sauf si on leur adressait la parole. « Mon fils et ma belle-fille ont adopté Angel dans un orphelinat près de la réserve Blackfoot. J'ai fait tout ce que j'ai pu pour l'empêcher de boire et de traîner avec des voyous. C'était la plus gentille petite fille que j'aie jamais connue. Seigneur Jésus, quel homme faut-il être pour emmener une adolescente dans une grange et l'étouffer ? »

Il y a des moments dans la vie où les mots sont inutiles. C'était l'un de ces moments. Je n'ai jamais perdu un enfant, mais je connais beaucoup de gens à qui c'est arrivé. J'ai dû aussi, plus d'une fois, frapper à une porte pour annoncer à une famille que leur enfant avait été tué dans un accident, ou par un prédateur. J'en suis venu à penser qu'il n'existe pas de plus grand chagrin qu'une telle perte, en particulier quand la vie a été retirée à l'enfant pour satisfaire les projets égocentriques d'un dégénéré.

« Ma deuxième femme a été tuée par des canailles, monsieur Younger, dis-je. Je refusais la sympathie des gens, et j'en voulais particulièrement à ceux qui pensaient devoir me consoler. À ce moment-là, je n'avais qu'un seul désir, buter le type qui avait tué ma femme. »

Il a levé les yeux sur moi, attendant la suite.

« J'ai eu ce que je voulais. Ça ne me laissait aucun repos, dis-je.

– Ça s'est passé il y a combien de temps ?

– Vingt-quatre ans.

– Et même maintenant, vous n'avez pas trouvé la paix ?

– Il y a des choses qu'on ne peut surmonter. »

Les parents adoptifs de la fille se tenaient derrière moi. Caspian, le père, s'avança d'un pas entre Love Younger et moi. Sa mâchoire mal rasée et son allure négligée me faisaient penser à un homme qui est entré dans un autre pays, un pays où quelqu'un peut s'adonner impunément à la débauche, et qui à son retour chez lui ne découvre que des ruines. « Je vous ai entendu dire à Felicity quelque chose à propos d'un psychopathe du Kansas, un homme qui est peut-être dans le coin, dit Caspian.

– Ma fille est écrivain. Elle avait envisagé d'écrire un livre sur un tueur en série sadique, Asa Surrette. Elle l'a interviewé deux ou trois fois, mais elle a été tellement écœurée par cette expérience qu'elle a décidé de ne pas écrire le livre. À la place, elle a écrit une série d'articles dont elle espérait qu'ils l'exposent à la peine de mort.

– Où est-il ? demanda Love Younger.

– Les autorités du Kansas affirment qu'il est mort dans une collision entre un camion-citerne et une camionnette pénitentiaire. »

Il me scruta. « Et vous n'y croyez pas ? demanda-t-il.

– Un peu plus tôt dans la semaine, ma fille a été suivie par un homme dans un pick-up Ford délabré. Elle pense qu'il s'agissait d'Asa Surrette.

– Je vous ai demandé si vous pensez qu'il est mort, dit Younger.

– Quelqu'un a gravé un message dans la paroi d'une grotte sur la montagne au-dessus de la maison d'Albert Hollister. Le message contenait des allusions bibliques qui indiquent que celui qui l'a écrit est un mégalomane. Surrette aurait-il pu écrire un tel message ? C'est possible.

– Pourquoi Angel aurait-elle suivi un type comme ça ? » dit Caspian. Il avait le menton pointé vers le haut, ses pattes s'étalant jusque sur sa gorge, pareilles à de la limaille, un sourire brumeux aux lèvres.

« Je l'ignore, monsieur, dis-je.

– Calme-toi, Caspian, dit Love Younger.

– Nous avons négligé une chose, monsieur Younger, dit Clete. Vous avez mentionné ce Pepper. Il est évident qu'il vous a fait un rapport différent de celui qu'il a fait à Dave, dont la fille est en danger. Il vous a dit aussi que Dixon a peut-être un partenaire. Pour moi, ça ne colle pas. Selon moi, Dixon est un solitaire, un homme de rodéo dont les bikers ne s'approchent pas. Un type comme ça ne cherche pas de soutien. En plus, depuis qu'il est sorti de Deer Lodge, son casier est clean.

– Son quoi ? dit Younger.

– Son casier. Ce type a sans doute de la Kryptonite en guise de cervelle, mais vous pouvez être sûr que ce n'est pas notre homme.

– Vous êtes en train de dire que Pepper essaie d'entrer dans mes bonnes grâces en inventant des informations ? dit Younger.

– Ça m'a traversé l'esprit », dit Clete.

Younger regarda la longue plaine alluviale de la Clark Fork, et la profonde faille géologique dans laquelle la rivière s'engouffrait. « Comment savoir si Surrette est mort ou vivant ?

– C'est impossible, dis-je.

– Je ne comprends pas.

– Quelle est la dernière fois qu'un État, quel qu'il soit, et de son propre gré, a reconnu s'être trompé ? » demandai-je.

Younger prit le Colt de 1851, passa un chiffon gras sur ses surfaces bleu foncé, arma le percuteur, bloqua le barillet. « Maintenant, il est comme neuf, dit-il. Ça m'a pris six semaines, mais j'y suis arrivé. C'est comme voyager dans le temps et, d'une certaine façon, défier la mortalité. On raconte que Wild Bill Hickok l'avait sur lui quand il a été provoqué par John Wesley Harding. »

J'ai attendu qu'il continue, sans comprendre où il voulait en venir.

« Il ne lui a pas été très utile, dit-il. Wes Hardin l'a fait reculer. C'est la seule fois où Wild Bill a cédé. Aujourd'hui comme hier, nos plans les mieux organisés paraissent partir en vrille, non ? »

Il posa lourdement le revolver sur un chiffon, le visage blafard et, d'une certaine façon, plus vieux, ses mains aussi petites que celles d'un enfant.

On est restés silencieux, Clete et moi, tandis que nous descendions de la montagne pour rejoindre l'autoroute qui devait nous ramener à Missoula. Le soleil brillait à travers les sapins et les épicéas qui bordaient la route, la lumière presque aveuglante quand elle se diffractait sur les aiguilles de pin humides. Le domaine Younger, avec ses perspectives magnifiques, semblait confirmer toutes les croyances de base du rêve américain. Love Younger était sorti d'un milieu des plus humbles, et avait construit sa fortune quasiment à partir de rien. Il avait aussi battu à leur propre jeu les descendants des requins de l'industrie. Je croyais comprendre pourquoi il fascinait certains. Si une telle chance pouvait lui arriver, elle pouvait arriver à n'importe lequel d'entre nous, non ? Il existait sûrement des gens qui auraient aimé toucher l'ourlet de sa cape pour être recréés à son image.

Mais tandis que la Caddy de Clete descendait la montagne à travers des ombres pareilles à des pointes de sabre tombant sur la route, je n'éprouvais que de la pitié pour Love Younger et sa famille.

« Qu'est-ce que tu penses de tout ça ? demanda Clete.

– Je n'en pense rien. Je n'ai jamais compris les riches.

– Qu'y a-t-il à comprendre ? Ils achètent au cimetière une parcelle plus chère que le reste d'entre nous, c'est tout.

– L'histoire de Pepper, c'est une mauvaise nouvelle. Il se sert de l'enquête à ses propres fins, dis-je.

– Alors on va aller discuter avec lui. Tu as reconnu l'accent de la nana ?

– Non, ai-je menti.

– Elle est de La Nouvelle-Orléans, ou des environs. » Clete me jeta un coup d'œil de côté.

« Bien. Maintenant, regarde la route.

– Je disais ça comme ça.

– Je sais ce que tu disais. Tu as remarqué aussi qu'elle ne portait pas de sous-vêtements.

– Je ne suis pas censé remarquer un détail pareil ?

– On n'a pas de rapports personnels avec ces gens. Tu comprends ça ?

– Tu sais quelle est la principale différence entre nous, noble ami ?

– L'un de nous tombe amoureux de chaque femme blessée qu'il croise. Et ensuite il se rend compte qu'il a baisé avec l'Antéchrist. Ça te rappelle quelqu'un ?

– Non. Je reconnais que ma queue occupe une place dans ma vie. Elle a une vision au laser, et elle se met en pilotage automatique dès qu'elle en a envie. Parfois, elle pense pour nous deux. C'est une chose que j'ai acceptée, et je crois que c'est un grand progrès. Tu devrais te montrer un peu plus humble, parfois, Belle Mèche.

– Je ne suis pas prêt à entendre ça. Je sais ce qui va suivre. Tu es toujours impatient de te fourrer dans les ennuis.

Je n'ai jamais vu une chose pareille. Et si tu te décidais à grandir un peu ?

– Quand on grandit, on devient vieux. Et qui a envie de ça ? Relax. Pense positif, et ne mange pas de graisse. Tu sais qui a dit ça ? Satchel Paige. Tout va bien se passer. Tu as ma parole. »

Après sa dernière entrevue avec Asa Surrette, Alafair avait publié trois article à propos de ses crimes, de leur caractère odieux, et de la nature compulsive caractérisant sa conduite depuis son enfance jusqu'au jour de son arrestation. La thèse de chacun des articles était de nature clinique, et n'offrait pas matière à discussion : un tueur en série ne peut allumer et éteindre ses compulsions comme on coupe un robinet trop bruyant. Surrette et son avocat soutenaient qu'il n'avait pas commis de crimes après le rétablissement de la peine de mort au Kansas, en 1994. Alafair était persuadée du contraire.

Dans les articles, elle citait directement leurs entretiens, et la mise en forme des citations dessinait le portrait accablant d'un homme dont le mode de vie était fait de cruauté, de domination sexuelle, de goût du sang, et d'une absence pathologique de remords.

À l'époque, je lui avais demandé si elle ne s'était pas trop émotionnellement impliquée dans le sujet.

« J'ai enregistré ses paroles. Je ne les ai pas inventées. Il est diabolique. La vraie question, c'est de savoir comment un homme comme ça a pu tuer des gens dans la même ville pendant vingt ans », dit-elle.

C'était ma fille.

Quand je suis revenu de chez Love Younger, Alafair m'a demandé de monter dans sa chambre. Une enveloppe et une feuille de papier machine sur laquelle une lettre était écrite à l'encre bleue étaient posées sur son bureau, à côté de son ordinateur. « Je ne t'ai jamais montré ça, Dave. Après la publication des articles, Surrette m'a écrit.

– Pourquoi ne voulais-tu pas que je voie ça ?

– Parce que je pensais que ça te rendrait dingue. Lis ce machin. »

Il s'est passé une chose bizarre. Je ne voulais pas toucher une feuille de papier manipulée par Surrette. J'ai connu toutes sortes de gens et, dans le bloc Red Hat d'Angola, j'ai même tenu la main d'un homme en route pour la chaise électrique. Mais je ne voulais pas mettre les doigts sur le papier qu'Asa Surrette avait touché. Je me suis approché du bureau d'Alafair et j'ai baissé les yeux sur l'écriture de Surrette. Sa graphie, si on pouvait appeler ça ainsi, était étrange. Le papier n'était pas ligné, mais chaque phrase, chaque mot, chaque lettre, était aussi régulier, net et droit que s'il avait été composé au plomb. Les lettres rondes étaient aplaties et réduites à des barres obliques géométriques, comme si le calligraphe avait pensé que former un cercle aurait violé un principe. Le plus curieux, c'était l'absence totale de ponctuation. Les phrases de Surrette étaient séparées par des tirets plutôt que par des points, comme s'il ne pouvait se déconnecter de son propre courant de conscience, ou peut-être parce qu'il était persuadé que son propre processus de réflexion n'avait ni commencement ni fin. Voici ce qu'il avait écrit dans sa cellule et que le censeur l'avait laissé envoyer à ma fille :

Chère Alafair –

J'ai lu vos articles et je voulais vous dire combien je les trouve bien écrits – Je ne vous en veux pas de la façon dont vous me caractérisez – Je n'ai sans doute pas abordé nos entretiens du bon pied – Néanmoins je suis persuadé qu'il y a eu une sorte d'étincelle entre nous – Une chose que vous n'avez pas comprise ce sont mes origines – Certaines personnes sont nées avant que ne soit créée la poussière primale du monde et ont attendu des éons pour qu'arrive pour eux le moment d'apparaître – Peut-être étiez-vous aussi là avant que les montagnes et les collines ne soient posées – Peut-être avons-nous beaucoup de points communs – Je sais que je vous reverrai à un moment donné – Jusque-là je penserai toujours à vous avec amitié – Fidèlement vôtre –

Asa

« Pourquoi as-tu ressorti cette lettre maintenant ? demandai-je.

– Tu sais très bien pourquoi.

– Quand il dit avoir été là avant la poussière primale du monde ?

– J'ai vérifié. Il a tiré deux ou trois citations du livre des Psaumes. Ça ressemble à ce qui est écrit sur la paroi de la grotte.

– Je vais passer quelques coups de fil au Kansas.

– Tu crois que ne l'ai pas déjà fait ? Les infirmiers ont retiré du camion-citerne et du fourgon cellulaire les restes carbonisés de quatre individus. J'ai appelé l'*Eagle* de Wichita, et j'ai eu un journaliste qui m'a raconté une histoire intéressante. Un garçon autiste a peut-être été témoin de la collision. Le garçon a dit à sa mère qu'un homme qui marchait sur le bord de la route s'était avancé devant le camion-citerne, et avait causé l'accident. Si c'est vrai, il aurait dû y avoir cinq cadavres, et pas quatre. »

J'ai continué à observer la lettre de Surrette, me demandant comment j'avais pu laisser un homme pareil entrer dans nos existences. « Qu'ont dit les flics ?

– Oublie les flics. Le journaliste a interrogé le petit garçon, qui a raconté que le camion n'avait explosé qu'après la collision. Il a dit qu'il avait entendu des morceaux de la camionnette et du camion rouler sur la route. Et ensuite il a vu une grande lumière dans le ciel.

– Surrette serait descendu de la camionnette et aurait mis le feu à l'essence répandue ?

– C'est le genre de choses dont il serait capable. Tu as vu Gretchen ?

– Pourquoi ?

– Elle se conduit de façon bizarre. Elle est peut-être encore fâchée des remarques des flics sur la montagne.

– Il est peut-être temps que nous discutions un peu avec Pepper. Il a dit au grand-père de la jeune Indienne assassinée qu'il avait trouvé la boutique où le type portant le bracelet de la fille avait acheté un arc. Mais il ne nous l'a pas dit à nous.

– Tu as dit "nous" », a-t-elle répondu.

J'ai trouvé dans l'annuaire l'adresse de Bill Pepper et à quatre heures et demie de l'après-midi, nous avons pris le chemin de terre en direction de la deux-voies. À un kilomètre au sud du ranch d'Albert, on a vu un pick-up orange vif arriver dans notre direction, conduit par un homme avec un chapeau de cow-boy en paille blanche. Il s'est arrêté et a baissé sa vitre. Un bouquet de fleurs coupées emballé dans du papier de soie vert était posé sur le tableau de bord. « Bonjour-bonjour. Je viens voir Miss Gretchen, dit-il.

– À ma connaissance, elle n'est pas chez elle, monsieur Dixon, dis-je.

– Alors je vais vous parler à vous. » Il coupa son moteur et descendit de la voiture. Il avait le soleil dans les yeux, mais semblait ne pas s'en soucier. « J'ai entendu ces flics parler du message sur la paroi de la grotte.

– Et alors ?

– Je sais ce qu'il signifie. Je veux pas être mêlé à ça. Sauf si c'est ce que je suis censé faire.

– Mêlé à quoi ? Vous n'êtes pas très clair, partenaire, dis-je.

– Les Indiens sur la réserve en parlent depuis longtemps. La Bible dit qu'il arrivera de la mer, et qu'on le reconnaîtra par les chiffres dans son nom. À un moment donné, toute cette région était sous l'Océan. Je pense qu'il est ici. C'était lui, ou un de ses acolytes, dans la grotte. »

Alafair se pencha par-dessus le siège. « *Qui* est là-haut ?

– Lui, dit Dixon. *Lui*, celui que le monde attend. »

7

Les rivières étaient gonflées par les crues de printemps et les pluies continuelles, mais Clete connaissait un ruisseau, sur une route forestière dans les Bitterroots, où une longue bande d'eau claire bouillonnait sous les arbres, coupée en amont par une chaîne de digues de castors, avec des piscines profondes et des rapides ondulant si limpides sur le lit de graviers qu'on pouvait compter chaque caillou à un mètre sous la surface. Il avait rempli sa glacière de bière, de jus de fruits en boîte et de sandwiches jambon-oignon et l'avait posée sur le siège arrière, tandis qu'il mettait dans le coffre ses cuissardes, sa canne à mouches, sa veste de pêche, son filet et son casier. Il avait enfilé sa veste de toile et son feutre et il était prêt à partir. Sauf qu'il y avait un problème. Il n'arrêtait pas de penser à sa fille.

Il retourna au chalet. « Viens avec moi, dit-il.

– Je suis occupée », dit-elle. Elle était assise à la table de la cuisine, son assiette était froide, son ordinateur portable ouvert.

« Qu'est-ce qui te tracasse, mon petit ?

– Rien.

– J'ai vu l'Airweight sous ton oreiller.

– Il m'arrive de faire des cauchemars. Je suis comme ça.

– Tu as rencontré un type, hier soir ?

– Non.

– Dis-moi la vérité.

– C'est ce que je viens de faire.

– Qu'y a-t-il, alors ?

– J'ai quelques problèmes à régler. »

Il ôta son chapeau et s'assit. Elle ferma son portable. « Je ne partirai pas tant que tu ne m'auras pas dit ce qu'il y a, dit-il.

– J'ai commis une erreur de jugement.
– À propos d'un homme ?
– Pas le genre d'homme auquel tu penses.
– De qui, ou de quoi, on est en train de parler ?
– Je vais gérer ça, Clete. »
Il lui posa une main sur le bras et la vit tressaillir. « Je commence à me sentir mal, ici, dit-il.
– Alors tire-toi.
– Ce sont ces flics qui ont fait les malins avec toi ?
– Ne te mêle pas de ça.
– Tu t'en es prise à eux, c'est ça ?
– J'ai agi comme une idiote. Tout ce qui m'est arrivé est ma faute.
– Qu'est-ce qu'ils t'ont fait ?
– Je suis allée chez Bill Pepper. Je voulais le défoncer. Et j'ai vu une balançoire dans le jardin et un cercle de basket au-dessus de la porte cochère. Quand il a ouvert la porte, j'ai vu sur le mur des photos de lui avec ses petits-enfants. Il a fait semblant de ne pas me reconnaître. Il m'a demandé si j'étais une dame de l'église.
– Une quoi ?
– Il a dit que cette dame s'apprêtait à inscrire sa petite-fille dans un camp biblique. Il a dit qu'il m'avait prise pour elle. C'est un type très persuasif. »
Clete sentit qu'il avait le souffle court, que son cœur lui manquait.
« Dis-moi ce qui s'est passé.
– Je crois qu'il a mis du Rohypnol, ou un somnifère quelconque, dans un verre de Pepsi qu'il m'a donné.
– Continue.
– Je ne me souviens pas de tout. Il a commencé par poser les mains sur moi. Ensuite il a fait d'autres choses. »
Clete vit ses joues devenir exsangues, son regard virer au vague. « Dis-moi tout d'un seul coup. Il n'y a pas de quoi avoir honte. On va régler ça ensemble.

– Il a frotté son pénis contre moi. Sur tout mon corps. Il n'arrêtait pas de parler, sa bouche collée à mon oreille. Je sentais son haleine sur mon visage. »

Clete sentit des picotements au crâne, ses mains se serrer en poings sur ses genoux, sous la table.

« Il m'a conduite sur la Blackfoot, continua-t-elle. Pendant un long moment, il m'a laissée croire qu'il allait me tuer. Puis il a lacéré mes vêtements avec un couteau, il m'a fait ingurgiter du whisky, il m'a frotté le corps avec de l'herbe et il m'a laissée toute nue. Deux jeunes m'ont donné un imper et m'ont reconduite à ma voiture. »

Le blanc de ses yeux était devenu rose, mais elle n'avait pas versé une larme. Clete dut tousser dans sa main avant de parler. « Tu ne vas pas le dénoncer ?

– Il m'a passée au décolorant. Je ne porte pas d'ADN. Mes vêtements ont disparu. Je n'ai rien pour prouver que je dis la vérité.

– Qu'est-ce que tu cherchais sur Internet ?

– Il m'a dit qu'il avait un cancer au stade terminal. Certaines personnes que je connais à Miami ont piraté son dossier médical. Il mentait. Je sais à quoi tu penses. Je ne veux pas que tu te mêles de ça.

– Il finira par tomber.

– Je ne laisse personne s'occuper de mes affaires. Surtout pas toi.

– Parce que je n'étais pas là pour te défendre quand tu étais gosse ?

– C'est le contraire. Tu as été présent pour moi autant que tu le pouvais, et maintenant il n'est plus question que tu portes ma croix.

– Tu as toute ta vie devant toi, petite. Tu as réalisé un documentaire sur la musique, et maintenant tu vas en tourner un sur les dégâts commis par ces compagnies pétrolières. Tu ne peux pas foutre ça en l'air à cause d'un pauvre type comme Pepper. Laisse-moi m'en occuper.

– C'est ce que tu ne veux pas comprendre, Clete. Quand un homme viole une femme, il lui dérobe son identité. On ne sait plus qui on est. On a l'impression de ne plus avoir d'adresse, ni de boîte aux lettres, ni de nom. On n'est plus rien.

– Ne dis pas des choses pareilles.

– Tu vois ? Tu n'as pas envie d'entendre ça. Aucun homme n'a envie de savoir à quel point c'est douloureux. C'est comme une tache qu'on ne peut pas effacer de son âme. Je veux le tuer, je veux le mettre en pièces. Je veux qu'il souffre un maximum. »

Il lui prit la main. « Je comprends que tu ne veuilles pas le dénoncer. Il a sans doute déjà fait ça, et il s'en est tiré. Le système broie les victimes d'agressions sexuelles. Mais je vais l'avoir, et quand je le ferai, je le ferai pour nous deux.

– Je savais que c'était une erreur.

– Qu'est-ce qui était une erreur ?

– De t'en parler. Tu vas finir en prison. »

Il commença à parler, puis y renonça et lui tapota les cheveux. Il avait la tête remplie d'images de ce qu'elle lui avait raconté, des images dont il savait qu'elles le poursuivraient jour et nuit, où qu'il aille, quoi qu'il fasse. En réalisant l'ampleur du vol dont sa fille avait été victime, il se sentit au creux du ventre une sensation comme celle d'une flamme qui fait un trou dans un morceau de papier et qui s'élargit jusqu'à noircir tout ce qu'elle touche.

Une bourrasque avait soufflé à travers Hellgate Canyon jusque dans le centre de Missoula quand nous sommes arrivés dans le quartier ombragé, près de la rivière, où vivait Bill Pepper. Les érables étaient couverts de feuilles que le vent secouait en gros bouquets humides, des gouttes de pluie mouchetaient les trottoirs, les corbeilles de fleurs sur le porche de Pepper se balançaient. Il n'était que cinq heures et demie, mais il avait déjà allumé les lumières à l'intérieur. J'ai dû frapper deux fois avant de le voir sortir de sa cuisine, un feutre sur la tête, une veste de cuir sur le bras. Il m'a fixé à travers la vitre, puis a déverrouillé sa porte et l'a ouverte. « Qu'y a-t-il ? » a-t-il demandé.

La peur se traduit de bien des façons, le plus souvent comme une sensation d'appréhension qui disparaît rapidement. Ce que j'ai vu sur le visage de Bill Pepper était proche du genre de peur que je n'ai vu que sur le visage des condamnés, des hommes qui, assis dans une cellule, écoutent le battement de leur cœur tout en attendant le bruit d'une porte métallique qui s'ouvre à la volée, et des pas le long d'un corridor mal éclairé. Je parle d'un degré de peur qui rend la peau grise, trempe de sueur les cheveux, durcit et dessèche les paumes au point qu'on ne peut plus fermer les poings.

« J'ai vu Love Younger ce matin, dis-je. Je dois avoir confirmation de certaines choses qu'il m'a dites.

– Vous vous mêlez d'une enquête en dehors de votre juridiction, dit Pepper.

– Pas du tout. Ma fille a failli être tuée par un agresseur inconnu qui traîne encore dans le coin. Younger dit que vous avez trouvé un marchand d'articles de sport ayant vendu un arc à un type qui est peut-être l'assassin d'Angel Deer Heart. Nous avons droit à cette information. Pourquoi ne nous l'avez-vous pas transmise ?

– Je pars pour le week-end. Si vous voulez me parler, venez lundi à mon bureau.

– Quelque chose vous rend nerveux ? demanda Alafair.

– Je suis pressé. Quel droit avez-vous de venir chez moi ? De me parler comme ça ? » Comme emporté par sa propre rhétorique, il fit un pas sur le porche. En dépit du vent, je sentais l'alcool dans son haleine.

« Notre demande d'information est raisonnable, inspecteur Pepper, dis-je. Je ne comprends pas votre contrariété.

– Je ne suis pas contrarié. Je ne sais pas ce que voulez, ni pourquoi vous êtes là. On a toujours l'œil sur Wyatt Dixon.

À notre connaissance, il est la dernière personne à avoir vu la fille vivante.

– On vient de croiser Dixon sur le chemin de terre en bas de chez Albert Hollister, dis-je. Il allait voir Gretchen Horowitz. Quand il nous a parlé, il semblait tout à fait détendu. Vous croyez qu'un coupable le serait ? »

Le regard de Pepper se porta sur Alafair, avant de revenir sur moi. « Ils mijotent quelque chose ? Peut-être qu'ils affirment que j'ai brutalisé Dixon ? »

Cette fois, je n'ai pas répondu. Il avait un tic sous l'œil gauche, la bouche tordue.

« Dites-nous juste ce que vous avez appris du vendeur d'articles de sport, dit Alafair. À quoi ressemblait l'acheteur de l'arc ?

– Entre deux âges. Il a payé en liquide. Ça pourrait être n'importe qui, dit-il. Peut-être que ça n'a aucun rapport.

– Ce n'est pas ce que vous avez dit à Love Younger, dit Alafair. Vous lui avez dit que l'acheteur portait le genre de bracelet que Dixon a vendu à la jeune Indienne.

– Maintenant je m'en vais. Je n'ai pas le temps de parler de ça, dit Pepper.

– Je pense que vous avez mis les voiles un peu tôt, ce matin, dis-je.

– Répétez-moi ça ?

– Vous êtes complétement imbibé, partenaire. Autrefois, je commençais au moment du déjeuner, moi aussi, en particulier quand je me chauffais pour le week-end. Le samedi matin, je brillais dans le noir. »

J'ai vu une lueur étrange dans ses yeux, comme si, mentalement, il avait changé de vitesse et ne pensait plus à rien de ce qu'il venait de dire. « Vous êtes de là-bas en bas. Vous savez comment ils font des affaires.

– De là-bas *où* ? Et c'est qui, *ils* ? Je ne comprends rien à ce que vous dites.

– Ça a un rapport avec Albert Hollister et la fille. Ils pensent que je suis mêlé à ça. Ce n'est pas vrai. Voilà ce que je dis.

– Vous divaguez, monsieur.

– Monsieur Robicheaux ?

– Qu'y a-t-il ? »

Il sembla se reprendre, comme un homme qui cherche un ami. « Je suis désolé de ce que j'ai fait. Ils ne me comprennent pas. Je pense que je vais retourner à Mobile. Ça m'a toujours plu, là-bas, vivre près de l'eau salée et pêcher avec les Nègres quand le soleil se couche. Là-bas, sur la baie, la vie est paisible. »

Nous l'avons regardé, Alafair et moi. On avait l'impression de voir un homme disparaître sous nos yeux. « Désolé de quoi ? demandai-je.

– De mes actes. Si je pouvais, je les déferais.

– Je pense que vous avez besoin d'aide », dis-je.

Il ferma la porte à l'instant où les nuages éclataient et commençaient à se déverser, les gouttes de pluie heurtant les toits et les trottoirs aussi violemment que de la grêle. S'il existe un ossuaire pour les âmes, j'étais persuadé que Bill Pepper venait de le découvrir.

Quand nous sommes rentrés à la maison, Albert était sorti. La pluie avait cessé, et le ciel était comme un lavis. Molly et moi avons fait griller des steaks sur la terrasse, avant de les porter dans la maison et de les manger avec Alafair tout en regardant la lune monter au-dessus des Bitterroots. Albert est rentré plus tard, tenant un paquet de FedEx, le visage rougi par le vent. « C'est pour Gretchen. Il était à côté du garage, dit-il. Où est-elle ?

– Au chalet, je pense, dis-je. Alafair et moi avons eu une discussion avec un des flics qui étaient dans la grotte. Bill Pepper. Tu le connais ?

– Pas plus que les autres.

– Il était à moitié bourré, et quelque chose le terrorisait. Il a dit que ça avait un rapport avec toi et quelqu'un qu'il appelait "la fille" ».

Albert secoua la tête. « Ce n'est pas lui qui a tabassé le cow-boy ?

– Ouais, il a cogné Wyatt Dixon.

– Pourquoi perdre son temps à parler à un type comme ça ? » dit Albert. Il posa le paquet sur la table. L'adresse de l'expéditeur indiquait un laboratoire de géologie à Austin, Texas.

Après dîner, Gretchen était allée dans sa chambre, s'était allongée sur les couvertures, le bras sur les yeux, puis s'était tournée vers le mur et endormie. Clete était assis à la table de la cuisine, une tasse de café devant lui, et la regardait dormir, en essayant de réfléchir aux choix qui se présentaient à lui. Avoir une conversation calme avec le shérif ? Gretchen finirait en viande pour requins. Le shérif récupérerait son dossier à Miami-Dade, et on ne croirait rien de ce qu'elle dirait. Et, sur le fond, l'affaire allait bien au-delà du passé de Gretchen. Systématiquement, les victimes d'agressions sexuelles se faisaient déchirer à la barre, tandis que le violeur arborait à la table de la défense un sourire suffisant, ou secouait la tête en une feinte incrédulité. Les plaintes pour viol étaient requalifiées comme « agressions », les violeurs d'enfants se voyaient accorder la probation. Sans oublier qu'il existait une tradition malsaine chez les défenseurs de la loi, en particulier chez les flics des mœurs, et tout le monde le savait, Clete en particulier : les plaisanteries du coin des lèvres, la suffisance morale, l'excitation générale à l'idée d'avoir monté avec succès un piège sexuel, la proximité légale d'un univers sybarite où l'on pouvait baiser de toutes les façons possibles en se contentant de montrer son insigne.

Pour un inspecteur des mœurs ayant du temps à tuer, les heures d'après-travail à La Nouvelle-Orléans n'étaient peut-être pas les thermes de Caracalla, mais en représentaient un succédané tout à fait correct.

Selon Clete, le pays était encore puritain, tout au moins en ce qui concerne la victimisation des femmes. La tentatrice provoquait sa propre chute. La victime était le substantif, le coupable un adverbe. Dès que Gretchen témoignerait, elle serait décrite comme une tueuse à gages de Miami allée volontairement chez Bill Pepper, un rendez-vous galant qui avait connu un dénouement scabreux et sans conséquence sur la Blackfoot River. Elle aurait de la chance si elle n'était pas inculpée pour parjure.

Clete apercevait la courbe de ses hanches, la fermeté de ses cuisses et de ses fesses contre le tissu de son jean, son dos qui montait et descendait pendant son sommeil. Elle avait entamé en Californie un régime spartiate, et elle avait perdu dix kilos en soulevant des poids et en courant six kilomètres chaque matin sur la plage de Santa Monica. La combinaison de ses cheveux noisette, de ses yeux violets et de son corps de statue faisait se retourner les hommes quand elle passait près d'eux. Et, plus intrigant encore, elle semblait ne pas prendre garde à l'attention qu'ils lui portaient, comme si elle était parmi eux une simple visiteuse, polie, mais provisoire.

Clete avait du mal à faire la distinction entre la fille qu'il regardait maintenant et la femme appelée Caruso à Little Havana. Les taches de sang et la malédiction de Caïn ne se lavent pas facilement des mains ni de l'âme. Quiconque est persuadé du contraire ne connaît rien au fonctionnement de l'être humain, pensait-il. En dehors des psychopathes, toute personne qui tue un autre être humain endosse un fardeau qu'elle devra porter pour le restant de ses jours. Les heures diurnes permettent de se concentrer sur le fait de gagner de l'argent, d'acheter de quoi manger et de quoi se vêtir, de s'inquiéter pour des pneus usés. Les heures nocturnes sont un peu différentes. Les gargouilles qui vivent dans l'inconscient ont leur propre rythme, et ne s'intéressent pas au flux et au reflux des heures de la journée. Quand on est seul dans son lit à quatre heures du matin, on les entend échapper à leurs amarres et entamer la production d'un film d'horreur dont on est la vedette, sauf qu'on n'a aucune prise sur les événements qui vont se dérouler. Comment remédier à ça ? On peut tâter des pilules rouges, de quatre doigts de Jack, ou même du Nytol. Sauf qu'en général, pour quelques heures de sommeil sous médicaments, on hypothèque le lendemain. Il existait un autre moyen : mettre une seule balle dans le barillet de son .38, armer le percuteur et, en pressant doucement sur la détente, se libérer à jamais l'esprit.

D'une certaine façon Gretchen avait échappé à l'existence dans laquelle elle était tombée. Mais après qu'elle eut manifesté pitié et confiance à un flic peu scrupuleux qui l'avait ridiculisée sous les yeux d'autres hommes, il l'avait remerciée en la droguant, en l'attachant, en la torturant sexuellement. Comment gérer une situation pareille ? Doit-on livrer sa fille au système, en espérant qu'elle ne sera pas humiliée une nouvelle fois ? Doit-on la laisser retourner à la vie criminelle dont elle s'est libérée ? Doit-on laisser les autres gâcher sa vie, comme un Kleenex usagé qu'on roule en boule et qu'on jette ?

À quelle conclusion arriverait une personne raisonnable ?

Clete écrivit un mot au dos d'une enveloppe, qu'il posa contre le bol de sucre sur la table de la cuisine. Puis il sortit son sac marin du placard et en vérifia le contenu : un fusil à pompe Remington calibre 12 à canon scié, une boîte de chevrotine en 00 et de balles cuivrées qu'il avait remplies à la main, un .25 semi-automatique dont le numéro de série avait été brûlé à l'acide, un Stiletto à cran d'arrêt, des gants en latex, des liens de plastique, une matraque plombée capable de casser une planche, des menottes, un jeu de crochets à serrures, un coup-de-poing américain, un flacon de décolorant, du fil à pêche en nylon, et du sparadrap.

Se refréner, raisonner, travailler à l'intérieur du système ? Au diable tout ça.

Il sortit le sac marin, le jeta dans le coffre de la Caddy, et démarra.

La note laissée sur la table était la suivante :

> Ne t'inquiète de rien, petite. Je serai rentré avant le matin. Tout ça sera derrière nous.
>
> Baisers,
>
> Ton papa,
> Cletus.

Une heure plus tard, quand elle se réveilla, Gretchen ne savait pas où elle était et, sur le moment, ne se rappelait pas non plus les événements survenus chez Bill Pepper ou sur la rive de la Blackfoot River. Puis elle réalisa que le sommeil était une illusion, et que la réalité, c'était l'agression dont elle avait été victime. Le frôlement de ses mains et de ses parties génitales semblait coller à sa peau comme une toile d'araignée humide, et plus elle se frottait le corps, plus elle semblait recréer ce qu'il lui avait fait, comme si elle était devenue un substitut de l'homme qui l'avait agressée.

Elle s'approcha de la table de la cuisine et lut le mot de Clete. Elle le posa et resta un long moment sous l'ampoule qui pendait droit au-dessus de sa tête, essayant de trouver comment les sortir tous les deux de cette situation. Par la fenêtre, elle vit un ourson couleur sable émerger des arbres sur le flanc de la montagne et se frayer un passage à travers la barrière au clair de lune. Albert avait envoyé un e-mail collectif dans la vallée, avertissant tout le monde que l'ourson avait été séparé de sa mère, et de prendre garde en roulant sur le chemin de terre. L'ourson dégagea sa patte arrière de la barrière, le fil de fer léger tremblant sur ses piquets, puis disparut dans les hautes herbes, créant un chemin, comme un sous-marin qui glisse juste sous la surface de l'océan.

Quand Gretchen mit le pied sur la galerie, l'ourson bondit par-dessus le ruisseau et à travers les *cottonwoods*, sa croupe tressautant dans le clair de lune.

En regardant l'ourson se ruer à quatre pattes sous la barrière métallique à l'extrémité de la pâture et prendre dans l'obscurité le chemin de la montagne sur les rochers et les souches, les scories volcaniques d'une vieille faille géologique dégringolant sur la pente, Gretchen sentit des larmes lui monter aux yeux.

Bill Pepper lui avait menti sur tous les points, excepté un seul : il avait dit la vérité en affirmant qu'il avait jeté son sac dans un arbre près du chemin de terre. Ce qu'il ne lui avait pas dit, c'était sa motivation, laquelle était sans doute de manifester son mépris pour tout ce qu'elle possédait et de susciter une situation où il continuerait à contrôler sa vie, tandis qu'elle serait forcée de monter nue à un arbre pour récupérer son bien.

Elle sortit son Airweight .38 de sous son oreiller et le glissa dans le sac, en compagnie de la matraque télescopique et de la bombe de Mace, qui s'y trouvaient toujours quand elle l'avait tiré de l'arbre. Puis elle mit son foulard et enfila son blouson de nylon rouge, comme celui de James Dean dans *La Fureur de vivre*. Tandis qu'elle passait lentement sous l'arche et débouchait sur la route dans son pick-up à caisse coupée, la puissance silencieuse du moteur Mercedes vibrant jusque dans ses paumes à travers le plancher, elle crut voir l'ourson se déplacer entre les arbres, et se demanda s'il trouverait un abri sûr pour la nuit.

La camionnette de Bill Pepper quitta la deux-voies et descendit un sentier caillouteux qui traversait un bosquet de bouleaux, et aboutissait au bord de Swan Lake. La lune brillait au-dessus des montagnes, transformant le lac en un miroir oxydé rempli de flaques d'ombre et de lumière, l'étendue vert sombre des herbes aquatiques aussi épaisse et ondulante que du blé sous la surface. Il sortit de sa camionnette et jeta un coup d'œil derrière lui sur la nationale, puis il entra dans le cottage couvert de bardeaux au bas de la pente, et referma la porte à clef.

Bill Pepper adorait son cottage. Il était douillet et chaud pendant la saison de chasse, et en été c'était un havre de paix loin de la ville et des touristes qui s'abattaient sur l'ouest du Montana et encombraient les routes de leurs camping-cars et de leurs mobil-homes. Ce soir-là était différent : le lac et le cottage n'éloignaient guère les problèmes qui le taraudaient. Une peur qui lui donnait des palpitations le suivait depuis Missoula, polluant son sang, ses pensées, sa vision et tout espoir de retrouver le moindre respect de lui-même. Pour la première fois de sa vie, Bill Pepper se demandait s'il n'était pas un lâche.

Ne pouvait-il pas dédramatiser ? Il avait été agent de police à South Central et Compton et dans ce que les Latinos appelaient East Los, et il s'était fait tirer dessus à travers son pare-brise par un sniper sur la Harbor Freeway. En le voyant arriver, les maquereaux et les dealers s'écartaient. Les putes noires lui faisaient des lap dance dans sa voiture de patrouille. Un chef de gang noir impopulaire qui avait passé deux ans à l'isolement à Pelican Bay se moquait de son accent, le traitait de bêta et l'appelait « Bell Pepper avec le g'os ventre » alors que Pepper essayait de l'interroger à propos d'un vol à main armée. Bill avait eu un sourire clément, avait regardé une fois derrière lui, puis avait souri de nouveau juste avant de clouer d'un coup de matraque la tête du voyou contre un mur de briques, de lui cracher au visage et de lui briser la trachée. L'ironie de la situation, c'est que les gens de la rue et même les membres du Eighth Street Crips[1] se mirent à hurler depuis les trottoirs au passage de sa voiture : « Hé *Mister* Bill ! T'as eu ce fils de pute, *man* ! »

1. Gang de rue afro-américain de Los Angeles.

Il posa son Glock sur la table basse de son petit salon et contempla l'étendue du lac, les Swan Peaks s'élevant vers le sud comme des boîtes jumelles de fer-blanc dentelé et, juste en face du cottage, une montagne couverte d'arbres noire contre le ciel semé d'étoiles. Tout juste une semaine auparavant, des opportunités s'offraient à lui de tous les côtés : il avait de l'argent à la banque, une nouvelle camionnette, et il allait faire un rapport à l'un des hommes les plus riches des États-Unis. Et tout était parti en vrille à cause d'une fille du nom de Gretchen Horowitz. Une remarque idiote sur son allure de lesbienne, rien de plus, et des tonnes de soucis s'étaient déversées sur sa tête. Et l'adjoint qui avait commencé le premier à faire le malin ? Pourquoi la fille ne s'en était-elle pas prise à *lui* ?

Il n'avait pas allumé les lumières du cottage. Il se leva du canapé, alla dans la cuisine, sortit du réfrigérateur une bouteille de lait, puis se rassit, décapsula une pinte de brandy, le mélangea au lait dans un verre à moutarde et le but dans le noir. La canopée feuillue des bouleaux se balançait au clair de lune, les ombres glissant sur sa pelouse et son porche. Si Bill Pepper avait appris une chose dans sa vie, c'est que les événements terribles avaient toujours des causes minimes. Son père s'était montré amical avec un Nègre vagabond et y avait laissé la vie. Les émeutes de Watts avaient débuté non parce que la police avait tabassé un innocent, mais parce qu'une foule s'était rassemblée quand un agent de police avait arrêté un chauffeur de taxi noir qui était ivre au volant. Quelques jours plus tard, la garde nationale tirait à la mitraillette dans des immeubles, il y avait quatre-vingt-un morts, et un quart de la ville était en flammes.

Il aurait pu arranger la situation avec la fille même après l'avoir molestée. Mais il s'était rendu compte aujourd'hui que ses ennuis avec elle n'en étaient qu'à leur début. Pour des raisons qu'il ne comprenait pas, elle était importante aux yeux de certaines personnes. D'ailleurs, qui était-elle ?

Pourquoi tous ces gens lui tombaient-ils dessus ? Ils agissaient comme si lui avait tout su d'elle. Alors qu'en vérité, il ne savait rien. S'il avait su quoi que ce soit, il l'aurait laissée tranquille.

Comment avait-il pu lui permettre de s'insinuer en lui ? Comment aurait-il pu expliquer ça aux autres, alors qu'il ne pouvait se l'expliquer à lui-même ? Elle était attirante, ça c'est sûr. Non, ce n'était pas le terme exact. Elle était superbe. Ses yeux étaient mystérieux et séduisants et un peu dangereux, et en même temps vulnérables. C'était une jeune fille enfouie dans un corps qui représentait le rêve érotique de chaque mâle. Il savait qu'il avait des pensées malsaines, mais il ne pouvait s'empêcher de la désirer. Aucun homme n'aurait pu s'en empêcher. Il était humain, après tout. Peut-être même ses sentiments avaient-ils quelque chose de paternel, se disait-il.

Elle ne te sort pas de la tête, pensa-t-il. *Tu connais la véritable raison de ta fascination pour elle. Elle n'a peur de rien. Ni de toi, ni de personne, ni de quoi que ce soit, pas même de la mort entre les mains d'un homme insérant une lame dans son cou, à quelques centimètres de sa carotide.*

Il vida son verre, le remplit à nouveau, sans prendre cette fois la peine de le touiller, buvant le brandy aussi rapidement qu'il le put. Il crut entendre une branche se casser et tomber dans le jardin. Ou bien était-ce la biche qui descendait boire dans le lac ? Il avait dit à ce flic de Louisiane et à sa fille qu'il voulait retourner à Mobile. Ça restait une possibilité, non ? Ses collègues blancs du LAPD n'avaient jamais compris l'attitude de Bill Pepper envers les gens de couleur. Il n'éprouvait contre eux aucun ressentiment ; il se sentait à l'aise parmi eux, et ne leur en voulait pas parce qu'un vagabond noir cinglé avait tué son père. Ceux qu'il ne supportait pas, c'était la racaille blanche comme Wyatt Dixon, le genre d'homme qui le punissait de son aversion pour les gens du Sud, le genre d'homme qui rappelait à Bill Pepper la ruelle où il vivait à Macon.

Il alluma une cigarette, versa encore du brandy dans son verre et le regarda tournoyer dans le lait. Il but le verre presque jusqu'au bout, espérant interrompre le processus qui se mettait en place dans sa tête. Comment les ivrognes aux réunions des A.A. appelaient-ils ça, déjà ? Avoir des pensées qui courent ? C'était ça. Votre tête semblait exploser, comme un ballon de basket entouré de fil barbelé. Quelque chose d'encore plus grave se passait dans la tête de Bill Pepper : le monde qu'il connaissait arrivait à sa fin, le film se libérait de sa bobine et claquait devant le projecteur en jetant sur l'écran des images disjointes.

Où est-ce que ça avait commencé à mal tourner ? Secrètement, il connaissait la réponse à sa question, et elle n'avait aucun rapport avec la fille. Les riches ne respectaient pas les gens comme Bill Pepper. Pour eux, les flics avaient le même statut que les jardiniers. Il s'était ridiculisé avec Love Younger, tentant de s'insinuer dans ses bonnes grâces, violant tous les protocoles de sa profession, persuadé que Younger lui donnerait un travail d'expert en sécurité, ou même ferait de lui son assistant personnel. En réalité, les hommes comme Love Younger ne prendraient pas le temps de vous cracher dans la bouche si vous étiez en train de mourir de soif.

Le vent se levait à l'extérieur, dessinant de grands V à la surface du lac. Il entendit une nouvelle fois un craquement soudain, et un bruit en cascade, comme celui d'une branche se détachant d'un tronc et tombant sur le flanc du cottage. Il n'avait jamais eu aussi peur et, pire, pour la première fois de sa vie, l'alcool n'agissait pas. La terreur le dévorait, comme une poêle brûlante qui fait s'évaporer une goutte d'eau. Il regarda ses mains. Elles tremblaient.

Écris tout ça, chuchotait une voix. *S'ils finissent par t'avoir, laisse quelque chose derrière toi qui dise aux gens que tu ne méritais pas ça. Dis-leur que tu es Bill Pepper, que tu étais de l'ancienne école au LAPD, et que tu as fait du mal à la fille Horowitz mais que tu es désolé et que tu lui as même dit que tu aimerais pouvoir veiller sur elle. Oui, dis-le-leur, Bill Pepper. N'entre pas silencieusement dans cette nuit noire.*

Où avait-il entendu cette phrase ? Puis il se souvint. Elle venait d'une prostituée noire qui travaillait en indépendante sur South Vernon Avenue. Elle s'était cramé la tête avec des métamphétamines en cristaux, mais elle était fascinée par des livres dont il n'avait jamais entendu parler. Elle le suçait gratuitement et, tout en s'étalant sur ses cuisses à l'arrière de son véhicule dans une ruelle derrière une épicerie vietnamienne, elle lui murmurait des vers. C'était drôle de se rappeler ça ici, au bord d'un lac de l'ouest du Montana à la tombée du jour. Il se souvenait d'elle avec tendresse plus qu'avec concupiscence, et se demanda si elle était encore vivante. Ou peut-être était-ce Bill Pepper qui s'était cramé la cervelle, et pas la prostituée noire, et rien de tout ça n'était-il réel.

À la lueur d'une lampe de poche, il s'assit à la table de la cuisine et écrivit ces mots sur le dessus d'un sac en papier qu'il avait lissé : *Certains types pensent que j'ai baisé la fille Horowitz sur le ranch d'Albert Hollister. C'est faux. J'ai utilisé neuf des vingt-quatre heures qu'ils m'ont laissées. Si vous trouvez ce mot, et pas mon corps, c'est qu'ils m'ont eu. Je suis désolé de ce que j'ai fait à cette fille. Pour le reste, qu'ils aillent se faire foutre.*

Il signa de son nom, et nota en dessous le numéro de son insigne au LAPD. Là-haut sur la deux-voies, un véhicule ralentit, puis accéléra, la lumière de ses phares rebondissant sur les arbres et le flanc de la montagne qui bordaient l'autre côté de l'asphalte. Bill Pepper alla dans le jardin, son Glock à la main, le vent frais au visage, une ou deux gouttes de pluie égarées heurtant sa peau. Plus loin sur la rive, des lumières brûlaient dans une maison proche de l'eau. Leur éclat se réverbérait sur les vagues qui glissaient sous un ponton où était attaché un canoë rouge. La vue de la maison occupée, du canoë dansant sur l'eau et des vagues glissant sur le sable réjouit Bill Pepper, et il se demanda s'il ne s'était pas montré trop pessimiste, trop dur envers lui-même, trop rapide à renoncer au reste de sa vie.

Il effectua un tour complet, les bras étendus comme les ailes d'un oiseau. Il n'y avait pas de voiture sur la deux-voies, personne de caché dans les arbres, pas de bateau à moteur approchant depuis l'extrémité du lac. Il rentra dans la maison et fit la lumière dans la cuisine pour montrer qu'il n'avait pas peur, puis attaqua une assiette de poulet grillé et d'œufs mimosa qui était restée toute la semaine au réfrigérateur. C'était froid et délicieux, et il mangeait goulûment avec les doigts, faisant passer la nourriture avec du lait. Sa mélancolie finit par l'abandonner, les yeux fixés sur sa canne à pêche. Il n'était pas trop tard pour lancer une Mepps à rayures rouges et blanches dans l'eau, se dit-il. Les truites arc-en-ciel étaient près de la rive, dans les herbes, se cachant des brochets. Elles se nourrissaient au clair de lune et, à cette heure de la soirée, se précipiteraient sur tout ce qu'il pourrait leur jeter, faisant ployer la canne vers la surface, dévidant des mètres de fil. Oui, pensa-t-il, au diable la fille, au diable les types qui croyaient qu'il savait une chose qu'il ne savait pas, et au diable sa propre attitude stupide. Un homme avait le droit de pêcher la truite au clair de lune un vendredi soir.

Puis il entendit un son qu'il n'aurait pas dû entendre, une main qui tournait la poignée de la porte d'entrée avant de la lâcher, la semelle d'une chaussure crissant sur la marche de ciment lorsque la personne fit un pas sur l'herbe et disparut dans l'ombre.

Bill Pepper prit le Glock et sortit par la porte de derrière. Le vent soufflait plus fort, arrachant des feuilles aux branches, secouant le canoë contre le ponton sur un rythme de métronome. « Qui est là ? » dit-il.

Pas de réponse.

Bill Pepper fit le tour jusque dans le jardin de devant, et dirigea le faisceau de sa torche sur la pelouse et les marches en ciment, mais ne vit aucune trace de pas dans l'herbe, ni de boue sur l'escalier. Il regarda les lumières de la maison sur le rivage, et envisagea d'aller y frapper, se présenter, inviter tout le monde à prendre un verre. Ce serait agir en lâche. Il descendit jusqu'à la rive du lac, jetant sans cesse des coups d'œil derrière lui, la respiration sifflante. En haut de la pente, au coin du cottage, il crut voir une silhouette s'avancer de l'arrière d'un arbre et le regarder en face. Il leva la lampe de poche dans l'obscurité, mais ne vit rien d'autre qu'une voiture passant sur la deux-voies et la blancheur d'os des troncs des bouleaux dans les phares. *Calme-toi*, se dit-il. *Tu fais un delirium, rien de plus.*

Rien de plus ? se moqua une voix en lui. Le delirium était une considération *mineure* ? Il était atteint *à ce point* ? Puis il entendit un bruit sourd et sonore, et cette fois il sut qu'il ne s'agissait pas d'un produit de son imagination. Le bruit était pesant, compact, comme un sac de grain heurtant le toit. Il éleva le faisceau de la lampe à l'instant où un puma sautait du toit du cottage dans un arbre et, d'un même bond, jaillissait d'une branche et atterrissait sur ses quatre pattes dans le jardin.

Le puma devait faire deux mètres du museau à la queue. Son pelage était jaune et gris, et blanc autour de la gueule et sur le ventre, une bande de fourrure sombre courant entre ses yeux. Sa queue battait comme si elle se déchargeait de la tension de son corps.

« Tu es chez moi. Tu n'es pas invité », dit Bill Pepper.

Le puma sembla s'éloigner furtivement, puis se retourna et effectua un huit. Il s'arrêta et regarda à nouveau Bill Pepper, reniflant.

« Retourne dans ta montagne. Tout de suite. Je n'ai pas envie de te tuer. »

La lune surgit de derrière un nuage et Bill Pepper vit la surface lisse et musclée de la nuque et de l'avant-train du puma, la puissance de ses pattes, les côtes qui semblaient dessinées au-dessus de l'affaissement du ventre. Les moustaches du puma étaient aussi raides que du fil de fer. Il fit demi-tour et courut le long du rivage, sautant par-dessus un ruisseau qui se jetait dans le lac, la blancheur de son arrière-train apparaissant sous sa queue au clair de lune.

Eh bien, qu'est-ce que tu en dis ? pensa Bill Pepper.

Sauf que sa satisfaction d'avoir résisté au puma fut de courte durée. Il ne pouvait expliquer le bouton de porte qui tournait, ni le crissement d'une semelle sur la marche de ciment. Et la silhouette qu'il avait cru voir au milieu des arbres ? Il fit le tour jusque devant sa maison, examina le sol et ne vit rien qui indiquât une autre présence que la sienne depuis la semaine dernière.

« S'il y a quelqu'un, je suis prêt à répondre à vos questions, cria-t-il. Venez un peu par là. J'adorerais qu'on ait un tête-à-tête. »

Les seuls bruits qu'il entendait étaient celui du vent et des écales de l'hiver dégringolant sur le toit du cottage, ou, parfois, une pomme de pin roulant le long de la pente. « Je me fiche de ce que vous pouvez me faire, dit-il. Avant de le savoir, j'aurai repeint les buissons. »

Il attendit en silence, puis rentra dans la maison et alluma toutes les lumières, contrôlant la situation, les avant-bras gonflés. Il était Bill Pepper, le fléau d'East Los, le dur-à-cuire parcourant South Central, une cigarette aux lèvres, l'ami des gens de la rue d'Adams Boulevard à Hawthorne. Il s'était trouvé au cœur des émeutes de Rodney King et avait porté sur son dos une Noire de cent kilos hors d'un immeuble en feu. Il aurait encore son insigne si une chochotte de flic à bicyclette de West Venice ne lui avait pas collé un deuxième PV pour conduite en état d'ivresse. Ce n'était pas juste. Rien n'était juste. Le meurtre de son père, la perte de sa maison de Mobile, la cabane où avaient vécu sa mère et ses frères et sœurs, dans les bas-fonds de Macon. Il avait envie d'écraser son poing dans le mur.

Debout sous l'ampoule près de la table de la cuisine, il termina ce qu'il restait de brandy dans la bouteille, reglissa le Glock dans son holster, prit sa canne à lancer et sortit par la porte de derrière. Dans la maison sur le rivage, quelqu'un avait mis *Rhapsody in Blue*. Le ciel s'éclaircissait, on commençait à voir des étoiles. C'était une nuit parfaite. En dehors du fait qu'il ne s'était pas soulagé depuis deux heures, et que sa vessie éclatait. Il baissa sa fermeture éclair.

Tu rejoins les rangs des Wyatt Dixon ? dit une voix. *Pourquoi pas aller te chercher une Copenhagen et un crachoir en polystyrène, tant que tu y es ?*

Il retourna à la maison, traversa la cuisine jusqu'à l'étroit couloir qui menait à la salle de bains. En moins d'une seconde, son univers fut chamboulé.

La douleur à briser les os qui explosa sur sa nuque pouvait être due à une matraque ou à un morceau de tuyau muni d'un capuchon, ou peut-être à un Taser que quelqu'un lui aurait appliqué sur le crâne. C'était sans importance. Il s'écrasa contre le mur, arrachant dans sa chute la table du téléphone, atterrissant sur le visage, le nez en sang. Il voulut s'éloigner en rampant, mais ses bras ne fonctionnaient plus correctement. Une silhouette qui sentait la pluie, la sueur et le déodorant tirait ses poignets dans son dos, les menottait, enfonçait les languettes d'acier profondément dans la chair.

« Qui êtes-vous ? » demanda Bill Pepper.

La silhouette lâcha ses poignets et fit le tour du cottage, coupant toutes les lumières. Une obscurité totale inonda le vestibule. La silhouette referma la porte de la salle de bains et de la cuisine, puis retourna Bill Pepper et le regarda fixement.

« Dites-moi ce que vous voulez, dit Bill Pepper en s'efforçant de distinguer le visage. Qui vous a envoyé ici ? Je ne peux rien réparer si vous ne me dites pas ce que vous voulez. »

Il entendit un son évoquant du métal claquant sur du métal. « Non, je vous en prie, dit-il. Je n'ai rien fait pour mériter ça. Ne faites pas ça, je vous en prie. Écoutez-moi, vous n'avez aucune raison de faire ça. »

Il leva les yeux sur le visage qui s'approchait du sien, les viscères en eau, la musique de George Gershwin disparaissant à l'intérieur d'une voix qu'il avait du mal à reconnaître pour la sienne.

8

Le téléphone sonna à six heures et quart le samedi matin. Tout le monde dormait encore. J'ai pris le récepteur, je suis sorti sur le balcon et j'ai refermé la porte derrière moi. À l'est, la lumière derrière les montagnes était froide et pâle, à peine plus qu'une étincelle effleurant le bas des nuages. Le *hot rod* de Gretchen était garé près de la rivière, son toit blanchi par le givre. La Caddy n'était pas là. « Allô ? dis-je.

– Inspecteur Robicheaux ? Ici le shérif Bisbee. J'ai besoin de confirmer une information. Vous connaissez un dénommé Clete Purcel ?

– Je le connais depuis quarante ans. Il séjourne avec nous chez Albert Hollister.

– Pour l'instant, il se trouve dans une cellule à Big Fork. Vous savez pourquoi il serait allé dans la région de Swan Lake ?

– Il est peut-être allé pêcher. Il ne m'a rien dit. De quoi est-il accusé ?

– Il a été arrêté cette nuit à un barrage routier, à minuit et quart.

– Ça n'est pas ce que je vous ai demandé. Pourquoi m'appeler à propos d'un contrôle de routine à Lake County ?

– Je n'ai pas parlé de contrôle de routine. Il avait un canon scié dans sa voiture. Il avait aussi des outils de cambrioleur, ainsi que des gants en latex, une arme banalisée[1], une matraque, des liens en plastique, un coup-de-poing américain, et une pleine boîte de chevrotine. Ah, j'allais oublier.

1. Arme banalisée laissée sur un cadavre abattu par la police, pour faire croire à la légitime défense.

Il avait du fil à pêche en nylon avec un anneau au bout. Le genre de matériel que les cambrioleurs passent par une fenêtre, pour tourner la poignée.

– Il est détective privé, et il chasse les évadés de conditionnelle pour un tandem de prêteurs de caution de La Nouvelle-Orléans.

– C'est ce qu'il m'a dit. Sinon, j'aurais pu penser qu'il s'apprêtait à pénétrer par effraction chez quelqu'un. Il n'est pas du genre à faire ça, n'est-ce pas ?

– Non.

– Je suis content que le doute soit écarté. Quel est le pire homicide sur lequel vous ayez jamais enquêté ?

– Je ne les ai jamais classés.

– Vous avez dû être un homme très occupé. Cette nuit, je n'ai pas beaucoup dormi. Bill Pepper avait des problèmes mais rien qui justifie le chantier que j'ai vu dans son cottage ce matin. Vous me suivez ?

– J'essaie de vous aider. À ma connaissance, Clete n'a jamais rencontré l'inspecteur Pepper.

– Alors je me demande ce qu'il foutait dans son cottage. Il passait par là, je suppose. Vous devriez venir faire un tour. Pepper est mort avec un sac en plastique sur la tête. Avec un peu de chance, il est mort asphyxié. Je n'ai jamais vu autant de sang répandu. Vous commencez à voir le tableau ?

– Non, absolument pas, dis-je.

– Quand c'est aussi cruel, en général, c'est une affaire sexuelle. Votre ami a des problèmes de ce côté-là ?

– Pepper a été mutilé ?

– C'est une façon de dire les choses.

– Vous ne cherchez pas le bon client.

– Quelqu'un a appelé le 911 pour signaler une Cadillac bordeaux décapotable immatriculée en Louisiane quittant la scène de crime.

– Qui a appelé ?

– Le problème, c'est votre ami, pas la personne qui a appelé. Il paraît doué d'une extraordinaire capacité à se créer des ennuis.

– C'est l'homme le meilleur que j'aie jamais connu.

– Quand Purcel a quitté le cottage, Pepper était mort. Pourquoi ne l'a-t-il pas signalé ? »

Je n'avais pas de réponse. « Posez-lui la question.

– J'en ai bien l'intention.

– Qu'est-ce que le tueur a fait à Pepper ?

– Sans doute plusieurs choses. Je dois attendre le rapport du légiste pour en être certain. Son pénis et ses testicules se trouvaient dans l'évier. Vous croyez en l'au-delà ?

– Pourquoi vous me demandez ça ?

– Je suppose que Bill Pepper a connu l'enfer ici, sur terre », dit le shérif.

Clete s'était endormi assis sur un banc dans une cellule quelque part au nord de Flathead Lake. Dans son rêve, il était un petit garçon et était allé avec son père, sa mère et ses sœurs passer le 4 Juillet à Pontchartrain Park. Dans son rêve, le crépuscule tombait, les feux d'artifice qui explosaient au-dessus du lac s'imprimaient sur le ciel, et il entendait les claquements des carabines dans les stands de tir, et la musique du carrousel. Son père et sa mère lui souriaient, et ses sœurs se tenaient par la main et sautillaient sur la promenade en planches, le vent portant une odeur de sel, de pop-corn au caramel et de pommes au sucre candi.

Quand il s'éveilla, il regarda par la fenêtre, vit la lueur rose dans le ciel et se dit que la grande roue rayée de néon et chargée d'enfants qui poussaient des cris vacillait contre le soleil couchant, prête à voler comme une faux à travers l'air et à piquer en direction du sol, avant de s'élever à nouveau dans le crépuscule. Il ouvrit et referma les yeux et regarda la peinture des murs, jaune et écaillée, les noms brûlés au plafond à l'aide d'un briquet, les toilettes où des vomissures avaient séché sur le rebord du siège.

Le shérif du comté de Missoula approcha un siège de la porte munie de barreaux et s'assit. Il posa sur son genou un bloc-notes qu'il fixa. « D'autres gens viendront vous parler, monsieur Purcel. Mais comme la victime appartenait à mon service, je veux être le premier à tailler le bout de gras avec vous.

– Vous avez remorqué ma Caddy ?

– Ça devrait être le dernier de vos soucis.

– Où est-elle garée ?

– Vous voulez bien m'expliquer ce que vous foutiez chez Bill Pepper ?

– Je vous l'ai déjà expliqué. Je suis allé là-bas pour discuter avec lui. La porte de derrière était ouverte. Il était allongé dans le couloir. Je n'ai rien touché d'autre que le bouton extérieur de la porte. J'ai laissé l'intérieur comme je l'avais trouvé. J'ai essayé d'appeler le 911, mais je n'avais pas de réseau. J'ai été arrêté au barrage à huit kilomètres de Big Fork. Où avez-vous mis ma Caddy ?

– Pourquoi aviez-vous des outils de cambrioleur, des liens, et toutes ces armes dans votre sac marin ?

– Je suis attaché aux souvenirs.

– C'est très drôle. Et couper le pénis et les testicules d'un homme, vous trouvez ça drôle ?

– Ce type était un flic pourri, et quelqu'un l'a chopé. Mais ce n'est pas moi.

– Comment savez-vous que c'était un flic pourri ?

– Il mettait en péril l'enquête à propos de la mort d'Angel Deer Heart pour se gagner les faveurs de son grand-père.

– Et vous êtes allé à son cottage sur Swan Lake pour lui parler de ça ?

– De ça, et de quelques autres choses.

– Quelles "autres choses", par exemple ?

– Lui et un autre imbécile de votre service ont fait des remarques sexistes à propos de ma fille, en sa présence, et devant d'autres gens. Juste après que votre homme eut tabassé Wyatt Dixon.

– C'était quand, ces remarques ?

– Pourquoi ne posez-vous pas la question à votre enquêteur ? Il était présent.

– Vous vous préoccupiez juste des intérêts de votre fille ?

– Qu'est-ce que vous auriez fait à ma place ? »

Le shérif regarda son bloc-notes. « L'inspecteur Pepper a laissé un mot. Vous le saviez ?

– Non.

– Il disait que certaines personnes pensaient qu'il avait eu une relation avec "la fille Horowitz". Il s'agit de votre fille ?

– Horowitz est le nom de famille de ma fille. Votre homme n'a pas eu de "relation" avec elle.

– Vous en êtes certain ?

– Oui, j'en suis certain. Chez nous, on n'invite pas de cafards.

– Dans son mot, l'inspecteur Pepper laissait entendre qu'il avait fait quelque chose à votre fille. À quoi faisait-il allusion ?

– À sa remarque sexuelle, je suppose.

– Vous êtes en train de me dire qu'un homme qui craque, qui est ivre, qui dit au monde qu'il aille se faire foutre, agit à cause d'une remarque sexiste qu'il a adressée à une jeune femme ?

– Vous devez connaître la réponse mieux que moi. Je n'ai jamais rencontré cet homme.

– Comment saviez-vous où se trouvait son cottage ?

– J'ai appelé un privé que je connais à Missoula. »

Le shérif secoua la tête, l'expression composée, les longues extrémités blanches de sa moustache pendant sous sa mâchoire. « C'est vrai, vous êtes venu ici il y a quelques années, n'est-ce pas ? Vous vous occupiez de la sécurité de Sally Dio et d'autres mafieux.

– C'est exact.

– C'était juste avant que son avion ne s'écrase sur le flanc d'une montagne, c'est ça ? »

Clete regarda pensivement par la fenêtre. « Oui, je crois que j'étais toujours dans le coin quand ça s'est passé. Ça a été une grande perte. Je crois qu'une pizzeria de Palerme a fermé pendant un quart d'heure.

– On a récupéré votre dossier au NCIC, monsieur Purcel. Vous avez un casier plus long que la plupart des criminels. Vous avez tué un informateur fédéral et jeté par la fenêtre d'un hôtel un officiel des Teamsters[1] dans une piscine vide. Vous et votre ami l'inspecteur Robicheaux, vous avez laissé un tas de morts sur la rive d'un bayou en Louisiane. Pas une fois, mais deux.

– C'est pour ça qu'on est venus là… Pour prendre un peu de repos.

– Il y a une seule raison pour laquelle vous n'êtes pas en état d'arrestation : il n'y a aucune trace de sang sur vous, ni sur vos vêtements, ni sur vos chaussures, ni dans votre véhicule. Ce qui me laisse devant un dilemme. Si vous êtes innocent, pourquoi mentez-vous ?

– Je ne mens pas. Et la raison pour laquelle je ne suis pas en état d'arrestation, c'est pour que vous puissiez m'interroger sans que mes droits soient garantis. »

Le shérif avait les traits tirés, le regard dépourvu d'excitation, ou de colère, ou de toute émotion que Clete eût pu voir. « Tout ça a un rapport avec votre fille, non ? Que me cachez-vous, monsieur Purcel ? Qu'est-ce que Bill Pepper a fait à votre petite fille ? »

***

Chez lui, sur la Barefoot River, Wyatt Dixon déchargeait trois tonnes de balles de foin de trente kilos du plateau d'un

1. Syndicat des camionneurs.

camion quand il vit deux véhicules de patrouille arriver sur le chemin de terre, leurs pneus projetant des éclaboussures quand ils passaient dans les flaques. Il était torse nu, vêtu d'un chapeau de paille et d'un Wrangler rentré dans ses bottes, un bandana autour du cou. Il glissa les doigts sous la ficelle d'une botte qu'il souleva devant lui, des veines vertes s'épanouissant sur ses bras et sa poitrine. Il s'approcha du plateau et projeta la balle devant lui, sans jamais quitter les voitures des yeux. Il avait les épaules rosies par un coup de soleil, et son dos était sillonné de tissu cicatriciel qui donnait l'impression d'être dû à des coups de fouet. Une cicatrice aussi large qu'un ver de terre prenait naissance sous son aisselle et disparaissait sous sa ceinture de cuir. Les adjoints se garèrent à l'ombre des *cottonwoods* et s'approchèrent de lui, en un groupe de quatre, observant sa maison à moitié effondrée, sa grange, les arbres, les rouges-gorges, les appaloosas dans le corral, le rapide au milieu du courant, tout ce qui leur évitait de regarder Wyatt Dixon en face.

Wyatt retira son chapeau, dénoua son bandana, s'essuya le visage, et son regard se perdit sur les castillejas et les rosiers sauvages qui poussaient dans l'herbe sur la rive. Le torrent était profond, gonflé par la fonte des neiges, et il en émanait une lueur d'un vert cuivré là où il était directement touché par le soleil. Wyatt remit son chapeau et gratta la longue boursouflure rouge qui lui courait le long du flanc. Pendant une seconde, il pensa au taureau qui l'avait encorné au Calgary Stampede, qui l'avait secoué comme une pinata, et l'avait à nouveau encorné sur le sol tandis que le public se levait, les femmes se mettant la main sur la bouche.

« Bonjour-bonjour, les gars », dit-il.

Pour lever les yeux sur Wyatt, l'adjoint en chef dut plisser les yeux face au soleil. « Vous savez pourquoi on est là ?

– Pour emmerder les gens ?

– Quelqu'un a tué Bill Pepper à Swan Lake.

– Je suis complètement dévasté, dit Wyatt.

– On aimerait que vous descendiez au service.

– J'y suis déjà allé. Ça ne m'a pas trop plu.

– Le shérif veut sans doute vous mettre hors de cause

– Je vais vous faire gagner du temps. Considérez-moi comme hors de cause.

– C'est important, Wyatt.

– Pas pour moi.

– On fait juste notre boulot. Et si vous vous menottiez vous-même ? Ça n'a rien de personnel.

– En parlant de boulot, je vous mettrais tous entre médiocres et complétement merdiques.

– C'est vrai que vous savez parler des langues mortes ? »

Wyatt souffla vers le haut et regarda le soleil danser sur le rapide, puis sauta du plateau au milieu des adjoints. Tous reculèrent d'un pas avant de comprendre ce qu'il faisait. Il se mit à retirer des brins de paille de ses bras et de sa poitrine, les laissant partir un à un dans le vent. « Comment Pepper est-il mort ? demanda-t-il.

– À la dure, dit l'adjoint en chef.

– Dur comment ?

– Aussi dur que possible.

– Ça s'est passé ce matin ? »

L'adjoint secoua évasivement la tête. Wyatt prit son T-shirt sur le rétroviseur externe du camion. Il regarda son image dans le miroir, effleurant une entaille de rasoir sur sa mâchoire, puis passa le T-shirt sur ses bras, sa tête, sa nuque. Le T-shirt le moulait à ce point qu'on aurait dit du latex sur sa peau. Quand il regarda l'adjoint, ses yeux n'exprimaient rien. « Est-ce que Pepper est mort avec un sac sur la tête ?

– Je ne connais pas tous les détails, dit l'adjoint. Et de toute façon je ne peux pas en parler avec vous.

– Vous connaissiez Angel Deer Heart ?

– J'ai bien peur que non, dit l'adjoint.

– Vous ne vous êtes jamais demandé pourquoi des gens riches adopteraient une petite fille haillonneuse de la réserve ?

– Enfilez ces menottes, Wyatt.

– La moitié d'entre eux sortent du ventre de leur mère avec de l'alcool dans le cerveau. Et l'autre moitié sont des bébés shootés au crack.

– Vous pourriez demander tout ça à l'enquêteur principal, sauf qu'il est mort.

– Vous avez déjà entendu les gens du Sud parler du "Blanc le plus bête" qu'ils aient rencontré ?

– Non.

– La plupart des gens pensent qu'il s'agit d'une insulte envers les gens de couleur. En réalité, ça signifie que la personne la plus bête au monde est un Blanc stupide. On pourrait apprendre à faire des claquettes à un cheval, à un chien, ou même à une rainette, avant d'arriver à apprendre à aller sur le pot à un Blanc volontairement ignorant. Tous les gens de couleur le savent. »

L'adjoint empoigna le bras de Wyatt. « Vous êtes un vrai mystère, mon pote.

– Vous savez que vous vivez tous au milieu d'événements bibliques ?

– Bibliques ?

– C'est ce que je viens de dire. »

L'adjoint l'accompagna au véhicule. « J'adore votre accent, Wyatt. Attention à la tête en montant. »

Le samedi après-midi, à une heure et demie, le shérif m'a rappelé. « Vous voulez bien venir ici et parler à ce cinglé ? dit-il.

– Pardon ?

– Dans le service, la plupart des attardés mentaux que j'ai connus venaient du Sud. Je me disais toujours que quelqu'un avait dû leur pisser dans le cerveau quand ils étaient gamins. Maintenant j'en suis sûr. Je viens de passer vingt minutes à écouter Wyatt Dixon parler de l'histoire de la terre et de la venue de l'Antéchrist. Vous saviez que le monde est vieux de six mille quatre cents ans ?

– Il est sans doute psychotique. Pourquoi prêter attention à ce qu'il dit ?

– Parce qu'il avait un mobile pour tuer l'inspecteur Pepper. Il est aussi l'une des dernières personnes à avoir vu Angel Deer Heart vivante. »

Je n'ai pas voulu rappeler au shérif qu'il avait défendu Dixon après qu'Alafair et moi avions eu des ennuis avec lui. « Il a un alibi, pour hier soir ?

– Ses voisins de l'autre côté de la rivière disent qu'une lumière brillait dans sa grange, et ils pensent l'avoir vu ferrer des chevaux jusqu'après minuit.

– Alors ce n'est pas votre homme ?

– Sans doute que non. Mais il détient à propos de la fille Deer Heart des informations qu'il ne veut pas partager.

– Quel genre d'informations ?

– Il pense qu'elle a été adoptée pour des raisons autres qu'humanitaires.

– Quelles raisons ?

– Là-dessus, il reste un peu flou.

– Pourquoi m'avez-vous appelé ?

– Parce que je ne sais pas à quoi j'ai affaire. Ce qui aggrave encore les choses, c'est que Wyatt Dixon m'a presque convaincu.

– Convaincu de quoi ?

– Qu'il y a une présence diabolique parmi nous. Que la grotte derrière le ranch d'Albert Hollister abrite une chose à laquelle je ne veux même pas penser.

– Ne vous laissez pas déstabiliser par ce type.

– Descendez ici, et répétez-moi ça après voir vu les photos de la scène de crime chez Bill Pepper. Un de ses yeux ressemblait à une boule de billard. Le coroner dit qu'il était encore en vie quand il a été châtré. Où est la fille Horowitz ? »

J'ai regardé par la fenêtre. Le pick-up de Gretchen était garé près du chalet des invités. « Ce n'est pas elle qui a fait ça, dis-je.

– On a parlé à un inspecteur des homicides à Miami-Dade. Dans le milieu, elle était connue sous le nom de Caruso. Vous voulez vous porter garant pour Caruso, Monsieur Robicheaux ? »

Quand Clete fut libéré de la cellule de Big Fork, il ne demanda pas à Gretchen si elle avait quoi que ce soit à voir avec la mort de Bill Pepper. Au chalet, elle attendit qu'il cesse de parler, qu'il la regarde directement en face et qu'il lui pose la question, mais il n'en fit rien. Elle prépara des œufs brouillés au bacon, posa son assiette sur la table, s'assit en face de lui, et attendit encore. Il commença à manger, beurra un biscuit, but son café, planta sa fourchette dans ses œufs, mais il ne posa pas la question.

« Je suis partie à ta recherche, dit-elle.

– J'imaginais bien que tu le ferais.

– Tu n'as pas trouvé Pepper, n'est-ce pas ?

– Je ne l'ai pas trouvé vivant.

– Tu crois que c'est moi qui l'ai buté ?

– Bien sûr que non.

– Pourquoi tu en es aussi sûr ?

– S'il t'avait attirée dans un piège, ou qu'il ait à nouveau essayé de t'attaquer, tu l'aurais descendu. Tu lui aurais peut-être même cassé quelques os. Mais tu n'aurais pas pu faire ce qui s'est passé dans ce cottage. Et moi non plus. Quiconque pense différemment ne nous connaît pas, ni toi ni moi.

– Je t'avais dit ce que je voulais lui faire. Je t'avais dit combien je voulais qu'il souffre.

– Tu es comme la plupart des gens courageux, Gretchen : trop courageuse pour savoir que tu es censée avoir peur, et trop bonne pour comprendre que tu es incapable de faire le mal. »

Elle crut qu'elle allait se mettre à pleurer.

Il s'arrêta de manger. « Au NOPD, on a fait un tas de choses dont on n'aime pas se souvenir, Dave et moi. On appelait ça “opérer sous le Drapeau noir”. C’était à l’époque où les Contras et les Colombiens remplissaient nos villes de cocaïne. Mais on n’a jamais fait une chose à laquelle on n’était pas forcés. C’est la seule règle. On fait ce qu’on a à faire, et on ne fait pas de mal aux gens inutilement. » Il se remit à manger.

Elle se leva, alla à la salle de bains, se lava le visage et l’essuya. Quand elle revint, il regardait le mail de la FedEX qu’elle avait laissé sur la table basse. « Qu’est-ce que c’est ? demanda-t-il.

– Des types du Sierra Club ont mis la main sur une carotte extraite d’un puits d’exploration foré du côté canadien de la frontière. Je l’ai envoyée à un laboratoire géologique à Austin. Ce machin a la même teneur en sulfure que l’huile de schiste qui vient d’Alberta. On dit que ça réchauffe la planète beaucoup plus vite que le pétrole brut.

– Pepper a laissé un mot. Il est évident que certains types lui ont foutu une trouille bleue. Ils pensaient que tu étais peut-être sa petite amie, et que tu avais des informations susceptibles de leur nuire.

– Pourquoi tu ne me l’avais pas dit ?

– Je pensais que le shérif lui avait passé une ramonée. Tu crois que ça a un rapport avec le documentaire que tu prépares ?

– Je sors juste de l’école de cinéma. Pourquoi est-ce que je ferais peur à quelqu’un ?

– Aucune idée », dit-il.

Cet après-midi-là, elle prit son Beretta neuf millimètres et son Airweight .38 et se rendit au stand de tir derrière la maison d’Albert. Le soleil était déjà passé derrière la crête, et les arbres étaient remplis d’ombre et du pépiement des merles. En haut de l’arroyo près du chemin forestier abandonné, elle vit un vol de dindes sauvages qui étaient allées boire sous la crête avant de se coucher. Elle installa une rangée de boîtes de café sur une planche suspendue entre deux rochers, fixa ses oreillettes et, à vingt mètres, visa des deux mains et lâcha les quatorze balles du Beretta, faisant sauter les boîtes et les frappant à nouveau tandis qu'elles roulaient sur le flanc de la montagne, des oiseaux s'envolant des arbres tout autour d'elle.

Du coin de l'œil elle vit l'homme à cheval, mais ne manifesta pas qu'elle avait remarqué sa présence. Elle posa le Beretta sur la table de tir d'Albert, retira ses oreillettes et secoua ses cheveux. Elle prit l'Airweight à cinq coups, fit basculer le barillet, sortit une à une les balles de la boîte de munitions et les glissa dans les chambres, puis referma le barillet, sans jamais regarder l'homme à cheval. « Qu'est-ce que vous faites ici ? dit-elle comme se parlant à elle-même.

– J'ai loué des pâtures de l'autre côté de la crête. Vous avez bien dézingué ces boîtes. »

Elle commença à ramasser les boîtes et à les replacer sur la planche. « Que puis-je pour vous ?

– Rien. C'est déjà fait », dit-il. Il se dressa sur les étriers, attrapa la branche d'un Ponderosa et se souleva pour se dégager de la selle, ses biceps se gonflant à la taille de balles de softball. Quand il se laissa tomber sur le sol, il avait un grand sourire maniaque, ses épaules voûtées comme celles d'un singe. Il prit les rênes de l'appaloosa et les fit passer autour de la branche basse d'un pin. « Vous avez dans ce Beretta un chargeur antérieur à la loi sur les armes à feu. C'est tout à fait impressionnant.

– Je pense que vous êtes un type très bien, cow-boy. Mais vous n'êtes pas sur votre terrain, dit-elle.

– Vous avez une grande gueule. Il y en pas pas beaucoup qui disent comme ça ce qu'ils pensent.

– Est-ce que M. Hollister vous permet de passer ici ?

– Il m'en a jamais parlé.

– Vous savez qui c'est ? »

Il parut réfléchir à la question. « Un écrivain célèbre.

– Vous avez lu un de ses livres ? »

Il regarda dans le vide. « Je me souviens pas. Mon cerveau est pas toujours en très bon état », dit-il. Il portait une chemise blanche à rayures rouges. Sa chemise était repassée, et ses bottes à bout pointu bien cirées, aussi brillantes que des miroirs, même à l'ombre. « Vous aimez les rodéos ?

– Parfois.

– Je fournis du bétail à beaucoup d'entre eux. Vous aimez la musique bluegrass ?

– Sexe, drogue, Flatt et Scruggs[1].

– Il y a un concert ce soir à Three Mile.

– Peut-être une autre fois. »

Il s'assit sur un rocher et retira son chapeau de paille, laissant apparaître une bande de peau pâle au sommet de son front. Quand il la regarda, elle ne vit que ses pupilles. Le reste de ses yeux semblait de verre. « Je suis pas là pour vous embêter. Vous m'avez défendu, missy. Je vous dois quelque chose, dit-il.

– Vous ne me devez rien. Que ça soit bien clair.

– Sans vous, Bill Pepper m'aurait envoyé dans les pommes avec le Taser. Quand vous l'avez appelé ducon, j'ai cru qu'il allait se chier dessus.

– Vous voulez essayer mon Airweight ?

– Je suis un ancien détenu. Les anciens détenus sont pas censés de servir d'armes à feu.

– Vous vous appelez Wyatt, c'est ça ?

– C'est bien ça. De Calgari jusqu'à Cheyenne et de Prescott jusqu'au Big Danse de Vegas, et dans tous les États intermédiaires. Je suis un homme de rodéo.

– Je suis contente que vous soyez passé, Wyatt. Mais aujourd'hui je suis occupée.

1. Respectivement guitariste et banjoïste des Foggy Mountain Boys, un groupe de bluegrass.

– Ils vont vous mettre le meurtre de Pepper sur le dos.

– Répétez-moi ça ?

– Ils voulaient me coller ça dessus, mais j'ai un alibi. Ils savent que Pepper vous a insultée, là-haut dans la grotte. Ils savent peut-être qu'il a fait bien pire.

– Soyez un peu plus explicite.

– Bill Pepper était plus mauvais qu'un radiateur plein de pisse de bouc. Il était mauvais avec les femmes, en particulier. Vous êtes de Floride, c'est ça ?

– Et alors ?

– Dans mon ancienne vie, j'ai entendu parler de vous. Du moins j'ai entendu parler de quelqu'un à Miami qui correspond bien à votre signalement.

– Qu'est-ce que vous avez entendu ?

– Vous travailliez pour les Cubains, et pour ces Italiens de New York. Vous êtes un sacré morceau, petite. Si j'arrive à comprendre ça, les adjoints du shérif aussi.

– Je garderai ça à l'esprit. »

Il sortit un canif de sa poche, et se tailla un ongle. « Vous sortez pas avec des gens du rodéo ? ». Elle lui fit un clin d'œil sans répondre. Il regarda le soleil qui apparaissait au sommet des arbres. « Quoi que vous fassiez, vous approchez plus de cette grotte.

– C'est juste une grotte, dit-elle.

– Il y a quelque chose par là-haut, quelque chose qui est pas censé s'y trouver. Cette Indienne qui a été assassinée ?

– J'en ai entendu parler.

– Elle est morte à cause d'un truc que les flics ont pas encore compris. Elle était de la réserve Blackfeet, quelque part à l'est de Marias Pass. Je l'appelais Petites Culottes, parce que c'était une si jolie petite chose.

– Je ne vous suis plus.

– Vous connaissez la famille Younger ?

– Pas personnellement.

– Ça a un rapport avec eux. Et avec cette chose dans la grotte. Mais j'ai pas encore tout résolu. J'y travaille.

– Pourquoi ?

– À cause de ce qu'on a fait à cette petite fille. »

Gretchen fit basculer le barillet de son pistolet et vida les cartouches dans sa paume, puis mit les cartouches, les deux armes et les oreillettes dans son sac de toile. « Prenez soin de vous, dit-elle.

– Si jamais vous avez envie de sortir avec un vieux, je suis disponible, dit-il.

– Je n'en vaux pas la peine. Gardez vos munitions pour la fille adéquate », répondit-elle.

Il rit dans sa barbe. Elle descendit jusqu'au chalet, son sac à l'épaule, le vent soulevant ses cheveux châtain sur ses joues et son front. Wyatt Dixon ne la quitta pas des yeux, tête nue, ses traits aussi ciselés que ceux d'un légionnaire romain. Puis il observa la grotte, sur la hauteur, sa bonne humeur évanouie, rempli de pensées qu'aucune personne douée de raison n'aurait pu déchiffrer ni comprendre.

9

Le dimanche matin, Molly et moi sommes allés à la messe dans une petite église près de l'université. À notre retour, Clete se tenait sur le porche du chalet ; il m'attendait. « J'ai trouvé un micro caché, dit-il.

– Où ?

– Au-dessus de la porte de la chambre de Gretchen.

– Tu en as parlé à Albert ?

– Ouais, il a dit : "Et à part ça, quoi de neuf ?" Je vais envoyer quelqu'un pour inspecter les lieux.

– Il est là depuis combien de temps, à ton avis ?

– Impossible de le dire. À mon avis, il est haut de gamme. Il faut qu'on arrête de faire semblant, Dave.

– À quel propos ?

– Quelqu'un nous a dans son viseur. Ça a commencé avec la flèche tirée sur Alafair. Maintenant, Gretchen et moi sommes tous les deux mêlés à une enquête pour homicide. Il est temps qu'on s'occupe de ces suceurs de bite.

– Tu as une idée de qui sont ces *suceurs de bite* ? »

Je pensais qu'il me ferait une réponse simpliste, mais Clete, sur le comportement humain, était le flic le plus clairvoyant que j'aie jamais connu. « Je pense qu'on a affaire à plusieurs clients, peut-être des types avec des objectifs différents. Il faut commencer par le fric. Toujours. Entre. Je veux te montrer une information que j'ai dénichée. »

Depuis des années, il pourchassait des évadés de conditionnelle pour deux prêteurs de caution, Wee Willie Bimstine et Nigel Rosewater. La représentation conventionnelle de la vie d'un détective privé est une excursion romantique et noire dans un monde d'intrigues, avec de riches clientes enveloppées de voiles et des méchants obèses suant sous un ventilateur dans un saloon sur le bord du Pacifique. Le monde réel d'un privé et la clientèle de Willie et de Nig pourraient être comparés à ce qui déborde d'un égout à ciel ouvert. Tous ceux qui pensent autre chose n'y connaissent rien. Criminalité et narcissisme ne sont pas des termes interchangeables, mais ils sont apparentés : le compte-chèques d'un narcissique ou d'un récidiviste est toujours approvisionné, mais aux dépens d'un autre. À de rares exceptions près, quiconque prépare son deuxième ou son troisième séjour en taule est en quête d'un utérus institutionnel. La plupart d'entre eux n'éprouvent rien à l'idée de la souffrance qu'ils infligent à d'autres êtres humains, que ce soit à l'intérieur du système ou en dehors. La culture de la cruauté entre les murs d'une prison fait qu'on se demande s'il n'y a pas en chacun de nous une erreur génétique, comme un lézard embryonnaire attendant de se libérer de sa coquille.

Clete détestait son boulot. Le NOPD avait repris sa plaque en 1986, et depuis il faisait semblant de prétendre que le gâchis de sa carrière était sans conséquences. Parfois, je le trouvais courbé sur le lavabo de son bureau, les manches remontées, sa montre posée au bord de la cuvette, se frottant de l'Ajax dans les pores, et il avait dans les yeux une expression de regret et de perte qui n'avait rien à voir avec le visage que Clete Purcel montrait ordinairement au monde.

Travailler pour Wee Willie et Nig n'avait qu'un avantage : ils représentaient un anachronisme, mais ils connaissaient tout sur tout le monde à La Nouvelle-Orléans, du moins sur quiconque était à contre-courant ou à moitié débile, ou appartenait à une culture sybarite célébrant sa propre débauche.

« Je t'ai dit que Felicity Louviere, la belle-fille de Love Younger, était de La Nouvelle-Orléans, non ? dit Clete. Elle a grandi près du vieux Prytania Theater. Pas loin de là où j'ai grandi moi. Tu savais que Lillian Hellman avait passé sa jeunesse sur Prytania ?

– Oui, je le savais, dis-je, attendant qu'il en vienne au fait.

– C'est l'accent. C'est comme ça que je l'ai su.

– Ouais, j'avais compris. Ce que je ne comprends pas, c'est pourquoi tu fais des recherches sur elle, et pas sur son mari ni sur son beau-père.

– Fais-moi crédit de ça, Belle Mèche. Cette femme a du chagrin. Tu imagines que j'essaierais de la draguer ? »

Mon regard devint vague. « Non », dis-je. *Mais avec une femme qui a des ennuis, tu es une vraie poire.*

« Qu'est-ce qu'il y a ? demanda-t-il.

– J'ai dit que non, que tu ne chercherais pas à profiter d'une femme qui vient de perdre un enfant, Seigneur. »

Il me jeta un coup d'œil et prit une liasse de feuilles d'imprimante qu'une bibliothécaire qui travaillait pour Willie et Nig lui avait envoyées via l'ordinateur d'Albert. « Le père de Felicity Louviere était René Louviere. Tu te souviens de lui ? »

Je me rappelais le nom comme on se souvient de camarades de lycée non catégorisables, des gens qui flottent dans une brume à la lisière de la vision et dont les actes, bons ou mauvais, ne semblaient jamais mémorables. On peut penser à eux avec sympathie, comme à des compatriotes avec qui on a effectué un bout de chemin. On est certain qu'ils étaient bons à quelque chose, mais on n'a jamais vraiment su à quoi. « Il a été un moment dans le service, non ?

– Ouais, environ trois ans, dans la communication sur le Projet Desire. Il a été saqué pour avoir été trop cool avec les voyous du coin. C'était un type gentil. Mais c'était pas un flic, c'est tout. »

Dans ma tête, je voyais l'image floue d'un homme trop maigre pour ses vêtements, qui attendait longtemps entre deux coupes de cheveux, et n'était pas à l'aise avec la grossièreté d'usage lors de l'appel des rondes du matin. « Qu'est-ce qu'il est devenu ?

– Il a été travailleur social à la Holy Cross, et il s'est fait virer pour avoir donné l'argent des allocations à des sans-papiers. Il a fini manœuvre dans une forêt pluviale en

Amérique du Sud. Écoute un peu ça : les Indiens de la région brûlaient les os de leurs parents morts, et mélangeaient les cendres à leur nourriture pour que la lignée familiale se perpétue. Et ils tiraient à la sarbacane sur les Américains sur les puits de forage. Certains géologues ont décidé de leur rendre la monnaie de leur pièce. Ils ont survolé le village dans un monomoteur et ont laissé tomber sur eux quelques charges explosives. Ils ont tué et blessé un tas de gens, y compris des enfants. »

Il posa les feuilles imprimées sur la table de la cuisine et se pinça les yeux, une expression de lassitude, voire de dégoût, gagnant son visage. J'ai attendu qu'il continue, mais il n'a plus rien dit.

« Qu'y a-t-il, Clete ?

– Tu connais le truc. Les fils de pute qui commencent les guerres n'ont jamais entendu un coup de feu tiré sur un mouvement de colère, mais ils agitent le drapeau, font des discours à Airlington, et chargent autant qu'ils peuvent le nombre des cadavres. Je les hais, tous autant qu'ils sont. »

Je savais que Clete ne parlait plus d'événements qui s'étaient produits dans la forêt pluviale du Brésil ou du Venezuela. Il était revenu dans les Central Highlands, aux abords d'un village qui puait la merde de canard et les eaux stagnantes, la flamme d'un lance-flammes faisant un arc par-dessus les toits des huttes, une mamasan suppliant de façon hystérique dans une langue qu'il ne comprenait pas.

« Termine ton histoire, Clete », dis-je.

Il ramena les yeux sur moi. « Pour protester, René Louviere a abandonné son boulot dans la compagnie pétrolière. Il est rentré aux States, s'est enrôlé dans une agence humanitaire, et il est retourné au village que les géologues avaient bombardé. Et là, devine quoi ?

– Ne me dis rien.

– Quelques Indiens défoncés aux champignons l'ont coupé en morceaux.

– Comment Felicity Louviere a-t-elle rencontré son mari ?

– À un bal du mardi gras. Il ne lui avait sans doute pas dit qu'il s'était fait virer de la fac pour tricherie. C'est aussi un joueur dégénéré et il avait un crédit de cent mille dollars à Vegas et Atlantic City jusqu'au jour où son père l'a forcé à s'inscrire aux Joueurs anonymes. Et voilà ce qu'il y a de bizarre : on dit que ce type avait un cerveau incroyable pour les chiffres. La raison pour laquelle il était autorisé dans les casinos, c'est que quels que soient ses gains, la maison reprenait tout, jusqu'à ses plombages dentaires.

– Tu crois que ce sont les gens de Younger qui ont mis le micro au-dessus de la porte de Gretchen ?

– Ils savent sans doute qu'elle prépare un documentaire sur les projets pétroliers de Love Younger au Canada. Mais…

– Mais quoi ?

– Tout le monde se fiche des dégâts que commettent ces types, y compris les Canadiens. Pourquoi dépenser de l'argent à nous espionner ?

– Ils cachent peut-être quelque chose qui a peu de rapport, voire aucun, avec l'environnement.

– Je ne sais pas ce dont il s'agit, et Gretchen non plus.

– Il y a une autre possibilité, Clete. Mais je n'aime pas y penser.

– Le type dans la grotte ?

– Il s'appelle Asa Surrette.

– Dave, les gens comme ça ont une façon bien à eux de rester vivants dans notre imagination longtemps après leur mort. Parfois je vois toujours Bed-check Charlie en plein milieu d'après-midi. Il est debout sur un toit, son viseur télescopique au bout d'un fusil russe dirigé sur moi, comme s'il allait lâcher une balle. J'ai l'impression que quelqu'un m'arrache la peau avec une paire de tenailles. Quelles sont les chances qu'Asa Surrette soit l'unique survivant d'une collision entre un camion-citerne et un fourgon cellulaire ?

– Quelles sont les chances que ce type ait pu torturer et tuer des gens pendant vingt ans dans la ville où il habitait, sans être démasqué ? »

Clete se gratta la nuque. « Que sais-tu de lui, à part qu'il agissait pour son église ?

– C'était un électricien, et parfois il installait des alarmes chez les gens », dis-je.

Il me fixa en silence, les yeux grands ouverts.

Jusque-là, seules deux personnes croyaient à la possibilité qu'Asa Surrette ait échappé à l'explosion d'un camion-citerne dans l'ouest du Kansas, ou que quelqu'un comme lui ait écrit le message sur la paroi de la grotte. L'une était Alafair, et l'autre Wyatt Dixon, un homme qui s'était avéré si incontrôlable en prison que l'État avait tenté de lui court-circuiter la cervelle. J'avais dit au shérif de ne pas écouter les ratiocinations quasi psychotiques de Dixon. J'avais eu tort. Dixon connaissait bien les malfrats. Il avait des informations et un degré d'expérience qu'on n'imaginait pas. C'était aussi le genre de type qu'on enrôle si on veut réussir une révolution.

L'hiatus entre le monde réel et la façon dont les médias en rendent compte est énorme, et j'ai toujours été persuadé que c'est la raison pour laquelle la plupart des journalistes boivent trop. Les gens comme Wyatt Dixon comprennent la façon dont procède Frankenstein, et s'expriment en métaphores qui viennent de leur expérience. Malheureusement, la plupart d'entre eux ont cramé leur cervelle, et les symboles qu'ils utilisent et leurs cadres de référence n'ont pas grand sens pour le reste d'entre nous.

J'ai grandi dans le Sud Profond à une époque où la cruauté institutionnelle était admise. Je n'ai jamais, dans la société normale, rencontré personne qui reconnaisse l'existence des boîtes à sudation en fonte du camp A, au pénitencier d'Angola. Et je n'ai non plus rencontré personne qui n'ait pas été choqué lorsque je mentionnais qu'il y a plus de cent détenus enterrés dans la digue de la prison, le long du Mississippi. Les gens normaux vous diront qu'ils n'ont jamais rencontré un criminel, même si, sur un banc d'église, ils ont été assis à côté de propriétaires de taudis, de membres de conseils d'administration corrompus et de fournisseurs militaires ayant contribué à la mort de milliers d'êtres humains.

Et voilà ce qu'il y a de plus comique : Wyatt Dixon était sans doute un authentique croyant. Il ne croyait peut-être pas en Dieu, mais personne ne pouvait nier qu'il ait tutoyé le démon. Il s'agit peut-être d'une touche de pathos, mais comme l'aurait dit Clete, personne n'est parfait.

Où va-t-on un dimanche si on veut trouver un homme comme Wyatt Dixon ? J'ai vu Albert en train de bêcher ses parterres, et je lui ai posé la question. « Il y a une réunion évangéliste cet après-midi sur la réserve. Tu pourrais commencer par là.

– Merci.

– Que veux-tu demander à Dixon ?

– Des informations.

– Ce garçon a eu une vie dure. Ne sois pas trop brutal avec lui.

– Dixon ne m'impressionne pas particulièrement comme victime.

– C'est que tu ne sais rien de lui. Tu aimais tes parents et tes parents t'aimaient, Dave. Dixon n'a pas eu cette chance.

– Tu es un homme bon, Albert.

– C'est toi qui le dis. »

La réunion évangéliste se tenait dans une tente sur la réserve des Indiens Flathead, non loin des Mission Mountains. Elle comprenait ce que les gens dans le Sud appellent un dîner sur l'herbe, avec parfois le diable dans les buissons. Clete et moi, dans la Caddy, avons suivi une longue pente à travers des collines boisées que les pluies de printemps avaient rendues vert sombre, jusqu'à une vallée qui s'élevait de plus en plus haut au fur et à mesure que la route progressait en direction de Flathead Lake. Le ciel était d'un bleu pâle, et de la neige fraîche était tombée sur les sommets des Missions au cours de la nuit ; au soleil, on voyait fondre la glace sur les cascades. Les montagnes étaient si massives, et si ample la chaîne de rocs qu'elles formaient contre le ciel, qu'on perdait la perspective et que les forêts sur leurs flancs ressemblaient moins à des arbres qu'à du velours vert. C'était l'un de ces endroits qui semblent réduire les discussions théologiques à une sottise.

Quand Clete et moi avons garé la Caddy dans un pré bordé de rangées de voitures et de pick-ups, le service était presque terminé. Depuis la tente, un immense baldaquin de vinyle avait été tendu au-dessus de l'herbe, et au moins cent personnes étaient assises sur des chaises pliantes, écoutant un pasteur prêcher dans un micro. Le soleil semblait comme du bronze martelé sur la surface de la Jocko, le vent traçait des lignes serpentines à travers les champs, le baldaquin se gonflait et claquait. Les visages usés par le travail des congréganistes étaient tels que ceux qu'on s'attendait à trouver dans les Appalaches, les yeux brûlant d'une intensité étrange, traduisant le respect, l'étonnement ou la vulnérabilité, et ils me rappelaient les paysans flamands peints par Pieter Bruegel.

Mais le prêcheur ne constituait pas le véritable spectacle. Quand vint le moment de témoigner, il marqua une pause et se retint aux montants du podium, le menton levé, se suçant les joues, la bouche plissée, comme s'il chancelait à la proue d'un navire fendant les vagues. « Paul et Silas enfermés en prison ! hurla-t-il.

– Cette vieille prison a tremblé et chancelé toute la nuit ! hurla la congrégation.

– Les enfants d'Israël toute la nuit dans la fournaise ! brailla le prêcheur.

– Seigneur, qui nous délivrera, pauvres de nous ! brailla la congrégation.

– Il y a servitude pire que la prison. C'est la servitude des âmes », dit le prêcheur. Il pointa le doigt au milieu de la foule. « Il y a ici un homme qui va aussi porter témoignage de ça. Un homme qui a été frappé d'aphasie pour pouvoir parler, et au nom du Ciel, chacun de vous sait à qui je pense. Approchez-vous, Wyatt.

– Et ces gens votent ! murmura Clete.

– Tais-toi », dis-je.

Dixon était face à l'assistance, les yeux fermés, les manches de sa chemise de cow-boy remontées au-dessus des coudes, les veines de ses avant-bras gonflées. C'est alors que j'ai assisté à la transformation la plus étrange que j'aie jamais vue chez un être humain. Il jeta un coup d'œil au baldaquin qui se plissait et battait dans le vent, puis sa bouche s'est relâchée, ses yeux ont roulé dans leurs orbites. Il a commencé à parler dans une langue que je n'avais jamais entendue. Les syllabes venaient du fond de sa gorge, et on aurait dit des blocs de bois qui s'entrechoquent. Il tenait les bras écartés, tendus, comme s'il allait se mettre à léviter. J'aimerais pouvoir dire que sa performance était frauduleuse, rien de plus qu'une manifestation de traditions religieuses sous chapiteau remontant à l'époque coloniale. Sauf que l'éclat de son regard n'était pas fabriqué, ni l'énergie qui semblait émaner de son corps, comme s'il avait posé la main sur une ligne à haute tension. Si j'avais été neurologue, j'aurais sans doute conclu qu'il avait une attaque. Je n'étais pas le seul à avoir cette réaction. La congrégation était pétrifiée ; certains, de peur, se portaient la main à la bouche. Quand Dixon eut fini de témoigner, si c'est ainsi que ça s'appelle, il y eut un silence de mort, rompu seulement par le vent qui secouait le baldaquin.

Dixon se propulsa sur le côté du podium, les pupilles à nouveau visibles, un sourire tordu sur le visage, comme un homme sexuellement épuisé qui essaie de reprendre ses esprits. Clete se vissa une cigarette au coin de la bouche et, d'une chiquenaude, ouvrit son Zippo.

« Tu es fou ? dis-je dans ma barbe.

– Tu crois que ces gens font attention à nous ?

– Je m'en fiche. Montre un peu de respect. »

Il reglissa sa cigarette dans la poche de sa chemise. « Regarde cette nana dans la dernière rangée. »

Elle portait un chapeau et des lunettes noires, mais on ne pouvait se tromper au teint d'un blanc crémeux, au grain de beauté près de sa bouche et à la modestie de son attitude. « Qu'est-ce que Felicity Louviere fait ici ? dis-je.

– Elle pense peut-être que Dixon a été mêlé à la mort de sa fille.

– Tu vois son mari ?

– Il doit être en train de baiser.

– On ne connaît même pas ce type. Pourquoi es-tu aussi critique ?

– C'est une grosse merde, et tu le sais. »

Nous étions au fond de l'assistance. Une grosse femme en robe imprimée, avec des broderies sur les manches, s'est retournée et nous a fixés. « Désolé, dis-je.

– Voilà notre homme dit Clete. J'espère que tu es d'humeur à t'occuper de ce cinglé.

– Tu veux bien arrêter, Clete ? »

Dixon se frayait un chemin parmi les congréganistes en train de plier et d'entasser leurs chaises, répondant à leurs félicitations, serrant des mains, sans jamais nous quitter des yeux.

« Pour une surprise ! C'est M. Robicheaux, tout droit arrivé du bayou, dit-il. À moins que vous ne viviez près d'un marécage, ou d'un cloaque, ou je ne sais quoi ?

– Plutôt d'un asile psychiatrique en plein air. Vous parliez en araméen ? dis-je.

– Pour certains c'est du syriaque. D'autres prétendent que l'araméen et le syriaque, c'est la même chose. Je peux rien dire, parce qu'une fois que c'est terminé, j'en ai aucun souvenir.

– Ça m'a vraiment plu, dit Clete. Ça m'a rappelé un de ces films de Cecil B. DeMille, vous savez, Charlton Heston sur une montagne, qui harangue la foule au milieu d'un orage électrique. »

Dixon était à deux mètres de mon visage, la tête penchée sur le côté. Il semblait ne pas prêter attention à Clete. « Vous me suivez, monsieur Robicheaux ? Vous pensez toujours que je veux faire du mal à votre fille ?

– C'est une des raisons pour lesquelles je suis venu. Vous avez mauvaise réputation.

– Je suis sidéré.

– Nous avons le même objectif. Nous voulons trouver l'homme qui a tué la jeune Indienne, dis-je.

– Qui dit que je cherche à retrouver quelqu'un ?

– Gretchen Horowitz.

– Elle a parlé de moi ?

– Elle a dit qu'elle pensait que vous étiez quelqu'un de bien. Ça vous dérange ? dis-je, en commençant à ne plus me contrôler.

– Rien me dérange. Pas quand je suis dans l'Esprit.

– Ce qui soulève une question intéressante, dit Clete. Si vous témoignez dans une langue que personne ne comprend, et que vous n'avez aucun souvenir de ce que vous avez dit, à quoi sert-il de témoigner ?

– Qui prétend que personne comprend ? dit Dixon.

– J'y suis. Ces gens sont des spécialistes en linguistique », dit Clete.

Cette fois, Dixon le regarda en face. « C'est votre Cadillac, là-bas ?

– Ça l'était quand je suis arrivé ici.

– Jolie bagnole. J'espère que les gens qui conduisent les vieilles caisses à côté ne vont pas la rayer. C'est peut-être le prix à payer pour fréquenter les bidonvilles. »

J'ai vu les pattes-d'oie au coin des yeux de Clete s'aplatir, la couleur de son visage changer. « On devrait peut-être aller faire un tour au milieu des arbres, tous les deux, et discuter un peu de ça, dit-il.

– Monsieur Dixon ? dis-je, me glissant dans son angle de vision.

– Quoi ? dit-il, dévisageant Clete.

– Pourquoi Felicity Louviere se trouve-t-elle ici ?

– Qui ?

– La mère d'Angel Deer Heart.

– Putain, comment je le saurais ? » Il tourna la tête vers moi. « Vous avez rien à faire ici. C'est chez nous. Quand on est là, on fait les choses à notre façon. J'aime pas les gens qui regardent mes amis de haut.

– Clete a grandi dans l'Irish Channel, Wyatt, dis-je. Et si j'ai cette mèche blanche, c'est à cause de la malnutrition. Quand je suis entré à l'école, je ne parlais pas anglais. Je vous respecte, vos amis et vous, et je pense que Clete aussi.

– Ce que vous semblez ne pas comprendre, monsieur Robicheaux, c'est que je vous embête pas et que je mets pas le nez dans vos affaires. J'ai pas embêté votre fille, et j'ai pas embêté ces flics qui m'ont traîné chez Albert Hollister. Mais chaque fois que je me retourne, je me trouve en face d'un de vous. On est dimanche, et on s'apprête à prendre un repas avec la communauté. Tout ce qu'on veut, c'est qu'on nous fiche la paix. »

Clete alluma sa cigarette et referma le couvercle de son Zippo. « Pourquoi vous n'allez pas raconter vos idioties ailleurs, et ne laissez-vous pas ces pauvres gens tranquilles ? » dit-il.

Au temps pour la diplomatie… J'ai jeté l'éponge et me suis éloigné. « Où tu vas, Dave ? » ai-je entendu Clete dire dans mon dos.

J'étais si irrité contre lui que j'ai continué à marcher vers la Caddy sans me retourner. J'ai entendu des pas rapides derrière moi.

« Monsieur Robicheaux ? » C'était une voix de femme.

Une femme imposante d'une bonne quarantaine, vêtue d'un corsage orné de fanfreluches et d'une veste à gros boutons, une choucroute sur la tête, le visage rouge et aussi rond qu'un melon. Elle avait un bloc-notes dans une main, et un stylo à bille dans l'autre. Pour une raison que j'ignore, elle semblait s'être aspergée d'une quantité de parfum capable d'asphyxier un rhinocéros. « Parlez-moi, je vous en prie », dit-elle.

Je me suis forcé à sourire. « En quoi puis-je vous aider ?

– J'écris un article sur la propagation du fondamentalisme chez les Indiens. Et aussi sur la mort de cette jeune fille », dit-elle.

Elle s'appelait Bertha Phelps et semblait agitée, essoufflée, hors de son élément. Elle commença à noter quelque chose sur son bloc-notes, puis s'aperçut que son stylo à bille était à sec. « Je déteste ces machins. Je peux ? dit-elle en regardant un Uniball dans la poche de ma chemise.

– Bien sûr, dis-je en le lui tendant.

– C'était bien la mère d'Angel Deer Heart que j'ai vue assise au fond ?

– C'est exact. Comment connaissez-vous mon nom ?

– Je vous ai vu à l'épicerie avec Albert Hollister, et j'ai demandé qui vous étiez. »

Son explication n'était pas convaincante, mais je n'ai pas insisté. « Je suis un peu pressé, Miss Phelps. Que puis-je pour vous ?

– C'est terrible, ce qui est arrivé à cette jeune fille. Je ne comprends pas que sa mère soit venue écouter cet homme.

– Wyatt Dixon ?

– Un adjoint du shérif m'a dit qu'il était la dernière personne à l'avoir vue vivante.

– Selon moi, il n'est pas suspect.

– Et pourquoi ?

– Je ne ne suis pas qualifié pour faire un commentaire, Miss Phelps. Ravi de vous avoir rencontrée. » Je me suis retourné, prêt à m'éloigner.

« C'était juste une question », dit-elle dans mon dos.

La Caddy était verrouillée. J'ai regardé le pavillon, et j'ai vu Clete qui parlait à Felicity Louviere. J'ai vu aussi Wyatt Dixon qui portait à une table de pique-nique une assiette en carton sur laquelle étaient entassés des morceaux de poulet grillé.

Je me suis frayé un passage à travers la cohue et, sans y être invité, me suis assis à côté de lui. Il n'a pas levé les yeux de son assiette. « Vous n'avez pas dit la vérité, en ce qui concerne votre témoignage, dis-je.

– Je veux plus vous parler.

– Vous avez dit que vous n'en gardiez aucun souvenir. C'était un mensonge, n'est-ce pas ? »

Il avait les avant-bras posés sur le bord de la table, les mains vides et suspendues au-dessus de son assiette. Il regardait droit devant lui, le soleil de fin d'après-midi se reflétant dans ses yeux comme des lucioles. « À votre place, je ferais attention de ne pas dire n'importe quoi à n'importe qui.

– Vous êtes un croyant sincère, Wyatt. Vous voyez dans le monde qui nous entoure des choses que les autres ne voient pas. Est-ce que le nom d'Asa Surrette vous dit quelque chose ?

– Jamais entendu parler.

– Vous en êtes sûr ?

– Vous avez un problème d'audition ?

– L'homme qui a laissé ce message dans la grotte n'était pas un homme ordinaire, n'est-ce pas ?

– Vous avez rien compris

– Rien compris à quoi ?

– C'est pas un homme qui était dans cette grotte.

– Vous voulez bien m'expliquer ?

– Il a des pieds de bouc et il dégage une puanteur à faire fuir un sconse. Vous pensez que je vous mène en bateau ? Demandez à Albert Hollister s'il a pas vu des présences dans cet arroyo derrière chez lui. Des Indiens, des gens comme ça.

– Il y avait dans cette grotte une créature aux pieds de bouc ?

– Je peux vous recommander un spécialiste de l'audition à Missoula », dit-il.

J'ai décidé qu'il était temps de mettre de la distance entre Wyatt Dixon et moi.

10

J'ai essayé de rester fâché contre Clete pour avoir provoqué une altercation avec Wyatt Dixon, mais je n'ai pas réussi. Clete était Clete. Il n'aimait pas les fanatiques religieux, et il était persuadé que la plupart d'entre eux se leurraient, ou étaient animés de mauvaises intentions, et causaient de gros dommages. Je ne pensais pas que Wyatt Dixon entrât dans aucune de ces catégories. Il était peut-être psychotique, ou il se pouvait qu'il fût un homme sans éducation ayant trouvé une forme de rédemption parmi les seuls amis qu'il ait jamais eus, des ouvriers pour qui la souffrance du Christ représentait leur propre histoire. Néanmoins, Dixon avait dit une chose que je ne pouvais me sortir de la tête. Il avait mentionné la présence d'Indiens derrière le ranch d'Albert Hollister.

L'arroyo qui, depuis le stand de tir d'Albert, remontait jusqu'au chemin forestier, était la route empruntée par le Chef Joseph et ses Nez-Percés après qu'ils eurent débordé l'armée des États-Unis sur Lolo Pass, et tenté d'échapper à leur transfert en Oklahoma. Des centaines d'entre eux avaient défilé dans l'arroyo, la nuit tombée, portant sur leurs dos leurs enfants et tout ce qu'ils possédaient. Ils suivirent Lolo Pass jusqu'à la Bitterroot River, puis obliquèrent vers le sud en direction du Big Hole, où ils pensaient se trouver en sécurité. Quand l'armée attaqua leur village, les soldats tuèrent hommes, femmes et enfants, comme à Washita, et à Wounded Knee, et lors du massacre de Marias. De quelque façon qu'on ait voulu appeler ça, il s'agissait d'un génocide.

J'ai demandé à Albert s'il avait jamais vu dans l'arroyo quelque chose d'inhabituel.

« Qu'entends-tu par "inhabituel" ?

– Des apparitions.

– Tu as vu quelque chose ?

– Pas moi. Mais Wyatt Dixon, peut-être.

– Un jour, au crépuscule, j'ai cru voir des gens à la peau sombre franchir la crête et descendre sur la piste à travers les arbres. Je suis sorti, mais il n'y avait personne. Une autre fois, par temps de brouillard, j'ai cru entendre des gens parler plus haut sur la pente. Je suis monté sur cinquante mètres, et j'ai entendu un enfant pleurer. J'ai trouvé aussi la hache de pierre d'un tomahawk. J'avais été d'innombrables fois à cet endroit, mais je n'y avais rien trouvé.

– Qu'est-il arrivé à Chef Joseph et à son peuple ?

– L'armée les a embarqués dans des wagons à bestiaux, et les a expédiés dans un trou infesté de moustiques, en Oklahoma. Où veux-tu en venir ?

– Je ne veux pas croire que des gens comme Wyatt Dixon aient une vision précise de ce monde ou du prochain.

– Tu savais que le nom de "Kentucky" vient d'un mot shawnee qui signifie "pays de sang" ?

– Et alors ?

– Quand on tue des quantités de gens pour leur voler leur terre, ils se fâchent, et leurs âmes continuent à rôder », dit-il.

Je n'étais pas prêt à supporter un tir de barrage des polémiques morbides d'Albert, et je suis allé rejoindre Clete. Mais il était parti de son côté, sans dire à personne où il allait. J'aurais dû me douter qu'une mauvaise lune s'annonçait.

Le saloon où ils avaient prévu de se retrouver était près de la voie de chemin de fer, dans une partie de la ville où se dressaient encore les trois étages de la façade de brique d'un bordel du dix-neuvième siècle, et où des cow-boys, des Indiens, des vagabonds, et des rôdeurs de minuit descendaient encore des doubles whiskys qu'ils accompagnaient d'un pichet de bière. Quand elle entra, Clete buvait à l'extrémité du bar. La porte de devant était ouverte pour permettre à la fraîcheur du soir de pénétrer, et l'éclat rouge du soleil couchant éclairait à contre-jour ses cheveux, la texture crémeuse de ses épaules et sa jupe beige qui tournoyait autour de ses genoux. Il leva maladroitement la main pour signaler sa présence, puis, tandis qu'elle approchait, porta son petit verre de whisky à sa bouche.

« Cet endroit vous convient ? demanda-t-il.

– Pourquoi il ne me conviendrait pas ?

– Parfois, il est un peu rustique.

– Ça me plaît, ici. Le samedi soir ils ont un groupe western, dit-elle en s'asseyant sur un tabouret.

– Qu'est-ce que vous prenez ? »

Elle regarda le petit verre et le pichet de bière pression devant lui. Elle effleura de l'index la buée sur le pichet. « Un verre de ça, ça m'ira très bien.

– Vous appréciez la culture indienne ?

– Pardon ?

– La façon dont vous vous habillez...

– Je voulais quitter La Nouvelle-Orléans le plus vite possible. J'ai saisi la première occasion. Maintenant je vis dans l'Ouest. Ici, c'est propre. »

Il regarda la rue, puis ramena les yeux sur elle. Il ne savait pas trop ce qu'il était censé dire. « Certains pensent que Missoula devient comme Santa Fe.

– Je ne sais pas. Je n'y suis jamais allée. Santa Fe est une référence ?

– Je n'y suis jamais allé non plus, répondit-il, se sentant de plus en plus ridicule, et se demandant pourquoi il avait accepté de la rencontrer.

– Il y a toujours le temps », dit-elle. Elle soutint son regard. « Ce n'est pas comme ça que vous voyez les choses ? »

Le temps de quoi ? Il commanda une bière pression pour la femme, et un autre petit whisky pour lui. Il attendit que le barman ait rempli et posé leurs verres, et se soit éloigné. « Vous disiez que je pourrais peut-être vous aider ?

– Vous et votre ami parliez avec Dixon. Il a vendu un bracelet à ma fille avant sa mort. Vous pensez qu'il pourrait l'avoir tuée ?

– Cet homme est dangereux, sans aucun doute.

– Dangereux pour les femmes ? »

Clete était debout au bar, un pied posé sur le rail de cuivre. Dans le miroir, il la voyait, la tête levée, qui observait son profil. « Qui suis-je pour juger les autres ? dit-il.

– Quand vous lui parliez, vous paraissiez en colère. Je ne crois pas que vous dissimuliez très bien vos sentiments. Je pense que nous nous ressemblons beaucoup.

– En quel sens ?

– Vous n'avez pas honte de vos émotions.

– Je ne sais pas si je dirais les choses de cette façon. Disons que je n'aime pas les criminels. Parfois, on rencontre quelqu'un qui a fait de la taule et qui est correct, mais ce n'est pas très fréquent. Quiconque est tombé au moins deux fois est sans doute un récidiviste, et passera le reste de son existence à entrer et sortir de prison.

– Pourquoi ne répondez-vous pas à ma question ?

– Un homme qui frappe une femme est un lâche, moralement et physiquement. Il n'y a pas d'exception à cette règle. On les appelle des misogynes. Mais la vérité toute simple, c'est que ce sont des lâches. Dixon est un malade mental, et sans doute beaucoup d'autres choses, mais il n'est pas un lâche. Et je n'aime pas devoir lui reconnaître ça.

– Qu'est-ce qui ne vous plaît pas, chez lui ?

– Je n'aime pas les imbéciles *born again* qui prétendent comprendre ce qui se passe dans la tête de Dieu.

– Se pourrait-il qu'il ait agi avec quelqu'un d'autre ?

– C'est un solitaire. La plupart des gens de rodéo sont des solitaires. Il faut que je vous demande quelque chose, Miss Felicity. Le Wigwam, ce bar dans lequel Angel prenait un verre le soir de sa mort ? Il est rempli de bikers délinquants. Une bonne partie de ces types sont des fascistes sexuels, et ça les fait bander de cogner leurs femmes. Dixon est allé au trou pour avoir descendu un type qui avait battu une prostituée. Pourquoi est-ce que tout le monde se focalise sur lui ?

– S'il est sans importance, pourquoi lui parliez-vous, tous les deux ?

– Mon ami Dave pense que Dixon sait quelque chose à propos d'un type qui a laissé un message sur la paroi d'une grotte derrière chez Albert Hollister. Parfois, Dave donne à des détails plus d'importance qu'ils n'en ont. » Il fit signe au barman de les resservir. « Écoutez, je suis désolé pour votre fille. Si je pouvais vous aider, je le ferais.

– Vous ne le pouvez pas ?

– Je le pourrais peut-être, mais pas officiellement.

– Qu'est-ce que ça signifie ?

– J'ai une licence de privé en Louisiane. Une licence de détective privé n'a pas plus de valeur légale qu'une plaque d'identification. Comme je traque les évadés de conditionnelle pour deux prêteurs de caution, j'ai des pouvoirs en dehors de ma juridiction que n'ont pas les flics. Je peux franchir les frontières des États, et enfoncer des portes sans mandat. Je peux alpaguer des gens et les garder indéfiniment en détention. Vous voyez, quand un prêteur de caution tire un type de prison, ce type devient sa propriété. La loi autorise chacun à faire ce qu'il veut de sa propriété. Si vous voulez, vous pouvez pendre le type comme un jambon fumé. Je ne suis pas fier de mon métier, mais c'est mon métier.

– Je veux retrouver l'assassin de ma fille.

– Les gens du coin le coinceront un jour ou l'autre.

– Vous le pensez vraiment ? »

Il se gratta la joue de trois doigts. Le juke-box diffusait un morceau de country, mais ce n'était pas Hank, ni Lefty[1].

---

1. Hank Williams et Lefty Frizzell, deux légendes de la musique country.

C'était un morceau d'une nouvelle époque de Nashville, une époque que Clete ne comprenait pas. « Les flics d'ici sont comme ceux de partout. Ils font de leur mieux. Les voyous finissent par tomber, mais en général c'est parce qu'ils ont fait une chose vraiment idiote.

– Mon père était policier à La Nouvelle-Orléans.

– Ouais, je le connaissais. C'était un brave type. »

Il vit une lueur d'intérêt dans ses yeux. « Vous avez fouillé mon passé ?

– C'est mon métier, je viens de vous le dire. » Pour la rencontrer, il avait mis un costume d'été, une chemise bleue habillée et son panama, et avait ciré ses mocassins. À cet instant il se sentait idiot, vieux, et hypocrite. « J'ai foutu en l'air ma carrière dans la police à coups d'alcool, d'herbe, de comprimés et de femmes mal choisies. J'ai aussi eu une fille sans être marié. Elle a grandi sans père, et certaines ordures lui ont fait beaucoup de mal. C'est pour ça que j'admire quelqu'un comme vous, qui avez adopté une gosse de la réserve. Ce coin est magnifique, mais les Indiens y sont plutôt mal traités.

– À quel point le connaissiez-vous ?

– Votre vieux ? Je le voyais à l'appel du matin. À cette époque, Dave et moi, on faisait des rondes sur Canal et dans le Vieux Carré, en ces temps anciens où les flics se signalaient mutuellement leur présence en heurtant le sol de leur matraque. On la laissait rebondir sur le trottoir et on l'entendait à un pâté de maisons de distance. » Il savait qu'elle ne l'écoutait pas, et qu'il se ridiculisait.

« Mon père était si bon qu'il s'occupait de tout le monde, sauf de sa famille, dit-elle.

– Pardon ?

– Il n'était heureux que quand il portait le sac et la cendre pour les péchés des autres. Il m'a donné ce nom à cause de sainte Félicité.

– Je ne sais pas qui c'était.

– Elle était l'esclave d'une patricienne romaine qui s'appelait Perpétue. Perpétue a noté par écrit les événements qui ont mené à leur mort dans l'arène. C'est le seul document dont on dispose de la main d'une victime des persécutions.

– Je ne connais pas grand-chose à ça. Si je me souviens bien, votre papa était plutôt religieux.

– On peut dire ça comme ça. » Elle repoussa la manche de Clete pour regarder l'heure à sa montre. « Je me demande si chacun d'entre nous se voit accorder un certain nombre de jours. On est là, et puis on n'y est plus. Quand on regarde en arrière, on se demande ce qu'on a fait de nos vies, et on pense à toutes les occasions qu'on a laissées passer. Avez-vous jamais eu le sentiment d'avoir vécu votre vie à la place de quelqu'un d'autre ?

– Je me créais toujours des ennuis. Je n'avais pas le temps de penser à des trucs comme ça. Je ne suis pas quelqu'un de très profond.

– Je pense que vous êtes un homme beaucoup plus complexe que vous ne le prétendez. » Elle passa le doigt sur la cadran de la montre de Clete.

Il sentait la chaleur sur sa nuque, une sensation de picotement dans ses paumes. Il versa le reste du whisky dans sa bière et l'avala. L'alcool glissa en lui comme un vieil ami, éclairant les recoins de son âme, calmant son cœur, lui permettant de sourire comme s'il n'était pas taraudé par un problème de conscience qui, le matin, pouvait le lier pieds et poings à un échafaud médiéval.

« Je venais à peine de me tirer au Salvador quand j'ai été inculpé de meurtre, dit-il. Mon foie doit ressembler à un pavé de gruyère avec des moisissures. Dave est le seul des flics d'autrefois qui accepte de me fréquenter. Je ne cherche pas à m'humilier. J'ai bossé pour la Mafia à Vegas et à Reno. J'ai fait des trucs que je confierais pas à un cadavre.

– Si vous pensez au fait que je suis une femme mariée, mon mari est l'homme le plus corrompu et égoïste que j'aie jamais connu.

– Il a peut-être eu un bon professeur. » Il perçut son expression. « Je parle de son père, M. Younger. Il ne se contente pas de voter contre les hommes politiques avec lesquels il n'est pas d'accord, il salit leurs noms.

– Caspian serait incapable de porter la mallette de son père.

– Pourquoi l'avez-vous épousé ?

– J'étais la petite fille aux allumettes qui regarde par la fenêtre. J'ai pris le chemin le plus facile. »

Elle avait les doigts posés sur le bar, à quelques centimètres des mains de Clete. Elle avait des ongles minuscules soigneusement coupés, les os des poignets aussi délicats que ceux d'un chaton. Chaque fois qu'elle levait les yeux sur les siens, sa bouche devenait comme une fleur aplatie, son grain de beauté noir rappelant à quel point son teint était parfait. Son corsage pendait mollement sur ses épaules et il voyait le soleil, par la porte, se refléter sur le haut de ses seins. Il avait envie de tendre la main et de toucher le grain de beauté.

« Je suis seule, monsieur Purcel, dit-elle. Ma fille est morte, mon mari est un satyre. Pensez du mal de moi si vous voulez, je ne m'excuse pas de ce que je suis.

– Je ne crois pas que vous ayez à vous excuser auprès de qui que ce soit. Je pense que vous êtes une femme bien. Vous n'aimiez peut-être pas La Nouvelle-Orléans, mais vous ne savez pas à quel point votre accent est magnifique. Il est comme une chanson.

– Je n'ai pas encore dîné. C'est pour ça que que je ne voulais pas boire beaucoup. Vous avez mangé, monsieur Purcel ?

– Vous voulez aller au Depot ? C'est juste au bout de la rue. On pourra manger sur la terrasse. Le soir, on voit les biches sur les montagnes au-dessus de la voie de chemin de fer. J'ai toujours aimé ce moment de la journée.

– Vous avez vraiment travaillé pour la Mafia ?

– Juste pour un type. Il s'appelait Sally Dio. Parfois, certains l'appelaient Sally Deuce, ou Sally Ducks[1]. Quelqu'un a mis du sable dans le réservoir de son avion. Il a survécu au crash, mais il avait été transformé en frite. Quelques années après, on est retombés sur lui, Dave et moi.

– Et maintenant, où est-il ?

– Sally Dee a pris le tram pour Jéricho. C'est une expression qu'utilisaient les gens du milieu à La Nouvelle-Orléans, dans le temps.

– Je ne comprends pas.

– Jéricho est une ville morte. Quand on prend le tram pour Jéricho, on ne revient jamais. »

Peut-être, pensa-t-il, allait-il l'effrayer, et elle partirait. Elle se leva de son tabouret et s'écarta une mèche des yeux, son profil aussi parfait qu'une miniature dans un médaillon victorien. Elle trébucha sur le seuil de la porte et tomba contre lui, puis rougit, s'excusa et le suivit dans le crépuscule, aucun des deux n'effleurant l'autre.

Ils ne remarquèrent pas un homme appuyé à un parcmètre, plus bas dans la rue. Il fumait une pipe et regardait les wagons de fret qui sortaient de la gare. Il avait les cheveux gominés, et peignés en arrière, autour des oreilles. Il tirait sur sa pipe et laissait la fumée partir en volutes dans le vent. Il semblait prendre un plaisir particulier à la teinte pourpre des montagnes, sur le fond d'un ciel aussi bleu qu'un œuf de rouge-gorge. Il ne sembla pas prêter attention à Clete et à la femme quand ils passèrent près de lui pour entrer dans le restaurant le Depot.

Une locomotive entra à reculons dans la gare, poussant une longue file de wagons, les attelages cliquetant avec

1. Deux termes d'argot désignant respectivement la défécation et la masturbation.

une telle force que la paille sur le sol des wagons partit en poudroyant dans le crépuscule. L'homme appuyé contre le parcmètre tapota le fourneau de sa pipe sur sa main, sans prendre garde aux braises rouges qui collèrent à sa peau. Puis il rangea sa pipe, entra dans le restaurant par la terrasse et s'assit au bar, contemplant avec satisfaction le reflet de son visage dans le miroir.

« Qu'est-ce que vous prenez ? demanda le barman.

– Un verre d'eau glacée, et le menu.

– Tout de suite. Vous faites du tourisme ?

– Pourquoi vous pensez ça ?

– J'ai vu votre immatriculation par la fenêtre. Ça vous plaît, le Montana ? »

Deux heures plus tôt, Gretchen avait été à la maison principale et avait jeté un caillou sur la fenêtre d'Alafair, au deuxième étage. « Tu veux venir faire un tour ? proposa-t-elle.

– Où ?

– Dans un rade près de la vieille gare.

– Pourquoi ?

– Pour trouver Clete.

– Appelle-le sur son portable.

– Il l'a coupé. Et s'il fait ce que je pense, il n'a pas l'intention de le réactiver.

– Fiche-lui la paix, Gretchen. Il est adulte.

– Sauf qu'il lui faudrait une braguette en fonte sur son œil rouge et tout raide.

– Tu sais que ce n'est pas très joli, ce que tu viens de dire ?

– Je l'ai entendu parler au téléphone à la belle-fille de Love Younger. Tu viens, ou pas ? »

Elles prirent la Honda d'Alafair pour se rendre au saloon où Clete buvait parfois un verre. Gretchen entra dans le bar tandis qu'Alafair attendait au volant, sans couper le moteur. Gretchen ressortit, remonta dans la voiture et referma la portière. « Le barman dit qu'il est parti avec une femme il y a cinq minutes.

– Ne te fâche pas, Gretchen. Mais quel mal y a-t-il à ce qu'il soit avec une femme ?

– Sans blague ? Elle est mariée. Et sans blague ? La famille Younger serait capable de transformer le Montana en carrière de gravier.

– Parfois, Clete va boire un verre au Depot.

– Je pensais qu'il ne buvait que dans des troquets pourris.

– C'était la cantine de James Crumley.

– De qui ?

– L'auteur de romans noirs. Il est mort il y a quelques années. Je peux te suggérer quelque chose ?

– Vas-y. »

Alafair s'écarta du trottoir. « Sois un peu cool avec ton vieux. Il te met sur un piédestal. Il est facilement blessé par ce que tu dis.

– Alors il faut éviter de blesser son père, même s'il s'apprête à traverser devant un train ?

– Tu es dure, comme cliente », conclut Alafair.

Elles remontèrent la rue et s'arrêtèrent devant le restaurant. Gretchen y entra seule. Elle inspecta la salle à manger, puis alla au bar et, à travers la porte-fenêtre, regarda les gens qui mangeaient sur la terrasse. Un homme voûté sur un tabouret à quelques mètres d'elle venait de dire quelque chose à propos de l'arbre emblème du Kansas. Par un carreau de la porte, elle vit Clete assis avec une petite femme à une table nappée sous un baldaquin tendu au-dessus de la terrasse. La femme avait un châle sur les épaules. Une bougie tremblotait sur la table, éclairant ses cheveux, sa bouche et ses yeux. Elle semblait captivée par une histoire que Clete racontait tout en buvant un verre de whisky avec des glaçons, des cerises et des tranches d'orange, les glaçons tintant dans son verre quand il levait les mains pour insister sur un détail. Gretchen respirait fort par le nez, comme si elle venait de gravir un sommet escarpé.

« Je vous offre un verre, belles jambes ? dit l'homme voûté sur le tabouret.

– Je n'ai pas bien compris, dit-elle sans détacher les yeux du dos de Clete.

– Vous avez de longues jambes, madame. J'aurais dû vous appeler "beauté". Ce que j'ai dit n'avait aucun sens.

– Va te faire foutre », dit-elle sans le regarder. Elle sortit sur la terrasse et s'approcha de la table de Clete. « Tu ne devrais pas prendre le volant », dit-elle.

Clete et la petite femme levèrent les yeux. Il avait les joues en feu, les yeux brillant d'un éclat alcoolique. « Salut Gretchen. Que se passe-t-il ? Miss Felicity, je vous présente ma fille, Gretchen Horowitz.

– Tu m'as entendue ? demanda Gretchen.

– Entendu quoi ? dit-il avec un grand sourire, plissant les yeux comme s'il était ébloui par le soleil.

– Tu es bourré.

– Enchantée de vous connaître », dit Felicity.

Clete essaya de continuer à sourire. Il écarta une chaise. « On vient juste de commander. Tu as déjà dîné ?

– Ouais, toute seule. Alors que j'avais préparé à manger pour nous deux. »

Il parut gêné. « On était censés dîner ensemble ? J'ai dû mal entendre. Alafair est avec toi ?

– Oui, je conduirai la Caddy. Elle nous suivra jusqu'à la maison. Allons-y.

– On devrait peut-être remettre ça à une autre fois, Clete, dit Felicity.

– Non, non, dit Clete. Assieds-toi, Gretchen. Je vais chercher Alafair. Recommande-moi un verre. »

Gretchen appuya les deux paumes sur la table et se pencha. « Quel est votre nom ? J'ai oublié, dit-elle à la femme.

– Felicity Louviere.

– Vous êtes mariée avec Caspian Younger ?

– Oui. Comment le savez-vous ?

– Je prépare un documentaire sur votre famille, votre pétrole et vos forages de gaz naturel. Vous l'ignoriez ?

– Je n'ai pas dû faire attention.

– Il me déplaît de dire ça, Miss Louviere, mais je pense que vous l'avez cherché. Vous sortez avec un homme qui n'est pas votre mari juste après avoir perdu votre fille. Ça vous paraît normal ?

– Je ferais mieux d'aller récupérer ma voiture, Clete, dit Felicity. Merci pour vos attentions. J'espère que nous nous reverrons. »

Clete se pinça les tempes, comme si la pression de ses doigts pouvait imposer à la situation un minimum de rationalité. « Dis à Alafair de nous rejoindre, dit-il. On va dîner. Comme des êtres humains civilisés. Arrête ces conneries, Gretchen. Et maintenant, assieds-toi. »

Gretchen se sentit pâlir. La bougie sur la table sembla devenir plus lumineuse, se déformer, brûler d'un éclat sous-marin. « Elle ressemble à la sœur jumelle de Mickey Mouse, dit-elle. Qu'est-ce qui ne va pas, chez toi ?

– Ne parle pas comme ça, dit Clete.

– C'est ta vie, Clete. Ridiculise-toi en public si ça t'amuse. Pour ça, tu es vraiment bon », dit Gretchen.

Elle se dirigea vers la porte-fenêtre, les yeux brillants, l'ombre d'un réseau électrique s'imprimant dans son dos. « Ne t'en va pas, Gretchen », l'entendit-elle dire.

Elle saisit la poignée de cuivre de la porte et se retourna pour jeter un dernier coup d'œil sur la table. Clete s'était levé et se penchait sur Felicity, la main sur le dossier de sa chaise, comme s'il la réconfortait. Son regard croisa celui de Gretchen. Il sourit et s'approcha d'elle. Son cœur battait si fort qu'elle entendit à peine ce qu'il disait.

« Tu te sens bien ? demanda-t-il.

– Débarrasse-toi d'elle. Ne t'inflige pas ça.

– Il n'y a aucun problème. On dîne ensemble, rien de plus.

– Tu as peut-être le droit de te faire du mal, mais tu n'as pas le droit d'en faire aux autres.

– Tu veux que je la laisse seule au restaurant ? Une femme dont la fille a peut-être été assassinée par l'homme qui espionnait Alafair ?

– Elle se servira de toi. Quand elle aura fini, elle se fera baiser par un autre pauvre débile qui pensera qu'elle est l'amour de sa vie. Tu me rends tellement folle que ça me donne envie de m'éloigner de toi le plus possible, tellement loin que je ne puisse jamais revenir. »

Les gens aux autres tables se retournèrent pour les regarder.

« On parlera de ça plus tard. On se voit au chalet, dit-il.

– Tu veux dire une fois que tu l'auras sautée. Après que tu seras rentré avec la gueule de bois, et puant comme un bordel de Trinidad un dimanche matin. »

Elle vit à son regard qu'il était blessé. « OK, pour ce dîner j'ai merdé. Ça fait longtemps que je suis irresponsable, dit-il. Tu le savais quand tu t'es enrôlée.

– C'est ce que tu ressens ? Une bimbo te permet de mater ses nichons, et tu laisses tomber la seule famille que tu aies ? C'est pathétique. On m'a dit qu'il existait un bar porno sur North Higgins. Vous pourriez peut-être y trouver du travail, tous les deux. »

Elle franchit la porte-fenêtre et passa dans le bar. Il était bondé d'étudiants et de touristes, qui tous parlaient le plus fort possible. Une télévision hurlait, et on entendait un cri chaque fois que, sur l'écran, un joueur de football tapait dans le ballon. Elle aurait voulu que quelqu'un lui cherche querelle, se mette sur son passage, pose une main sur elle, essaie de la draguer, commente son expression. Elle aurait voulu dévisser la tête de quelqu'un, et l'expédier d'un coup de pied sur le trottoir. Où était le petit malin qui l'avait appelée « belles jambes » ?

Elle semblait être devenue invisible. Elle sortit par la porte de devant et monta dans la voiture d'Alafair.

« Qu'arrive-t-il ? demanda Alafair. On a l'impression qu'on t'a passée au micro-ondes.

– Ne te fous pas de moi.

– Qu'est-ce que Clete t'a dit ?

– Rien qui vaille la peine d'être répété. Il est expert en rhétorique fumeuse. Qu'il aille se faire *foutre.*

– On est ta famille, Gretchen. Tu devrais faire un peu plus confiance aux autres.

– Je t'ai dit de me ficher la paix, Alafair. On dirait ton père.

– La charité de Clete est sa faiblesse. Les femmes manipulatrices s'en servent contre lui, dit Alafair. Et ne fais pas de remarques sur Dave.

– Tringler une salope comme Felicity Louviere, c'est un acte de charité ? Pas étonnant que ta famille soit cinglée. »

Alafair suivit une rue pavée de briques parallèle à la voie ferrée. L'étoile du soir brillait, froide, au-dessus des montagnes à l'ouest. Une goutte de pluie solitaire heurta le pare-brise. « Je vais oublier ce que tu viens de dire.

– Il fallait que je te le note sur une carte mémoire ? Clete a fait un choix. Il veut entrer dans la fente de cette salope. Si ça fait du mal à sa fille, tant pis. Sa bite vient en premier. »

Alafair se gara le long du trottoir et coupa le moteur. Elle attendit que passent un bus Volkswagen rouillé et deux cyclistes. Elle commença à parler, puis étudia un reflet dans le rétroviseur.

« Allons-y. Je n'ai pas besoin de continuer cette psychanalyse à deux balles, dit Gretchen.

– J'ai cru voir un type sortir du restaurant et regarder l'arrière de ma voiture. Maintenant, il est parti.

– À l'intérieur, un mec m'a fait des avances.

– Qui ?

– Comment je le saurais ? Le genre de type qui est perché comme un vautour sur un tabouret de bar. Quelle importance ? Qu'est-ce que tu allais dire ?

– Il faut prendre Clete comme il est, dit Alafair. Quand on réprimande les gens parce qu'ils sont ce qu'ils sont, on se trompe soi-même. Et c'est faire preuve d'arrogance, aussi. C'est dire aux autres que, pour être nos amis, ils doivent être parfaits. Il m'a fallu longtemps pour comprendre ça. Il faut te calmer, Gretchen.

– Oh, vraiment ?

– Clete donnerait sa vie pour n'importe lequel d'entre nous. Cette histoire avec la Louviere ne durera pas. Clete n'a jamais grandi. Et il ne grandira sans doute jamais.

– Qu'est-ce que tu ressentirais si ton père faisait passer une autre femme avant sa famille ? »

Alafair ne répondit pas.

« Ça serait pas super, hein ? insista Gretchen.

– C'est vrai.

– Démarre, et dépose-moi à la Caddy.

– Pourquoi ?

– J'ai un trousseau de rechange. Si Clete veut aller dans un motel, sa pute devra prendre sa voiture à elle, parce que je vais piquer la Caddy.

– Pas de quartier, hein ? »

Gretchen ne répondit pas et, par la fenêtre, scruta l'obscurité. Elle renifla et, du poignet, se tamponna le nez.

« Tu es ma meilleure amie, dit Alafair. Désolée si je t'ai blessée. Je t'amène à la voiture de Clete. Mais ensuite, tu te débrouilles toute seule.

– Je me suis toujours débrouillée toute seule, dit-elle. C'est ce qu'aucun de vous n'a jamais compris. Vous savez que dalle de ce qui se passe dans ma tête. »

Elles restèrent silencieuses tandis qu'Alafair faisait le tour du pâté de maisons et s'arrêtait sur le trottoir devant le parking du restaurant. Gretchen sortit et se dirigea vers la décapotable de Clete, son fourre-tout se balançant à son épaule. Elle glissa sa clef dans la serrure et se retourna vers la rue. Alafair coupa son moteur, s'avança sur le parking. « Je vais faire bref, dit-elle. Tu seras toujours mon amie, quoi que tu dises, quoi que tu fasses. Et Dave et Molly seront aussi toujours là pour toi. Mais si jamais tu me parles encore une fois comme ça, je te file un coup de pied au cul qui t'enverra à l'autre bout de la rue. »

11

Clete se rassit à la table et but la mixture fondue au fond de son verre, broyant entre ses molaires les cerises et les tranches d'orange. « J'ai trop ouvert ma gueule, dit-il.

– Je ne suis pas sûre de pouvoir supporter une soirée pareille, dit Felicity.

– Gretchen est une brave gosse. Mais elle se fait des idées fausses. Mon corps ne supporte plus l'alcool comme autrefois.

– Peut-être que vous ne devriez pas boire.

– Ce n'est pas exactement comme ça que ça marche.

– Vous traitez votre fille comme une gamine. Les gens mûrs ne font pas de scène dans un restaurant.

– Je n'ai pas été présent quand elle a grandi. Elle était entourée de voyous. Je parle de maquereaux et de dégénérés, un en particulier.

– Vous voulez dire un violeur ?

– Un type qui l'a brûlée avec une cigarette quand elle marchait à peine. Il n'est plus là. » Il sentit son regard scruter son visage.

« Qu'êtes-vous en train de me dire ? demanda-t-elle.

– Je suis en train de dire que le type qui a fait du mal à ma fille ne fera plus jamais de mal à personne.

– Non, qu'essayez-vous de me dire à propos de votre fille ?

– Tout le monde n'a pas la chance de grandir dans un foyer normal. La mère de Gretchen était une prostituée. Son vieux était un alcoolique qui travaillait pour les Giacano, les parrains de La Nouvelle-Orléans. Ce vieux a essayé de réparer et s'est occupé du type qui lui avait fait du mal. Mais buter quelqu'un ne rend pas à une jeune femme la vie qui a été volée à une petite fille. Voilà ce que j'essayais de vous dire.

– Vous êtes peut-être meilleur que vous ne le pensez. Quand j'ai dit que vous ne devriez pas boire, je ne vous critiquais pas. Je pensais qu'on pourrait peut-être passer une bonne soirée.

– J'ai le don du roi Midas inversé. Tout ce que je touche se change en détritus. Excusez-moi, il faut que j'aille aux toilettes. »

Il entra dans les toilettes, se soulagea et se lava les mains. Le reflet qu'il vit dans la glace aurait pu être celui d'un sosie débauché venu le narguer. La peau autour de ses yeux était verte, son visage dilaté et luisant d'alcool, la cicatrice boursouflée qui coupait un de ses sourcils aussi rouge et gonflée qu'une artère prête à éclater. Il y avait une trace de rouge à lèvres sur la poche de sa chemise, là où elle avait trébuché contre lui alors qu'ils passaient la porte du saloon. Il se lava le visage à l'eau froide, s'en aspergea les yeux, se frotta la nuque. Il s'essuya avec une serviette en papier, se peigna et retourna à la table.

« On peut annuler la commande, et peut-être aller ailleurs, dit Felicity.

– Je pense que pour ce soir j'ai ma dose. Je dois régler ça avec Gretchen. Vous êtes une femme bien. Je ferai tout ce que je pourrai pour vous aider, mais pour l'instant, je suis rincé. »

Elle mit la main sur le genou de Clete. « Il ne faut pas que notre soirée se finisse comme ça.

– Se finisse comment ? Je suis crevé. Je suis sur les jantes. Je fous tout en l'air.

– Il ne faut pas vous laisser contrôler par les gens et les situations, Clete. Notre destin n'est pas dans les étoiles, il est en nous. On peut contrôler l'instant présent. Cet instant, c'est maintenant. » Ses doigts s'attardèrent sur son genou, aussi légers que l'air, un doigt caressant rêveusement le tissu. « Je vous aime bien, vraiment, dit-elle.

– Gretchen est une petite fille dans un corps de femme. J'ai une dette envers elle. C'est mon bébé. Elle sera toujours mon bébé. »

Felicity souleva la main et la posa sur la table au moment où leur commande arrivait.

Clete regarda la rue, et sa mâchoire se crispa

« Qu'y a-t-il ? demanda Felicity.

– Ma Caddy vient de passer. La voilà qui s'en va, au feu rouge.

– Je ne la vois pas.

– Il y a un pick-up derrière. Restez là. Je reviens. » Clete traversa le bar, franchit la porte d'entrée et inspecta le parking. La Caddy avait disparu. Il rentra dans le bar. « Vous n'avez pas vu une Caddy décapotable bordeaux sortir du parking ? demanda-t-il au barman.

– Si. Et un type au bar l'a vue, aussi.

– Je ne vous suis pas.

– Un type est sorti sans payer ses boissons et son sandwich. Je l'ai suivi. Il est monté dans son pick-up, et il a suivi la décapotable.

– Quel genre de pick-up ?

– Je n'en sais rien.

– Vous avez l'immatriculation ?

– Le type a dit qu'il était du Kansas. Il a dragué une fille qui se trouvait là. Je n'ai pas son immatriculation.

– Quelle fille ?

– Jolie, en jean, longues jambes. C'est comme ça qu'il l'a draguée. Il lui a dit qu'elle avait de longues jambes. Il avait un visage en forme de boîte à chaussures.

– Il avait un nom ? »

Le barman réfléchit un moment. « Je l'ai entendu draguer une étudiante. Il lui a dit qu'il s'appelait Toto[1]. Drôle de nom, hein ? »

1. Le nom du chien dans *Le Magicien d'Oz*.

Gretchen quitta la rue pavée près de la voie de chemin de fer et roula sans but, incapable de mettre de l'ordre dans ses pensées, ses paumes si sèches et raides qu'elle avait du mal à les refermer sur le volant, sa colère et sa dépression comme une pierre dans sa poitrine. Elle passa devant le Wilma Theater et traversa le pont d'Higgins Street, des gouttes de pluie et des grêlons martelant le toit de la décapotable. En contrebas, elle voyait un parc et un carrousel et la Clark Fork bouillonnant sur les rochers le long de ses rives, les saules engloutis se courbant presque jusqu'à la surface de l'eau. De l'autre côté du pont, elle tourna dans une rue non éclairée au bord de la rivière, le même quartier de bungalows de brique et d'immeubles du début du XXe siècle où avait vécu Bill Pepper.

Un pick-up qui avait franchi le pont derrière elle continua à rouler et disparut de son rétroviseur dès qu'elle eut quitté Higgins. Elle se gara sous un érable, coupa le moteur et composa sur son portable le numéro d'Alafair. « Viens prendre un verre avec moi chez Jaker's, dit-elle.

– Tu y es, en ce moment ?

– Non, je suis près de la rivière. Je suis désolée de tout ce que je t'ai dit. Je me sens vraiment mal, Alafair.

– Tu n'y es pour rien. Je te faisais la morale.

– Tu envisages toujours les choses de façon intelligente. Parfois, j'aimerais être à ta place.

– Clete va bien ?

– Il est avec la Louviere. Je devrais peut-être retourner là-bas. Au moins lui rendre sa voiture.

– Je ne pense pas que ce soit une bonne idée.

– Pourquoi ?

– Il est temps de prendre du champ et de laisser Clete résoudre lui-même ses problèmes. Tu te souviens de l'histoire de la barrière de Tom Sawyer ? La meilleure façon de pousser quelqu'un à faire une chose, c'est de lui dire de ne pas la faire.

– Tu me fais toujours du bien, Alafair.

– On se retrouve chez Jaker's. Cesse de t'inquiéter pour tout. Laisse un message à Clete sur son portable, et dis-lui où on est. »

Gretchen referma son portable et entrouvrit la fenêtre, laissant entrer l'air frais et l'odeur des arbres et de la rivière. Le pare-brise était couvert d'une pellicule de cristaux de givre, un lampadaire brillait comme un diamant jaune au milieu des érables. Elle démarra et jeta un coup d'œil dans son rétroviseur externe. Un pick-up arriva d'une rue adjacente, et le conducteur ralentit en s'approchant de l'arrière de la Caddy. Dans le rétroviseur, elle distingua deux silhouettes à l'avant. Etait-ce le même pick-up qu'elle avait vu un peu plus tôt ?

Elle ouvrit son fourre-tout et mit la main sur la crosse quadrillée de son Beretta à quatorze coups. Le pick-up passa, ses phares rebondissant sur les troncs d'arbres, éclairant le bas de la canopée. Au bout du pâté de maisons, il effectua un large demi-tour et se dirigea à nouveau vers elle, presque aveuglée par les phares

Elle détacha sa ceinture de sécurité, sortit le Beretta de son sac et baissa complétement sa vitre. Par la fenêtre du pick-up, elle ne distinguait pas le visage du chauffeur. Puis elle le vit soulever un revolver nickelé à canon court et la viser. La première balle fit exploser le rétroviseur et la seconde troua le pare-brise, l'aspergeant d'éclats de verre. Elle s'était déjà jetée sur le côté et avait fait sauter la poignée de la portière passager. Elle se glissa du bord du siège dans la rigole et referma la portière, ce qui coupa l'éclairage intérieur. Elle se positionna sur un genou, le Beretta dans sa main droite, et attendit. De l'autre côté de la Caddy, elle entendit le pick-up faire demi-tour et revenir vers elle.

Elle se leva, se mit au milieu de la chaussée et, des deux mains, tendit le Beretta droit devant elle, les pieds écartés de cinquante centimètres. Le conducteur hésita, les essuie-glaces balayant furieusement, une vapeur laiteuse montant du capot. Le passager essaya de passer le haut du corps par la fenêtre pour pouvoir mieux viser. Elle libéra le cran de sûreté et arma le percuteur. Le chauffeur du pick-up appuya à fond sur l'accélérateur et le véhicule fit un bond en avant et fonça sur elle dans un grondement. Gretchen commença à tirer, chaque coup du neuf millimètres comme un éclat de verre dans son tympan droit. La neige fondue dégoulinait sur sa tête et lui piquait les yeux, mais elle continuait de presser sur la détente, les deux pieds ancrés sur l'asphalte, les douilles de cuivre s'éjectant dans l'obscurité.

Elle entendait les balles percer le radiateur, cogner contre le capot, fracasser le pare-brise. Elle essaya de les compter, sans y parvenir. Mais elle était certaine d'une chose : les occupants du pick-up passaient un sale moment.

Le conducteur se baissa et perdit le contrôle du pick-up, qui fit une embardée et passa à côté de Gretchen. Pendant une seconde, à la lueur du tableau de bord, elle vit le passager se pencher en avant, la regardant en face. Sa pommette était fracassée, et de sa main gauche il essayait de la maintenir en place. Le sang de sa blessure passait entre ses doigts et coulait le long de son poignet.

Elle se retourna et recommença à tirer. Au moins une balle traversa la vitre arrière ; une autre toucha le pare-chocs. Elle tira encore deux balles, espérant percer le réservoir. Mais l'une d'elles avait dû ricocher sur l'asphalte et crever le pneu avant gauche, qui se retrouva immédiatement sur sa jante, le pick-up dérapant contre le trottoir. Gretchen baissa les yeux sur son Beretta : la culasse était ouverte sur une chambre vide.

Elle ouvrit la portière conducteur de la Caddy, se pencha sur le siège et prit dans son sac un chargeur de réserve. Le chauffeur du pick-up passa en marche arrière et recula au milieu de la rue dans une odeur de caoutchouc brûlé, de la fumée montant des pneus arrière. Elle glissa le chargeur plein dans la carcasse du Beretta et libéra la culasse, faisant monter une balle dans la chambre. Le conducteur du pick-up se remit en marche avant et accéléra à fond, le ventilateur grinçant, de l'antigel s'échappant du radiateur, des étincelles jaillissant de la jante avant gauche, le pneu à plat se découpant en lanières.

Gretchen ne pouvait pas viser correctement. Son angle de tir risquait de lui faire atteindre un jardin, ou un porche, ou une maison. Combien de temps s'était-il passé depuis que le chauffeur avait tiré sa première balle ? Sans doute moins de deux minutes, suffisamment longtemps pour que quelqu'un signale la fusillade. Tandis que le pick-up tanguait au milieu de la chaussée, Gretchen se repositionna et leva le Beretta de façon à viser juste sous la vitre arrière. Puis elle vit une voiture arriver de l'extrémité du pâté de maisons, se plaçant en plein dans sa ligne de mire.

Elle baissa son arme. Elle avait l'impression d'avoir du coton humide dans les oreilles. Elle déglutit et essaya, sans succès, de se dégager les canaux auditifs.

Le chauffeur du pick-up n'en avait pas terminé. Conduisant d'une main, il ouvrit la portière passager et poussa son compagnon dans la rue. L'homme était petit et trapu, vêtu d'un jean grossier, de bottes de chantier et d'une chemise de coton à manches longues. Il atterrit sèchement sur le flanc, puis se releva avec difficulté et descendit le talus d'un pas lourd en direction de la rivière. D'une main il se tenait le visage, comme s'il avait mal aux dents, sa manche gorgée de sang. Le pick-up traversa l'intersection au bout de la rue, sa jante à nu faisant le bruit métallique d'une poubelle qui roule sur une rue pavée.

Combien de temps s'était-il passé ? Trois minutes, peut-être trois et demie, pensa-t-elle. Encore au moins dix minutes avant que la police n'arrive. C'était juste une supposition. Elle suivit l'homme blessé jusqu'au bord de l'eau. La rivière était gonflée, charriant des feuilles, de petites branches, de l'écume, coulant, dangereusement haute et rapide, à travers des rochers qui d'ordinaire se trouvaient sur du sable sec. En plus, elle émettait un bourdonnement continuel évoquant une machine à coudre.

« Laisse tomber, mon pote », cria-t-elle.

Pendant un instant, elle crut le voir au milieu d'un bouquet de saules, qui la regardait, visant peut-être son visage ou sa poitrine. Elle s'immobilisa et s'accroupit lentement derrière un *cottonwood* échoué, baissant la tête de façon que la lumière n'éclaire pas directement son visage.

Quand le vent souffla dans les saules, toutes les ombres bougèrent, sauf une.

« Ton pote t'a baisé. Tu veux porter le chapeau à sa place ? À mon avis, c'est un mauvais plan. »

Elle s'avança sur le talus, des rochers aussi lourds que des œufs de dinosaures pétrifiés claquant sous ses pieds. « Je m'appelle Gretchen Horowitz. Mon métier, c'était de faire exploser des crânes. Ça veut dire que j'ai un casier, et que je ne serai pas un témoin crédible contre toi. Tu peux te tirer et dire "*adios*", fils de pute, on se retrouve à Margaritaville. »

La silhouette ne répondit pas. De la manche, elle essuya la pluie de ses yeux. « Écoute-moi, dit-elle. C'est sans doute mon vieux, Clete Purcel, que vous vouliez buter. Alors vous vous êtes doublement plantés, ton pote et toi. Et pour couronner le tout, ton pote t'a baisé. Je peux te conduire aux urgences. On est dans le Montana. Par ici, les fusillades sont un sport familial. Réfléchis à ça.

– C'est tout réfléchi, dit une voix parmi les saules. J'ai jamais vu de youpine qui essaie pas de tergiverser. »

Elle savait comment ça allait se passer, et n'avait pas envie de le voir. La peur les conduisait toujours au bord d'un précipice où ils perdaient l'espoir, tiraient sur le câble de sécurité et faisaient un bond dans l'espace. Elle avait des souvenirs enfouis dans l'esprit, qui étaient comme des extraits d'un documentaire que personne ne devrait jamais être amené à voir. Mais ces souvenirs étaient les siens, pas ceux de quelqu'un d'autre, et les personnages ne venaient pas d'un casting professionnel. Elle se revoyait sur un bateau au large d'Islamorada sous un soleil torride, l'océan vert et semé de taches d'indigo, un tueur irlandais venu du Jersey visant sa poitrine avec un fusil à harpon. Puis la scène se transportait à Little Havana, où un Rital qui avait violé la fille d'un sous-chef des Gambino sortait en tirant du placard d'un bordel, en culotte et soutien-gorge, velu comme un singe. Selon toute probabilité, l'un des deux aurait dû l'avoir. Au contraire, tous les deux moururent avec une expression d'incrédulité qu'elle n'oublierait jamais. Non seulement leur proie était devenue leur exécuteur, mais ils étaient morts de la main de quelqu'un appartenant au sexe qu'ils avaient toujours considéré comme faible, simple réceptacle pour leur semence, qu'on pouvait utiliser et jeter arbitrairement.

Malheureusement pour elle, toute l'herbe et la poudre de Floride ne pouvaient rien changer au fait que, de sa propre volonté, elle avait travaillé pour ce qui existait de pire en Amérique, y compris des gens qui avaient peut-être trempé dans l'assassinat de John Fitzgerald Kennedy.

L'homme en tenue de travail fit le tour du bouquet de saules, de l'eau jusqu'aux genoux, les lumières du théâtre et du parc de l'autre côté de la rivière se réfléchissant sur les rapides derrière lui. Il avait des cheveux noirs, épais, sales, qui pendaient en mèches crasseuses autour de son visage. Sa main gauche était pressée sur sa joue, déformant ses lèvres, révélant ses dents. Un liquide sombre coulait de sous sa cage thoracique sur sa chemise et la jambe de son pantalon. Dans sa main droite, il tenait un petit semi-automatique, peut-être un .25 ou un .32. Visiblement, la perte de sang l'avait affaibli et il avait sans doute décidé qu'il verrait le soleil se lever soit de la fenêtre d'un avion, soit avec à l'orteil une étiquette de « mort à l'arrivée ».

« Tu étais correct et ton copain était un salopard, dit-elle. Jette ton arme dans l'eau. Tu pourras bénéficier de la protection de témoin. Il y a toutes sortes de… ».

Il leva le semi-automatique. « Avale ça », dit-il.

Peut-être qu'il tira, et peut-être que non. Elle n'essaya pas de le savoir. Elle était certaine que sa première balle le toucha au front, la deuxième à la gorge, la troisième à la poitrine. Peut-être une autre atterrit-elle trop loin, ou le toucha-t-elle au bras. Il tomba tout d'une pièce, comme ils le font toujours. Même alors qu'il glissait dans le torrent, le dos de sa chemise gonflé d'air, sa tête dodelinant comme une pomme dans le courant, elle ne pouvait s'arrêter de presser sur la détente, les balles dansant sur la surface de l'eau. En quelques secondes, le courant, ou une souche de *cottonwood*, le fit couler et elle n'entendit plus que le continuel bourdonnement de la rivière.

« *Merde ! Merde ! Merde !* » chuchota-t-elle.

Dans sa tête, elle entendait une cacophonie de voix qui semblaient monter des entrailles d'un bâtiment à travers un conduit de chauffage. *Te voilà revenue, Baby Doll*, disaient les voix. *Bienvenue dans ce bon vieux rock'n'roll. Ça fait tellement plaisir de te revoir.*

Le lundi matin, Clete Purcel pensait que plus grand-chose d'autre pouvait encore mal tourner. C'est alors qu'il vit un Humvee pourpre métallisé, bien astiqué, chromé, remonter la route, faisant gicler les flaques de pluie, manquant écraser le border collie d'Albert. Le Humvee obliqua dans l'allée et s'arrêta près de la porte menant à la pâture nord. Un homme mince vêtu d'une veste mexicaine, d'une chemise à fleurs aux manches bouffantes et d'une ceinture en toile tressée, le pantalon enfoncé dans ses bottes multicolores artisanales, franchit le portail avec une expression satisfaite tout en regardant la pâture, les nuages bas et le soleil qui pailletait les arbres mouillés, comme s'il possédait tout ce sur quoi il mettait le pied.

Clete sortit sur le porche, de la fumée montant du gobelet métallique qu'il tenait à la main. « Que puis-je pour vous, monsieur Younger ?

– Appelez-moi Caspian. C'est à vous, la Cadillac restaurée, sous la bâche ?

– Oui, les corbeaux n'arrêtent pas de se décharger dessus. C'est toute l'histoire de ma vie.

– Que les gens se déchargent sur vous ?

– Ouais. Voyez en moi une benne humaine. Que voulez-vous ?

– Pas grand-chose. Je me suis senti obligé de venir vous dire que vous n'êtes pas le premier.

– Le premier quoi ? »

Caspian Younger regarda l'éclat lustré des sapins et des pins sur les montagnes, et les nuages qui se dissolvaient comme de la fumée au fur et à mesure que la chaleur montait. « Je crois savoir que vous avez travaillé pour Sally Dio à Reno et à Vegas.

– Je logeais gratos au Riviera. J'avais une terrasse au dernier étage, juste à côté de l'ancienne suite de Frank Sinatra. Les Ritals adoraient l'endroit. C'est le pire trou à rats du Strip. Vous avez déjà été au Riviera ?

– Je n'ai jamais eu ce plaisir. Vous n'aimez pas Vegas ?

– Ce n'est pas catastrophique au point qu'une bombe à hydrogène et une bonne couche de terre arable ne puissent y remédier.

– Vous vous êtes bien amusé, cette nuit, monsieur Purcel ?

– À vrai dire, je ne me souviens pas très bien. J'ai des trous noirs, vous voyez ? Quand je me réveille le matin, je n'ai pas la moindre idée de l'endroit où j'ai passé la soirée, ni avec qui.

– Vous savez où je l'ai rencontrée ?

– Ça ne m'intéresse pas.

– Elle était ouvreuse dans un cinéma d'art et d'essai à Metairie. J'ai trouvé qu'elle était la chose la plus mignonne que j'aie jamais vue. On aurait dit une petite adolescente, avec les nichons d'une femme. Vous avez déjà vu une femme avec une peau comme ça ? À moins que vous ne l'ayez pas remarquée ?

– J'ai retrouvé votre femme en ville pour parler de la mort de votre fille adoptive. On a pris un verre dans un bar, puis on a été au Depot, où on a commandé un dîner qu'on n'a pas mangé. En ce moment, votre famille n'arrête pas de s'imposer dans nos vies. Je ne vois pas en vous la partie offensée.

– Elle vous baisera à vous en rendre idiot et jettera vos restes sur le bord de la route. Elle s'est fait sauter par le gouverneur de Louisiane juste avant qu'il aille en prison. Ce pauvre connard n'a sans doute jamais compris ce qui lui arrivait. Elle collectionne les têtes empaillées. Personne ne s'en plaint. Felicity peut avoir quatre orgasmes en une nuit.

– Si ça vous amuse de parler de votre femme de cette façon, c'est votre problème. Mais je n'ai pas envie d'entendre ça, monsieur Younger.

– Je suis réaliste Quand je l'ai épousée, je savais comment elle était. Vous sortez avec la femme d'un autre, mais vous êtes choqué par des grossièretés ? »

Tente le coup, pensa Clete. « Vous connaissez ce mec qui nous suivait, Miss Felicity et moi ?

– Quel mec ?

– En pick-up, immatriculé au Kansas, un visage rectangulaire. C'est quoi, les infos sur ce type ?

– Les infos ?

– Ouais, sur son passé. Vous connaissez ce type ?

– Je ne sais pas de quoi vous parlez.

– Vous savez ce qui me dérange le plus, dans votre visite ici, monsieur Younger ? Vous n'avez même pas mentionné votre fille. Votre femme veut m'embaucher pour aider à trouver l'assassin de votre fille, mais vous ne montrez aucune curiosité pour ce que je pourrais savoir. Et vous ne manifestez non plus aucune rage. La plupart des pères qui perdent une fille à cause d'un prédateur ne veulent pas que le type se fasse simplement refroidir. Ils veulent le fourrer dans un réacteur.

– Si je n'ai pas évoqué ce sujet, monsieur Purcel, c'est parce que je ne pense pas que vous sachiez quoi que ce soit. Je crois que vous êtes un gros type qui se fait des illusions, et qui couche avec la femme d'un autre en faisant semblant de penser que ça relève d'une tradition qu'il a apprise en voyant trop de films noirs. On a fait des recherches sur vous. Où que vous alliez, vous avez la réputation d'un bouffon avec un bonnet d'âne et des clochettes, d'un idiot alcoolique incapable de garder sa bite dans son froc.

– Nous parlions de votre absence de colère, ou de désir de vengeance, ou même de justice.

– La colère est un truc de cinéma. La vengeance est une science, mon ami. Ne vous approchez pas de ma femme. La première fois, ce n'était pas entièrement votre faute. Mais la deuxième, ça se passera mal. »

Clete sentait ses mains s'ouvrir et se refermer mécaniquement à ses côtés. « Apparemment vous n'êtes pas doué pour écouter, dit-il.

– Et vous, vous semblez avoir passé une nuit difficile », dit Caspian. Il tendit la main et, de l'ongle, donna une chiquenaude sur la tache de rouge à lèvres sur la chemise de Clete. « J'espère que ça en valait la peine. Quand elle se débarrasse d'un flic – et il y a eu d'autres flics avant vous –, en général il est prêt à bouffer son arme. Vous vous voyez bouffer votre arme à cause d'une nana ? Ça me plaît bien, ici. Vous logez gratuitement ? »

Clete rentra dans le chalet, le sang battant à ses poignets, un goût de cuivre dans la bouche. Gretchen venait de se lever. « Tu sais que tu as du rouge à lèvres sur ta chemise ? demanda-t-elle.

– Merci de me le faire remarquer. »

Elle regarda par la fenêtre. « C'est Caspian Younger. J'ai vu sa photo. Il s'en est pris à toi à cause de sa femme ?

– Plus ou moins. Il voulait me convaincre qu'il est bon perdant. Tu sais ce qu'il faut pour être bon perdant ? De l'entraînement.

– Qu'est-ce que tu lui as dit ?

– Je lui ai dit qu'il ne s'était rien passé. Je pense qu'il ne m'a pas cru. » Il s'assit à la table de la cuisine et se frotta le front. « Il faut qu'on revienne sur ce qui est arrivé hier soir. Tu as demandé au type dans l'eau de se rendre, avant de l'expédier ?

– Tu as baisé avec elle ?

– Non. Et le problème, ce n'est pas ma vie privée, Gretchen.

– Peut-être que le type a lâché une balle. Je n'en suis pas sûre. J'ai attendu la dernière seconde pour lui tirer dessus, et ensuite je n'ai pas pu m'arrêter.

– Comment tu te sens ? »

Elle était assise en face de lui. Elle fixait le sol, les traits encore ensommeillés. Elle portait des tennis roses sans chaussettes qui, d'une certaine façon, faisaient que Clete se sentait d'autant plus coupable de l'enfance à laquelle elle aurait eu droit, mais qui lui avait été refusée. « Je suis vivante, et il est mort. Que devrais-je ressentir ? Je ne ressens rien, dit-elle.

– Pas de mensonge.

– J'ai tiré sur le pick-up dans le feu de l'action. Mais j'aurais pu laisser partir le type au bord de la rivière. Il avait déjà pris deux balles. Il serait sans doute mort d'hémorragie sur la rive, et son corps n'aurait pas été emporté par le courant. On saurait qui c'était. J'ai tout foutu en l'air.

– Il était là pour te tuer, petite. Il a eu ce qu'il méritait. Je suis fier de toi.

– J'ai entendu une voix dans ma tête. La voix disait : "Te voilà de retour, Baby Doll", ou un truc dans le genre. »

Clete détourna les yeux, le regard perdu. « Cette voix te disait que tu étais revenue dans ce bon vieux rock'n'roll ?

– Je n'aime plus penser en ces termes.

– Tu étais face à un pick-up qui te fonçait dessus, et tu avalais tout ce qu'ils te balançaient. Combien de gens auraient ce courage ? Ne t'en veux pas d'être la noble dame que tu es.

– Je n'ai pas besoin de Valium, papa.

– Ne fais pas la maligne. Tu appartiens à club très spécial. Tu as payé cher pour y entrer. Arrête de te flageller, et ne te moque pas de nos relations. »

Le visage de Gretchen ne manifestait aucune expression, et il se demanda s'il n'en avait pas trop dit.

« Qui c'était, ces mecs ? Qui les avait envoyés ? dit-elle.

– Vois les choses de cette façon : au moins un des deux ne reviendra pas.

– Je veux réaliser des films. Je suis censée aller dans deux jours à l'est du Divide. Comment on va finir, dans ce bordel ? »

Il ne répondit pas. Il sortit du réfrigérateur un bac à glaçons, une bouteille de jus de raisin et une de Canada Dry, et remplit deux verres. Il laissa tomber une rondelle de citron dans chacun. « C'est la meilleure boisson au monde, tu le savais ? Tu es ma fille. Même si ton vieux était un bon à rien alcoolique, tu es devenue la meilleure gosse de la planète. Tout le reste n'a aucune importance. Tu piges ça ?

– Tu es le pire acteur que je connaisse, dit-elle. Mais quand même un brave type. Maintenant, Seigneur, va changer de chemise. »

Cet après-midi-là, j'arrosais les fleurs d'Albert quand j'ai vu le shérif Elvis Bisbee remonter l'allée dans son véhicule de patrouille. Il entra dans le jardin et se tint à l'ombre de la maison, une enveloppe en papier kraft à la main, l'air détendu. Clete faisait griller des hamburgers sur la terrasse de bois. Tout en appuyant une spatule sur la viande, il nous regarda du coin de l'œil.

« Je voudrais vous parler, à votre ami et à vous, monsieur Robicheaux », dit le shérif.

Clete referma le dessus du barbecue et descendit dans l'ombre. Le vent s'était levé, l'air était frais et sentait l'herbe coupée et les arroseurs dans le jardin. Les chevaux d'Albert galopaient dans la prairie, claquant des sabots, agitant la queue. C'était un bel après-midi. Je ne voulais pas me disputer avec le shérif, qui semblait un brave homme.

« Hier soir, il y a eu une fusillade non loin du pont d'Higgins Street, dit-il. La personne qui a appelé le 911 dit qu'une femme au volant d'une Cadillac décapotable de collection y était mêlée. Qui ça pourrait bien être ? »

Le regard de Clete ne trahit aucune expression.

« Une idée, monsieur Purcel ? »

Clete regarda un rouge-gorge se poser sur la branche d'un pommier sauvage d'ornement. « Il arrive des merdes, dit-il.

– Il y a une autre nouvelle intéressante. On a trouvé les empreintes digitales de Gretchen Horowitz dans la maison de Bill Pepper », dit le shérif.

Clete acquiesça gravement. « Si j'avais un homme comme ça dans mon service, je récompenserais la personne qui l'a tué. Et si je savais où il est enterré, j'irais pisser sur sa tombe.

– On a aussi trouvé un pick-up abandonné avec une jante à nu. Quelqu'un avait passé de l'huile de moteur à l'intérieur et sur les poignées des portières, pour qu'on ne trouve pas d'empreintes.

– On dirait que vous avez des criminels pointus, dans le coin, dit Clete.

– On a aussi notre part de saltimbanques, dit le shérif. Laissez-moi être un peu plus clair, pour qu'on se comprenne bien. On n'est pas à OK Corral. On n'est pas une bande de péquenauds. Ce n'est pas vous qui édictez les règles, messieurs.

– On ne prétend pas le contraire, dis-je.

– Vous ne savez rien d'une fusillade près du pont, monsieur Robicheaux ?

– Je ne sais quoi vous dire, monsieur.

– Voilà comment ça s'est passé, shérif, dit Clete. Deux types ont essayé de buter ma fille. Un des deux s'est tiré dans un pick-up immatriculé au Kansas. On ne sait pas où est l'autre. J'ai dit à ma fille de ne pas porter plainte, parce que je ne voulais pas qu'elle soit dans la merde. Bill Pepper était un flic pourri. Vous le savez, et moi aussi. Vous vous êtes laissé avoir, c'est comme ça. Vous voyez ce que je veux dire ?

– Vous ne nous faites pas confiance ?

– On n'a pas distribué les cartes, dit Clete.

– J'ai une surprise pour vous deux, dit le shérif. Mon plus gros souci, ce n'est pas la fusillade près du pont. Deux témoins ont dit que votre fille était en légitime défense, monsieur Purcel. À l'évidence, un des hommes a été gravement blessé, et j'espère qu'il réapparaîtra d'une façon ou d'une autre. Je voudrais que vous regardiez quelques photographies. »

Il ouvrit l'enveloppe en papier kraft et en sortit au moins une douzaine de photographies de scène de crime. « L'ancien shérif était obsédé par les crimes commis sur les femmes et les enfants. Depuis 1995, il y a eu dans le Nord-Ouest un certain nombre de meurtres qui présentent certaines similarités. Le premier s'est produit ici, dans la Bitterroot Valley, puis il y en a eu un à Billings, puis à Seeley Lake, à Pocatello et à Spokane. » Il commença à aligner les photos sur le muret de pierre près de l'entrée. « Il n'y a jamais eu de preuves d'un lien entre ces meurtres, sauf que visiblement ils ont tous été commis par un détraqué sexuel. J'aimerais que vous observiez ces photos, tous les deux, et que vous me disiez ce que vous voyez. »

La photo d'une scène de crime, en particulier d'un homicide, n'est jamais agréable à regarder. Les avocats de la défense essaient d'empêcher qu'on la montre, car elle est explosive, surtout quand le procès approche de sa phase finale. Elle est de nature invasive, et semble dégradante pour les victimes. Leurs yeux sont fixes, et ne regardent rien. Ils ont la bouche ouverte, comme si, dans leurs ultimes secondes, ils réalisaient la nature irréparable du destin qui leur est imposé. En regardant leurs photos, on s'identifie à eux et pendant un bref instant on comprend la nature terrible du crime dont on est le témoin rétrospectif : ces gens, pétris de la même glaise que vous, n'ont pas simplement été assassinés. On leur a volé leur dignité, leur espoir, leur identité, leur foi dans l'humanité, et parfois leur foi religieuse. Quand on regarde ces photos, on est tenté de réviser les objections qu'on peut avoir contre la peine de mort.

Clete prit les photos, les regarda une par une avant de me les passer. « Que voulez-vous qu'on vous dise ? demanda-t-il au shérif.

– Vous pensez que ces gens ont été tués par le même type ?

– Le tueur aimait les liens et la torture. Il était doué pour l'asphyxie et les sacs plastique.

– Quoi d'autre ? demanda le shérif.

– Les robes des femmes ont été remontées. Vous, ou quelqu'un d'autre, avez dessiné des cercles sur les jambes des femmes.

– C'est l'endroit où l'assassin, ou les assassins, a éjaculé sur elles.

– La plupart de des salauds marquent leur territoire, dit Clete.

– C'est pareil sur chaque scène de crime ? dit le shérif.

– Quelle importance, ce qu'on peut penser ? dis-je.

– Le type qui a tué Angel Deer Heart a éjaculé sur elle.
– Où ? demandai-je.
– Sur ses jambes.
– Il n'y a pas eu de pénétration ? demandai-je
– Aucune.
– Vous avez une idée de son ADN ?
– On y travaille. »

Quelque chose ne cadrait pas. « Vous avez déjà entendu parler d'un certain Asa Surrette ?

– J'ai parlé de lui avec votre fille, dit le shérif.
– J'ignorais qu'elle vous avait appelé.
– J'ai l'impression que vous n'avez pas la même opinion de lui, votre fille et vous. Vous pensez qu'il est mort ?
– C'est ce que dit l'État du Kansas.
– Et *vous*, vous dites quoi ? demanda le shérif.
– Il se peut qu'il soit dans les parages. Il se peut que ce soit lui qui ait laissé ce message dans la grotte. Ou peut-être quelqu'un qui agit de la même façon.
– Pourquoi mentionnez-vous la grotte ?
– Je ne sais pas, ai-je menti.
– C'est à cause de la référence biblique, c'est ça ?
– Non, le mal est le mal. Il y en a suffisamment en l'homme pour qu'on n'ait pas besoin de l'imputer au diable.
– J'espère que vous avez raison, dit le shérif en rassemblant les photos qu'il remit dans l'enveloppe. Où est votre fille, monsieur Purcel ?
– En ville.
– C'est commode.
– Si elle a le temps, elle pourra peut-être vous appeler, dit Clete.
– Redites-moi ça, s'il vous plaît ?
– Gretchen n'est pas le problème, dit Clete. Ce n'est pas à nous de vous suivre avec une pelle et un balai.
– Revenez parmi nous, monsieur Purcel, dit le shérif. Vous m'entendez ? Ne vous éloignez pas, monsieur. »

C'est exactement ce que faisait Clete, les yeux levés sur les bandes de nuages roses dans le ciel et sur les arbres que le vent courbait au flanc des montagnes. Je savais qu'on allait avoir des ennuis.

12

Le mardi matin, à la première lueur de l'aube, Wyatt Dixon s'éveilla d'un cauchemar, un de ces cauchemars qui vous laissent les aisselles humides et vous transforment la cervelle en gélatine. Le rêve de Wyatt ne concernait pas le passé ni le présent, et il n'avait ni commencement ni fin. Ce rêve était omniprésent dans la vie de Wyatt, il l'attendait chaque fois qu'il fermait les yeux, de jour comme de nuit. Dans le rêve, l'homme qu'il avait coutume d'appeler « Pap » marchait sur lui, torse nu sous sa salopette, la peau aussi fripée et exsangue que celle d'une momie, sa main osseuse nouée en poing. « Tu as encore touché ta sœur, mon garçon ? Ta mère t'a vu, disait Pap. Ne mens pas. Si tu mens, tu en baveras deux fois plus. Espèce de sac à merde. Le meilleur de toi a coulé sur la jambe de ta mère. »

Wyatt se leva, enfila son jean et sortit pieds nus et sans chemise dans la fraîcheur du matin et la brume, d'un bleu fantomatique dans les *cottonwoods,* et aussi brillante qu'une pièce d'un dollar sur le métal du pont tournant enjambant la rivière. Le flot était d'un vert sombre, et tourbillonnait en énormes remous autour des rochers et des digues de castors bordant le canal principal, et des rosiers sauvages fleurissant le long des berges. L'aube était si douce, si fraîche, si palpable, que Wyatt était persuadé de pouvoir la sentir au fond de sa bouche et la humer dans ses poumons. Il arracha une bâche d'un tas de bois, la jeta sur l'herbe et s'y allongea sur le dos, un bras sur les yeux, sa poitrine palpitant lentement, le monde redevenu le lieu des arbres feuillus, de la brise qui souffle dans le canyon, de la truite brune qui ondule dans le rapide. En un clin d'œil, Pap avait disparu et s'était retransformé en ce sac d'os que quelqu'un avait fini par jeter à la fosse commune.

Quand Wyatt s'éveilla, le soleil venait de se lever au-dessus du canyon, et il entendait des pas claquer sur le pont tournant et les câbles craquer sous le poids. Il s'assit et vit une femme corpulente en tailleur et talons hauts qui essayait de descendre la pente sans tomber, un bloc-notes à la main.

Où l'avait-il déjà vue ? Au *revival* sur la réserve ?

« Je peux vous dire un mot, monsieur Dixon ? » demanda-t-elle.

Elle était dos au vent. Il ouvrit et referma les yeux. « C'est quoi, cette odeur ? dit-il en regardant autour de lui.

– Je pense que c'est mon parfum.

– Qui êtes-vous ?

– Bertha Phelps. J'écris un article sur les religions charismatiques chez les peuples premiers.

– J'allais préparer mon petit déjeuner.

– Ça ne me dérange pas », dit-elle.

Qu'est-ce qui ne vous dérange pas ? pensa-t-il. Il l'observa. « Je vous ai déjà vue.

– Je peux vous poser quelques questions ? »

Il cassa un brin d'herbe qu'il se glissa entre les lèvres. « Le vent soulève votre jupe », dit-il.

Elle le suivit dans la maison. Il enfila une chemise à manches longues qu'il ne boutonna pas et alluma un feu dans le poêle. Sa cuisine était dans un tel désordre qu'on avait à peine la place de s'asseoir. Il alla dans le salon chercher une chaise à dossier droit qu'il posa à côté d'elle. « Dites-moi tout.

– Je vous ai entendu parler en langues, dimanche après-midi, dit-elle.

– C'était vous, la femme qui discutait avec M. Robicheaux ?

– C'est bien ça. Vous avez reçu une éducation pentecôtiste ?

– J'ai *pas* reçu d'éducation. Sauf si vous appelez comme ça le fait de castrer le maïs et de cueillir le coton de perpète à perpète.

– Diriez-vous que vous avez trouvé la religion auprès des Indiens ?

– J'y ai jamais beaucoup réfléchi.

– Votre vie a été dure, n'est-ce pas ?

– Non.

– Certains disent que si. »

Il cassa quatre œufs, versa le jaune dans une poêle qu'il posa sur une des plaques de la cuisinière. « Peut-être que ceux-là feraient mieux de s'occuper de leurs affaires. »

Elle se pencha sur son bloc-notes et écrivit quelque chose. Elle frotta son stylo sur le papier pour faire venir l'encre. « Bon sang, dit-elle.

– C'est ce qu'on trouve chez Walmart. Pour écrire, c'est à peu près aussi bon qu'un piquet de tente.

– J'en ai un autre dans mon sac », dit-elle.

Il la regardait avec une curiosité croissante. « Vous êtes pas venue ici pour me poser des questions sur le *revival*, n'est-ce pas ?

– J'écris aussi un article sur les Indiens de la région.

– Vous savez où j'ai déjà vu un stylo à bille comme celui-là ?

– Vous venez de me le dire. Au Walmart.

– Un flic du coin qui s'appelait Bill Pepper. Il avait des stylos à bille exactement comme celui-ci. C'était le genre près de ses sous. Vous avez connu l'inspecteur Pepper ?

– Ce nom me dit quelque chose.

– Pendant que j'étais en garde à vue, je l'ai entendu parler au téléphone avec Love Younger. Je pense que le bon policier touchait des pots-de-vin de M. Younger.

– Des pots-de-vin ?

– L'inspecteur Pepper mettait de l'argent de côté. C'est ce que les flics appellent des pots-de-vin.

– Vous êtes en train de dire que cet officier de police était corrompu ? »

Par la fenêtre de derrière, il regarda une biche et son faon traverser dans l'ombre, leurs sabots s'imprimant sur l'herbe humide. Ils tournèrent la tête vers lui, secouant la queue, plissant le museau. « À mon avis, vous avez une idée derrière la tête, madame, et il s'agit pas de religion.

– Je me demandais si vous connaissiez la jeune Indienne qui a été assassinée.

– Ce sont les Younger qui vous ont envoyée ?

– Non, monsieur, je suis venue toute seule.

– Vous êtes du Sud ?

– J'y ai vécu. »

Wyatt ouvrit la fenêtre, prit un magazine sur l'égouttoir et s'éventa avec.

« Mon parfum vous dérange ?

– Je pense avoir senti pire. »

Elle parut se concentrer pour trouver une réponse, en vain.

« Si vous voyez les Younger, je voudrais que vous leur disiez quelque chose de ma part.

– Je vous ai déjà dit que je ne travaille pas pour eux. Je suis journaliste indépendante.

– Bien. Dites à M. Younger que je sais ce qu'il peut me faire si l'envie lui en prend. Mais avant qu'on en arrive là, j'aurai laissé ma marque sur lui. Et il saura que je suis passé par là.

– Si vous voulez proférer des menaces, monsieur Dixon, vous devrez le faire vous-même.

– C'est pas une menace.

– Je devrais peut-être y aller.

– Comme vous voulez. »

Elle se leva, puis regarda la biche au-dehors. « Il y a du maïs sur l'herbe, dit-elle.

– La biche a une patte blessée. J'ai mis ça cette nuit pour elle et son faon.

– Ce n'est pas illégal ?

– J'ai pas vérifié.

– Vous êtes peut-être plus gentil que vous ne voulez le paraître, monsieur Dixon, dit-elle. Pourquoi vous me regardez comme ça ?

– Vous êtes vraiment une belle femme, même si vous êtes un peu chargée.

– C'est censé être un compliment ?

– Je dirais que c'est une constatation. Vous êtes une jolie dame. Parfois je suis un peu triste. Vous avez déjà petit-déjeuné ?

– Non.

– Ne bougez pas.

– Je ne sais pas pourquoi vous me dites ça.

– Mes *huevos rancheros* sont pas mauvais. J'ai aussi du café et des biscuits. Il y a dans la glacière un bol d'ananas que j'ai écorcé. J'ai appris à cuisiner dans l'armée, avant qu'ils me virent.

– Vous savez faire les choses.

– Mais vous travaillez pour Love Younger, hein ?

– Bien sûr que non. Je n'aime pas M. Younger. Je n'aime pas ce genre de personne, ni sa progéniture, ni les industries qu'il possède.

– C'était quoi, le deuxième truc ?

– Ses enfants. Ils sont comme leur père. Ils sont réputés pour leur absence de moralité. »

D'une pression, il ferma les boutons de sa chemise de cow-boy dont les pans battaient sur ses hanches étroites. Il enfila ses bottes et remplit la cafetière au robinet, la bouche réduite à une fente, les yeux aussi vides que du verre.

« Il y a une raison pour que vous ne me parliez plus ? demanda-t-elle.

– Vous me cachez quelque chose. Mais je sais pas encore quoi », dit-il. Ses yeux se posèrent sur le stylo à bille qu'elle avait toujours à la main. « Un peu de jambon, ou un morceau de steak, avec vos œufs, ça vous irait ? » dit-il.

Wyatt Dixon n'avait jamais mis les pieds sur la propriété d'un homme riche, et il avait toujours supposé que la frontière géographique entre le monde de ceux qui mangent des pommes de terre et le monde de ceux à qui on sert leur pain sur une assiette en or imposait de franchir un pont-levis et des douves, et pas simplement de suivre une route ombragée d'érables jusqu'à un portail ouvert, et de couper son moteur devant un manoir de mille mètres carrés dominant la Clark Foot, un affluent de la Columbia River.

Les jardins éclataient de fleurs, la pelouse d'un vert bleuté était un mélange de fétuque, de trèfle et d'herbe des Bermudes. Trois hommes qui ressemblaient à des jardiniers arrosaient les fleurs et désherbaient les parterres, des colibris voletant au-dessus de leurs têtes, le soleil comme une flamme jaune à travers des arbres plus hauts que le toit.

Un des jardiniers coupa une rose qu'il mit dans un seau d'eau et s'approcha de Wyatt, glissant ses gants de toile dans sa poche arrière, souriant derrière une paire de Ray-Ban bandeau. Ses cheveux dorés étaient tressés en fines mèches, sa peau hâlée perlée de sueur. Il avait une araignée rouge tatouée sur le dos d'une main. « Vous êtes le plombier ? demanda-t-il.

– J'ai l'air d'un plombier ? » répliqua Wyatt.

Le jardinier leva les yeux vers la route et le soleil qui pailletait la canopée, sans jamais cesser de sourire. Ses lèvres étaient dépourvues de couleur et paraissaient collées à son visage. « Vous vous êtes perdu et vous cherchez votre chemin ?

– J'ai un message pour M. Love Younger. Il est chez lui ? »

Le jardinier prit un talkie-walkie dans un petit sac accroché à sa ceinture. « Je vais demander. »

Wyatt jeta un coup d'œil sur une fenêtre à l'étage, depuis laquelle un homme âgé le regardait. « C'est lui, là-haut ? demanda-t-il.

– Comment vous vous appelez, mon gars ? » demanda le jardinier.

Wyatt prit le talkie-walkie dans la main du jardinier et enfonça la touche de contact. « Bonjour-bonjour, monsieur Younger. Ici M. Dixon. Vous avez ici en bas un minuscule petit péquenaud qui décide qui peut vous parler, et qui peut pas. Il faut que je vous dise un mot à propos de la mort de votre petite-fille. Vous voulez bien descendre, ou non ?

– Vous êtes l'homme de rodéo qui lui a vendu le bracelet ? répondit une voix.

– Oui, monsieur, votre serviteur. Je le lui ai vendu dans le rade de bikers où elle avait rien à faire.

– Ne bougez pas », dit la voix.

Quelques instants plus tard, un homme au large front, aux bras noueux et au regard perçant apparut à la porte d'entrée. Lorsque Wyatt tendit la main et fit un pas vers lui, l'homme aux fines mèches tressées et un autre jardinier le prirent par le bras. Ils avaient du mal à entourer de leurs doigts la totalité de son triceps.

« Lâchez-le, dit Younger.

– Merci, gentil seigneur. On reconnaît l'éducation, dit Wyatt en redressant le cou. Une journaliste du nom de Bertha Phelps est venue me voir ce matin. Je pensais qu'elle travaillait peut-être pour vous, mais elle m'a dit que non.

– Je n'ai aucune idée de ce dont vous parlez, dit Younger.

– Les flics essaient de me coller le meurtre de votre petite-fille sur le dos. Celui qui a le plus insisté, c'était Bill Pepper. Je parie que vous savez qui c'est. Ou qui c'était, plutôt.

– Je le sais.

– Vous le payiez ?

– Pourquoi êtes-vous ici, monsieur Dixon ?

– Pour savoir pourquoi vous essayez de me coincer.

– Je ne m'intéresse absolument pas à vous, en dehors du fait que vous avez été la dernière personne à voir ma petite-fille vivante.

– C'est un mensonge, monsieur Younger. Tous les bikers au Wigwam l'ont vue. Sauf que je suis le seul à avoir été arrêté. »

Younger scruta le visage de Wyatt. « D'après ce que je sais, vous avez un sacré passif ? Vous avez déjà tué quelqu'un, monsieur Dixon ?

– On raconte que j'ai flingué un violeur.

– C'est faux ?

– Je vous répète juste ce qu'on raconte. En prison, on demande jamais à quelqu'un ce qu'il a fait. On demande : "Qu'est-ce qu'on *raconte* que t'as fait."

– Je pense que vous êtes un homme violent et dangereux.

– Plus maintenant, je l'suis pas. Sauf si on m'emmerde.

– On ne parle pas comme ça ici, dit Younger. Dites-moi ce que vous me voulez, ou allez-vous-en. »

Wyatt croisa les bras sur sa poitrine, regarda la maison Tudor, les murs beiges, les encadrements de pierres pourpres autour des fenêtres et des entrées, les parterres débordant de fleurs grosses comme des melons. « Je me demandais juste pourquoi un homme qui possède tout ça embaucherait un pied-plat de bouseux et un loser comme Bill Pepper pour causer du souci à un homme qui lui a rien fait. Vous devez sacrément vous ennuyer.

– Je ne vous ai pas fait de mal. N'osez pas prétendre le contraire.

– Et taser un homme, vous appelez ça comment ?

– Je ne connais même pas ce terme.

– Vous avez une raison pour me dévisager de cette façon ? demanda Wyatt.

– Où avez-vous grandi ?

– Au nord-est du Texas, juste au sud de la Red.

– Vous avez des yeux inhabituels.

– Quel rapport entre mes yeux et l'endroit où je suis né ?

– Aucun. J'ai l'impression que vous cherchez les ennuis. Je pense que vous ne serez pas content tant que vous ne les aurez pas trouvés. »

Wyatt retira le papier d'une sucette qu'il se mit dans la bouche. « Il y a une autre chose que vous pourriez me dire, parce qu'elle me tarabuste depuis des années. Ça touche à des sujets désagréables comme l'inceste, ce genre de trucs. J'ai entendu cette histoire d'un gosse des montagnes du Kentucky qui a épousé une fille du vallon d'à côté, et le soir de leur mariage il apprend qu'elle est vierge. Le lendemain matin, il la renvoie à ses parents. Quand son papa lui demande pourquoi il l'a virée, le gars lui dit qu'elle était vierge. Alors son papa dit : "T'as fait la chose à faire, mon garçon. Si elle est pas assez bonne pour sa famille, elle est pas assez bonne non plus pour la nôtre." C'est une histoire vraie ?

– Qu'il sorte d'ici », dit Younger.

Le lendemain, le shérif a appelé chez Albert. Par hasard, j'ai décroché. Et je l'ai regretté. « Où est la fille Horowitz ? demanda-t-il.

– Je crois qu'elle est allée à l'aéroport tôt ce matin.

– Quoi ?

– Elle prépare un documentaire. Je peux vous aider ?

– Le pick-up abandonné qu'elle a canardé est enregistré au nom d'un vieil homme dans un bled perdu de l'ouest du Kansas. Les gens du coin l'ont découvert hier dans sa grange. Le légiste dit qu'il est mort depuis des mois. Où est partie Horowitz ?

– Je l'ignore. Pourquoi voulez-vous la voir ?

– Hier soir, on a retiré un corps flottant de la Fork. Le type s'était fait poivrer de balles d'un neuf millimètres.

– Le type que Gretchen a descendu ?

– Comment je le saurais ? Une dans la tête, une dans la gorge, une dans la poitrine. C'est comme ça qu'elle procède ? Laissez-moi vous dire le fond de mes pensées, monsieur Robicheaux. Vous commencez à être une vraie nuisance, les gars.

– Pourquoi nous ?

– Avant que vous n'arriviez, vos amis et vous, on n'avait pas ce genre de bordel sur les bras.

– Allez raconter vos conneries à quelqu'un d'autre, shérif.

– Qu'est-ce que vous venez de dire ?

– Bill Pepper était un flic pourri qui se faisait arroser par Love Younger, et vous n'avez rien fait. Vous avez confié l'enquête sur le meurtre de la jeune fille à un minable. Et pendant ce temps, quelqu'un a mis une puce électronique dans le chalet de Clete Purcel.

– Quand est-ce que ça s'est passé ?

– Sans doute il y a quelques jours. Qu'est-ce qu'on sait sur le corps flottant ?

– Il s'appelait Emile Schmitt. Il était détective privé à Fort Lauderdale et Atlantic City. On lui a retiré sa licence quand il a été accusé de coups et blessures lors de l'interpellation d'une évadée de conditionnelle.

– Comment est mort le propriétaire du pick-up ?

– La décomposition était trop avancée. Le légiste ne peut rien affirmer. On a trouvé une boucle en barbelé pas loin.

– Vous croyez que c'est Asa Surrette ? demandai-je.

– Quel rapport entre un pervers sexuel et tueur en série du Kansas et un privé de la Côte Est ?

– Ils ont peut-être une affaire en commun.

– Par exemple ?

– Si je le savais, nous n'aurions pas cette conversation. Que voulez-vous que je dise à Gretchen Horowitz, shérif ? »

Je l'entendais respirer dans le récepteur. « Je veux qu'elle identifie le corps. Je veux qu'elle regarde l'homme qu'elle a tué.

– Dans quel but ?

– Il est peut-être temps qu'elle devienne responsable de certains de ses actes. »

Et la responsabilité de la société qui l'a produite ? pensai-je

« Clete et moi l'accompagnerons à votre bureau », dis-je, et j'ai raccroché.

J'espérais en avoir terminé avec Elvis Bisbee, au moins pour la journée. Mais ce n'était pas le cas. Cinq minutes après, il rappelait. « Il y a une chose que je ne vous ai pas dite. Ça puait, dans le pick-up abandonné. Il ne s'agissait pas d'huile de moteur, ni de sang séché, ni de nourriture avariée, ni d'un filet de poissons que quelqu'un aurait laissé sous un siège. La puanteur ne provenait de rien de ce qu'on a pu trouver.

– Je ne vous suis pas, shérif.

– Ça sentait les excréments. Comme si quelqu'un en avait frotté les sièges. Sauf que le labo n'a rien trouvé. Cet Asa Surrette en veut à votre fille, alors peut-être que votre famille et vous avez quelque chose à voir avec ce problème. Franchement, je regrette que vous ne soyez pas restés en Louisiane, votre fille et vous.

– Ouais, et peut-être que vous devriez changer de travail », dis-je. Cette fois-ci, j'ai laissé le téléphone décroché.

À cinq heures et quart, ce matin-là, Gretchen monta dans le bimoteur affrété par un membre du Sierra Club, et deux minutes plus tard elle décollait de l'aéroport de Missoula, s'élevant de l'obscurité qui précède l'aube dans une vue à couper le souffle sur les sommets entourant la ville, et tout en bas les rues striées par les phares et l'humidité de la nuit, la Clark Fork sinuant dans le mystère et l'immensité de l'Ouest américain. Tandis que l'appareil gagnait de l'altitude et obliquait vers l'est en direction du Great Divide, elle se demandait si le pilote, Percy Wolcott, un gentil garçon, avait la moindre idée de l'identité de sa passagère, même s'ils se connaissaient depuis des mois. Elle se demandait si, conscient des pensées et des souvenirs qui la hanteraient à jamais, il se serait senti à l'aise. Aurait-il été rebuté ? Aurait-il eu peur ?

Il était beau, vingt-cinq ans environ, avec d'épais cheveux noirs qu'il laissait pousser sans affectation. C'était un bon pilote, discret et bien élevé. Quand ils s'étaient vus pour la première fois, à une réunion du Sierra Club dans West Hollywood, elle l'avait cru homosexuel. Lorsqu'elle avait conclu qu'il était hétéro, elle s'était demandé pourquoi il n'essayait pas de lui faire des avances, comme la plupart des hommes. Puis elle avait conclu qu'il était comme deux ou trois garçons qu'elle avait connus à Miami, timides, réservés et respectueux envers les femmes, et très différents de leurs congénères, dont la plupart étaient impulsifs et bruyants et, quand ils la tenaient sur le siège arrière, avaient une façon bien à eux de déplacer leurs mains vers ses parties génitales.

Quelle connerie, pensa-t-elle en se rendant compte qu'elle avait cédé à la tendance nationale consistant à classer les êtres humains en fonction de leurs préférences sexuelles. *Est-ce que les Européens et les Britanniques font la même chose ? Content de faire ta connaissance, pédé. Désolé, mais je suis trans. Et toi ? Tu m'as l'air d'un hétéro. En fait, de façon générale, je suis suis plutôt un éjaculateur précoce, mais merci.*

À cinq mille pieds, ils rencontrèrent des turbulences qui secouèrent l'appareil et Percy la regarda d'un air protecteur, rassurant, et à cet instant, en voyant la douceur de son expression, elle sut que sa grande préoccupation n'était pas le sectarisme, l'obsession et la réflexion limitée des autres. C'était sa crainte que son ami Percy fût horrifié s'il apprenait l'histoire de Gretchen Horowitz, qu'il cessât de l'accepter avec une telle gentillesse.

Au lycée, elle avait lu le récit autobiographique écrit par un homme blanc qui avait été kidnappé enfant dans une hutte à sudation d'Oklahoma et élevé parmi les Comanches. Il avait grandi dans l'ombre de Quanah Parker et participé à certaines des atrocités parmi les pires qu'elle ait vues décrites en caractères imprimés. Les lignes qu'elle se rappelait particulièrement concernaient la description, par le vieil homme de la Frontière, de lui-même en adolescent blanc barbouillé de peintures de guerre, de sueur et de la poussière de la bataille, un enfant qui, selon les mots du vieillard, « avait soif de tuer » et accomplissait des actes d'une dépravation et d'une cruauté au-delà de toute compréhension. En lisant ces descriptions, elle se rendit compte qu'elle avait trouvé une âme sœur, une âme qui vivait avec des pensées et des désirs qui pourraient à jamais la séparer du reste du genre humain.

Bill Pepper l'avait volée de toutes les façons possibles. Il lui avait menti, avait transformé sa pitié en un glaive qu'il lui avait plongé dans la poitrine. Il l'avait droguée, attachée et dégradée de façon systématique tout en se moquant d'elle. Puis il s'était échappé dans le Grand Sommeil entre les mains de quelqu'un d'autre, et maintenant il était hors d'atteinte, allongé dans un tiroir d'acier inoxydable, dans une chambre réfrigérée qui sentait le formol. *À quoi te sert maintenant ta soif de sang ?* se demanda-t-elle.

Pourquoi les gens attachaient-ils autant d'importance à l'addiction aux drogues et à l'alcool ? Le jour où l'on renonce à la drogue et à l'alcool est le jour où l'on se sent mieux. Le jour où l'on s'abandonne à sa soif de sang est celui où l'on permet à un succube de dévorer ce qu'on garde encore de respect de soi-même. « Il y a du café dans la Thermos, et un sandwich aux œufs dans le sac de toile derrière ton siège, dit Percy.

– Tout va bien, dit-elle.

– Si tu veux, aujourd'hui, je peux nous conduire au Canada, dit-il.

– J'ai déjà trop de rushes sur l'opération schiste. Ce n'est pas vraiment utile. »

Il lui jeta un regard de côté, sans comprendre.

« Là-haut, les zones les plus endommagées sont déjà entièrement dévastées, dit-elle. Les gens ne voient plus à quoi elles ressemblaient. Ils ne les voient qu'après qu'elles ont été transformées en carrières de gravier. Ils sont déprimés par le fait qu'ils n'y peuvent plus rien, alors ils n'ont pas envie de les regarder, ni de continuer à y penser.

– Je parie qu'un jour, tu seras célèbre, dit-il.

– Pourquoi je serais célèbre ?

– Parce que tu es réelle.

– C'est quoi, être réelle ?

– Tu estimes que le travail que tu fais est plus important que toi. Accroche-toi. Un peu plus haut, il y a des turbulences. Une fois qu'on aura franchi Roger Pass, on sera dans le clair. »

Elle s'abandonna au sommeil tandis que l'avion cahotait, la pluie zébrant les vitres et s'y aplatissant. Quand elle se réveilla, ils venaient de surgir des nuages, et elle vit les pics gris des montagnes juste en dessous d'elle. Ils lui rappelaient des requins enfermés dans une piscine géante d'eau salée qui n'aurait pas eu de fond. « Qui c'était, ce type, ce matin ? demanda Percy.

– Quel type ?

– Celui qui t'a déposée à l'aéroport ?

– Il n'y avait pas de type. J'ai conduit moi-même. Mon pick-up est garé sur le parking.

– Il y avait un homme âgé dans la salle d'attente. À la façon dont il te regardait, j'ai pensé que c'était peut-être ton père.

– Non, dit-elle. Mon père est sans doute encore en train de dormir au ranch d'Albert Hollister. À quoi il ressemblait ?

– Un visage allongé, un front large. Je ne me souviens plus. Tu peux me passer la Thermos ?

– Réfléchis-bien, Percy. »

Il secoua la tête. « Je ne me rappelle plus. Juste un type, environ cinquante-cinq ans. Les vieux types ne te regardent jamais ?

– Je leur fous la trouille.

– *Toi ?* Tu plaisantes !

– Tu as dit que j'étais réelle. C'est gentil à toi, mais tu me dotes d'une qualité que je n'ai pas. J'aime le cinéma.

Toute ma vie j'ai aimé ça. Je n'ai jamais su pourquoi avant de lire une interview de Dennis Hopper. Il a eu une enfance pauvre dans une petite ville près de Dodge City, au Kansas. Tout ce qu'il se rappelait de Dodge City, c'était la chaleur et l'odeur des parcs d'engraissement. Tous les samedis, il allait à la ville avec sa grand-mère et ils vendaient des œufs. Elle lui donnait une partie de l'argent pour aller voir un film de cow-boys. Hopper disait que le cinéma était devenu le monde réel, et Dodge City la ville imaginaire. Adolescent, il est parti à Hollywood. Il a eu son premier rôle dans *La Fureur de vivre*, avec James Dean. Son deuxième film, c'était *Géant*, encore avec James Dean. Pas mal, hein ?

– Les gens t'aiment bien.

– Quoi ?

– Les gens du Sierra Club t'aiment bien. » Percy se pencha en avant ; il paraissait fixer un point au-delà de l'aileron tribord. « Regarde le Cessna, à trois heures.

– Qu'est-ce qu'il a ?

– Ça fait un moment qu'il est avec nous. Quelqu'un te surveille ? » Il plissa les yeux.

« J'ai peut-être embêté quelques personnes en Floride ou en Louisiane.

– Tu n'obtiendras jamais un rôle de méchante, Gretchen. Voilà le Cessna. Je ne t'ai jamais dit que je balançais des ignifuges pour le service des forêts. On va descendre, voir s'il a envie de rester avec nous. »

À travers un banc de nuages au-dessus d'un pic, ils venaient de déboucher dans le soleil et une vue dégagée sur un patchwork de champs de blés et de pâtures. Percy fit suivre au bimoteur la pente de la montagne, comme une feuille solitaire qui plane dans le vent, l'ombre de l'appareil fonçant au-dessus de la cime des arbres. Gretchen eut l'impression qu'ils tombaient dans une cage d'ascenseur. Percy se remit à niveau à la base de la montagne et commença à reprendre de l'altitude, les moteurs à fond, une grange et un ranch blanc étendus parmi les peupliers réduits à des miniatures que Gretchen regardait par la fenêtre. « Je me demande où est passé ce Cessna rouge, dit Percy.

– Je n'en sais rien. Mais ne recommence jamais ça.

– Tout est OK », dit-il. Il effleura une médaille suspendue au bout d'une chaînette sur son tableau de bord. « Quand on a saint Christophe avec soi, qu'est-ce qu'on risque ?

– Je ne trouve pas ça rassurant », dit-elle.

Ils volèrent le long des bords du Great Divide et de Glacier National Park, où les plaines semblaient se cogner dans les montagnes. À la frontière ouest de la réserve Blackfoot, Gretchen vit plusieurs puits d'exploration, dont l'un près de la lisière du parc. L'avion s'éleva au milieu des montagnes et effectua un grand virage au-dessus de Marias Pass. Elle voyait de la neige entassée dans les arbres sur les crêtes et les pentes, et, tout au fond du canyon, une rivière émeraude qui sinuait entre des rochers aussi gros que des maisons.

Elle ouvrit sa vitre. « Descends au maximum, dit-elle.

– Qu'est-ce que tu fais ?

– Je filme. C'est pour ça qu'on est là.

– Tu veux qu'on passe à travers ce canyon ?

– Pour le frisson, dit-elle.

– Je t'avais sous-estimée », soupira-t-il.

Répète-moi ça, pensa-t-elle.

Il effectua un autre virage et se dirigea droit sur Marias Pass, descendant de plus en plus bas, les arbres se détachant individuellement sur les pics, la neige fondant sur les rochers, un viaduc de chemin de fer brillant au-dessus d'une gorge, Gretchen penchée à la fenêtre avec sa caméra, ses cheveux flottant dans le vent.

Elle avait le visage et les mains froids, la chemise gonflée, elle était assourdie par le vent et le grondement des moteurs. Tout ça était sans importance. À travers l'objectif de sa caméra, elle captait une topographie dont on ne pouvait que supposer l'ancienneté géologique. Même lorsque le viaduc passa en accéléré, qu'elle put humer les arbres et le froid de la neige tout en bas et voir approcher une paroi du canyon, elle n'écarta jamais les yeux de l'objectif.

Elle sentit l'avion violemment soulevé, ses ailes se raidir, lorsque Percy les conduisit le long du bord d'une falaise et au-dessus d'une crête montagneuse où les sommets des Douglas n'étaient sans doute pas à plus de trois mètres du ventre de l'appareil. Percy obliqua dans le soleil et vola en direction des plaines, ses mains s'ouvrant et se refermant sur le manche. Gretchen se rassit et ferma la fenêtre. « Merci, dit-elle.

– Merci ?

– Ouais, c'était très sympa de ta part.

– À trois secondes près, on s'écrasait sur cette falaise. Où ai-je déjà entendu cette expression, “pour le frisson” ?

– Dans *La Fureur de vivre.* »

Il sourit, d'un sourire juvénile. « Tu as déjà lu une biographie d'Ernest Hemingway ?

– Sans doute que non.

– Il disait que sa troisième femme, Martha Gellhorn, avait des jambes de deux mètres de long. Tu ressembles à ça, Gretchen. Tu es la femme la plus belle que j'aie jamais vue. Et pour couronner le tout, tu es une personne merveilleuse.

– Il y a un certain nombre de choses que tu ignores à mon sujet. Tu ne devrais peut-être pas me dire ce que tu éprouves.

– Tous les homos flashent sur toi ?

– Tu es homo ?

– Tu me prenais pour quoi ?

– Pour un mec très beau. » Elle se mit sur les genoux, lui passa la main sur la nuque et l'embrassa sur la joue. Puis elle recommença.

« Seigneur Jésus, Gretchen.

– Quoi ?

– Ne fais pas ça, ou il faudra que j'arrête d'être homo », dit-il.

Ils atterrirent sur la réserve, sur une piste fauchée dans une prairie ; tout au bout, une manche à air se raidissait dans le vent. Le ciel était rempli de la poussière, du pollen et de la paille montant d'un champ qu'un paysan était en train de herser. C'était un endroit lugubre, dépourvu d'arbres et d'ombre, le sol semé de rochers, des boules enchevêtrées de moutarde des champs bondissant comme des lièvres. Au croisement, un bazar avec deux pompes à essence devant et, à l'arrière-plan, une grange effondrée. Une des pompes avait été vandalisée, et était mouchetée de rouille. Gretchen regarda l'enseigne au-dessus de la porte. On y lisait DEER HEART ONE STOP.

« Tu es déjà venu ici ? demanda-t-elle.

– Deux ou trois fois. Pour faire le plein et embaucher un chauffeur.

– Deer Heart, c'était le nom d'une adolescente qui a été assassinée près de Missoula. La petite-fille adoptive de Love Younger.

– Ce salopard adopte des enfants indiens ?

– Son fils en a adopté une. Celui qui s'appelle Caspian.

– Ces gens ont déjà assez de problèmes sans que les Younger leur prennent leurs enfants. Je me demande si ce pays n'est pas maudit. Tu as déjà entendu parler du massacre de Baker ?

– Non.

– En 1870, un major de l'armée, un alcoolique du nom d'Eugene Baker, a assassiné deux cent soixante-dix Piegan Blakfeet sur la Marias River. La plupart étaient des femmes et des enfants. C'était en janvier, et les survivants ont été conduits dans l'eau glacée, ou dans les plaines, en plein vent, pour y mourir. Ils n'avaient fait de mal à personne. Je connais un photographe animalier qui a campé sur la Marias pour prendre quelques photos au soleil levant, et qui m'a dit qu'il avait entendu des femmes et des enfants gémir dans le vent. Ça lui a foutu une telle trouille qu'il n'a pas réussi à démarrer son pick-up.

– C'est quoi, l'histoire de la famille Deer Heart ?

– Il n'y a pas beaucoup de belles histoires, sur la réserve. Va un peu voir la prison de Browning un samedi soir. »

Quand ils entrèrent, une clochette tinta à la porte. Le propriétaire était un vieil homme avec des tresses d'un gris métallique, et une peau qui paraissait aussi douce que du suif. Il leur dit que s'ils voulaient louer une voiture et un chauffeur pour visiter et photographier la région, il appellerait son neveu, qui vivait tout près. Gretchen observa une photographie encadrée, sur le mur, à côté d'un vieux réfrigérateur.

« C'est votre famille ? demanda-t-elle.

– C'est nous, il y a dix ans. On reste plus beaucoup », dit le vieil homme. Il était assis sur un tabouret derrière le comptoir, les épaules voûtées, entouré d'étagères chargées de boîtes de conserve.

Sur la photo, des gens âgés se tenaient sous un abri à pique-nique, avec devant eux un jeune couple et trois petits enfants.

« Angel Deer Heart est-elle sur cette photo ? demanda Gretchen.

– Vous connaissez Angel ?

– Juste de nom. Elle a été adoptée par la famille Younger, n'est-ce pas ?

– Ses parents se sont tués sur l'autoroute au nord de Browning. Ils étaient ivres, et ils ont foncé droit dans un camion. Les enfants ont été pris en charge par l'agence d'adoption. Angel est la seule encore vivante.

– Pardon ? dit Gretchen.

– J'ai appris que son frère et sa sœur étaient morts d'une méningite dans un hôpital du Minnesota. Vous avez des nouvelles d'Angel ? Elle va bien ? »

Gretchen ne répondit pas.

« Nous ne voulons pas vous faire perdre votre temps, dit Percy. Vous pouvez appeler votre neveu ?

– Si jamais vous la voyez, dites-lui d'écrire chez elle pour donner des nouvelles à son grand-oncle Nap », dit le vieil homme.

Gretchen regarda d'un œil vague les boîtes de conserve sur l'étagère. Elle ouvrit le réfrigérateur et prit deux bouteilles de soda. « Combien ? demanda-t-elle.

– Un dollar chacune. Ça va, mademoiselle ?

– Il m'arrive d'avoir le mal de l'air », dit-elle.

Percy et elle sortirent sur le porche pour attendre le neveu. Dans le lointain, un feu d'herbes rampait le long d'une colline brune. La poussière et la fumée avaient donné au soleil une teinte rosée, qui évoquait plus le soir que le matin. « Tu crois vraiment que cet endroit est hanté ? demanda-t-elle.

– C'est ce que les Indiens aiment à penser.

– Pourquoi veulent-ils penser une chose pareille ?

– Aussi dur qu'ait été le passé, ils étaient sans doute mieux à cette époque », répondit Percy.

Un avion apparut de nulle part, survola la boutique, effectua un virage au-dessus de la manche à air, puis s'éleva dans la fumée qui montait des collines. « C'est notre ami dans le Cessna, dit-elle. Je pense qu'il y a des hommes de Love Younger dans les parages.

– Oublie ça. On est du bon côté de l'histoire », dit Percy en regardant l'avion rapetisser dans la fumée. Il tourna la tête vers elle. « Tu n'es pas d'accord ?

– Les fours d'Auschwitz étaient remplis de gens qui étaient du bon côté. »

Le soleil était près de se coucher lorsqu'ils atterrirent à Missoula. Gretchen était sale et fatiguée, une odeur de fumée sur ses vêtements, ankylosée d'être restée assise sur le siège passager sans assez de place pour ses jambes. Percy devait faire le plein et décoller pour Spokane, où il était censé retrouver son compagnon. « Je peux t'inviter à dîner ? proposa-t-il.

– Je vais aller aux toilettes et rentrer chez moi. Merci de cette super journée.

– Si jamais je décide de tromper mon partenaire, je peux t'appeler ?

– Ce n'est pas drôle.

– Il m'arrive de parler sans réfléchir.

– Percy ? »

Il attendit. Elle regarda son visage juvénile, la clarté morale dans ses yeux. Elle aurait voulu lui dire quelque chose, mais elle ne savait pas quoi.

« Tu t'inquiètes pour moi ? demanda-t-il.

– Il m'arrive de penser que je porte la poisse. Ton avion est OK ?

– Quand on a volé dans le canyon au-dessus de la Marias, il te semblait OK ?

– Prends soin de toi. Et en arrivant à Spokane, appelle-moi sur mon portable.

– Tu es une angoissée », dit-il.

Plus tard, sur le chemin des toilettes, elle sentit plus qu'elle ne vit un homme debout à la limite de son champ de vision, qui la disséquait du regard. La seule sensation comparable, c'était une araignée rampant sur son visage pendant son sommeil, alors qu'elle était allongée, impuissante, à l'intérieur d'un rêve dont elle ne parvenait pas à s'éveiller. Elle fit passer le poids de son sac à dos d'une épaule sur l'autre, l'expression neutre, tournant légèrement la tête pour apercevoir la silhouette qui se découpait contre l'entrée.

Son visage était dans l'ombre à cause de l'éclat du soleil qui pénétrait par l'avant du bâtiment. Elle fit semblant d'étudier un grizzly empaillé dans une vitrine géante, ses pattes dressées et ses dents nues, menaçantes, au-dessus d'elle. Dans le reflet de la vitrine, elle regarda l'homme se diriger vers les toilettes. Elle se retourna lentement et vit un homme vieillissant d'un mètre quatre-vingt, la taille fine, les cheveux coiffés en queue-de-rat comme ceux d'un voyou des années 1950. Il portait une chemise blanche pas repassée, des sandales romaines, des chaussettes noires, une ceinture marron bas de gamme et un pantalon froissé avec de la terre sur les revers. Une pipe à tabac était glissée dans un des coulants de sa ceinture. Pendant un bref instant, elle sentit une odeur déplacée dans un terminal d'aéroport.

Puis elle le perdit de vue dans le hall. Il était entré soit dans les toilettes, soit dans le bar. Elle traversa la cohue devant le magasin de souvenirs, se tint à l'entrée du bar et observa les gens assis pour manger, ou qui buvaient au comptoir, ou qui jouaient au poker sur des ordinateurs. Il était peut-être là, mais elle ne le voyait pas.

Elle attendit deux minutes devant les toilettes pour hommes, puis poussa la porte et entra. Un homme debout devant l'urinoir lui adressa un grand sourire. « L'un de nous deux n'est pas à sa place », dit-il.

Elle laissa tomber son sac à dos sur le sol et plongea la main dans son fourre-tout.

« Vous n'avez pas vu un homme fripé, avec une queue-de-rat ?

– Une quoi ?

– Fermez votre braguette et sortez. »

Un gros homme émergea d'une cabine, rentrant sa chemise avec ses pouces. « Vous aussi, dit-elle. Cassez-vous.

– Pour qui vous vous prenez ? dit le gros homme.

– Je pense qu'il y a un voyou dans une de ces cabines. Maintenant, barrez-vous, sauf si vous voulez vous prendre une balle perdue. »

Les deux hommes sortirent précipitamment, se retournant pour jeter un coup d'œil sur elle. Gretchen longea les cabines, mais ne vit pas de pieds sous les portes. Elle commença à ouvrir chacune d'elles d'un coup de pied, les faisant claquer contre la cloison, l'Airweight .38 spécial dans sa main droite.

Toutes les cabines étaient vides. Quand elle ouvrit la dernière, une odeur suffocante lui monta au visage.

Elle s'écarta, expira et laissa tomber l'Airweight dans son sac à l'instant où la porte laissait apparaître un homme de grande taille, en stetson.

« Entrez. Je me suis trompée de toilettes, je m'apprêtais à sortir, dit-elle.

– Pas de problème », dit-il. Il s'éclaircit bruyamment la gorge et s'appuya le dos du poignet sur la bouche. « Doux Seigneur ! dit-il.

– Dites-moi un peu. Vous n'avez pas vu un homme à queue-de-rat et sandales romaines ?

– En y réfléchissant, si.

– Où ?

– Il sortait de l'aéroport. Qu'est-ce qui ne va pas ? »

Elle retourna dans le hall, espérant voir se diriger vers elle un membre du personnel de sécurité. Le hall, la boutique de souvenirs, la salle d'attente, les queues aux comptoirs, étaient les mêmes que quelques instants auparavant.

Elle franchit la porte tournante pour gagner le trottoir. L'air était chaud, le soleil réduit à une étincelle entre les montagnes, les nuages à l'ouest orange contre le bleu du ciel. Elle se sentit parcourue par une vague d'épuisement. L'homme coiffé comme dans les années 1950 était-il celui qu'elle avait vu au bar du Depot, celui qui avait essayé de la tuer sous le pont d'Higgins Street ?

Cette odeur abominable dans les toilettes était-elle la sienne ? Est-ce qu'elle perdait la tête ? Elle était trop fatiguée pour répondre à ses propres questions. Elle commença à se diriger vers son pick-up. Le bimoteur de Percy Wolcott passa au-dessus de sa tête dans le soleil couchant, ses réacteurs tournant dans un éclat argenté, comme en un péan au jour. Tandis que le bourdonnement des moteurs s'éloignait, elle avança sur le parking, le matériel dans son sac à dos battant contre son flanc.

Puis elle entendit un bruit semblable à un coup de tonnerre sec, un grondement qui venait de nulle part, un écho qui semblait rebondir sur les parois rocheuses et les troncs des arbres, comme s'il se magnifiait lui-même, refusait de se laisser enfermer dans le ciel.

Elle regarda les montagnes sombres dans l'ombre des pentes et éclairées à contre-jour par des nuages aussi orange que des citrouilles de Halloween. *Ne pense pas ça*, s'intima-t-elle. *Ne regarde pas dans cette direction. Ne deviens pas la porte-guigne que tu as prétendu être.*

D'autres, sur le parking, désignaient quelque chose vers l'ouest. Quoi ? Comment montrer un son ? Avant d'avoir pu penser au démenti contenu dans sa question, elle vit un feu s'élever dans les arbres sur une montagne au loin, et en monter un champignon noir.

Elle pensa au bimoteur parqué sans surveillance sur la piste d'atterrissage, le vieil Indien dans le bazar, peut-être endormi derrière le comptoir. Un Cessna rouge qui tournait au-dessus, envoyant par message radio la localisation de l'avion de Percy.

Elle dut s'asseoir sur le pare-chocs d'un pick-up, les yeux bien fermés, pour s'empêcher de perdre l'équilibre.

13

Le mercredi matin, Clete et moi avons tenu parole et accompagné Gretchen afin qu'elle identifie le corps sorti par ses adjoints de la Clark Fork, à l'ouest de la ville. Il était évident qu'elle se fichait complétement de l'homme mort dans le tiroir de la morgue. Elle parcourut des yeux la teinte bleuâtre de la peau réfrigérée et les blessures à la tête, à la gorge et à la poitrine, sans paraître rien remarquer.

« Vous ne l'avez jamais vu ? demanda le shérif.

– C'est l'homme sur lequel j'ai tiré, si c'est ce que vous voulez savoir, répondit-elle.

– Et vous ne l'aviez jamais vu auparavant ?

– Non.

– Vous en êtes certaine ?

– Pourquoi est-ce que je mentirais ?

– Il travaillait dans la région de Fort Lauderdale et d'Atlantic City. Vous avez passé la plus grande partie de votre vie à Miami. Il s'appelait Emile Schmitt. Il était détective privé, et il pourchassait les évadés de conditionnelle. Il travaillait aussi pour une entreprise de fourgons blindés. Son nom ne vous dit rien ?

– Non.

– Mais vous reconnaissez en lui l'homme sur lequel vous avez tiré et que vous avez tué ?

– Il faisait nuit, cependant, oui, je suis sûre que c'est l'homme qui a essayé de me tuer, sur lequel j'ai tiré et que j'ai tué, après lui avoir laissé toutes les chances de se rendre. J'emploie des mots que vous ne comprenez pas ?

– Vous semblez avoir un mécanisme de défense inné qui se déclenche dès qu'on vous pose une question, dit le shérif.

– Je vous ai dit ce qui s'était passé. Appelez ça comme vous voulez.

– Le pick-up conduit par l'autre homme qui a essayé de vous tuer a été volé à un fermier du Kansas. Il se peut que le fermier ait été assassiné. Mais peut-être que vous le saviez déjà.

– Clete et Dave me l'ont dit.

– Pensez-vous que le chauffeur ait pu être Asa Surrette ?

– Comment le saurais-je ? Je l'ai peut-être vu hier soir à l'aéroport.

– Vous voulez bien me répéter ça ?

– À l'aéroport, il se peut que j'aie vu l'homme qui a essayé de me faire des avances au Depot. C'était peut-être le type avec le pick-up volé. Peut-être qu'hier il me suivait. Mon ami Percy Wolcott est mort hier soir dans son avion, juste après m'avoir déposée à l'aéroport. Vous vous êtes rendu sur les lieux ?

– Ça relève de la juridiction du National Transportation Safety Board. Ne changeons pas de sujet. D'après ce que nous savons, les clients d'Emile Schmitt, en tant que privé, comprenaient nombre d'avocats représentant la Mafia au sud de la Floride et dans le New Jersey. Je pense que vous connaissiez les mêmes personnes. Sauf que vous prétendez ne pas du tout connaître cet homme, et que l'intersection entre votre vie et la sienne dans une petite ville de l'ouest du Montana relève de la coïncidence.

– Je ne prétends rien, je me contente de vous dire ce qui s'est passé. L'avion de Percy est resté parqué plusieurs heures sur une piste à l'est de Marias Pass. La piste se trouvait à côté d'un bazar appartenant au grand oncle d'Anger Deer Heart. Vous trouvez que c'est une coïncidence, shérif ? Je pense que quelqu'un a mis une bombe dans cet avion, et que la minuterie retardait.

– Je ne vois pas le rapport.

– Tout ça a un lien avec Angel Deer Heart. Mais vous vous focalisez sur un clown de rodéo qui a été en taule. »

Le shérif commença à parler, mais Gretchen le coupa. « Bill Pepper m'a enlevée après avoir frotté sa bite sur chaque parcelle de mon corps. Si j'avais pu l'avoir avant que quelqu'un s'en occupe, je lui aurais coupé le compteur. Et mon père aurait fait la même chose. Mais on n'en a pas eu l'occasion. Si ça ne vous va pas, allez vous faire foutre.

– Vous êtes une femme furieuse, Miss Horowitz. Et il arrive que les femmes furieuses agissent de façon irrationnelle. »

J'entendais Clete respirer par le nez, je sentais presque la chaleur irradiant de son corps. « Tout ça ne nous mène à rien, shérif, dis-je.

– Ne vous mêlez pas de ça, monsieur Robicheaux.

– Non, monsieur, vous faites fausse route. Cette remarque est sans doute la plus stupide que j'aie entendue dans la bouche d'un officier de police. »

Je vis son visage pâlir par plaques, ses mains se raidir sur le bord du tiroir contenant les restes terrestres d'un homme qui, dans la mort, avait à peu près autant d'importance qu'un butoir de porte. Le malaise du shérif était palpable. Il savait qu'il avait tort, et ce n'était pas le moment d'en rajouter une couche.

« Shérif, vous avez trouvé le sperme du meurtrier sur le corps d'Angel Deer Heart, dis-je. Vous avez été à la banque du sperme pour l'identifier, non ? Qu'avez-vous trouvé ? Est-ce Asa Surrette, ou pas ?

– On a égaré le spécimen », dit-il en rougissant.

On n'entendait plus dans la pièce que le bourdonnement de la réfrigération.

« Bill Pepper ? dis-je.

– Je pense qu'il était ivre. Quoi qu'il ait fait de l'échantillon, on n'arrive pas à le retrouver.

– J'ai une question à vous poser : pourquoi avez-vous gardé un homme comme lui dans votre service ?

– Autrefois, c'était un bon flic. Quand son mariage est parti en vrille, il s'est mis à boire. Vous n'avez peut-être jamais connu de problèmes de ce type. Moi si. Alors je lui ai donné sa chance. Je le regrette. Et je m'excuse de ma remarque auprès de Miss Horowitz. Mais je veux bien être damné si je laisse se produire des fusillades dans les rues de ma ville. Et personne ne se montrera irrespectueux envers mon service. »

C'est légitime, pensai-je. *Ce n'est pas un mauvais bougre. Il est temps de se casser et de laisser les autres à leur destin.* Pécher par excès de charité, et laisser le désengagement devenir une vertu.

« J'ai entendu exploser l'avion de Percy Wolcott. Pas s'écraser. Exploser. Oubliez vos excuses, shérif. Sortez-vous les doigts du cul, et faites votre boulot, pour une fois », dit Gretchen.

Quand on est parent, on sait la chose suivante : même quand votre enfant est devenu adulte, on ne voit jamais en lui l'homme ou la femme ; on ne voit que la petite fille, ou le petit garçon.

Chaque fois que je regarde Alafair, je vois la petite Salvadorienne que j'ai tirée d'un avion immergé tombé dans le sel de la passe du Sud-Ouest. Je vois une petite fille que j'appelais Alf, avec une casquette de Donald à la visière qui faisait coin-coin, un tee-shirt avec une baleine souriante appelée Baby Orca, et des tennis avec les mots « droite » et « gauche » embossés au niveau des orteils. L'image de cette petite Salvadorienne voltigera toujours devant moi comme un hologramme.

Pourquoi dire ça maintenant ? Parce que tous les événements que j'ai racontés ont débuté par une agression sur

Alafair pendant qu'elle faisait un jogging au-dessus du ranch d'Albert Hollister. D'une certaine façon, le fait que son agresseur ait pu être Asa Surrette était passé entre les mailles

Asa Surrette avait-il survécu à l'accident entre le fourgon cellulaire et le camion-citerne, avant de prendre contact avec un autre prédateur et de venir dans le Montana à la poursuite d'Alafair ? C'était possible. Mais Emile Schmitt n'avait pas ce genre de parcours, et avait été employé par des cabinets d'avocats représentant des mafieux. La Mafia est ce qu'elle est, mais elle n'embauche pas de prédateurs sexuels multirécidivistes.

Je dois avouer une chose. J'aimerais pouvoir dire que je suis devenu officier de police au NOPD afin de rendre le monde meilleur. Mais je suis devenu flic pour traiter une tumeur sombre qui avait poussé dans mon cerveau, sinon dans mon âme, depuis mon enfance. Mes parents s'étaient lancés dans la pire entreprise à laquelle puissent se livrer des êtres humains : ils ont détruit leur foyer, leur famille et, pour finir, ils se sont détruits eux-mêmes. S'il existe un préjudice plus profond, je ne le connais pas. Il demeure en vous chaque jour de votre vie, on se réveille avec lui à l'aube, et on l'emporte en soi dans les heures nocturnes. Il ne connaît ni répit ni remède, et si vous avez partagé mon expérience, vous avez accepté le fait que seule la mort vous libérera de la continuelle impression de néant qui vous habite dès les premières lueurs de l'aube.

Un nommé Mack a ruiné la vie de ma mère, et elle a contribué à transformer mon père, Big Aldous, en un alcoolique triste, perplexe et rageur qui, un jour, a dévasté la salle de billard d'Antlers et assommé à poings nus sept officiers de police de Lafayette. Je n'éprouvais aucun sentiment envers les Vietcongs et les Nord-Vietnamiens, mais je mettais le visage de Mack sur chaque soldat ennemi que je tuais. À mon retour, j'ai loué un appartement dans le Vieux Carré, où je dormais avec un .45 chargé sous mon oreiller, non par peur, mais dans l'espoir que quelqu'un essaie de s'introduire chez moi.

Je vous prie de me pardonner mon obsession. Mon histoire à moi n'est pas importante. Mais l'histoire de la condition humaine, si. Quand vous voyez votre foyer détruit, il peut se produire deux choses : soit vous laissez le préjudice subi dans votre enfance vous voler toute possibilité de bonheur pour le restant de vos jours, soit vous vous bâtissez une famille à vous, une bonne famille, faite de gens que vous aimez vraiment, et en la compagnie desquels vous vous sentez profondément heureux. Si vous n'avez pas de chance, si vous êtes né sous une mauvaise étoile, des hommes violents se fraieront un chemin dans la vie de votre famille, et reproduiront le préjudice qui a gâché votre enfance. À partir de ce moment-là, vous entrerez dans un paysage que seuls comprennent les gens qui ont passé du temps dans le jardin de Gethsémani.

Vous découvrirez que la police telle qu'elle est décrite à la télévision n'a rien à voir avec la réalité. Il y a des chances pour que vous vous retrouviez seul. Peut-être découvrirez-vous que, sans qu'on vous en ait averti, le suspect a été libéré sous caution. L'inspecteur chargé de votre affaire fera peut-être de son mieux, mais vous vous rendrez compte qu'il est noyé sous sa charge de travail, et n'est pas forcément heureux de vous voir. Vos appels téléphoniques resteront sans réponse. Vous deviendrez une nuisance, et vous commencerez à parler sans cesse de vos problèmes personnels, à des étrangers comme à des amis. Quand vous penserez que tout est terminé, vous recevrez peut-être un appel railleur de la personne qui a tué ou violé votre bien-aimée.

Ça vous paraît exagéré ? Appelez quelqu'un qui a connu ça, et voyez ce qu'il vous dira.

Je me revois assis, nu et bourré, dans une cellule de garde à vue de la paroisse d'Orléans, me tordant les mains, mon corps dégoulinant de sueur, regardant se gonfler les veines de mes avant-bras tandis que je fantasmais sur l'homme que je tuerais dès que je serais libéré. La cible de ma colère était un chef de la Mafia dont je parlais d'habitude comme de cent cinquante kilos de merde de baleine dont le nom ne valait pas la peine qu'on se le rappelle. J'ai changé d'avis quand l'un de ses séides a tiré une balle dans la tête de mon demi-frère, Jimmie, à la suite de quoi il a perdu un œil. C'est alors que j'ai décidé de revenir à ce bon vieux rock'n'roll et de transformer un certain patron de la Mafia en papier peint. À cette époque où je pensais et agissais ainsi, j'étais un officier de police ayant prêté le serment de protéger et de servir.

Maintenant, j'avais honte d'avoir douté de la conviction d'Alafair selon laquelle Asa Surrette avait survécu à l'accident du fourgon cellulaire. J'avais le sentiment que non seulement j'avais trahi ma fille, mais que j'avais rejoint les rangs des flics éreintés qui prêtent une oreille cynique à ceux qui ont le plus besoin de leur aide, et la méritent le plus.

Après la visite à la morgue, quand je suis revenu au ranch d'Albert, j'ai donné trois coups de fil au Kansas. Les gens de là-bas sont parmi les meilleurs de la terre, mais où qu'on aille, la bureaucratie reste la bureaucratie. J'ai toujours suspecté la bureaucratie d'avoir un rôle d'auxiliaire, un peu comme le corps humain absorbe une infection et l'empêche de monter au cerveau. La bureaucratie protège les gens responsables et leur évite de rendre des comptes. Mes tentatives téléphoniques avec le Kansas furent plus qu'inutiles : elles m'ont laissé avec l'impression d'avoir eu trois conversations différentes avec un silo à grain.

Je suis sorti sur la terrasse et me suis installé sur une chaise au soleil, entouré d'énormes pots de pétunias violets, bleus et roses dont le vent ébouriffait les fleurs. Molly est sortie et s'est assise à côté de moi. « Ne te laisse pas atteindre, dit-elle.

– Par le fait de parler avec des gens atteints de SCTF ?

– C'est quoi, le SCTF ?
– Le Syndrome Couvre Tes Fesses.
– Tu crois que c'est Surrette ?
– C'est quelqu'un d'absolument maléfique.
– Tu penses qu'il a tué Bill Pepper ?
– Il ne s'est pas contenté de le tuer. »
Elle attendait que je continue.
« Inutile que tu entendes les détails, Molly. Celui qui a tué Pepper, qui qu'il soit, est un monstre. Surrette est peut-être le pire tueur en série de l'histoire américaine. Il est pourri de cruauté. Je ne peux pas te dire ce qu'il a fait aux enfants qu'il a assassinés.
– Arrête d'en parler.
– J'ai envie de le tuer.
– Il ne faut pas que tu ressasses des idées pareilles. C'est comme boire du poison.
– C'est ce que je ressens. S'il met la main sur Alafair, elle connaîtra une mort horrible.
– Tu me fais peur, Dave. »
J'ai serré les poings sur mes genoux, raidi les bras. Au loin, je vis la Honda d'Alafair remonter le chemin de terre plus vite qu'elle n'en avait l'habitude.
« Tu m'as entendue ? dit Molly.
– Je n'ai eu affaire qu'à un seul autre homme comme Surrette. Tu te souviens de Legion Guidry ?
– Je me souviens de ce que tu m'as dit de lui. Quand il était contremaître, il abusait sexuellement de femmes noires dans les champs.
– Qu'est-ce que je t'ai dit d'autre à son sujet ?
– Je l'ai oublié, Dave. Je crois qu'on ne devrait pas penser à nos frères humains en ces termes, aussi mauvais soient-ils.
– Je t'ai dit que je pensais que c'était peut-être le diable. Il avait une odeur que je n'ai jamais sentie sur aucun être humain. »

Elle se leva. « Je t'aime, mais je ne peux plus entendre de choses pareilles. »

Je suis resté assis sans bouger pendant ce qui m'a semblé un bon moment. Quand Alafair est passée et a commencé à remonter l'allée, je me suis levé et je suis descendu sur la pelouse pour aller à sa rencontre. Le dos de ma chemise était piqueté de sueur, les fleurs dans le jardin d'Albert luisantes des gouttes d'eau des arroseurs dans le vent. J'aurais voulu prendre Alafair dans mes bras et les emmener, Molly et elle, à des dizaines de milliers de kilomètres, peut-être dans une île édénique sur les rivages du Pacifique, comme dans les histoires de Somerset Maugham et de James Michener. Mais le chancre dans la rose est bien réel, et il y a longtemps que les paradis polynésiens ont été transformés en fermes à bas prix pour cultiver les arbres à pain afin de nourrir les esclaves des Caraïbes.

Alafair est sortie de sa voiture et s'est approchée de moi, tenant entre deux doigts le coin d'une feuille de papier jaune ligné. « C'était sous mon essuie-glace quand je suis sortie de la poste », dit-elle.

J'ai sorti mon mouchoir de ma poche et lui ai pris le papier, que j'ai lu. Le message avait été écrit à la main avec un stylo-feutre, chaque lettre comme un bloc, ou un cube, aussi raide et linéaire qu'un hiéroglyphe. J'entendais le vent souffler à travers les érables et les pommiers d'ornement. Molly m'avait suivi et regardait par-dessus mon épaule. « Qu'est-ce que c'est ? demanda-t-elle.

– Lis ça, dis-je en tenant la lettre par un coin.

– Inutile. Dis-moi juste ce que c'est.

– Lis ça », ai-je répété.

Son regard a suivi une ligne du texte, et ses lèvres ont blêmi. « Où vas-tu ? dis-je.

– Téléphoner à ce satané bon à rien de shérif », dit-elle.

J'avais envie de rire, ou du moins de sourire, pour me libérer de la tension et de l'angoisse de cet instant. Mais l'humour n'est pas un choix. C'est la prise que le mal a sur nous. Il n'y a rien de drôle dans le genre de mal que représentent des hommes comme Asa Surrette ou Legion Guidry. Charlie Manson était drôle parce qu'il était si lâche et incapable qu'il devait utiliser les services d'une collection de légumes décérébrés pour commettre ses crimes. Je commençais à être convaincu que des créatures comme Surrette et mon vieil adversaire Legion n'étient pas d'origine humaine. Ils venaient d'ailleurs. D'où ? me demanderez-vous. Je n'avais pas envie d'y réfléchir.

Chère Alafair,

Ça fait plaisir de reprendre contact avec vous. Désolé pour l'ami de Miss Horowitz le beau gosse qui s'est planté contre une montagne. Ça doit être terrible de savoir qu'on va s'écraser et qu'on ne peut rien y faire. Enfin maintenant il est transformé en rice crispy. Pauvre petit pédé. Boo-hoo.

Dites à Miss Horowitz qu'elle reste éloignée des toilettes pour hommes sinon quelqu'un pensera qu'elle n'est pas une fille.

Ça vous intéresse toujours d'écrire un livre sur moi ? Je pense qu'il y a assez de matière pour un film. Je vous dirai plus tard qui j'aimerais voir interpréter mon rôle.

Fidèlement vôtre

A.

***

Wyatt Dixon n'avait jamais été amateur de pique-niques, du moins jusqu'à ce que Bertha Phelps l'appelle pour l'inviter à remonter la Blackfoot Valley jusqu'à un joli endroit qu'elle avait découvert au bord d'un bassin hydrographique qui coulait à travers les *cottonwoods* et se jetait dans la rivière. Quand elle le retrouva au pont près de chez lui, elle était vêtue d'une robe d'été fleurie, d'un chapeau de paille orné d'un ruban bleu et de tennis neuves, qui étaient mignonnes sur ses grands pieds. Elle portait un panier d'osier rempli de fromages, de charcuterie, de salade de pommes de terre et de pain achetés chez un traiteur, plus deux litres de citronnade maison. « Vous me rappelez cette femme qui conduisait un camion de glaces dans la région rurale où j'ai grandi, dit-il. Elle avait des joues comme des pommes et elle sentait la glace à la pêche. Un jour, je lui ai demandé si je pouvais me cacher sous sa robe et partir avec elle.

– Vous avez une façon bien à vous de vous exprimer, monsieur Dixon. Êtes-vous en train de me dire que vous aimez les femmes grosses ? Je suis peut-être trop grosse pour vous.

– M'dame ?

– Vous essayez de me faire rougir. »

Si elle avait l'intention de lui transformer la tête en mixer, elle y arrivait bien.

Ils prirent le pick-up de Wyatt jusqu'à la Blackfoot Valley, franchirent un pont de bois et pénétrèrent dans un paysage alluvial qui semblait dater des premiers jours de la Création. Wyatt se mit en position de quatre roues motrices, cahota sur un lit de cailloux blancs, se gara et sortit le panier d'osier du caisson. « Je déclare, Miss Bertha, qu'il doit bien y avoir là-dedans quinze kilos de nourriture, dit-il.

– Vous êtes un gentleman agréable sous tous rapports, mais vous devez cesser de m'appeler Miss. On n'est pas sur une plantation.

– Je dois vous dire quelque chose. » Il croisa les bras et regarda le sol, avec dans les poignets un étrange picotement qu'il ne comprenait pas. « J'espère que je vous agace pas.

– Vous savez quel est le problème ? Vous n'avez pas l'habitude de partager vos sentiments. Comment pourrait-on être agacé par un bel après-midi comme ça ? » Elle tourna les yeux vers une falaise de l'autre côté de la rivière, et l'épaisseur des pins au sommet. « Dans un endroit pareil, on ne devrait pas avoir le moindre souci.

– Je suis allé chez Love Younger, et j'ai échangé quelques mots avec lui. Je lui ai demandé si vous travailliez pour lui. Il avait aucune idée de qui vous étiez. J'étais content.

– Pourquoi devrais-je être fâchée ?

– J'ai douté de votre parole.

– Étendez la couverture pendant que je prépare les sandwichs. Parlez-moi de votre vie dans le rodéo. »

Il secoua la tête. « Vous êtes une femme éduquée. Pourquoi est-ce que vous vous intéressez à un homme comme moi ?

– C'est mon problème.

– Il y a des gens dans le coin qui emmèneraient un porc à l'église plutôt que de m'inviter à un pique-nique. Pour moi, c'est pas logique.

– Peut-être que je vous aime bien. Vous y avez pensé, à ça ? »

Wyatt se frotta les poignets, la peau de son visage aussi lisse et inexpressive que de la glaise, suivant des yeux un balbuzard qui glissait près de la surface de l'eau. « Je me laisse pas manipuler par les gens, dit-il. Je me contente de les éviter. Dans le passé, j'ai fait bien pire que ça.

– Quelqu'un vous a appris qu'une femme bien ne serait jamais attirée par vous, dit-elle. Ce quelqu'un vous a fait beaucoup de mal.

– Je suis pas bon pour ça. C'est une jolie robe. On dirait qu'elle sort de chez un fleuriste. »

Elle préparait les sandwichs sur le hayon de son pick-up. Elle tourna la tête vers lui et sourit, son visage s'éclairant d'une façon qui le fit chavirer. « Vous êtes l'un des hommes les plus intéressants que j'ai rencontrés. Et je pense aussi l'un des plus gentils.

– Pas possible ! Vous êtes une femme puissante.

– Je ne vois pas ce que vous voulez dire.

– Vous vous laissez pas avoir par les hommes. C'est une chose qu'un homme ressent. C'est ce que les hommes admirent le plus chez les femmes.

– Qu'essayez-vous de me dire ? »

En cet endroit, la rivière était large et plate, l'herbe haute et verte sur ses deux rives, les pentes fortement boisées à la base des falaises grises et douces et roses qui se dressaient droit dans le ciel. Pourquoi se sentait-il enfermé, voire étouffé, soit par la situation, soit par les sentiments qui bouillonnaient en lui ? Derrière elle, il vit un cerf à queue blanche à la lisière de la forêt, l'extrémité de ses bois recourbée, affûtée, dure dans la lumière. Il n'y avait pas une maison en vue, pas une âme. Il regarda Bertha, puis détourna les yeux. « Vous me cachez quelque chose. Il faut que je sache quoi, dit-il.

– Je pensais que vous étiez peut-être un sale type. Ce n'est pas le cas. Il y a en vous une bonté profonde, que quelqu'un a essayé de vous prendre.

– C'est pas vrai. Personne m'a jamais rien pris. Ils savent qu'il vaut mieux pas essayer.

– Vous vous considérez comme sauvé, n'est-ce pas ?

– Je tiens rien pour acquis. L'État m'a rempli la tête d'électricité, et m'a fait ingurgiter une pleine baignoire de drogues. Parfois, j'ai l'impression d'entendre mon cerveau gargouiller.

– Servez la citronnade. C'est si agréable, ici. Quand je vais dans un endroit comme ça, j'arrête de penser à tous mes ennuis et mes soucis. Vous sentez le vent ? Je parie que le monde sentait comme ça quand c'était un grand champ de lys blancs.

– Quels ennuis et soucis peut avoir une femme comme vous ?

– Plus que vous ne croyez. Mais vous n'en êtes pas la source. »

Il retira son chapeau de cow-boy et le lui posa sur la tête.

« Pourquoi vous avez fait ça ? demanda-t-elle.

– Il vous va mieux qu'à moi. »

Tout son visage semblait imprégné d'une roseur qu'il n'avait jamais imaginé pouvoir associer à une femme dont les bras étaient gros comme des jambons. Son chapeau glissa au coin de l'œil de la femme. « Allez-y, dit-elle.

– Quoi, allez-y ?

– Faites ce que vous avez envie de faire.

– Je savais que vous étiez du Sud. » Il souleva le chapeau de sa tête, et le garda pendant entre ses doigts derrière le dos de la femme, tandis qu'il l'embrassait sur la bouche, puis il la prit dans ses bras et recommença. Elle était courbée en arrière, immobile entre ses bras, et le regardait dans les yeux, son ventre contre le sien, rayonnante. « Vous avez l'impression d'être un tas de briques ? dit-elle. Ou peut-être un sac de cuir rempli de cailloux ? Quelqu'un vous a déjà dit ça ?

– Pas depuis longtemps.

– Votre physique est très attirant, monsieur Dixon.

– Il fait très chaud, ici, au soleil. Si on transportait la couverture sous les arbres, là-bas ? »

Elle souffla. « Ici, c'est très joli, dit-elle. Seigneur, quel bel après-midi. Maintenant dépêchez-vous. Ne soyez pas embarrassé. Pour faire l'amour, quel plus bel endroit que la terre ? C'est de Robert Frost. »

Il ne comprit pas vraiment ses derniers mots, mais ça lui était égal. Les rapports sexuels avec Bertha Phelps ne ressemblaient à rien de ce qu'il avait connu. Pendant des années, la plupart de ses relations avec les femmes n'avaient été qu'une question de peau. Cette fois-ci, il avait l'impression d'avoir avancé d'un pas à l'intérieur d'un arc-en-ciel. Non, ce n'était pas exact : c'était plus que ça. Étreindre Bertha, c'était comme chevaucher un cheval ailé, ou s'abandonner à la crête d'une vague, ou nager dans une eau chaude tapissée de fleurs. Et pendant tout ce temps, elle n'arrêta pas de gémir son nom à son oreille. Quelques minutes plus tard, il sentit un frisson de faiblesse parcourir son corps, un barrage se rompit dans ses reins et il la serra plus fort qu'il avait jamais serré une femme, la respiration lourde dans sa gorge, la tête sur sa poitrine.

Puis il la sentit se raidir sous lui, et il sut qu'il se passait quelque chose de très grave. Quand il se souleva sur ses bras, elle avait le visage blême, couvert de sueur, déformé par la peur et la surprise, les yeux fixés sur quelqu'un debout juste derrière lui.

14

Quand il regarda derrière lui, il vit non pas une, mais trois silhouettes d'hommes se découper contre le ciel, tous portant des gants et des masques de caoutchouc d'un gris métallique brillant qui leur donnait l'apparence de spectres en larmes, avec la bouche pendante et des joues noyées d'ombre. L'un d'eux portait une matraque de policier, une lanière autour du poignet. Il fit un pas en avant et balança la matraque sur l'oreille de Wyatt, de toute la force de son épaule, la faisant claquer comme une batte de base-ball.

Wyatt, sans en être certain, pensa que ses yeux roulaient dans leurs orbites. Soudain, les arbres, le ciel et les montagnes se trouvèrent réduits à la taille d'un point de lumière dans un océan de noir, puis le point disparut lui aussi. Wyatt tomba sur le côté dans l'herbe, nu en dehors de sa chemise de cow-boy déboutonnée, un filet de sang coulant le long de son cou.

Quand il reprit conscience, l'ombre de son pick-up se trouvait au même endroit que lorsqu'il avait reçu le coup de matraque, mais Bertha Phelps avait disparu. Il avait les mains liées derrière le dos par une corde, et son portefeuille et son contenu étaient éparpillés sur le sol. Il se mit à genoux et passa la corde sous le pare-chocs, puis s'accroupit et se tendit contre la corde au point qu'il pensa s'en casser les molaires. Il reprit son souffle et essaya à nouveau, s'arrachant cette fois la peau des articulations. Soudain, il se retrouva libre et debout, avec un mal de tête lancinant, les mains en sang. Il enfila son sous-vêtement, son Wrangler, et chercha ses bottes Tony Lama et le couteau pliant Solingen de vingt centimètres au manche en os qu'il avait sur lui. Ils n'étaient pas là. Ni l'argent dans son portefeuille.

Qui étaient ces hommes ? Des types récemment sortis de taule, peut-être shootés aux amphètes ? Ces temps-ci, les prisons étaient pleines de mecs dépourvus de classe, qui ne pensaient qu'à leur bite et avaient de la merde dans la cervelle. Où était Bertha ?

Le vent tourna et il entendit sa voix au profond du bois, et alors il n'eut aucun doute sur ce que les trois hommes étaient en train de lui faire.

Il ouvrit l'arrière du caisson. Sa Winchester 1892 à levier était là, mais les cartouches étaient chez lui. Il plongea la main dans un sac marin où il gardait son matériel de camping et en sortit un outil de tranchée du surplus de l'armée. La lame était bloquée en position de pelle, ses arêtes nettes et aiguisées. Il parcourut des yeux le flanc de la montagne, puis il se précipita vers la gauche, là où les trois hommes avaient sans doute pénétré avec Bertha sous le couvert des arbres, le tissu cicatriciel hachuré dans son dos aussi blanc que de la neige.

Le sol de la forêt était doux à cause de l'herbe humide et de l'eau qui s'épandait d'une source sur la montagne. À sa droite, dans un bouquet de ponderosas largement espacés éclairés par un rayon de soleil solitaire, deux hommes maintenaient Bertha sur le dos tandis qu'un troisième essayait de la chevaucher. Quand elle voulut hurler, un homme ramassa une poignée de terre qu'il lui fourra dans la bouche.

Ils portaient encore leurs masques, et apparemment ils ne l'avaient pas entendu approcher. Quand ils perçurent le bruit de ses pieds nus sur le sol de la forêt, ils tournèrent la tête vers lui à l'unisson, figés dans le temps, comme des hommes qui pensaient avoir un contrôle total sur leur environnement, et qui découvrent qu'ils viennent de s'enfermer eux-mêmes dans une boîte avec l'homme le plus dangereux qu'ils aient jamais rencontré.

Quand Wyatt donna le premier coup, la partie supérieure de son corps dégoulinait de sueur et était marquée d'un filet de veines. Il atteignit l'homme qui était sur Bertha dans le dos, lui fendant sa chemise, aspergeant l'air de sang. Il maniait l'outil comme une hache médiévale, sans viser, sans planifier son attaque. La puissance de ses coups et le degré d'énergie et de rage qu'il donnait à chacun étaient dévastateurs, et avaient un effet similaire à un marteau-piqueur défonçant une maison en contre-plaqué. Curieusement, il y avait peu de bruit dans le bosquet de ces pins semblables à des colonnes, sinon les grognements étouffés de ses adversaires derrière leurs masques à chaque fois qu'il les frappait.

Bertha se releva, tituba et tomba le long de la pente, couverte de terre, de brindilles, de feuilles et d'aiguilles de pin. Wyatt expédia un coup de pied dans l'entrejambe d'un des hommes et lui fendit le crâne quand il se plia en deux, et il était sûr d'avoir cassé les côtes d'un troisième en le piétinant sur le sol.

On apercevait du sang sur les troncs. Wyatt tournait en rond, frappant ses agresseurs autant de fois que possible, leur infligeant un maximum de blessures avant que leur supériorité numérique ne fasse des ravages. Un homme tomba hors de combat et s'éloigna à quatre pattes, puis se releva et se mit à courir, sans son masque, ses longs cheveux blonds s'échappant d'un bandana qu'il s'était noué sur la tête. C'est à cet instant que Wyatt commit une erreur critique. Il prit le temps de regarder le visage de l'homme qui courait et, au lieu de ça, il vit, à la limite de son champ visuel, se balancer une main avec une pierre. Son arcade sourcilière se fendit, et il dégringola le long de la ravine dans le lit d'un torrent.

L'homme qui avait porté le coup suivit Wyatt dans sa glissade jusqu'au bord du torrent. Il portait une casquette de peintre, enfoncée sur le crâne, une chemise noire à manches longues et une salopette marron clair. Les poils sur sa poitrine ressemblaient à des fils de fer dorés. Wyatt était debout dans le ruisseau, les pieds gelés. Il avait un autre problème. Juste avant de dégringoler dans la ravine, il avait senti sa cheville se tordre sous son poids, comme un gros tube qui se replie sur lui-même.

L'homme à la casquette de peintre avait ouvert le couteau pliant de Wyatt et le tenait tendu devant lui, la lame dressée. « Je vais te couper les couilles », dit-il, sa voix résonnant sous le masque.

Wyatt avait laissé tomber sa pelle en haut de la ravine. Il prit sur le rocher un morceau de branche de *cottonwood.* Elle était molle, froide et inutile entre ses mains, les feuilles s'égouttant dans l'eau.

Voilà bien longtemps, en taule, Wyatt avait appris que les vrais durs à cuire ne parlent pas. Pas plus qu'ils ne se rasent le crâne, et ne sont tatoués des poignets aux aisselles. Pas plus qu'ils ne fraient avec la Fraternité aryenne. Les vrais durs à cuire soulevaient soixante-quinze kilos, en portaient deux cent cinquante sur les épaules, et faisaient cinquante pompes avec un type assis sur leur dos. Leurs corps irradiaient la létalité de la même façon qu'une merde de porc irradie la puanteur. Comme le lui avait dit un vieux détenu à Huntsville, le silence est la plus grande force. Il oblige vos ennemis à entrer dans le théâtre de leur cerveau, où leurs terreurs les dévorent.

« Ensuite on finira notre petite fête avec ta pute », dit l'homme à la salopette.

Wyatt ne bougea pas. Il entendait l'eau courir autour de ses pieds, de ses chevilles, du revers de son jean, la canopée se balançant tout là-haut au-dessus de la ravine.

« On dirait que tu t'es pété une cheville », dit l'homme à la salopette brun pâle.

Avait-il déjà entendu cette voix derrière le masque ? Il n'en était pas certain. Elle était déformée, comme si elle montait depuis le fond d'un puits de pierre. Pourquoi cet homme n'était-il pas armé ?

« Peut-être qu'on va en rester là, dit l'homme. Peut-être que tu retiendras la leçon. »

Quelle leçon ? pensa Wyatt.

« T'as rien à dire ? »

Il a cligné des yeux sous son masque. Il perd les pédales. Il s'apprête à reculer.

« Mesure ta chance, Tex, dit l'homme. On va te laisser partir d'ici. La nana s'en tire bien aussi. Si tu veux mon avis, elle bat des records de mocheté. »

Quand l'homme en salopette fit un pas en arrière, Wyatt lui cingla l'avant-bras de la branche de *cottonwod*, faisant tomber sur les rochers le couteau qu'il tenait dans la main. Il frappa à nouveau et rata son coup, sa cheville se tordant sous son poids, une douleur à vomir remontant jusqu'à ses parties génitales et à son estomac. Il se jeta en avant, agrippa la jambe de l'homme et essaya de le déséquilibrer, mais il trébucha dans le courant et arriva tout juste à s'accrocher au poignet droit de son adversaire.

L'homme tomba en arrière, piétinant le visage de Wyatt. Ses gants étaient en toile, comme on en achète dans une jardinerie. Alors qu'il s'écartait de Wyatt, son gant gauche glissa jusqu'à ses jointures, exposant le dos de sa main. Une araignée rouge y était tatouée. Il donna un coup de pied dans la tempe de Wyatt, et quelques secondes plus tard il courait au milieu des arbres.

***

Deux heures plus tard, Wyatt était assis au bord d'une table d'examen aux urgences du Community Medical Center, près du vieux Fort Missoula, sa cheville bandée, son arcade sourcilière recousue. Un policier en civil ouvrit le rideau et l'observa. « J'ai entendu dire que vous n'avez pas eu de chance, aujourd'hui.

– On peut dire ça comme ça, dit Wyatt. Je vous ai déjà vu ?

– Je ne sais pas. Vous croyez ?

– Près de la grotte derrière la maison d'Albert Hollister. Sauf que vous étiez en uniforme. L'inspecteur Pepper et vous parliez de la fille Horowitz, un truc du genre qu'il vous aurait fallu une planche en travers du cul pour pas tomber dedans. »

L'inspecteur était un homme longiligne et anguleux, à la peau grenue, aux cheveux noirs de jais, avec des pattes qui s'étalaient sur ses joues. Il avait une moustache et portait un costume neuf de toile sombre avec des rayures bleues. Il paraissait ne s'être pas rasé depuis au moins deux jours. « Avez-vous reconnu l'un de vos agresseurs ? demanda-t-il.

– Ils portaient des masques. Je veux voir Miss Bertha.

– Je viens de la quitter. Elle va bien.

– C'était quand, la dernière fois que vous avez vu une victime de viol qui se porte bien ?

– C'étaient des Blancs ? Pas des Indiens, ni des Afro-Américains, ni des Hispaniques ?

– Je sais pas ce qu'ils étaient.

– Vous avez vu des signes permettant de les identifier ?

– Non.

– Aucun ? Pas de tatouages, pas de cicatrices, ce genre de choses ?

– Ils étaient boutonnés jusqu'au col. L'un d'eux avait une matraque.

– Comme celle d'un policier ?

– Ou d'un policier militaire.

– En quoi elle était ?

– En bois. Avec une lanière.

– Les officiers de police n'utilisent plus de matraques de ce type.

– Voilà qui me rassure. »

L'inspecteur cessa de prendre des notes dans son carnet. « Vous ne nous aimez pas tellement, n'est-ce pas ?

– En prison, j'ai appris à lire sur les lèvres.

– Je ne suis pas certain de voir le rapport.

– Je vous ai vu dans le hall un peu plus tôt. Vous plaisantiez avec un autre type. Ça concernait Miss Bertha. »

L'inspecteur baissa les yeux sur son bloc et se mit à écrire.

« Qu'est-ce que vous notez ? demanda Wyatt.

– Que vous lisez sur les lèvres. C'est un sacré talent.

– Vous vous appelez comment ?

– Inspecteur Jack Boyd. Je n'ai pas encore de carte professionnelle. Si vous voulez ajouter quoi que ce soit à votre déposition, appelez le service.

– Vous avez remplacé l'inspecteur Pepper ?

– Et alors ?

– Je pense que vous êtes la bonne personne pour ce boulot », dit Wyatt.

Molly et moi étions en train de débarrasser la table, à la tombée de la nuit, quand elle regarda le jardin de derrière par la porte-fenêtre. « Dave, viens voir », dit-elle.

Un homme au chapeau de cow-boy avachi était assis sur la barrière bordant la limite nord de la prairie. Il buvait une bière à long col, qu'il soulevait en laissant la mousse couler sur sa gorge, ses bottes crochetées sur le barreau inférieur. Il laissa tomber la bouteille vide sur l'herbe et en sortit une deuxième de la poche de sa veste de toile, il en dévissa la capsule, qu'il mit dans sa poche. Les chevaux d'Albert étaient rassemblés autour d'une citerne circulaire de l'autre côté de la barrière, leurs queues battant pour chasser les mouches. Le ciel était pourpre, semé de nuages noirs semblables à du coton déchiré. L'homme sur la barrière leva les yeux sur les lumières dans la cuisine, et but une longue gorgée de bière.

« C'est Wyatt Dixon, dis-je.

– Celui avec qui Alafair a eu des mots ?

– Le seul et unique.

– Qu'est-ce qu'il fait là ?

– Le jour où on comprend un type comme Dixon, on s'inscrit en désintoxication. »

J'ai enfilé une veste et suis descendu jusqu'à la barrière. Le double portillon de métal menant à la pâture craquait dans le vent, la chaîne de fermeture cliquetant doucement.

« Vous jetez toujours vos bouteilles de bière sur la pelouse des gens ? demandai-je.

– Je m'apprêtais à la reprendre en partant. » Il jeta un coup d'œil sur le chalet dans la pâture sud. La lumière était allumée à l'intérieur, et on apercevait les cuissardes de Clete suspendues à l'envers sur la galerie. « Il fait quoi, Dumbo ?

– Avant de dire quoi que ce soit sur Clete Purcel, je réfléchirais à deux fois. Qu'est-il arrivé à votre œil ?

– Un type m'a eu avec une pierre. Après que lui et deux autres eurent agressé une femme avec qui j'étais. Maintenant, elle est au Community Hospital.

– Qui étaient ces types ?

– J'ai une idée sur l'identité de l'un d'eux.

– Vous l'avez dit aux flics ? »

Il fit une moue. Il portait des bottes semi-montantes qui, à ses pieds, ressemblaient à des seaux et semblaient déplacées. « Je suis venu pour avoir votre opinion sur un sujet, dit-il.

– Pourquoi moi ?

– Je me suis renseigné sur vous et votre copain au gros cul. Vous avez été mêlés à une fusillade en Louisiane et vous avez nettoyé les boyaux de types du genre de Love Younger et de sa bande.

– Vous avez une raison de penser que c'est Love Younger qui a envoyé ces trois hommes contre vous ?

– Un des hommes avait un tatouage sur le dos de la main. Je l'avais déjà vu.

– Sur quelqu'un qui travaille pour Love Younger ?

– C'est justement ce qui colle pas. J'ai rien à voir avec Love Younger. Il est riche et puissant, et je suis un ancien détenu et marchand de bétail pour les foires. En quoi je serais une menace pour lui ?

– Qui était la femme qu'ils ont agressée ?

– Elle s'appelle Bertha Phelps.

– La femme sur la réserve ?

– De toute sa vie, elle a sans doute pas fait de mal à une mouche. Avec le temps, elle surmontera ça. Mais elle sera plus la même. Elles le sont jamais.

– Si je vous comprends bien, ces types ont fait tout ce qu'ils pouvaient pour vous provoquer, mais ils ont pris soin de vous laisser vivant, en sachant comment vous réagiriez sans doute.

– Aucun d'eux a essayé de sortir d'arme. Ils en portaient peut-être pas. Ils voulaient peut-être juste me tabasser. Une chose est sûre, ce sont pas des professionnels. L'un d'eux a volé mes bottes Tony Lama en cuir de Cordoue.

– Vous pensez que vous avez été piégé ?

– Vous avez déjà vu une corrida ? Avant l'arrivée du matador, le banderillero enfonce les banderilles dans le cou du taureau. C'est comme des harpons en miniature. Les barbes font un mal de chien, et le taureau se met en rage. C'est à ce moment-là qu'il commet des erreurs, et ramasse une épée dans la partie molle entre ses omoplates.

– Et sachant tout ça, vous voulez prendre votre revanche ?

– Œil pour œil.

– Ce n'est pas ce que signifie cette admonition.

– Ce qu'elle signifie, c'est : me marche pas sur les pieds. Au Texas, j'étais dans la cellule d'un gars dont le gosse avait été assassiné par un pédophile. Il l'a tiré au bout d'une chaîne sur une autoroute. Qu'est-ce que vous en pensez ? »

Il prit une gorgée de bière, me jetant un regard de côté en attendant ma réponse. Son état d'esprit était de ceux que tout homme du Sud reconnaît. Que ce soit un défaut dans le pool génétique, ou un retour atavique aux tourbières de l'Europe celtique, c'est en tous les cas un héritage familial d'une classe sociale dont les membres sont non seulement inéducables, mais fiers de leur ignorance et de leur potentiel de violence. Si vous en avez l'occasion, étudiez soigneusement leurs visages sur une photographie, une de celles prises lors de ce qu'ils appellent un « brûlage de croix », et dites-moi s'ils descendent du même arbre que le reste d'entre nous.

« Vous venez d'admettre que quelqu'un essaie de vous lancer une balle vicieuse. Pourquoi voulez-vous la frapper ?

– Je connais peut-être des trucs qu'ils ignorent. Peut-être que je vais faire tomber la foudre sur toute la bande.

– Vous pensez avoir ce type de pouvoir ? »

Il secoua la tête. « Non, j'ai aucun pouvoir. C'était juste histoire de parler. Miss Bertha a subi un préjudice irréparable, et ils doivent payer pour ça, monsieur Robicheaux. Vous feriez la même chose. Me dites pas le contraire. Je sais le genre d'homme que vous êtes. Vous pouvez essayer de le dissimuler, mais je le vois dans vos yeux. »

Il descendit de la barrière, en s'appuyant sur un pied. Il prit le col de la bouteille entre trois doigts, l'inclina sur sa bouche et la vida jusqu'à la dernière goutte. Puis il la glissa dans l'une de ses poches, ramassa la bouteille vide sur l'herbe, et la mit dans son autre poche. Il me fit un clin d'œil. « Vous voyez, je tiens toujours parole », dit-il.

Je me trompais à propos de Wyatt Dixon. Si cet homme pouvait entrer dans une catégorie, j'ignorais complètement laquelle.

Je ne pouvais en vouloir à Clete de ce qu'il fit ensuite. Quitter le sud de la Louisiane ne lui avait jamais réussi. La plupart des GIs détestaient le Vietnam, sa corruption, son humidité, la puanteur des excréments de buffles dans les rizières. Tel n'était pas le cas de Clete. Les banyans et les palmiers, les nuages de vapeur montant de la forêt pluviale, l'architecture coloniale française, les bars éclairés au néon des ruelles de Saigon, une averse soudaine crépitant sur des massifs de philodendrons et de bananiers dans un jardin, les filles au regard lent qui vous faisaient signe depuis un balcon, la cloche de l'angélus retentissant à six heures du matin, toutes ces images auraient pu être des cartes postales qu'on lui envoyait depuis sa ville natale.

Pour beaucoup de gens, La Nouvelle-Orléans était une chanson engloutie sous les vagues. Pour Clete, elle était un état d'esprit qui ne changerait jamais, un port caribéen où l'on pratiquait les manières de l'Ancien Monde, sa culture païenne dissimulée par un mince verni de christianisme. Le dialecte évoquait plus Brooklyn que le Sud, car la plupart de ses ouvriers descendaient d'immigrants italiens et irlandais. Souvent, la gentry avait des accents semblables à ceux de Walker Percy ou de Robert Penn Warren, et leur phrasé avait une cadence iambique qui, parfois, pouvait transformer une simple conversation en sonnet.

Les gens appelaient le « lunch » « dîner », les « achigans à grande bouche » des « truites vertes ». Pour « *snowball* » on disait « *sno'ball* ». « *New Orleans* » se prononçait « *New Or Lons* ». Et en aucune circonstance, même sous la menace d'une arme, « *Nawleens* ».

Parfois, aux petites heures du matin, Clete prenait le tramway de St. Charles jusqu'au bout de la ligne, à Carrollton, la brume soufflée en nuages depuis les chênes verts formant une canopée au-dessus de la voie médiane. Puis il reprenait le tramway jusqu'à Canal, traversait le Vieux Carré à pied jusqu'à son bureau, sur St. Ann, sans jamais dire à personne, pas même à sa secrétaire, où il était allé.

Clete pratiquait une religion très personnelle, et avait son propre banc dans une cathédrale dont personne ne savait rien. Il ne parlait jamais de ses souffrances, et il ne s'autorisait pas à se laisser traiter en victime. Il dissimulait ses cicatrices, minorait ses problèmes et méprisait ceux qui s'en prenaient aux faibles et encourageaient des guerres en évitant le combat quand leur tour arrivait. On pourrait dire que son système de valeurs était peu différent de celui du bon chevalier de Geoffrey Chaucer. Je soupçonne qu'il y avait aussi en lui quelque chose de saint François.

Je ne pourrais dire exactement pourquoi il était attiré par Felicity Louviere, mais j'en ai une idée. Elle était minuscule et semblait n'avoir jamais été exposée à une lumière crue, comme une fleur nocturne qui doit être protégée du soleil. Le grain de beauté noir au coin de sa bouche semblait moins une imperfection qu'une invitation, pour un homme, à se pencher pour l'embrasser. Sa vulnérabilité de petite fille contrastait avec sa silhouette robuste, avec l'épaisseur sombre et lustrée de ses cheveux, et avec son tempérament mercuriel, passant en un instant du chagrin à la séduction ou à la colère, peut-être parce que son père avait perdu la vie en essayant de faire du bien aux autres, et avait laissé sa fille sombrer.

Peut-être le plus attirant en elle était-il son accent, comme on n'en entend que dans le quartier Uptown de La Nouvelle-Orléans, un accent si singulier et mélodique que les acteurs et les actrices arrivent rarement à l'imiter. Ou peut-être était-ce dû au fait qu'elle avait reçu de son père le prénom d'une femme courageuse morte dans une arène romaine.

Felicity Louviere était un mystère, d'où l'attraction qu'elle exerçait sur Clete Purcel. Elle représentait ses souvenirs de La Nouvelle-Orléans d'autrefois – séduisante, dévergondée, addictive, pleine d'impulsions autodestructrices, sa beauté aussi fragile que celle d'une rose blanche dont un pétale est taché de noir. La contradiction la plus ironique en Felicity, c'était son nom. Avait-elle, comme son homonyme, la force et la détermination d'une martyre ? Avait-elle le courage de celle qui l'avait accompagnée au martyre, Perpétue, qui avait enfoncé dans son flanc la pointe de l'épée de son bourreau ? Ou était-elle une trompeuse, une acolyte femelle de la Grande Putain de Babylone ?

Clete eut un appel sur son portable le samedi matin, pendant qu'il prenait son petit déjeuner au McDonald's de Lolo. « Je vous réveille ? demanda-t-elle.

– Non. Mais quoi qu'il en soit, je ne crois pas que ce soit une bonne idée qu'on se voie.

– J'ai peur.

– Peur de quoi ?

– Caspian. J'ai toujours su qu'il avait des problèmes, mais cette fois-ci c'est différent. Je le vois dans son regard. Il est mêlé à quelque chose de très grave.

– Vous pouvez être un peu plus précise ?

– Je ne sais pas. Ça a peut-être un rapport avec le jeu. Il pouvait perdre dix mille dollars par nuit, avant que Love ne l'inscrive aux Joueurs Anonymes.

– Il a pris un avion pour Vegas, ou un truc comme ça ?

– Non. Il a peur de quelque chose. Hier il est allé voir quelqu'un, et il est rentré ivre. Caspian ne boit jamais.

– Qui a-t-il vu ?

– Il ne veut pas le dire. Je l'ai entendu parler à Love dans le bureau. Il a demandé si l'enfer existait. »

Clete se leva de son box et sortit avec le téléphone. Un semi-remorque effectuait un large virage pour s'insérer sur la deux-voies gravissant la pente jusqu'à Lolo Pass et la frontière avec l'Idaho. « Ma fille venait juste de descendre de l'avion qui s'est écrasé à l'ouest de Missoula, il y a deux jours. Le pilote était un membre du Sierra Club. Ma fille prépare un film sur les compagnies pétrolières qui veulent creuser à côté de Glacier Park.

– Vous pensez que l'avion a été saboté ?

– Et *vous*, vous en pensez quoi ?

– Love Younger ne fait pas sauter des avions.

– Ce n'est pas ce que j'ai dit.

– Caspian ? Il ne ferait pas la différence entre un bidon d'huile et le Spindletop[1].

– J'ai l'impression que son père a une façon à lui de lui mettre le nez dans sa merde.

– Il faut que je vous voie. »

Il écarta l'appareil de son oreille et regarda le camion, qui changeait de vitesse pour attaquer la longue pente. *Ne fais pas*

1. Puits de pétrole découvert au Texas en 1901.

ça, dit une voix en lui. *Tu ne peux rien pour elle. C'est de sa propre volonté qu'elle s'est mariée à la famille Younger.*

« Vous êtes là ? dit-elle.

– Oui.

– Je sais que vous n'avez aucune raison de me faire confiance. Mais je vous dis la vérité. Il se passe dans nos vies quelque chose de réellement diabolique.

– Où êtes-vous ? demanda-t-il.

– Pas loin. On a un chalet sur Sweathouse Creek.

– J'ai une question à vous poser. Votre mari est venu chez nous et a dit des choses assez moches. Vous connaissiez le gouverneur de Louisiane, celui qui a été en prison ?

– Je l'ai rencontré une fois lors d'une réunion politique. Pourquoi ?

– Votre mari dit que vous avez couché avec lui.

– Mon mari est un paranoïaque et un menteur. »

La tête de Clete bouillonnait. Il expira, écarquilla les yeux, incapable de mettre de l'ordre dans ses pensées. « Il a dit que vous étiez une chasseuse de trophées.

– Croyez ce que vous voulez. Caspian est un malade, un homme triste. J'ai peur et j'ai besoin d'aide. »

Il hésita, des élancements dans la tête. « Indiquez-moi la route », dit-il.

15

Le chalet était construit en pierres, au bord d'un ruisseau couleur whisky ombragé par des arbres au pied des Bitterroot Mountains. La fumée qui sortait de la cheminée s'aplatissait dans le vent et disparaissait dans le bleu d'un canyon qui ne voyait vraiment le soleil qu'à midi. Parfois on apercevait des mouflons en haut des falaises du canyon, et à l'automne le ciel avait l'éclat et la texture de la soie bleue, et se remplissait de feuilles rouges et jaunes soufflées depuis un lieu invisible au sommet de la montagne.

Clete pensait à tout cela tandis qu'il garait la Caddy, gravissait le porche de bois du chalet et frappait, le cœur battant.

Quand elle ouvrit la porte, elle tenait une brosse à cheveux dans la main. « Vous avez trouvé facilement ? demanda-t-elle.

– Je viens souvent pêcher dans le coin. On pêche par là ensemble, Dave et moi. L'été, il y fait toujours frais. Un jour, à l'automne, j'ai remonté cette piste et j'ai vu un élan. »

La femme regarda au-delà de Clete, avant de ramener les yeux sur lui. Elle effleura de sa brosse les cheveux sur sa nuque. « Votre voiture semble astiquée de frais. »

Il se retourna, comme s'il l'observait pour la première fois, se demandant si la nature factice de leur conversation était aussi embarrassante pour elle que pour lui. « Elle sort du garage. Elle a pris des balles quand ce type du Kansas a essayé de tuer ma fille. Vous voulez qu'on s'assoie dehors ?

– Non, entrez. Que venez-vous de me dire ? Un type du Kansas ?

– Il conduisait un pick-up immatriculé au Kansas. C'est peut-être Asa Surrette.

– Le psychopathe que la fille de M. Robicheaux a interviewé en prison ?

– Ouais. C'est un sale type. Vous m'avez dit que vous aviez peur. De quoi avez-vous peur ? »

Elle regarda, derrière lui, un vieux wagon de fret rouge rouillé et à moitié rempli de paille pourrissante, dans un bouquet de *cottonwoods*. « Je ne sais pas de quoi j'ai peur. J'éprouve une impression de perte dont je n'arrive pas à me libérer. Je pense à Angel, à la façon dont elle est morte, à ce que le tueur lui a sans doute fait subir avant de lui mettre un sac de plastique sur la tête. Je n'arrive pas à me sortir ces images de la tête. Je déteste mon mari. Je voudrais le tuer.

– Pourquoi ?

– Vous voulez bien entrer, s'il vous plaît ? »

Il fit un pas à l'intérieur. Elle referma la porte derrière lui et tourna la clef dans une serrure à l'ancienne. Puis elle alla aux fenêtres et ferma tous les rideaux.

« Qui croyez-vous qui nous observe ? demanda-t-il.

– Je ne sais pas trop. Caspian a peur de quelqu'un. Plus que je ne l'ai jamais vu craindre quoi que ce soit. Quand il a peur, il devient cruel.

– Envers vous ?

– Envers tout le monde. Je n'ai jamais connu de lâche qui ne soit pas cruel. J'ai dû lui faire prendre un bain. Non, j'ai dû pousser Love à lui faire prendre un bain.

– Là, je ne comprends plus.

– Il ne voulait pas prendre de bain, ni entrer dans la douche. Je lui ai dit que je ne voulais pas de lui dans notre chambre. Peut-être est-il dépressif. Quand les gens sont dépressifs, ils se conduisent comme ça, n'est-ce pas ?

– Rendu dépressif par la mort de votre fille ?

– Je ne sais pas. Je n'arrive pas à réfléchir. » Elle s'assit à une table de bois, sa brosse toujours à la main. Un vase rempli de fleurs coupées était posé sur la table, et un autre sur le rebord de la fenêtre de la cuisine. Elle semblait maquillée de frais, la bouche brillante d'un rouge à lèvres trop vif pour son teint, les mèches brunes dans ses cheveux pleines de minuscules lumières. « Pour moi, tout ça est absurde. Est-ce que c'est ce Surrette qui a tué notre fille ?

– Il est évident que personne n'a vu Angel quitter le Wigwam. Est-ce qu'elle serait partie avec quelqu'un qu'elle ne connaissait pas ?

– Elle avait dix-sept ans. À cet âge, une fille manque de bon sens. »

Il s'assit en face d'elle. « Lui était-il déjà arrivé de sortir avec des gens qu'elle ne connaissait pas ?

– J'ai tenté de la convaincre d'aller à Alateen. Elle a refusé. Parfois elle rentrait à dix heures du soir. Parfois elle se faisait déposer à dix heures du matin.

– Est-ce qu'elle sortait avec des étrangers, Felicity ?

– Pas à ma connaissance.

– Qui étaient ses amis ?

– Des drogués, des gamins qui cherchaient à se faire du fric, des gosses qui voulaient accéder à sa fortune.

– Est-ce qu'elle couchait ?

– Aujourd'hui, elles le font toutes », dit Felicity.

Clete parcourut le chalet des yeux. Les murs étaient en pin, les sols faits de traverses de chemin de fer, la cheminée de pierre équipée de crochets d'acier pour les marmites. « À quoi vous sert cet endroit ?

– À la chasse, durant la saison du gros gibier. Quand Angel était plus jeune, elle invitait ses amis. On organisait des goûters au bord de l'eau.

– Caspian était-il proche de votre fille ?

– Je ne sais plus qui est Caspian.

– Pardon ?

– Quand je l'ai rencontré, c'était quelqu'un de différent. Il était doué pour les chiffres. Il voulait fonder une compagnie high-tech dans l'industrie de la défense. Il a emprunté à Love un demi-million de dollars pour démarrer une entreprise. Puis il s'est mis à jouer à Vegas, à Atlantic City et Puerto Rico. Et voilà ce qu'il y a de drôle. Aux tables de black jack, il était capable de compter les cartes d'un sabot de six jeux. Il s'est fait interdire de plusieurs casinos. Puis ils ont compris son manège.

– Je ne comprends pas. Vous venez de me dire qu'ils l'ont pris *après* qu'il a été exclu ?

– Ils ont compris que s'ils le laissaient assis à la table, il perdrait tout ce qu'il avait gagné, et laisserait filer dix à trente mille dollars en plus. Il faut être malade, non ?

– C'est pour ça qu'ils le font, dit Clete.

– Qu'ils font quoi ?

– C'est pour ça qu'ils jouent. Ils veulent perdre. Ils veulent se punir. Ils veulent avoir l'impression qu'une intrigue cosmique est montée contre eux. Entrez dans le bar de l'hippodrome après la septième course. C'est rempli de perdants. Ils sont aussi heureux que des porcs qui se vautrent dans la boue. »

Elle le regarda d'un œil vague. « J'ai l'impression d'être une idiote.

– Parce que vous n'avez jamais compris votre mari ?

– Parce que je l'ai épousé.

– Mon ex a donné nos économies à un gourou bouddhiste alcoolique de Boulder, dit Clete. Ce gourou poussait les gens à se dévêtir lors de lectures poétiques. Mon ex pensait que c'était un saint homme, et moi un gros baiseur alcoolo. Malheureusement, dans mon cas, elle avait raison. »

Felicity posa un coude sur la table et appuya une main sur son menton. Pour la première fois depuis qu'il était entré dans la pièce, elle sourit. « Vous parlez toujours aux femmes de cette façon ?

– Juste à celles en qui j'ai confiance. »

Avait-il prononcé ces mots ?

« Pourquoi est-ce que vous me feriez confiance ?

– Parce qu'on a tous les deux grandi dans la même partie de La Nouvelle-Orléans. Parce que quiconque vient d'Uptown sait ce que pensent les autres là-bas. C'est sans doute comme une réunion des A.A. Il n'y a qu'une seule histoire dans la pièce. On sort tous de la même culture. »

La peur qu'elle avait décrite semblait avoir momentanément libéré son esprit. Elle avait une lueur chaude dans le regard. Ses cheveux avaient la nuance et le chatoiement d'un vieil acajou astiqué à la main. « Quand vous parlez, je me sens bien, dit-elle.

– Je suis un ancien flic des homicides en surpoids, Miss Felicity. Je suis toujours persona non grata au NOPD. C'est comme être sergent-chef dans le Crotch, puis se faire retirer ses galons. Dave Robicheaux est devenu sobre, et a repris sa vie en main. Je n'y suis jamais parvenu. Trois jours sans boire, et ma tête se transforme en bétonneuse. » Il sentait son attention diminuer, la peur et le tracas s'insinuer à nouveau sur son visage. « J'ai une mauvaise habitude, dit-il. Je me mets à parler de moi, et j'endors tout le monde. »

Elle effleura le dessus de sa main. « Non, vous êtes quelqu'un de gentil. J'ai dit à propos de Caspian une chose que vous ne pouviez pas comprendre. Il a demandé à Love s'il croyait à l'enfer. Caspian n'a jamais manifesté le moindre intérêt pour la religion. Pourquoi poser à Love une question pareille ? »

Clete secoua la tête. « La culpabilité ?

– Si Caspian a jamais éprouvé la moindre culpabilité pour quoi que ce soit, je ne l'ai jamais remarqué. C'est l'être le plus égoïste qui soit. »

La fenêtre de la cuisine était ouverte et les rideaux se gonflaient dans le vent. Ils étaient imprimés de fleurettes roses, qui rappelaient à Clete les parterres que sa mère entretenait derrière leur petite maison dans le vieil Irish Channel. « Je crois que je ferais mieux d'y aller, dit-il. Je suis doué pour m'attirer des ennuis, Felicity. Des tas d'ennuis. Le genre d'ennuis qui ne se tassent pas, et laissent les gens dans la merde pendant un moment. » La déception qu'il lut sur le visage de la femme n'était pas feinte. Il en était sûr ; ou du moins il en était aussi sûr qu'il pouvait l'être en ce qui concernait les affaires de cœur. Il s'apprêta à se lever.

« Faites ce que vous avez à faire », dit-elle.

Il acquiesça, s'approcha de la porte et essaya de tourner la clef dans la serrure.

« Attendez, je vais vous aider. » Elle tourna la clef et ouvrit la porte, son épaule effleurant le bras de Clete. Elle leva le visage vers lui. Il sentait sa virilité monter en lui. Elle avait la bouche comme une rose, les cheveux séchés au séchoir si épais et magnifiques qu'il aurait voulu y plonger les doigts. « Clete ? dit-elle.

– Oui.

– Vous m'aimez bien, non ?

– Si je vous aime bien ? J'ai une voiture de pompiers qui me tourne dans la tête.

– Ma fille et mon père sont morts. Je n'ai plus personne. »

Elle laissa ses bras pendre à ses côtés et appuya le front contre sa poitrine, comme s'abandonnant complétement à lui et au degré d'échec caractérisant sa propre vie.

Une heure plus tard, alors qu'il était allongé à côté d'elle, toutes ses bonnes intentions évanouies et son énergie sexuelle épuisée, il pensa à l'histoire qu'il avait lue enfant dans la vieille bibliothèque publique de St. Charles. C'était l'histoire de Charlemagne et de Roland en route pour Roncevaux. Il se demanda si leurs compagnons et eux avaient jamais prêté attention aux cors résonnant sur les parois de la passe qui les entourait, ou s'ils galopaient en avant dans la fraîcheur bleutée du matin, à côté d'un torrent couleur de thé, dans le balancement rythmique des arbres dans le vent, sans jamais réaliser que les champs jonchés de morts commençaient comme une quête romantique, aussi séduisante et belle et attrayante que la grâce que l'on découvre entre les cuisses d'une femme.

Je n'ai jamais accordé grande importance à la rationalité. À vrai dire, je l'ai souvent trouvée très surestimée. Voyons les choses en face : la vie est plus facile si on maintient un semblant de conduite raisonnable, tout en dissimulant certaines de nos excentricités sans en dire plus qu'il n'est nécessaire dans nos rapports avec les autres. Le même principe s'applique à nos actes. Pourquoi attirer l'attention ? Personne n'emmène un groupe d'accordéonistes à une chasse au cerf.

Comme la plupart des gens, je me demande pourquoi je ne suis pas mes propres conseils.

La grotte derrière le ranch d'Albert commençait à me préoccuper. Avait-elle abrité Asa Surrette ? La déformation des Saintes Écritures sur les parois était-elle sans conséquence ? N'était-ce pas le détournement d'une culture judéo-chrétienne sur laquelle est fondée la plus grande part de notre éthique, et, dans le cas présent, un détournement effectué par une abomination sous-humaine qui aurait dû être évacuée au fond d'une cuvette dès l'instant de sa naissance ?

J'ai trouvé dans la poubelle d'Albert deux bouteilles de vin vides que j'ai remplies d'essence que je conservais dans un jerrican de vingt litres à l'intérieur d'un coffre d'acier soudé au plateau de mon pick-up. J'ai bouché les deux bouteilles et les ai portées, ainsi que le jerrican, jusqu'à la vieille route forestière qui traverse la montagne derrière la maison d'Albert. Une biche et deux faons ont bondi à travers les arbres devant moi, agitant leurs queues toutes droites, exposant leur fourrure blanche dessous.

La zone autour de l'entrée de la grotte était restée intacte. Sous le surplomb, je vis le message. J'ai commencé à entasser du bois mort, des feuilles, des aiguilles de pin et des gros morceaux d'une souche mangée par les vers, aussi doux et secs que du liège pourri, les poussant contre la paroi où se trouvait le texte dénaturé.

J'ai versé de l'essence sur le tas et j'ai posé le jerrican à six mètres de l'entrée de la grotte, puis j'ai craqué une allumette. La flamme s'est propagée rapidement sur le combustible, montant le long des parois et s'aplatissant contre le plafond. Puis j'ai pris la première bouteille de vin et l'ai jetée cul par-dessus tête dans le feu. Elle s'est brisée contre un rocher effondré, avant de retomber en pluie le long de la paroi. Les flammes ont rampé hors de la grotte, s'enroulant par-dessus son rebord, roussissant le surplomb et brûlant légèrement l'herbe et les champignons qui poussaient dessus. J'ai reculé d'un pas et jeté la deuxième bouteille. Elle a atterri sur le bois mort et, quelques instants plus tard, a explosé sous l'effet de la chaleur plus que du choc. Le feu fut rapidement hors de contrôle, tourbillonnant, les flammes se nourrissant d'elles-mêmes, s'étendant plus profond dans la caverne, où existait sans doute une ouverture, comme une cheminée, attirant de l'oxygène dans la mixture de combustible organique et d'essence.

Je sentais la chaleur sur mon visage et mes bras, et respirais une puanteur comme l'odeur d'un nid de rats en feu. J'ai entendu un bruit derrière moi. J'ai tourné la tête et vu Albert en train de monter péniblement, en sueur, sa chemise de flanelle ouverte sur sa poitrine, un extincteur se balançant à son bras. « Que diable es-tu en train de faire ? dit-il, à bout de souffle.

– Je pensais nettoyer cette grotte.

– Pourquoi tu n'as pas passé toute la montagne au napalm, tant que tu y étais ? » Il retira la goupille du levier de l'extincteur et aspergea le rebord de la caverne, puis l'intérieur. D'énormes nuages de fumée blanche tourbillonnèrent depuis l'ouverture et flottèrent à travers les sommets des arbres. « Quand tu fais quelque chose, ce n'est jamais à moitié, Dave. Qu'est-ce qui t'a pris ?

– Je pense qu'un authentique démon vivait là-dedans, Albert. Je suis convaincu qu'il n'a pas le droit de prendre le langage des Saintes Écritures et d'en souiller la terre.

– Assieds-toi un instant.

– Pourquoi ?

– Je veux te parler. »

Je n'étais pas prêt à entendre une des conférences philosophiques d'Albert. À dix-sept ans, il avait eu des chaînes aux chevilles, il avait appartenu aux International Workers of the World, et avait connu Woody Guthrie et Cisco Houston. Il avait fait les moissons du Panhandle texan au sud de l'Alberta, et s'était trouvé sur un cargo touché par une mine dans le détroit d'Ormuz. C'était un homme bon et charitable, et j'avais pour lui le plus grand respect. Mais à certains moments, il pouvait vous rendre fou, et vous donner envie de l'étrangler.

« Tu as été élevé dans une culture superstitieuse, dit-il. Quand tu te laisses emporter par ton imagination, tu commences à voir le diable à l'œuvre dans ta vie. Le diable n'est pas un homme, Dave.

– C'est quoi, alors ?

– Ces satanées corporations.

– Je n'ai pas envie d'entendre ça.

– Que tu en aies envie ou non, tu vas l'entendre. Elles foutent en l'air nos syndicats, utilisent le travail des coolies chinois et achètent n'importe lequel de ces satanés présidents qu'on élit.

– Je ne peux pas admettre ça, Albert.

– Ces hommes qui ont essayé de tuer Miss Gretchen travaillaient pour quelqu'un. Qui ça peut être ? Satan ou Love Younger ?

– Quelqu'un comme Younger n'embauche pas de tueurs à gages.

– Tu ne connais pas ton ennemi, Dave. Tu ne l'as jamais connu.

– Tu veux bien me traduire ça ?

– Comment ton père est-il mort ?

– À la suite d'un accident. Ne mêle pas mon vieux à ta polémique. »

Il posa une main sur mon épaule. « Bon, j'arrête. Mais cesse de te faire du mal comme ça. L'ennemi est de chair et de sang. Ce n'est pas une créature qui porte un chapeau en forme de pentacle. »

Je pris l'extincteur et finis d'asperger la grotte et les buissons autour de l'entrée. « Tu devrais entrer jeter un coup d'œil, dis-je.

– Qu'y a-t-il à voir ? demanda-t-il.

– Regarde la paroi. »

Il resta debout dans l'entrée, la fumée des cendres lui montant au visage, des larmes perlant à ses yeux tandis qu'il regardait la paroi. « C'est un mirage dû à la chaleur », dit-il.

J'aurais voulu le croire, sauf que, dans ce cas précis, je crois qu'Albert avait lui aussi des doutes.

Le message avait sans doute été gravé dans le lichen avec la pointe d'un caillou. Les lettres n'allaient pas plus profondément que la patine verte et moisie. L'intensité du feu, accrue par deux bouteilles d'essence, aurait dû brûler les parois et les rendre aussi propres qu'un vieil os. Mais au contraire, les lettres étaient noires et fumaient, comme si la pierre avait été marquée au fer rouge.

« Ne te contente pas de partir comme ça, dis-je.

– J'en ai assez de cette folie, et je n'en discuterai ni avec toi ni avec personne, dit-il. Ni maintenant ni jamais. Va voir un psychiatre, Dave. »

Le dimanche matin, à l'aube, Wyatt Dixon fut réveillé par un son qui ne correspondait ni à ses rêves ni aux bruits qu'il entendait d'ordinaire au petit matin. On aurait dit le froissement des pages d'un livre ou d'un magazine feuilletées par le vent. Avait-il laissé une fenêtre ouverte ? Non, la veille au soir, la température avait chuté et il les avait toutes fermées au loquet. Il s'assit sur son lit et sortit le couteau de chasse qu'il gardait, dans son étui, sous son oreiller. Il enfila son jean et boitilla, pieds et torse nus, jusque dans la cuisine, les cheveux lui pendant sur le visage, sa cheville endommagée entortillée dans un bandage élastique.

Elle était assise à la table, ses longues jambes posées sur une chaise, en train de lire *People*, une tasse de café Starbucks à la main. « Que faites-vous dans ma maison ? demanda-t-il.

– Je ne voulais pas vous réveiller, alors je suis entrée toute seule, dit Gretchen.

– Ma porte était verrouillée.

– Elle est restée verrouillée jusqu'à ce que j'y glisse un portemanteau. Dave Robicheaux m'a parlé des trois types qui vous avaient agressés, votre amie et vous. Comment va-t-elle ?

– Elle est rentrée chez elle.

– Ce n'est pas ce que je vous ai demandé.

– Ils lui ont bien mis la tête à l'envers.

– Vous avez vu un tatouage sur la main d'un des types ? »

Il s'assit en face d'elle et étendit une jambe. « Son gant a glissé. J'entendais pas bien sa voix à travers le masque, mais j'ai vu le tatouage et j'ai compris où je l'avais déjà vu. »

Elle attendit qu'il continue, mais il resta silencieux. « Vous paraissez un peu gêné pour marcher, dit-elle.

– C'était une araignée rouge. Le jardinier chez Love Younger en avait une comme ça. Qu'avez-vous en tête, Miss Gretchen ?

– Je vais en faire du hachis, mon cœur. Ça vous dit de venir ? »

Le saloon sur North Higgins, près de la vieille gare, avait connu nombre d'incarnations. Pendant des décennies, ç'avait été un abreuvoir bas de gamme largement éclairé où des ouvriers et des alcooliques en phase terminale pouvaient jouer au billard, faire un *pinochle* et boire des bières en pichet, du vin en vrac et du whisky à des prix sans concurrence, en dehors de l'Oxford, en bas de la rue, qui, dans les années soixante, vendait un verre de bière cinq *cents* seulement. Les chercheurs de l'université et les enfants du *flower power* tentèrent de s'approprier les lieux, mais leur présence fut éphémère et superficielle, et la clientèle de base resta la même – des vagabonds de l'ancien temps, des ouvriers de la voie ferrée ou des scieries, des hors-la-loi, des Indiens de la réserve qui, le quatrième jour du mois, avaient bu leurs chèques du gouvernement, des bûcherons itinérants, des mineurs de Butte et des chauffeurs de locomotive d'Anaconda, des prostituées épuisées, et le groupe le plus important de tous, qui n'avait pas de nom particulier, mais pour qui l'expression *né pour perdre* était un hymne, et pas une excuse.

Pendant une longue période, ces gens avaient été photographiés par un barman occasionnel excentrique et doté d'un talent énorme, Lee Nye, qui encadrait ses photos et les accrochait sur toute la longueur du saloon. Dans les années 1990, presque tous ces gens datant de l'époque de la Dépression étaient morts et oubliés. L'établissement changea de main, le plancher taché de tabac fut remplacé, les toilettes repeintes et redessinées, et un petit restaurant fut installé au fond. Le saloon devint un lieu chaleureux et surpeuplé le soir, plein de rires, libéré de la fumée et des soucis ayant trait à la privation, à la maladie et à la mortalité.

Les photographies des hommes et des femmes en loques demeurèrent, leurs bouches édentées effondrées, leurs visages plissés de centaines de rides minuscules, leurs yeux creux illuminés par un rayonnement étrange, comme s'ils voulaient nous dire un secret qu'ils n'avaient jamais eu l'occasion de partager.

Le dimanche soir, un homme chevauchant une Harley blanche neuve à ailettes chromées remonta la ruelle derrière le saloon, se gara à côté du mur de briques, et entra par la porte arrière. L'homme s'appelait Tony Zappa. Ses yeux étaient pâles et allongés, ses cheveux tressés en très fines mèches. Il avait le ventre plat d'un boxeur et une peau bronzée aussi tendue que du latex sur son ossature. Il ne prêta pas attention à un pick-up à caisse coupée équipé de silencieux Hollywood qui passa dans la ruelle et s'arrêta le long du trottoir juste au-delà de l'auvent du bâtiment.

Quelques minutes plus tard, Gretchen Horowitz pénétra dans le saloon par l'entrée principale, alla au bar, s'installa à côté de Tony et commanda une bière. Elle posa un pied sur le rail de métal et leva les yeux sur la télévision à écran plat sur le mur.

« Vous êtes déjà allé à La Nouvelle-Orléans ? demanda-t-elle.

– C'est à moi que vous parlez ? dit Zappa.

– Vous saviez que c'est la réplique la plus célèbre de Robert DeNiro ? C'est dans *Taxi Driver* ?

– Vous êtes en train de dire que je singe Robert DeNiro ?

– Non, je vous demandais si vous étiez déjà allé à La Nouvelle-Orléans.

– Je suis de Compton, via Carson City. Vous voyez ce que je veux dire ?

– Pas vraiment.

– Compton, c'est là où on va quand l'enfer est surpeuplé.

– Le mercredi soir, à La Nouvelle-Orléans, c'est la nuit des yuppies, dit-elle. C'est à ça que me fait penser cet endroit, sauf qu'on est samedi.

– Vous n'avez pas l'accent de La Nouvelle-Orléans.

– C'est quoi, l'accent de La Nouvelle-Orléans ?

– En partie italien, en partie négro, même si j'ai entendu dire que pas mal de négros avaient été lessivés par Katrina. Vous voulez un petit verre de whisky pour accompagner cette bière ?

– La journée a été longue, boss. Une autre fois. » Son attention sembla diminuer. Elle bâilla et leva les yeux sur la télévision.

« J'ai dit quelque chose qu'il fallait pas ?

– Non. C'est juste qu'il faut que je mange quelque chose.

– Je parie que vous portez des lentilles.

– Vous allez me dire quelque chose à propos de mes yeux ?

– Ils sont violets. Vous avez des cheveux roux avec des yeux violets. On ne voit pas ça tous les jours.

– J'ai été conçue *in vitro*. Le donneur mâle était un paquet de Kool Aid de couleur pourpre.

– Elle est très bonne.

– Vous avez glissé avec votre bécane ? »

Il la regarda, éberlué.

« Les bleus sur votre cou et sur vos bras. Je vous ai vu sur Higgins il y a quelque temps. Vous étiez sur une Harley blanche.

– Vous me regardiez ?

– Ça veut dire quoi, l'araignée sur votre main ?

– Vous savez à quoi ça ressemble, Compton, quand on est blanc ou latino ?

– On est bon pour faire de la viande hachée ?

– Vous avez déjà entendu parler des Aranas ?

– Non.

– C'était notre gang, les Spiders. On avait une règle, et une seule, et tous les Crips et les Bloods la connaissaient : quoi qu'ils fassent à l'un d'entre nous, on le faisait à dix d'entre eux. Si un cannibale se faisait coincer dans le mauvais immeuble, il avait droit à un plongeon gratuit depuis le toit.

– Vous me semblez un peu excessif.

– Je me considère comme plutôt doux.

– Vous vous êtes pris le chou avec quelqu'un ?

– Non. Pourquoi vous me demandez ça ?

– Parce que vous êtes agité, et parce que j'ai vu quelque chose dehors.

– Les gens parlent par énigmes, là d'où vous venez ? »

Elle termina sa bière et regarda dans le vide comme si elle était en train de prendre une décision. « Je n'aime pas m'occuper des affaires des autres, mais vous me paraissez un mec gentil. C'est bien votre Harley, derrière, non ?

– Et alors ?

– Quand je suis passée dans la ruelle, un type rôdait à côté.

– Quel type ? De quoi vous me parlez ?

– Un type. Il était habillé en cow-boy.

– Qu'est-ce qu'il faisait ?

– Il regardait votre bécane.

– Et alors ?

– Il s'est accroupi, comme s'il examinait le moteur, comme si c'était sa bécane à lui.

– Est-ce que ce type avait l'air à moitié blanc et à moitié indien ? Ou plutôt l'air d'un Indien blanc ?

– Son Wrangler lui serrait le cul. Il portait un chapeau de cow-boy en paille. Un Indien *blanc* ?

– Il boitait, non ?

– Je ne suis pas restée pour l'observer. Peut-être que j'aurais dû me taire.

– Attendez ici.

– Je ne comprends pas.

– Attendez ici, je reviens.

– Qu'est-ce que ça signifie ?

– Je veux vous offrir un verre, ou vous inviter à dîner. N'allez nulle part. Je ne disais rien de plus, Seigneur. »

Tony Zappa sortit par-derrière et revint moins de cinq minutes après. Il arborait un grand sourire, et visiblement il se sentait bien et prêt à reprendre la conversation. « Pas de problème. Je l'ai démarrée. Tout est impec. Vous m'avez fait marcher. Et si on le prenait, ce verre ?

– Non merci. »

Il sembla réévaluer la situation, comme s'il ne pouvait se libérer d'une peur pour sa propre personne qui avait sans doute gouverné ses pensées sa vie durant. « Dernière tentative. Ce type avait-il quelque chose de particulier ? Un regard bizarre, peut-être une coupure à la tête ?

– Je vous l'ai dit, il ressemblait à un cow-boy. Vous vous êtes engueulé avec quelqu'un ?

– Non. Ces temps-ci, il y a pas mal de racaille dans le coin, c'est tout. Et un dîner ? Dans un joli endroit, peut-être

El Cazador, si vous aimez manger mexicain. Ou Romeo's, si vous préférez les Italiens. »

Il y eut un silence. « Il faut que je prenne une douche et que je me change.

– Alors allez prendre une douche et vous changer.

– Je suis dans un motel sur Broadway Ouest. » Elle lui en donna le nom. « Vous savez où c'est ?

– Vous logez là-bas ? C'est un trou à rats.

– Je ne vous dirai pas le contraire. Chambre neuf. Laissez-moi une demi-heure. Si je suis sous la douche, la porte ne sera pas verrouillée.

– Vous ne m'avez pas demandé mon nom.

– Vous ne m'avez pas demandé le mien, dit-elle.

– Vous vous appelez comment ?

– Ennuis, avec un E majuscule. Vous pensez pouvoir assurer, Spiderman ? »

Il enfila ses Ray-Ban. Quand il sourit, ses incisives étaient blanches et pointues. « J'aime bien votre façon de parler, mama. Je vous promets la chevauchée de votre vie. Hé, je parle de ma Harley. Seigneur Jésus, ce que vous êtes susceptible. »

16

Le même soir, j'ai frappé à la porte du bureau d'Albert, au premier étage à l'arrière de la maison, juste à côté de la vitrine contenant les armes à feu, dans le corridor. Il avait une extraordinaire collection d'armes à feu et d'artillerie, pour la plupart en rapport direct ou indirect avec des personnages ou des événements historiques : plusieurs Navy Colt de 1851, nombre de fusils et de pistolets de la Seconde Guerre, une mitrailleuse Thompson 1927 avec un chargeur à tambour de quinze balles, une Winchester 1873, un AK-47 et un AR-15, des grenades à main dégoupillées, des étagères entières de balles minié .58, de douilles et de chevrotine. Au-dessus de son bureau étaient accrochées d'autres étagères remplies de couteaux de chasse, de transformateurs télégraphiques en verre, de gourdes espagnoles, de tomahawks et de collections de pièces de monnaie sous cadre, de pointes de flèches indiennes et d'outils en pierre. Au-dessus de son bureau de travail, où il écrivait tantôt à la main, tantôt sur un ordinateur, on voyait une immense photographie de Woody Guthrie tenant une guitare sur la caisse de laquelle on lisait CETTE MACHINE TUE LES FASCISTES.

Il avait aussi un panneau de liège sur lequel il épinglait les lettres enflammées et haineuses qu'il recevait régulièrement, la plupart écrites par des racistes à travers tous les États-Unis. Le clou de la collection, qui était aussi ma lettre préférée, avait été écrit par un détenu du couloir de la mort dans le pénitencier d'État d'Huntsville, au Texas. La mère du condamné lui avait donné un exemplaire du dernier roman d'Albert, dont le narrateur était un ancien Texas Ranger imaginaire. Le censeur de la prison l'avait de expurgé tant de passages que le roman en devenait illisible. Le détenu avait joint une copie des justifications du censeur : le roman d'Albert encourageait les rivalités raciales, et manifestait de l'irrespect envers les autorités.

« Je te dérange ? » demandai-je.

Il était assis à son bureau, ses lunettes de lecture sur le nez, une dizaine de relevés de notes étalés devant lui. « Non, entre, Dave, dit-il en me faisant signe de m'approcher.

– À quoi est-ce que tu travailles ?

– Au genre de conneries qui m'ont fait arrêter l'enseignement – faire le pitre à mettre des notes, et autres absurdités de ce genre.

– Tu es à la retraite. Pourquoi continuer à te préoccuper des notes des étudiants ?

– Des gens à qui j'avais accordé un diplôme partiel il y a des années finissent par terminer le travail, et veulent que leur diplôme soit validé. »

J'avais connu certains des étudiants d'Albert. Ils m'avaient parlé de sa méthode d'enseignement : il n'en avait aucune. Ses cours étaient un chaos. Il les tenait souvent dans un saloon ou, par beau temps, sur la pelouse. Il ne faisait pas l'appel. Il ne notait pas les devoirs. En règle générale, il ne connaissait les étudiants que par leur prénom. Il leur disait d'oublier tout ce qu'ils avaient appris sur la littérature, d'écrire sur ce qu'ils connaissaient et de se rappeler qu'en art, il n'y a aucune règle. La note la plus basse qu'il ait jamais attribuée à quiconque avait suivi son atelier d'écriture était un B. Le seul texte qu'il ait jamais utilisé était *Élan Noir parle* de John Neihardt. Le seul critique qu'il ait jamais respecté était Wallace Stegner, non pas parce que Stegner enseignait à Stanford, mais parce qu'il avait été *Wobbly*[1].

1. Membre du syndicat *International Workers of the World.*

« Des rongeurs pénètrent dans mon classeur. Ces relevés de notes sont inutilisables, dit-il. Je n'arrive pas à trouver le nom de ce type. »

Je ne lui ai pas demandé comment il avait pu ne pas remarquer que des rongeurs vivaient dans son bureau. « Qu'est-ce que tu vas faire ? demandai-je.

– Eh bien, je ne peux pas lui mettre un A, parce qu'il a rendu son travail avec onze ans de retard. Mais il mérite sans doute au moins un B, alors c'est ce qu'il va avoir.

– Je suis désolé d'avoir mis le feu dans la grotte.

– Ne t'inquiète pas. Tu avais le cœur au bon endroit. C'est juste qu'il m'arrive de m'inquiéter pour toi. »

Ne te laisse pas entraîner dans le baratin d'Albert, rentre-lui dans le chou, pensai-je.

« Il y a une leçon que tu n'as jamais apprise, dit-il. Tu te souviens de la dernière réplique d'Harry Morgan, dans *En avoir ou pas* ?

– Pas comme ça.

– Harry se fait salement canarder sur son bateau, il est en train de mourir et il a du mal à parler. Il dit : “D'une façon ou d'une autre, un homme seul n'a aucune putain de chance.”

– Tu es en train de dire que je suis tout seul ?

– À l'intérieur de toi, tu l'es. Tu as des gens autour de toi, et ils signifient beaucoup pour toi, mais intérieurement, tu es toujours tout seul.

– Toi, tu es un solitaire depuis ton enfance, dis-je.

– Je suis seul depuis la mort d'Opal, mais je ne l'étais pas avant. Ne t'isole pas, Dave. C'est la grande leçon. Si tu commences à voir les forces du mal à l'action dans le monde, tu leur accordes un pouvoir qu'elles n'ont pas. »

J'étais assis dans un fauteuil de cuir pivotant près de ses étagères. J'ai regardé mes chaussures, je ne savais pas trop quoi répondre. Albert avait été dans une chaîne de forçats sur une route en Floride. Je ne voulais pas lui parler de haut.

Mais il me rendait fou. « J'ai vu pendus dans des arbres des GIs écorchés vifs. J'avais un ami marine, de Géorgie, un sergent, qui est devenu fou de remords après avoir vu ce que d'autres types avaient fait à une Vietnamienne dans un village qu'ils saccageaient. Tu veux savoir ce qu'ils lui avaient fait ?

– Non, je ne veux pas le savoir. »

Je le lui dis quand même, et je le vis déglutir et ses yeux se creuser avec une expression de tristesse qui ne disparaîtrait pas facilement. « Tu es certain que cette histoire est vraie ? demanda-t-il.

– Le type qui me l'a racontée s'est suicidé. Le mal n'est pas une abstraction.

– Rien de tout ça ne serait arrivé si on n'avait pas endossé les politiques néo-colonialistes des Français et des Britanniques.

– Il ne s'agit pas de politique. Asa Surrette est dans le coin. Il est venu sur ta propriété, et il a essayé de tuer Alafair et Gretchen. Comment a-t-il survécu au choc frontal entre un fourgon cellulaire et un camion-citerne rempli d'essence ? »

Il a secoué la tête. « Je suis vieux, je vis seul dans une maison où j'entends la voix de ma femme qui me parle. Parfois, je crois que c'est mon imagination, parfois non. Parfois, j'ai envie d'ouvrir ma vitrine d'armes et de la rejoindre. Je ne crois pas au démon, et je ne crois pas à Asa Surrette. Le démon dans nos vies vient de la cupidité de l'homme, et la manifestation de cette cupidité, ce sont les corporations fautrices des guerres. »

J'aimais Albert, et je me sentais mal pour lui. Je n'avais pas eu l'intention de le blesser, de lui rappeler la perte de sa femme, ni de ressusciter les sentiments de solitude et de conscience de notre mortalité qui nous assaillent tous quand nous vivons peut-être plus longtemps que nous ne le devrions. Une fenêtre était ouverte, et le vent lui soufflait sur le front des mèches de ses cheveux blancs. La soirée était chaude, les arbres au flanc des montagnes brillaient dans le soleil couchant, et quelque chose dans cet instant évoquait pour moi l'Amérique traditionnelle, les maisons éclairées à travers le pays, les familles dont le seul but était d'avoir une bonne vie, et de se trouver réunies. En regardant le large visage d'Albert, ses yeux écartés et son regard décidé, je pensais à l'armée de soldats anglo-écossais, loqueteux, qui s'alignèrent à Breed's Hill, près de Boston, en 1775. J'ai réalisé alors qu'Albert ressemblait à quelqu'un d'autre, à un homme qui collectionnait les armes à feu anciennes et représentait tout ce qu'Albert méprisait. J'ai gardé mon opinion pour moi, et n'ai pas dit à Albert à quel point il me rappelait Love Younger.

L'extrémité ouest de Broadway, à Missoula, était pétrie de contradictions. La vue était magnifique. Les montagnes étaient mauves et pourpres dans le crépuscule, la rivière était large et s'écartait en tresses sur les rochers, ses rives bordées de saules et de *cottonwoods*. De chaque côté de la rue s'alignaient des bars, des magasins d'alcool, des casinos et des motels délabrés. Le samedi soir, les coups de couteau n'étaient pas rares, ni les agressions sexuelles. Si l'on voulait tomber ivre mort, tirer son coup et choper la chtouille, se faire planter, flinguer, ou juste tabasser, se faire arrêter et mettre en taule, c'était l'endroit idéal.

Tony Zappa contourna un motel par le bord de l'eau et se gara sur une place pour handicapés, non loin d'une porte verte sur laquelle était cloué un chiffre de métal. Il retira ses lunettes et ses gants, inspecta la rue des deux côtés, les bars et les casinos qui avaient allumé leurs néons, puis, à travers la fenêtre du pick-up de Gretchen, regarda son intérieur en cuir laminé, son placage en bois verni, ses jauges high-tech sur le tableau de bord. Il observa les profondes nervures des pneus, les radiateurs chromés, les enjoliveurs bombés, les phares incrustés, les trois couches de peinture astiquée, autant de modifications haut de gamme coûtant des sommes haut de gamme.

Il tapota sa paume avec ses gants et entra dans le bureau. Le réceptionniste était un gosse au front couvert de boutons, avec des bras maigres enveloppés de tatouages représentant des serpents, des crânes et des dagues sanglantes. Il était scotché à l'écran de son ordinateur. On y voyait un homme et une femme nus en pleine action.

« Tu connais la nana dans la chambre neuf ? demanda Zappa.

– C'est une cliente.

– Je sais que c'est une cliente. C'est quoi, son histoire ?

– Putain, comment je le saurais ?

– Apparemment, je suis dans un endroit classieux, où on protège la vie privée des gens. Vous acceptez les tickets-restaurant ?

– Je peux vous laisser entrer contre un bon de réduction pour *Screw*[1], dit le réceptionniste. Mais il faut que vous apportiez vos draps.

– T'es un marrant, toi. Profite bien de ton film. À voir ton froc, on dirait que ça te fait de l'effet. » Zappa quitta le bureau, fit dix pas sur le trottoir, avant de faire demi-tour et de revenir. « Je vais te poser une question, et je ne veux pas de réponse de petit malin. La fille dans la chambre neuf, elle est toute seule ?

– Elle est arrivée toute seule.

– C'est pas ce que je t'ai demandé.

– C'est une chambre single. Le dimanche soir, elle coûte vingt dollars. Pour deux personnes, c'est trente dollars. Elle a payé vingt dollars.

– T'es attardé mental, ou quoi ? Réponds à ma question. Tu as vu quelqu'un d'autre dans le coin ? Un cow-boy, peut-être ?

1. Magazine porno.

– Ici, on a trois types de clients : les bouseux, les Indiens bourrés et les clochards. Les clochards mettent leurs fonds en commun et envoient une seule personne, en général une femme. Les Indiens boivent sur le balcon et gerbent sur les voitures par-dessus la rambarde. La plupart des clochards ont été virés de désintox.

– Je t'ai pas demandé toutes ces informations. As-tu vu un bouseux dans cette chambre ? Un type avec un chapeau de paille blanc ?

– Non.

– Si tu m'as menti, je reviendrai.

– Va te faire foutre, mec.

– Je vais te dire un truc. Je reviendrai, que tu m'aies menti ou pas. »

Zappa longea le trottoir jusqu'à la chambre neuf et tourna le bouton de la porte. La porte se referma lentement en frottant sur la moquette. Il entendait la douche couler dans le fond. « Je peux entrer ? dit-il en fouillant la chambre des yeux. Vous m'entendez ? J'entre. Ne sortez pas sans serviette autour du corps. » La porte de la salle de bains était entrouverte, et l'eau tambourinait bruyamment sur les parois de métal de la cabine de douche. « Hé, je suis entré. Je referme la porte. J'ai un peu d'herbe. Ça vous dérange pas ? »

Pas de réponse.

Il tourna sur lui-même, laissant son regard s'adapter à la lumière chiche, et aux ombres que l'enseigne au néon créait à travers les rideaux. Il n'y avait que lui dans la chambre. Il sortit un sac zippé de son blouson, s'assit sur une chaise près du lit et se roula un joint qu'il alluma, ignorant la pancarte INTERDIT DE FUMER au-dessus de l'entrée. Il se leva et se mit face à la salle de bains, retenant la fumée, puis la libérant progressivement ; pour la première fois ce jour-là, il sentit un grand calme monter dans sa poitrine. « Qu'est-ce que vous foutez, là-dedans ? »

Il entendit la porte extérieure s'ouvrir dans son dos. Avant qu'il ait pu se retourner, un bras aussi dur qu'une cornière de fer se referma sur sa gorge, lui coupa le souffle et faillit lui arracher la tête.

« Bonjour bonjour, lui dit Wyatt Dixon à l'oreille. Parlons un peu de ce que vous avez fait à mon amie Miss Bertha, les gars. Ça fait si plaisir de vous retrouver. »

Quand elle sortit de la salle de bains, Gretchen, rhabillée, se tamponnait les cheveux avec une serviette. Tony Zappa était assis sur une chaise, très tranquille, ses mains attachées dans le dos avec du sparadrap, une balle de caoutchouc enfoncée dans la bouche, couverte elle aussi de sparadrap. Il avait les yeux exorbités, les triceps aussi tendus qu'une corde. Avant de s'asseoir, Gretchen étala la serviette sur le couvre-lit.

« On va faire simple, dit-elle. Tu t'es fait avoir. On gagne, tu perds. Peut-être que tu sortiras d'ici, peut-être que non. Ça dépend de ce que décidera Wyatt, et de ton degré de coopération. Quand j'étais gosse, je connaissais plusieurs types comme toi. Je les vois dans mes rêves, et parfois en plein jour. J'aimerais les tuer, mais c'est impossible parce qu'ils sont déjà morts. Ça fait de toi un substitut, Tony. Tu sais ce que signifie le mot "substitut" ? »

Il gardait les yeux fixés sur ceux de Gretchen, sans bouger, la balle de caoutchouc humide dans sa bouche.

Elle enfila une paire de gants en latex : « Je vais retirer la balle de ta bouche. Tu vas parler d'une voix normale et répondre à nos questions. Tu n'as pas de parachute, pas de cavalerie, pas de Love Younger pour venir à ta rescousse. Tu pensais que Compton, c'était l'enfer ? C'était ta période faste, mon pote. » Elle lui ôta de la bouche la balle qu'elle posa sur la moquette avant d'essuyer son gant avec une serviette en papier. « Ne parle pas avant que je te le dise, dit-elle. Je sais sur toi tout ce qu'il y a à savoir. Tu as été dans une maison de correction, à Atacasdero et à Lompoc. Tu es tombé une fois pour distribution et vente aux mineurs, et une fois pour vol de courrier. Au pénitencier, tu t'es fait plusieurs fois sodomiser. Si tu es un tas de merde, ce n'est peut-être pas ta faute. Crois-moi si tu veux, on est sans doute les meilleurs amis que tu aies jamais eus. »

Il commença à parler. Dixon le frappa sur la tempe, si fort qu'il se mit à loucher et que la marque du gant rougit sa peau. Gretchen leva une main pour faire signe à Dixon de s'arrêter. « Il est bien, dit-elle.

– Laissez-moi m'en occuper, Miss Gretchen.

– Non, non. Tony a envie de coopérer. Il connaît la musique, et il n'a pas envie de porter le chapeau pour quelqu'un d'autre. Pas vrai, Tony ? Quoi que tu aies fait, on t'en a donné l'ordre. En un certain sens, tu es un soldat, comme les types de la Mafia. Et voilà le *problemo* que ça pose. D'après ce qu'on a pu comprendre, Wyatt et moi, votre agression sur lui et son amie était censée le provoquer, pas l'effrayer, parce qu'on ne fout pas les chocottes à quelqu'un comme Wyatt.

– C'était pas moi, dit Zappa.

– Wyatt a vu l'araignée rouge sur ta main.

– Il y a quelques années, tous les gamins d'East Los en avaient, dit Zappa. Love Younger embauche d'anciens détenus et leur donne une deuxième chance. Je connais au moins deux autres types qui travaillent pour lui qui étaient des Aranas.

– Comment tu t'es fait ces bleus ?

– Tombé d'une échelle.

– Regarde-moi, dit-elle.

– Je fais quoi, à votre avis ? Qu'est-ce que je pourrais regarder d'autre ?

– Quand as-tu vu Asa Surrette pour la dernière fois ?

– Qui ?

– Tu étais déjà surexcité avant, dit-elle. Pourquoi un type qui a passé du temps à Lompoc et à Atascadero serait-il surexcité dans un bar de yuppies un dimanche soir ?

– Parce que je suis nul avec les femmes. Parce que vous avez de gros seins. Parce qu'on a l'impression que vous pourriez démolir un éléphant. Tout ça me rend nerveux. »

Elle retira ses gants de latex et les laissa tomber sur le sol. « Bill Pepper m'a droguée, et m'a torturée sexuellement.

– Je connais personne de ce nom.

– Je te crois. Tu sais pourquoi ?

– Parce que je dis la vérité ?

– Non. Parce qu'après avoir parlé, tu as cillé.

– Je comprends rien de ce que vous dites.

– Quand je t'ai posé les autres questions, tu as écarquillé les yeux pour ne pas ciller. Ça veut dire que tu mentais, Tony. On est revenus au point de départ. Tu te souviens du point de départ, non ? Au point de départ, tu étais le violeur qui a agressé l'amie de Wyatt. Pour moi, ça fait de toi le genre de type qui mérite tout ce qui peut lui arriver. Je veux que tu me comprennes bien. Je n'essaie pas de te faire peur. Je veux juste que tu saches ce que tes victimes ressentent à ton égard, et ce qu'elles sont capables de te faire si elles en ont l'occasion. Je me fais bien comprendre ?

– Non.

– Il était une fois un type de la Mafia, Bix Golightly, qui a enfoncé sa bite dans la bouche d'une gamine de six ans le jour de son anniversaire, et qui lui a dit que si elle le disait à sa mère, il la tuerait. Cette petite fille a grandi et a retrouvé ce type à La Nouvelle-Orléans, assis au volant de sa camionnette. Elle lui en a collé une dans le front, une dans la joue et une dans la bouche. Ça faisait désordre. Tu sais, la tireuse utilisait des balles creuses de .22. Elles ne ressortent pas. Elles rebondissent à l'intérieur du crâne. Si je me souviens bien, la cervelle de Bix Golightly lui coulait par les narines. »

Les lèvres de Zappa étaient grises, ses yeux allongés balayaient la pièce, comme s'il avait espéré trouver dans l'ombre une solution à sa situation.

« Ce n'est pas de Wyatt qu'il faut que tu t'inquiètes, dit-elle. C'est moi qui veux te buter et te mettre en pièces. J'espère que tu vas continuer à mentir. J'ai l'impression que tu as fait du mal à beaucoup de femmes, et qu'elles seront toutes bien contentes quand je te larguerai dans une benne. Tu veux alléger ta conscience ?

– Je suis jardinier. J'ai été en taule quand j'étais jeune. J'ai trouvé un bon boulot à Carson City et je me suis racheté. Si vous savez tout, regardez mon casier. Je travaille pour les Younger, mais je leur parle jamais. Le vieux est dans son hélicoptère ou dans sa bibliothèque avec ses armes. La belle-fille fait comme si sa merde puait pas, et pour elle c'est comme si on n'existait pas. Caspian transmet les ordres par le jardinier en chef.

– Laissez-moi vous montrer quelque chose, Miss Gretchen », dit Wyatt. Il se plaça devant Tony Zappa et lui déchira l'avant de sa chemise, faisant sauter tous les boutons. Puis il lui arracha la chemise des épaules et dénuda ses bras. « Vous voyez ce bleu sur son avant-bras ? C'est là où je l'ai frappé avec une branche. Vous voyez ces poils dorés sur sa poitrine ? Ils dépassaient de sa chemise quand il m'a attaqué avec le couteau qu'il m'avait pris. » Dixon baissa les yeux sur Zappa. « J'ai promis à Miss Bertha que je lui rapporterais tes oreilles. Elle s'est mise à pleurer. Voilà le genre de dame à qui t'as arraché ses vêtements. Tu me souris, mon gars ? »

Wyatt prit l'annuaire téléphonique, et des deux mains, le balança dans la tête de Zappa. La chaise bascula en arrière, Zappa tombant avec elle violemment sur le sol, son crâne résonnant sur le ciment sous la moquette. Il fixa le plafond avec l'air absent d'un homme qui vient de tomber au fond d'un puits. « Je souriais pas. Je faisais rien, dit-il. Faites-moi ce que vous voulez. J'ai entendu parler d'un type que vous aimeriez pas rencontrer.

– Peut-être le type qui a expédié Bill Pepper ? dit Gretchen.

– On dit que ce type peut pas mourir. J'ai entendu dire ce qu'il a fait à plusieurs femmes. J'espère que vous le rencontrerez. J'espère que je serai là pour regarder. »

Gretchen s'accroupit pour pouvoir regarder Tony Zappa en face. Elle sentait une odeur d'herbe sur ses vêtements, la bière dans son haleine, le déodorant sous ses aisselles et la crème solaire qu'il s'était mise sur le crâne et sur ses tresses. Elle sortit de sa poche son Airweight .38 Spécial, fit basculer le barillet et retira quatre des cinq balles du chargeur. « Tu étais un des types qui ont agressé Wyatt et son amie, n'est-ce pas ?

– J'ai jamais vu ce type. Pourquoi je l'aurais agressé ?

– Un peu plus tôt dans la soirée, tu t'inquiétais d'un cowboy qui boite, avec une coupure sur la tête. C'est l'homme que tu regardes en cet instant. Comment aurais-tu pu le décrire si tu ne l'avais jamais vu ? »

Zappa blêmit. De sa paume, Gretchen fit tourner sans le regarder le barillet de l'Airweight, puis le rebloqua dans la carcasse de l'arme. « Tu sais qui était Percy Wolcott ?

– Non.

– C'était mon ami. Je pense que quelqu'un que tu connais a saboté son avion.

– Jamais entendu parler.

– Je me doutais que tu dirais ça. Tu es bon en maths ?

– Qu'est-ce que vous allez me faire, m'dame ?

– Dans ce revolver, il y a cinq chambres. L'une d'elles est chargée. La première fois que je presserai la détente, il y a huit chances sur dix que le percuteur tombe sur une chambre vide. Pour être franche, je n'aime pas l'idée de tourmenter un homme qui a les mains attachées dans le dos. Je vais commencer, et si tu te conduis bien, on en aura terminé. Dans le cas contraire, on recommencera. Tu me suis ?

– Non », dit-il en déglutissant.

Elle arma le percuteur, plaça le canon de l'Airweight sur sa tempe et pressa la détente. Son visage se tordit dans un rictus quand le percuteur claqua sur une chambre vide. Elle entendit Wyatt relâcher sa respiration. « Refaites pas ça, Miss Gretchen, dit-il.

– À ton tour, dit-elle à Zappa.

– Me faites pas ça, m'dame, dit-il.

– Il y a un risque sur quatre que la prochaine chambre soit pleine. Ce qui signifie que tu as soixante-quinze pour cent de chances de t'en tirer. Tu me suis ?

– Vous allez trop vite. »

Elle effleura du canon la tempe de l'homme et arma le percuteur.

« Je vous en prie, dit-il. Vous ne savez pas tout ce que ça impliquait. Je n'avais pas le choix.

– De frapper un homme à la tête avec une matraque ? dit-elle. De violer une femme à plusieurs ? Tu n'avais pas le choix ? Tu commences à m'agacer.

– Tuez-moi. Je m'en fiche. » Des larmes lui gonflaient les yeux. « J'ai vu des photos de ce que ce type a fait. Allez sur le Net. Quelqu'un les a vendues à un type qui fait des *snuff movies*. C'est peut-être le type qui les a lui-même vendues.

– Quel type ? Comment il s'appelle ?

– Je ne sais pas. Je suis un jardinier ! » Il ferma les yeux, très fort, battit des pieds, grinça des dents.

Gretchen entendit le grondement d'un moteur de l'autre côté de la cloison, suivi par des coups à la porte et des cris. « Hé, trou du cul ! Ta Harley se fait treuiller ! Sors un peu, et regarde *comment* elle est treuillée ! »

Gretchen écarta le rideau et regarda à l'extérieur. Le réceptionniste avait reculé une dépanneuse jusqu'à la place pour handicapés, fixé un crochet d'acier et un câble autour de la Harley, et l'avait soulevée de façon telle qu'elle faisait un angle, renversée, le guidon, le réservoir et le moteur traînant en partie sur le ciment du parking.

« Tu m'as entendu, tête de nœud ? cria le réceptionniste en cognant à nouveau sur la porte. Je te remercie de m'avoir aidé à quitter ce boulot ! Remets ta queue dans ton froc, et regarde le spectacle. »

Le réceptionniste remonta dans la cabine de la dépanneuse, passa une vitesse et s'engagea en brinquebalant sur la chaussée, tirant la Harley sur le trottoir et la heurtant à un lampadaire. Puis il mit les gaz et descendit Broadway dans un grondement, la Harley rebondissant à l'envers, ricochant sur une bouche à incendie, le métal crissant, des étincelles jaillissant dans l'obscurité tandis qu'il virait largement au croisement.

Gretchen et Wyatt se tenaient debout à la fenêtre, éberlués, le rideau tiré. « Je n'y crois pas, dit-elle.

– C'est pas très bon, Miss Gretchen », dit Wyatt.

Et ce n'était pas terminé. Derrière eux, Tony Zappa se souleva du sol, fit un ou deux zigzags et fonça vers la fenêtre latérale, la chaise sur le dos, atterrissant sur la pente gravillonnée derrière le bâtiment. Sous le choc, la chaise explosa, et quelques secondes plus tard il courait sur les rochers le long de la rivière, ses poignets encore attachés dans son dos, sa chemise déchirée partant en lambeaux.

« Il est temps de se tirer, Wyatt, dit-elle.

– Il faut que je vous dise quelque chose, Miss Gretchen. J'aime pas ce que vous avez fait, de faire claquer comme ça le revolver sur la tempe. Ça m'a donné la chair de poule. Vous auriez pas dû, même si vous faisiez semblant. Vous faisiez semblant, non ?

– Pas vraiment, dit-elle. Vous êtes un brave type, Wyatt. Allons, je vous invite à dîner. »

Le visage de Wyatt ressemblait à une sculpture de glaise, ses yeux comme du verre vides de toute émotion. Elle soutint son regard. « Quelque chose ne va pas ? demanda-t-elle.

– Votre sourire, c'est la lumière du monde, dit-il. Vous avez le plus beau sourire de toute l'histoire des sourires, femme », dit-il.

17

Ayant grandi dans le vieil Irish Channel, près de Tchoupitoulas, Clete Purcel avait entendu des hommes et des garçons plus âgés partager leurs expériences du sexe opposé. Il avait bénéficié de la même sagesse dans le corps des marines, et de la part de collègues flics, et d'un grand nombre de journalistes, de piliers de bars, d'habitués des salles de billard et des salles de sport. Tous parlaient avec autorité des bienfaits et des dangers d'une liaison, et donnaient à leur auditeur l'impression qu'ils disposaient de toutes les sortes possibles de femmes. Ces grands spécialistes des relations sexuelles connaissaient jusqu'au moindre détail les plaisirs de la copulation, aussi bien que ses pièges, réduits à la mise au point cynique et succincte qui distrait les lecteurs de *pulp fiction* et plaît aux individus doués de la capacité de réflexion du ver de terre. Voici quelques échantillons des enseignements dispensés par ces hommes sages et expérimentés.

1) Ne pas coucher avec une femme qui a plus de problèmes que vous.
2) Les divorcées et les veuves ne sont jamais rassasiées.
3) Les filles catholiques sont meilleures au pieu parce qu'elles sont remplies de culpabilité, et se donnent à fond jusqu'à la ligne d'arrivée.
4) Les Noires ont une libido plus puissante que les Blanches et sont toujours excitées à l'idée de coucher avec des hommes blancs.
5) Les vieilles femmes font des maîtresses exceptionnelles, non seulement parce qu'elles sont mûres, mais parce que leurs parties sont tendres et qu'elles sont toujours tellement reconnaissantes (cette observation est due à Benjamin Franklin).

Tels sont les conseils que des millions d'hommes et de jeunes gens ont reçus, et sans doute parfois pris au sérieux. Une fois de temps en temps, rarement, au fond d'un bar de nuit, ou dans la cabine d'un semi-remorque, ou dans un terrier alors que des fusées éclairantes flottent au-dessus d'un paysage lunaire du tiers-monde, il arrive qu'on entende un conseil de prudence en rapport avec la réalité. Quelqu'un qui a rompu ses vœux conjugaux, ou trahi la confiance de sa maîtresse, ou détruit sa famille, ou celle de quelqu'un d'autre, vous décrira avec force détails douloureux le cauchemar qui pourra être le vôtre si vous prenez une mauvaise décision.

Si l'amant ou le mari infidèle est prêt à tout vous dire, il avouera sa naïveté. Il dira qu'il n'a aucune idée du nombre d'existences bouleversées par sa décision. Il admettra qu'aucun des acteurs n'était entièrement bon ni entièrement mauvais, mais agissait avec à peine plus de bon sens qu'un enfant. Cette révélation n'est pas la bienvenue pour les hommes qui aimeraient penser que le cocu a cherché ce qui lui arrive, ou qu'ils sauvaient la femme adultère d'un mariage violent, ou qu'ils ont été manipulés pour arriver à cette situation. Il n'est pas drôle de découvrir qu'on a été escroqué. C'est encore pire quand on découvre qu'on est soi-même l'escroc.

Clete donna rendez-vous à Felicity au chalet de pierre sur Sweathouse Creek le dimanche après-midi, et y fut avant elle. Le soleil avait disparu, et l'air était frais et sentait la rivière et le lichen sur les parois du canyon. Elle arriva vêtue d'une longue robe noire avec de minuscules fleurs blanches et un ourlet blanc en dentelle, d'un pull blanc tricoté et d'un tout petit chapeau comme une femme en aurait porté au début du XXe siècle. Lorsqu'elle tourna la clef dans la serrure plaquée de la porte, sa main tremblait.

« Ça va ? lui demanda-t-il quand ils furent à l'intérieur.

– Je ne sais pas trop. On vient d'aller pour la première fois sur la tombe d'Angel. Il s'est passé quelque chose qui m'ennuie. Caspian a pleuré. C'est la première fois que je le vois pleurer.

– C'est comme ça qu'on réagit dans des situations pareilles », dit-il.

Des situations pareilles ? Il s'agissait du meurtre d'un enfant. Qu'était-il en train de dire ?

« Caspian ne montre jamais ses sentiments, dit-elle. Il a toujours ce petit sourire, comme s'il savait une chose qu'il est seul à savoir.

– La raison pour laquelle j'ai voulu te parler, Felicity…

– Inutile que tu me la dises. On peut la lire sur ton visage. Tu as commis une erreur. Je suis une femme bien, et je mérite mieux. Nous devons faire preuve de maturité, nous montrer objectifs, et nous dire adieu. Bla-bla-bla. En général, pour dire ces choses-là, les hommes choisissent un restaurant pour que la femme ne puisse par hurler ni leur jeter ce qui lui tombe sous la main.

– Ce n'est pas ce que j'allais dire. J'allais te dire à quel point je t'aime, à quel point j'aime être avec toi, à quel point j'aime la façon dont tu parles et dont tu te tiens. Tu as du chagrin pour ta fille, et pendant un petit moment un type comme moi semble rassurant. Je ne veux pas te faire de mal, c'est tout. Tu ne connais pas mon histoire. On a vraiment mis KO quelques types, Dave et moi. Ils ne reviendront pas.

– Pourquoi voulais-tu me voir ?

– Parce que je veux savoir pourquoi tu ne t'es pas séparée de ton mari. Ou peut-être que je me demandais si tu avais envie de le quitter maintenant. Je ne suis pas toujours très bon pour comprendre certaines choses. »

Elle s'assit sur un divan recouvert d'un plaid, près du mur. Par la fenêtre derrière elle, Clete voyait les branches d'un *cottonwood* battre contre la vitre, et un éclair sur la paroi du canyon. « Quand j'ai épousé Caspian, j'étais une bonne fille. J'étais en colère contre mon père d'être allé se faire tuer en Amérique du Sud. Il m'arrivait de faire des écarts, mais plus tard je le regrettais, et j'essayais de bien me conduire. Caspian disait qu'il m'aimait et qu'il n'avait jamais couché avec une autre femme. Je ne le croyais pas, mais au bout d'un moment j'ai pensé qu'il me disait la vérité. L'argent de Caspian aurait pu lui acheter n'importe quelle femme dont il aurait eu envie, mais le seul amour auquel il attachait de l'importance – l'amour de son père – il ne pouvait pas l'avoir.

– Je peux comprendre ça, dit Clete. Sauf qu'il faut bien grandir et cesser d'en vouloir aux gens de ce qu'ils ont fait quand on était enfant. Tu as de quoi boire ?

– Tu parles de mon ressentiment envers mon père ? C'est pour ça qu'on est là ?

– Non, j'ai juste besoin d'un verre. Qu'est-ce que tu as à boire ?

– Il y a du Bacardi et du Coca-Cola au frigidaire. Et si tu arrêtais pendant un petit moment ?

– Je n'ai pas envie d'arrêter. Continue ce que tu étais en train de dire.

– Oh, Clete, je me sens tellement bête quand je parle comme ça, dit-elle en mettant les mains sur ses genoux et en baissant la tête. Je t'ai dit que j'étais en colère contre mon père, mais en vérité je l'aimais, j'étais fière du nom qu'il m'avait donné et je voulais être courageuse comme la femme qui est morte dans l'arène. J'allais à l'église, j'essayais de me montrer charitable, et je pensais qu'épouser Caspian serait merveilleux et qu'on vivrait dans tous les endroits magiques dont on parlait. J'ai couché ici et là et j'ai été égoïste, et toutes les critiques qu'on fait de moi sont justifiées. Ce qui me bouleverse le plus, dans la mort d'Angel, c'est qu'elle est morte et que je suis vivante. »

Clete était en train de mettre des glaçons et dix centimètres de rhum dans un verre de Coca-Cola, essayant de se concentrer sur ce qu'elle disait. Depuis la cuisine, il ne voyait pas son visage, mais son ton avait changé – il avait maintenant une note plaintive qui le faisait se sentir de plus en plus mal. Une tempête arrivait du sud de la Bitterroot Valley, et il sentait le baromètre chuter et l'air se rafraîchir.

« Tu m'écoutes ? dit-elle. J'ai toujours pensé à la mort, même quand j'étais petite fille. Puis j'ai rencontré Caspian et j'ai pensé qu'on vivrait à Hawaï, ou à Malibu, ou à Martha's Vineyard. Il m'a demandé de signer un engagement prénuptial, et il m'a dit que c'était à cause du manque de confiance et de la radinerie de son père. Nous étions heureux, même si je ne pouvais pas avoir d'enfant. Je pensais qu'après avoir adopté Angel, nous formerions une vraie famille. Ça ne s'est pas passé comme ça.

– C'est pour ça que tu l'as adoptée ?

– Non, c'était l'idée de Caspian. À l'époque, je pensais qu'il avait un côté gentil et plus aimant. C'est ce que j'ai pensé aujourd'hui quand il a pleuré sur sa tombe. »

Clete prit une longue gorgée. Il était dans la cuisine, sous le lustre, incapable d'écarter le verre de sa bouche, son ombre comme une flaque d'encre à ses pieds. Il but jusqu'à ce que son verre soit presque vide, regrettant de ne pouvoir fondre, s'infiltrer entre les fentes du sol, disparaître dans le vent et la pluie qui commençait à zébrer les carreaux. Un éclair éclata quelque part plus haut sur la montagne, les rochers, les ponderosas et les mélèzes dans le canyon tremblant dans une lumière jaune et grise, leur ombre se projetant sur les parois.

« Tu regrettes d'avoir une liaison avec moi ? demanda-t-il.

– Non, pas du tout. Assieds-toi à côté de moi, je t'en prie.

– Il faut que je recharge mon verre.

– Personne ne peut boire autant d'alcool.

– Moi je peux. Ça a été le but de mon existence. Tu as déjà essayé de le quitter ?

– Pour aller où ?

– À l'agence pour l'emploi, à défaut d'un autre endroit.

– Je ne me suis pas très bien expliquée. J'ai toujours eu peur de la mort. Quand les gens me quittaient, j'avais l'impression de mourir. C'était comme me trouver dans une maison obscure, sans aucune porte. Tu as déjà ressenti ça ?

– Tu as entendu parler de la Prière de la Sérénité, non ? Je pratique la version courte. "Et merde".

– Sauf que ça ne fonctionne pas très bien, n'est-ce pas ?

– Quand ça ne fonctionne pas, je connais une chose qui fonctionne, dit-il en levant son verre.

– Assieds-toi.

– Je ferais mieux d'y aller. Je pensais qu'on mettrait les choses au clair. Tu as déjà dit tout ça. Tu éprouves des sentiments pour ton mari. Ce type a perdu sa fille. Je suis désolé du mal que j'ai pu vous causer.

– Assieds-toi, Clete. Et assieds-toi tout de suite. Ne sois pas trop sévère pour toi-même, je t'en prie. Tu ne comprends toujours pas. »

Il s'assit à côté d'elle, les genoux tournés vers elle, les coussins s'enfonçant sous son poids. « Comprendre quoi ? » dit-il.

Elle prit sa main droite dans les deux siennes. « Quand tu m'as fait l'amour, j'ai eu l'impression de me trouver sur une autre planète. Je n'avais pas ressenti ça depuis des années. J'avais l'impression d'avoir à nouveau dix-sept ans. J'avais l'impression que le monde était tout neuf.

– Je suis vieux, Felicity. Je ne me fais pas d'illusions. Une fois de temps en temps, un type comme moi a de la chance. Je connais mes limites.

– J'ai envie de toi. C'est ce que j'essaie de dire. Je suis désolée pour Caspian, mais j'ai envie de toi.

– Tu peux trouver mieux.

– J'ai envie de toi, et de personne d'autre. Tu sais apprécier une femme. Tu es respectueux. Tu es aimant. Tu penses qu'avec moi c'est perdu ? Retire ta veste.

– Je n'en ai pas envie, dit-il.

– Tu as renversé ton verre dessus. Si tu te fais arrêter, la police croira que tu es ivre. Je vais te la nettoyer. »

Il se leva, ôta sa veste de coton et la posa sur la table basse. Elle regarda son épaulière, et le .38 à canon court bleu foncé qu'il portait dans un holster de nylon. « Pourquoi as-tu besoin de ça ? demanda-t-elle.

– Parce que ne pas le porter reviendrait à dire que j'ai foi dans le monde. Je n'ai pas foi dans le monde, du moins pas dans celui que j'ai vu. Je n'aime pas non plus l'autorité. Quiconque veut contrôler les autres est prêt à baiser hors mariage, quitte à prétendre ensuite qu'il s'est fait piéger. Moi, je porte ma propre autorité sur moi. »

Elle prit sa veste qu'elle porta à la cuisine, fit couler de l'eau froide sur la tache de rhum et de Coca, puis l'épongea avec une serviette en papier, et suspendit la veste sur un cintre. Elle revint dans le salon et se tint devant lui, sur fond d'éclairs d'électricité qui éclataient dehors. « Ma conduite te gêne ? demanda-t-elle.

– Quelle conduite ? demanda-t-il en levant les yeux sur elle.

– Celle-ci. »

Il détourna les yeux, puis la regarda à nouveau. « Tu es superbe.

– Tu ne me prends pas pour une aventurière, ou un Judas ?

– Un type qui a mon passé ne peut juger personne.

– Je te plais, non ? Je ne suis pas trop vieille, ou trop lourde, ou trop ridée ?

– Tu n'es rien de tout ça. Tu es comme La Nouvelle-Orléans, Felicity. Tu es une orchidée dans un jardin qui n'a jamais vu le soleil. »

Elle entrouvrit les lèvres. « Personne ne m'a jamais dit une chose pareille.

– Tu es le rêve de tout homme. Aie un peu confiance en toi. »

Elle écarta les genoux, s'accroupit et tint la tête de Clete contre sa poitrine, lui embrassa les cheveux. « Oh, Clete, dit-elle. Ne me quitte pas. Pas maintenant, ni jamais. »

Il ne savait quoi dire ni quoi faire. Il ferma les yeux et vit, tout au fond de lui-même, une image dépourvue de sens. Il vit le camion de laitier de son père s'éloigner de lui, la glace fondue coulant par-dessus le pare-chocs arrière, balayant la chaussée d'une trace épaisse et sale.

Le lundi après-midi, en regardant par la fenêtre de l'étage, je vis trois véhicules de patrouille s'arrêter devant la pâture nord, et un adjoint en sortir et retirer la chaîne du portail pour les voitures. Les trois véhicules pénétrèrent dans la pâture, puis l'adjoint remit la chaîne derrière eux. Les voitures traversèrent la prairie et s'arrêtèrent à trente mètres du chalet de Clete.

Plus tôt ce jour-là, Albert Hollister avait vidé et nettoyé l'abreuvoir près de la grange, avant d'y remettre de l'eau. Les chevaux y buvaient lorsque le shérif Elvis Bisbee, deux adjoints en uniforme et un homme en costume sortirent des véhicules, se déployèrent et approchèrent du chalet, la main de chacun posée sur la crosse d'une arme. Les chevaux reculèrent de la citerne, leur peau frémissant comme lorsqu'ils sont attaqués par des mouches à viande.

Le temps que je descende et que je sorte, je vis deux adjoints plaquer Gretchen contre un véhicule, puis passer leurs mains sous ses bras et entre ses cuisses. Clete discutait avec Bisbee, combatif et véhément, le visage rouge, maîtrisant à peine ses mains à ses côtés, comme un joueur de base-ball qui s'apprête à s'en prendre à un arbitre.

J'ai franchi le portillon pour piétons, suis passé près des chevaux et de la grange. « Une seconde », dis-je.

Le shérif s'est retourné, l'agent en civil aussi. Je me suis rendu compte que c'était l'adjoint en uniforme qui s'était moqué de Gretchen.

« Non, monsieur, M. Robicheaux, dit le shérif.

– Non, monsieur, quoi ?

– Cette fois-ci, vous ne vous mêlez pas de ça.

– Que lui reprochez-vous ? demandai-je.

– Plus d'une chose, dit-il.

– Vous voulez que je lui dise ? dit l'agent en civil.

– Comment vous appelez-vous ? dis-je.

– Inspecteur Jack Boyd.

– Shérif, c'est le même type qui a traité Miss Gretchen de "gouine", là-haut sur la montagne, dis-je.

– Alors elle peut porter plainte, rétorqua-t-il.

– Je vous ai demandé de quoi elle est accusée.

– Si je vous disais vandalisme dans une chambre de motel ? dit le shérif. Si je vous disais kidnapping et coups et blessures ? Si je vous disais association de malfaiteurs en vue de kidnapping ? Son partenaire dans cette affaire était Wyatt Dixon. Qu'est-ce que vous en dites ?

– Qui ont-ils kidnappé ?

– Un certain Anthony Zappa, dit le shérif. Ce nom vous dit quelque chose ? Il travaillait pour Love Younger. »

Derrière lui, les deux adjoints en uniforme entravaient Gretchen. Sous sa chemise, ses épaules étaient larges et dures. On voyait son ventre.

« C'est ridicule. Ce n'est pas une kidnappeuse, ni quelqu'un qui vandalise des motels, dis-je.

– Elle se contente de tuer ?

– Vous parlez du type au bord de la rivière, celui qui lui a tiré dessus depuis son pick-up ? C'était de la légitime défense.

– Hier soir, Zappa a été attaché sur une chaise dans un motel sur Broadway Ouest. Il s'est tiré par une fenêtre, sans doute parce qu'il était torturé. Pendant ce temps, le réceptionniste a enchaîné sa Harley, l'a tirée dans la rue et l'a laissée en train de brûler au milieu d'un carrefour. Quand j'ai demandé si le nom de Tony Zappa vous disait quelque chose, j'ai utilisé l'imparfait.

– Il est mort ?

– Il l'était quand on a trouvé son corps près de Rattlesnake Creek, ce matin.

– Hier soir, elle était avec moi, dit Clete.

– Où ? demanda le shérif.

– Ici, au chalet.

– C'est drôle que vous disiez ça, dit le shérif. L'inspecteur Boyd est venu ici dès qu'on nous a rapporté l'incident du motel. Sauf que votre Cadillac n'était pas là, ni son pick-up. Où étiez-vous, monsieur Purcel ? » Clete commença à parler. Le shérif leva une main.

« Si vous me mentez encore une fois, vous descendez en ville », dit-il.

Les adjoints installaient Gretchen, menottée dans le dos, derrière l'écran grillagé d'une voiture.

« Vous l'accusez d'homicide ? » dis-je. Je vis son regard vaciller, sa confiance s'effriter. « Qu'est-ce que vous nous cachez ? demandai-je.

– Pourquoi pensez-vous qu'on devrait tout vous dire ? dit Jack Boyd.

– Je vous demande les mêmes informations que vous donnez aux médias, dis-je.

– Vous n'êtes pas les médias. »

J'ai regardé le shérif, et attendu.

« Embarquez-la, dit-il à Boyd.

– Oui, monsieur, dit Boyd. J'ai plaisanté avec Bill Pepper, shérif. La fille n'était pas censée entendre. J'ai eu tort. J'espère que ça met les choses au point une bonne fois pour toutes.

– C'est bon, Jack. On se verra dans le service.

– Oui, monsieur.

– Miss Gretchen n'est pas une "fille", mon gars, dis-je. Vous paraissez toujours employer ce terme, les gars. Je trouve aussi que vous avez une façon bien à vous de tenir Love Younger à distance. Ne vous vexez pas. J'ai grandi dans le même type d'entourage. Les gens qui ont de l'argent ont un joker pour à peu près tout, y compris parfois l'homicide.

– Ce n'est pas comme ça que ça marche par ici », dit l'inspecteur. Ses cheveux noirs étaient brillants, son regard liquide et malveillant, ses pattes s'étalant sur sa joue comme dessinées par un crayon à maquiller. Sous sa veste étriquée, il portait une chemise à rayures argentées avec des boutons-pression. J'entendais le vent souffler dans les arbres et les chevaux hennir dans l'écurie. Quelque chose n'allait pas dans la procédure, dans la façon dont Bisbee et l'inspecteur la menaient, dans la nature allusive de leur conversation. Et le shérif savait que je le savais.

« Quelle était l'arme ? demandai-je.

– Ça ne vous concerne pas », dit l'inspecteur.

Une nouvelle fois, j'ai regardé le shérif.

« Vous avez entendu l'inspecteur Boyd, dit-il.

– Vous n'avez pas de mandat pour le chalet, n'est-ce pas ? » dis-je.

Il avait l'œil vague, les pointes blanches de sa moustache se soulevant dans le vent.

« Quelle était l'arme ? » ai-je répété. Maintenant, Clete me regardait.

« Vous avez entendu ce qu'a dit le shérif ? Barrez-vous », dit l'inspecteur.

J'attendis que le shérif parle. Il se mit une cigarette entre les lèvres, sans l'allumer. « Quand vous serez dans le service, mettez-la en salle d'interrogatoires, dit-il à l'inspecteur. Je réglerai ça là-bas.

– Si l'un d'entre vous fait du mal à ma fille, vous regretterez que votre mère n'ait pas utilisé un meilleur diaphragme, dit Clete.

– Vous allez aussi vous retrouver en état d'arrestation, monsieur Purcel, dit le shérif

– Essayez un peu. Et vous verrez ce qui se passe si l'un de ces types pose la main sur moi. »

Une voiture démarra, avec l'inspecteur et l'un des adjoints en uniforme, Gretchen penchée en avant sur le siège, les poignets menottés dans le dos. Quand elle tourna la tête et regarda par la vitre arrière, j'ai pensé à un ballon se libérant de ses amarres, s'éloignant en flottant dans un vent de tempête.

« Le juge ne vous a pas donné de mandat pour le chalet, n'est-ce pas ? dis-je au shérif.

– On en est encore aux préliminaires de l'enquête, dit-il. Vous avez fait une remarque mettant en doute l'intégrité de mon service. J'exige que vous la retiriez.

– Je pense que c'est vous que ce problème regarde, pas moi, monsieur », dis-je.

Il alluma sa cigarette et en tira une bouffée pensive, la fumée montant du rebord de son chapeau, ses yeux bleu pâle fixés sur les chevaux. « Saviez-vous qu'Albert Hollister a été forçat en Floride ? »

Je ne voyais pas où il voulait en venir, mais ce n'était pas bon. « Albert ne fait pas mystère du temps qu'il a passé en prison. Il était jeune. Et ce n'était pas un criminel.

– Alors comment a-t-il fini forçat ? »

Je n'avais pas envie de poursuivre cette discussion. « Comment est mort Zappa ? demandai-je.

– Il a été abattu. Deux dans la tête, une dans la bouche. Ça ressemble à la signature de quelqu'un que vous connaissez ?

– Quel calibre ?

– Approximativement du 44.

– Approximativement ?

– Le rapport balistique sur cette affaire risque de rester incertain.

– Qu'est-ce que vous êtes en train de me raconter ?

– Les balles n'étaient pas striées. Les trois projectiles ont été tirés par une arme dont le canon n'avait pas de rayures.

– Comme un pistolet à capsules, ou un mousquet à canon lisse ?

– Comme une des armes qu'Albert Hollister pourrait avoir dans sa vitrine, dit-il. Une arme qu'il aurait pu donner à Gretchen Horowitz.

– Ou comme une des armes de la collection de Love Younger ? dis-je. C'est marrant comme son nom semble d'emblée écarté de la conversation.

– Un peu de bon sens, monsieur Robicheaux. Vous croyez vraiment que Love Younger est un assassin ? »

Il était inutile de discuter avec quelqu'un ayant la mentalité ou le cadre de référence de Bisbee. Les historiens traitent-ils John D. Rockefeller d'assassin parce que ses sbires ont tué des femmes et des enfants lors du massacre de Ludlow ? La famille DuPont a-t-elle des traces de sang sur ses chaussures ? Remet-on en cause la décision de lâcher une bombe de cinq cents livres marquée "occupant" ? Existe-t-il plus grande autorité que celle de l'ignorance ?

« J'ai encore une question, shérif, dis-je. Pourquoi avez-vous promu quelqu'un comme Boyd au rang d'inspecteur ?

– Il a passé l'examen. Il affirme qu'il est indien, et je dois tenir compte de la discrimination positive. Et je n'avais personne d'autre sous la main, et c'est un poste temporaire. Autre chose ?

– Ouais, vous avez arrêté la mauvaise personne, et je pense que vous le savez, dis-je.

– Je vais m'en vouloir de dire ça, dit-il. Mais tant pis. Je sais que ça va me ronger. Mais je dois le faire, alors je vous prie par avance d'accepter mes excuses. Je ne peux pas vous encadrer, tous les deux. Dès que je vous regarde, je deviens fou. J'aimerais que vous rentriez chez vous, et que vous vous noyiez dans les moustiques, ou quoi que vous fassiez pousser là-bas. Je ne sais pas pourquoi j'éprouve ce sentiment. Mais il y a chez vous quelque chose qui me gonfle vraiment. ».

La caution de Gretchen devait être fixée tôt le mardi matin. Clete et moi sommes allés en ville, et nous avons petit-déjeuné dans un café en face du tribunal en attendant un prêteur de caution que Clete connaissait. En disant à Elvis Bisbee qu'il était avec Gretchen le soir où Anthony Zappa avait été abattu, il avait menti. Je n'avais pu me résoudre à lui demander où il était en réalité. La serveuse nous apporta notre commande, remplit à nouveau nos tasses de café et s'éloigna. Clete plongea un biscuit dans un bol de sauce blanche et en prit une bouchée. Jusque-là, tout ce qu'il m'avait dit, c'est que Gretchen et Dixon s'en étaient pris à Zappa parce qu'il était l'un des hommes qui avaient participé à l'agression de Dixon et de son amie sur la Blackfoot River.

« Où étais-tu dimanche soir ? » demandai-je.

Il continua à mâcher, le regard fixé sur un groupe de sans-abri assis sous un arbre dans le jardin du tribunal. « Je pense que certains de ces sans-abri sont des Rainbows, dit-il. Ils suivaient le Grateful Dead. Quand je suis rentré du Vietnam, je me suis défoncé à Oakland avec les Merry Pranksters. Du moins, la fille avec qui je me suis réveillé était une Merry Prankster. Elle m'a présenté à Hunter Thompson. Je te l'ai déjà raconté ? »

Clete venait de basculer dans sa vieille habitude d'éviter le coup et de parler de n'importe quoi, sauf du sujet de la conversation. « Dimanche soir, tu étais avec Felicity Louviere, c'est ça ? dis-je.

– Que veux-tu que je te réponde ? Que je couche avec une femme mariée ? Que je suis incapable de garder ma queue au chaud ?

– Explique-moi.

– Je l'ai retrouvée au chalet de pierre des Younger sur Sweathouse Creek. J'étais allé lui dire que j'avais commis une erreur, que je ne voulais pas lui faire de mal, ni à elle ni à son mari. Je suis allé là-bas lui dire que j'avais eu tort.

– Que s'est-il passé ? »

Il avait posé son biscuit et regardait fixement son assiette. « Elle m'a dit que son mari et elle revenaient de la tombe de leur fille. Elle m'a dit qu'il était bouleversé. Elle m'a dit que tout compte fait, ce n'était peut-être pas un type si mauvais.

– Ça aurait dû régler le problème, non ? Elle admettait l'erreur, et toi aussi. On ne peut rien de plus.

– Ça n'a pas tourné comme ça. Elle a dit qu'elle était tombée amoureuse de moi, et qu'elle ne voulait pas que je la quitte. Ça lui était égal que je sois vieux ou gros ou alcoolique, ou que j'aie fait des choses dont je ne pourrais jamais parler.

– Tu as couché avec elle ?

– Pourquoi tu n'écris pas ça sur l'ardoise, pour que tous les clients puissent profiter de ma vie sexuelle pendant qu'ils regardent le menu du jour ?

– Qu'es-tu en train de faire, Clete ?

– De sortir ma fille de taule. Je croyais qu'on était venus pour ça.

– Je ne voulais pas paraître si moralisateur.

– Sauf que tu es moralisateur, et que ça me donne l'impression que quelqu'un m'a versé de la merde de cochon liquide dans les godasses.

– Elle va quitter son mari ?

– On n'a pas parlé de ça.

– Ça va te faire du mal, partenaire.

– Qu'est-ce que je suis censé faire ? M'arracher les couilles ? Me suicider ?

– Tire-toi de là.

– C'est pour ça que j'avais été la retrouver au chalet dimanche soir. Sauf que ça n'a pas marché comme prévu. Je ne suis rentré chez moi qu'à deux heures du matin. »

Je m'apprêtais à lui dire que je n'avais pas besoin de détails supplémentaires, puis je me suis rendu compte que ce serait cruel. De l'autre côté de la rue, les sans-abri, sur le trottoir, lançaient un frisbee. « On a eu des ennuis plus graves, dis-je.

– Quand ?

– Gretchen n'a pas tué Zappa. C'est tout ce que nous devons garder en tête pour le moment. On la sort de prison, et on se débarrasse de cette inculpation bidon.

– Comment ?

– J'ai vu une Winchester ancienne dans le caisson du pick-up de Dixon. On aurait dit une 1892, celle avec une hausse à crémaillère. Il ne serait pas improbable qu'il possède quelques armes à canon lisse. Il y a au Montana au début de l'automne une saison de chasse à l'arme primitive. Tout à fait pour Dixon, ce genre de cirque.

– Tu crois que c'est Dixon qui a buté Zappa ?

– Il m'a dit œil pour œil. Je crois qu'il le pensait.

– Il y a autre chose qui m'ennuie, Dave. Tu crois que Gretchen en pince pour Dixon ?

– Elle a meilleur goût que ça

– Mais c'est une possibilité ?

– Fais-lui confiance. » J'essayais de paraître convaincant, mais je doutais que quiconque sût ce qui se passait dans la tête de Gretchen Horowitz.

« C'est un croulant, non ? dit Clete.

– Il faut qu'on en arrive au cœur du problème. Elvis Bisbee ne va pas nous aider.

– Le cœur du problème, c'est Asa Surrette ?

– Ouais, le type qui veut sans doute faire à Alafair des choses que la plupart des gens seraient incapables d'imaginer. Quand j'y pense, ça m'empêche de dormir. Il faut qu'on mette ce type hors service.

– Hors service à quel point ? »

Comme je ne répondais pas, il prit sa fourchette et commença à manger. Son plat avait refroidi ; il le mâchait et l'avalait comme si c'était du carton. Il but un verre d'eau et me regarda, le visage rond, inexpressif et rouge. « Réponds à ma question, Dave. Comment on va la jouer ?

– On va le balayer de la planète, dis-je.

– Ça, ça me plaît déjà plus, mon noble ami. »

Non, ce n'était pas ça. L'expression pompeuse traduit toujours la peur et le manque de confiance en soi, et dès que j'eus prononcé ces mots, je sus qu'ils me reviendraient dessus comme un boomerang moqueur.

18

Asa Surrette était officiellement mort, même s'il avait laissé un mot sous l'essuie-glace d'Alafair devant la poste de Lolo. J'aurais voulu être en colère contre les autorités du Kansas et contre le FBI pour avoir conclu à sa mort dans la collision entre le fourgon cellulaire et le camion-citerne. Malheureusement, j'avais été victime de la même stupidité quand Alafair m'avait dit qu'elle était sûre d'être suivie par Asa Surrette.

Quand nous sommes revenus de la prison avec Gretchen, je me suis assis avec un bloc-notes et un stylo-feutre près de la fenêtre de notre chambre, et j'ai commencé à noter tous les détails en ma possession concernant Surrette. N'importe quel inspecteur ayant enquêté sur des meurtres en série, ou n'importe quel psychiatre qui a passé du temps à interviewer des psychopathes comme les cousins Angelo Buono Jr et Kenneth Bianchi, ou le sataniste Richard Ramirez, ou le tueur Dennis Rader, alias BTK, sera le premier à vous dire que la science du comportement tend à voler en éclats quand on sonde les âmes d'hommes comme eux. C'est un peu comme essayer de comprendre les origines de l'univers. À un certain stade, les lois de la science ne sont plus applicables.

Quand on en vient aux motivations, il y a souvent une part de misogynie. Ainsi que de pédophilie. Ces deux formes de psychose n'expliquent pas le degré de violence et de sauvagerie infligées aux victimes. J'ai ma petite idée, même si elle se fonde sur une expérience personnelle, et pas sur une étude dont j'aurais eu connaissance. J'ai connu au cours de ma vie nombre de gens cruels. Leur cruauté, selon moi, était le masque de leur peur. C'est aussi simple que ça.

Nous sommes tous d'accord pour dire que quiconque se montre cruel envers les animaux est un lâche, moralement et physiquement, et qu'il ne mérite pas l'air qu'il respire. Malgré tous les signaux d'avertissement, cette même personne, cependant, parvient à se placer en position de force par rapport aux autres, souvent des enfants. Je n'ai jamais compris notre réticence collective à mettre en question l'autorité d'un prédateur qui se trouve avoir un insigne, ou un col de religieux, ou une lanière autour du cou, avec un sifflet. Sans notre sanction, ces pitoyables succédanés de créatures humaines se flétriraient et mourraient comme des amphibiens à la recherche d'oxygène et d'eau à la surface de Mars.

Lors d'une enquête, les motivations d'un psychopathe sont presque hors de propos. Les spéculations psychanalytiques à propos de la nullité morale sont très distrayantes, mais elles n'englobent pas tout le monde, et on ne se rend pas service en essayant de se mettre dans la tête d'un tel personnage. La méthodologie du psychopathe pose un problème différent, et précipite fréquemment sa perte. Selon toute probabilité, le schéma criminel se répetera, essentiellement parce que le criminel est narcissique et pense que sa méthode, si elle a fonctionné une fois, est infaillible. Par ailleurs, le psychopathe n'est pas intéressé par la chasse, mais plutôt par l'agression et le meurtre de sa proie, à la différence du voleur professionnel, qui est généralement un pragmatique et considère le vol comme un métier, et pas comme une agression personnelle sur ses victimes.

Le schéma criminel d'Asa Surrette au Kansas ne témoignait pas d'imagination. Il profitait de son travail d'électricien pour entrer dans la maison de la victime, avant de s'allonger quelque part pour attendre. Il attachait, torturait et étouffait la plupart de ses victimes, et éjaculait sur les femmes et les jeunes filles, mais ne les pénétrait pas. Il les photographiait et rapportait chez lui ses trophées – sacs à main, sous-vêtements, colifichets, alliances, permis de conduire. S'il lui arrivait de prendre de l'argent sur la scène de crime, ce n'était qu'une coïncidence.

Sur mon bloc-notes, j'avais tracé deux colonnes : l'une pour détailler les caractéristiques des crimes de Surrette, et l'autre pour dresser une liste de ses boulots, des uniformes qu'il avait pu porter, de ses voyages, des amis qu'on lui connaissait.

J'ai comparé les informations que j'avais notées avec ce que je savais de ses crimes dans le Montana, si c'était bien Asa Surrette qui avait tiré une flèche sur Alafair, laissé le message sur la paroi de la grotte et assassiné Angel Deer Heart, Bill Pepper et peut-être le pilote dont le Cessna bimoteur avait explosé à l'ouest de Missoula.

Les meurtres commis à Wichita étaient perpétrés sur des femmes et des jeunes filles avec lesquelles il n'avait eu aucun contact antérieur. En allait-il de même dans le cas d'Angel Deer Heart ? Pourquoi une fille de dix-sept ans aurait-elle quitté un bar de bikers plein de musique et d'animation pour partir avec un vieil homme minable socialement aussi attirant qu'une poubelle sale ?

Sauf si elle le connaissait.

Un autre détail me troublait. D'après ce qu'on savait, et à l'exception du paysan à qui il avait peut-être volé un pick-up, Surrette n'avait jamais agressé un mâle solitaire. S'il était notre homme, pourquoi s'en serait-il pris à Bill Pepper dans son chalet au bord de Swan Lake, et pourquoi l'avait-il sexuellement mutilé ?

Je n'avais qu'une réponse : Asa Surrette avait placé le micro dans le chalet de Clete et appris que Pepper avait kidnappé et abusé sexuellement de Gretchen Horowitz. En assassinant Pepper, il savait qu'il y avait de fortes chances que sa mort soit mise sur le compte de Clete ou de Gretchen.

Pourquoi se donner autant de peine pour causer des ennuis à Clete et à Gretchen, alors que ni l'un ni l'autre ne lui avait fait le moindre mal ? Ça ne collait pas. Et de quoi vivait Surrette ?

Tout crime concerne l'argent, le sexe ou le pouvoir. J'avais le sentiment que notre visiteur du pays de la Route de brique jaune avait un rapport avec les trois. Les yeux fixés sur mon bloc-notes, je me suis rendu compte qu'un élément manquait aux preuves légales réunies par les autorités pendant les vingt-deux ans au cours desquels Surrette avait torturé et tué. Il n'avait laissé aucun message aux tonalités messianiques ou bibliques. Même quand il appelait les autorités ou les médias pour leur dire où ils pourraient trouver un cadavre, il ne faisait pas de déclarations pompeuses. Où et quand avait-il endossé une nouvelle personnalité ? En prison ? Ou bien cette transformation ne relevait-elle pas de son choix ?

Certains, aux A.A., disent qu'un alcoolique repenti ne doit pas pénétrer sans escorte dans son propre cerveau. Je commençais à penser qu'ils avaient raison.

Je suis entré dans la chambre d'Alafair. Elle avait travaillé toute la nuit à son prochain roman, et avait pris son petit déjeuner alors que le ciel était encore noir, avant de se coucher. Elle dormait sur le côté, ses longs cheveux noirs sur le visage, la bouche légèrement entrouverte. Elle était devenue une grande et souple jeune femme qui parlait avec l'accent du sud de la Louisiane, qui se tenait toujours droite, le regard clair, et dont l'existence, sous son moindre aspect, était gouvernée par son sens des principes. Même dans le sommeil, une aura de paix et de force semblait irradier de son visage. La fenêtre était ouverte, et sur le flanc de la montagne je voyais les formes sombres des pins, des cèdres et des mélèzes, et je savais que dans les profondeurs de l'ombre errait le tigre à propos duquel a écrit William Blake, illuminant les forêts la nuit, son cerveau sorti d'une fournaise et forgé à la chaîne et au marteau. Le tigre était Asa Surrette, notre fléau à tous, les arbres s'éclairant quand il avançait à pas feutrés dans le sous-bois, les sons gutturaux qu'il émettait comme le prélude de choses à venir.

Où êtes-vous, monsieur ? Seriez-vous aussi brave et intrépide si on jouait à jeu égal ? Vous gonflez-vous de fierté quand vous vous rappelez l'enfant que vous avez pendu à un tuyau dans un sous-sol ? Je me demande comment vous réagiriez si vous étiez sur le point d'avaler huit balles d'un .45 automatique modèle 1911 ?

Les yeux d'Alafair s'ouvrirent et se plongèrent dans les miens. Elle se souleva sur un coude et écarta ses cheveux de son front. « Tout va bien ? demanda-t-elle.

– Très bien.

– Tu as un drôle de regard.

– Ne nous éloignons pas les uns des autres tant qu'on n'en a pas fini avec Surrette.

– Je n'ai pas peur de lui. J'aimerais qu'il vienne par ici.

– La prudence et la peur sont deux choses différentes.

– Tu ne le connais pas, Dave. C'est un petit homme terrorisé, pathétique. »

J'ai tiré une chaise près de son lit. « Comme l'était Hitler, dis-je. Ne sous-estime pas le pouvoir du mal. Parfois je pense qu'il trouve un canal pour se manifester, puis s'en débarrasse et continue à avancer.

– Et moi, je pense que tu surestimes Surrette.

– Il y a une quinzaine d'années, un gamin de vingt et un ans est entré par effraction dans une maison de la Blackfoot Valley, a attaché le mari et la femme sur des chaises, et les a massacrés. Le mari était ceinture noire septième dan de karaté. Alors que le gamin attendait son exécution à Deer Lodge, certains détenus se sont échappés de leur cellule, et se sont emparés de la prison pendant trois jours. Le gamin a tué, ou contribué à tuer, cinq personnes supplémentaires. Le jour de son exécution, on a dû le réveiller d'un sommeil de plomb. »

Alafair alla dans la salle de bains se laver le visage et revint dans la chambre. « Tu veux rentrer en Louisiane ? »

Je n'ai pas répondu.

« Bien sûr que non, dit-elle. Parce qu'on ne fuit pas les problèmes. C'est ce que tu m'as toujours appris. Et on ne s'autorise jamais à avoir peur. Tu me l'as dit et répété pendant toute mon adolescence.

– Je ne disais pas de fermer les yeux devant la réalité.

– Où est Gretchen ?

– Au chalet, avec Clete.

– Rien de tout ça n'est de sa faute. Ne lui mets pas ça sur le dos, Dave.

– Je ne l'ai pas fait.

– Tu y as pensé.

– C'est un paratonnerre, Alf.

– Mettons les choses au point, Pops. C'est moi qui ai chauffé Asa Surrette, pas Gretchen.

– Il n'est pas seulement question de toi. Il a d'autres raisons de se trouver dans le coin. Mais je ne les connais pas. »

Elle posa sa main sur ma nuque et serra. « Tu t'inquiètes trop. On s'en sortira. Qu'est-ce que dit toujours Clete, déjà ? Les braves gens *über alles* ? » Elle écarta sa main de ma nuque. « Tu es chaud comme une braise. Tu as de la fièvre ?

– Comme tu le dis, je m'inquiète trop », dis-je.

Il alla chez un coiffeur, fit nettoyer à sec et repasser son costume et s'inscrivit dans un motel sous le nom de révérend Geta Noonen, en haut d'une longue côte près d'un cours d'eau, presque en Idaho, dans une zone où les gens vivaient encore au bord des bassins hydrographiques, et loin des ordinateurs. Une fois dans sa chambre, il jeta sa pipe et son tabac, se teignit les cheveux en blond pâle, les sécha au séchoir et passa vingt minutes sous la douche où, à l'aide d'une brosse et d'un gant de toilette, il frotta l'odeur de nicotine de sa peau et de ses ongles. Il se rasa la poitrine et les aisselles, lima et coupa ses ongles, et s'aspergea le corps de déodorant.

Quand il fut tenté de sortir sa pipe de la poubelle, de la curer et de la remplir du sombre mélange de tabac qu'il aimait depuis des années, il se mit dans la bouche un morceau de réglisse qu'il suça jusqu'à ce qu'il devienne un grumeau minuscule, fit des pompes devant la télévision puis mangea une autre réglisse jusqu'à ce que son envie ait passé. Il prit une nouvelle douche et fit couler si longtemps l'eau froide sur son visage, sa tête et ses épaules que tout son corps en fut engourdi et qu'il n'eut plus d'autre envie que de se réchauffer et de se mettre de la nourriture chaude dans l'estomac.

Oui, il pouvait y arriver, se dit-il. Le sacrifice de son unique vice était peu de chose comparé à la récompense qui l'attendait à l'ouest de Lolo, sur le ranch d'Albert Hollister. Il prit une chemise imprimée dans un carton de dix-huit acheté chez Costco, et l'enfila avec son costume beige, ainsi qu'une paire de mocassins neufs, et se regarda dans la glace. Bien rasé et blond, il se reconnaissait à peine. Il ressemblait à un sportif vieillissant, un type décoloré par le soleil qui marche le long d'une plage dans les Keys de Floride, la bouche efféminée mais attirante, les palmiers se découpant sur un ciel couleur lavande, une femme le regardant depuis la terrasse d'un bar.

Pas mal, pensa-t-il.

Il dîna au comptoir d'un café attaché au motel. Par la fenêtre arrière, il voyait la rivière déboucher de la montagne, longue et droite, les rochers pointant dans le courant, la surface sombre brillant des derniers rayons du soleil. Un homme en cuissardes pêchait à la mouche dans les bas-fonds, faisant au-dessus de sa tête des huit avec le nylon, posant la mouche sur le rapide aussi délicatement qu'un papillon se pose sur une feuille. Sauf que l'homme qui s'était inscrit sous le nom de révérend Geta Noonen ne s'intéressait pas à la pêche à la mouche. Il vit une balançoire sur la pelouse du motel, près de l'eau, et une petite fille qui jetait des cailloux dans le courant sous le regard de sa mère. Il se mit une pleine fourchetée de pain de viande dans la bouche, soufflant dessus avant de mâcher, comme s'il était trop chaud pour qu'il l'avale.

« C'est bon ? » demanda la serveuse. Elle était jeune et hésitante, les os aussi fragiles que ceux d'un oiseau. Son uniforme rose était taché d'un côté, soit de graisse, soit d'eau de vaisselle, et tandis qu'elle attendait sa réponse, elle n'arrêtait pas de détourner les yeux du visage de l'homme.

« C'est parfait, dit-il.

– Je pensais que c'était peut-être trop chaud. Comme vous étiez aux toilettes, je l'ai passé au micro-ondes.

– C'est joli, ici.

– C'est à l'écart de la route, mais ça nous plaît, dit-elle en remplissant sa tasse de café, rayonnante à cause du compliment.

– C'est un *diner* familial. Ce sont les meilleurs. Je parie qu'il appartient à un Américain, dit-il.

– Oui, monsieur, à un Américain. »

Il regarda par la fenêtre, les yeux endormis, remplis d'une chaleur sentimentale. « Le sel de la terre.

– Pardon ?

– Je parlais des gens dans le coin. La mère et l'enfant. Voilà le sel de la terre.

– Vous parlez comme un prêcheur.

– C'est parce que j'en suis un.

– De quelle Église ?

– La grande, celle qui n'a pas de nom. »

Elle sembla réfléchir un instant. « Vous voulez dire que Jésus n'appartient pas à une seule religion ?

– En gros, ça veut dire ça. Attention.

– Pardon ?

– Vous allez vous renverser du café bouillant sur le pied.

– Je sais m'y prendre.

– Je parie que oui. Je parie que vous savez plein de choses.

– Je vous demande pardon ?

– Sur la restauration, les relations publiques. Sur les gens qui viennent ici. Je parie que vous savez bien juger les gens.

– Je fais la différence entre les bons et les méchants.

– Et moi, qu'est-ce que je suis ?

– Vous êtes un prêcheur, n'est-ce pas ? Ça veut tout dire, non ?

– Vous feriez mieux de vous méfier. Je pourrais m'enfuir avec vous. Si ma fille avait grandi, je parie qu'elle vous ressemblerait.

– Vous avez perdu votre fille ?

– C'était il y a longtemps. Vous avez un visage doux, comme elle. »

Elle rougit et s'apprêtait à répondre, quand un autre client entra et tapota le comptoir pour passer sa commande. « Excusez-moi, dit-elle. Il vaudrait mieux que je retourne travailler. »

Tandis qu'elle s'éloignait, elle ne vit pas le changement d'expression sur le visage de l'homme qui disait s'appeler le révérend Geta Noonen. Il posa sa fourchette et la regarda d'un air réfléchi, puis prit son café, en avala une gorgée, et regarda son reflet. Quand il reposa la tasse dans la soucoupe, son expression était redevenue bénigne et ordinaire, son attention concentrée sur son assiette, ses yeux revenant à la scène derrière le motel, où la mère poussait sa fille sur la balançoire.

Il posa sur le comptoir un pourboire de deux dollars et attendit que la serveuse soit proche de la caisse avant de se lever pour payer son addition.

« J'ai oublié de vous demander si vous vouliez de la tarte, dit-elle. On a une bonne tourte à la pêche. Et la tarte aux cerises n'est pas mal non plus.

– Je ne laisse jamais passer une tarte aux cerises. Vous fermez à quelle heure ?

– Dix heures. En général, je ne travaille pas aussi tard, mais je remplace quelqu'un d'autre. Le matin, je dois arriver tôt pour ouvrir. Mais ça ne me dérange pas.

– Vous appartenez à une église ?

– J'y vais à Noël et à Pâques...

– Et là, je parie qu'ils se rendent compte que vous êtes là.

– Je ne comprends pas.

– Je ne voulais pas être si personnel, tout à l'heure. Mais il faut que je vous dise quelque chose. Vous avez une aura. Certaines personnes en ont une. Je pense que vous en faites partie. »

Son regard se voila, et quand elle le regarda, il était visible qu'elle avait la gorge nouée.

Il sortit du café dans la nuit, les étoiles comme une brume de diamants blancs d'un bout à l'autre de l'horizon, la nationale qui menait à Lookout Pass montant de plus en plus haut dans les montagnes, où les phares des poids lourds allant en Idaho faisaient un tunnel dans l'obscurité, avant de plonger de l'autre côté, comme s'ils disparaissaient dans un bol d'encre.

Le révérend Noonen fit un pas sur la pelouse où la mère avait balancé sa petite fille. La balançoire était vide, les chaînes cliquetant légèrement dans le vent. L'homme jeta un coup d'œil à sa montre et tourna la tête vers les fenêtres éclairées du café, à l'intérieur duquel la jeune serveuse, courbée sur le comptoir, frottait vigoureusement avec un torchon la surface sur laquelle quelqu'un avait répandu de la nourriture qui avait séché. Il se passa un cure-dents entre les dents tout en la regardant, puis il entendit des voix sur le parking et vit que la mère et sa fillette sortaient des valises d'une camionnette cabossée et les portaient dans une chambre à l'arrière du motel, dans une zone mal éclairée où il ne semblait y avoir aucun autre client.

La femme se débattait avec une valise tandis que la petite fille, les fesses contre la portière, montait dans la camionnette, essayant de sortir un sac d'épicerie qui commençait à se déchirer. L'homme retira le cure-dents de sa bouche et le laissa tomber dans l'herbe, puis s'avança sur le parking. « Seigneur, permettez-moi de vous aider, dit-il.

– Dieu merci, dit la mère. J'ai eu assez de problèmes aujourd'hui sans avoir besoin de ça. Notre chambre est juste là. C'est très gentil à vous. »

Le matin, il se leva, se doucha à nouveau, enfila des vêtements propres et commanda au café un petit déjeuner copieux. Le propriétaire effectuait un double travail, tenant la caisse tout en portant des assiettes du passe-plat au comptoir et aux tables. « Où est la jeune femme qui travaillait ici hier soir ? demanda l'homme qui disait s'appeler le révérend Geta Noonen.

– C'est Rhonda.

– Où est-elle ?

– Je ne l'ai pas vue ce matin.

– Elle avait une aura. Désolé, je n'ai pas fait attention à ce que vous avez dit.

– Elle n'est pas venue. Ça ne lui ressemble pas. » Le propriétaire regarda par la fenêtre la nationale où le soleil brillait sur une pente rocheuse. Les rochers étaient dentelés et pointus, et certains avaient rebondi jusque sur la chaussée. Le propriétaire fronça les sourcils en regardant celui qui était brisé sur le bord de la route. « Elle est peut-être malade, dit l'homme assis au comptoir.

– Elle ne répond pas au téléphone, dit le propriétaire.

– Elle a des parents dans le coin ?

– Pas vraiment. Elle vit assez loin sur un chemin près de Lookout Pass. Je lui ai toujours dit qu'elle devrait s'installer en ville.

– Je parie qu'elle a eu des problèmes de voiture. Son portable ne passe pas là-haut, n'est-ce pas ?

– J'ai appelé le shérif. Il envoie un véhicule. Un peu plus de café ?

– Et peut-être une part de tarte aux cerises pour accompagner. Je pense que tout homme a le droit de s'accorder un vice.

– Pardon ?

– J'ai une addiction aux desserts. Je n'en suis jamais rassasié. Surtout de la tarte aux cerises.

– Je comprends ce que vous voulez dire.

– J'en doute.

– Répétez-moi ça ?

– Personne n'aime la tarte, les tourtes, les gâteaux au chocolat et les beignets roulés autant que moi. Je ne prends pas de poids, mais je pourrais en perdre. J'espère qu'il n'est rien arrivé à cette dame. Elle me paraissait gentille. »

Le propriétaire se retourna et regarda l'étagère à pâtisseries. « Désolé, il n'y a plus de tarte aux cerises.

– J'en prendrai la prochaine fois. L'endroit me plaît. Vous avez des clients bien. »

Le propriétaire commença à retirer les assiettes sales du comptoir et ne releva pas les yeux avant le départ de l'homme. Il composa le numéro de son employée disparue et laissa le téléphone sonner deux minutes avant de raccrocher. Comme il ne savait pas quoi faire d'autre, il sortit dans le soleil brûlant et regarda la route dans les deux directions, attendant de voir apparaître la voiture de la fille, ou un véhicule du shérif. Puis il traversa la quatre-voies et commença de repousser à coups de pied le rocher du bord de la route sur l'accotement.

Geta Noonen chargea sa valise dans le SUV d'occasion qu'il venait d'acheter, et s'engagea lentement sur la nationale, les gravillons incrustés dans ses pneus cliquetant bruyamment comme des clous sur l'asphalte. Il passa devant le propriétaire, klaxonna et agita la main pour dire au revoir. Le propriétaire agita la main à son tour et continua à dégager le rocher de la chaussée pour que personne n'ait un accident en roulant dessus.

Le matin était clair et frais quand Geta Noonen arriva à Missoula, entra dans un magasin de quincaillerie et de produits agricoles et en ressortit avec quatre cents dollars d'achats emballés et empaquetés. Après les avoir recouverts d'une bâche sur le siège arrière du SUV, il alla en ville et trouva une place de parking sous Higgins Street Bridge, avec une heure d'avance pour le concert d'Out To Lunch qui avait lieu une fois par semaine dans le parc au bord de la Clark Fork. Il enfila des lunettes d'aviateur, acheta un cornet de glace et déambula le long de la rivière, s'arrêtant sur un point d'observation qui lui offrait une vue dégagée sur les enfants montant les chevaux de bois du carrousel, et les kayakistes manœuvrant dans les rapides près de la rive.

Tandis que le soleil s'élevait au milieu du ciel, il prit position sur une butte de ciment à l'ombre du pont et regarda les voitures remplir le parking. Quand il repéra une petite voiture rouillée avec deux adolescentes, il croisa les bras, regarda la rivière et la foule qui se rassemblait sous le pont pour le concert. Les deux filles verrouillèrent leur voiture et traversèrent le champ de vision de l'homme sans remarquer qu'il observait le moindre de leurs gestes.

Il passa près de leur voiture, se mit les mains sur les hanches et leva les yeux sur le ciel et les montagnes qui entouraient la ville, tel un touriste qui vient là pour la première fois. Il s'accroupit comme pour ramasser une pièce de monnaie sur la chaussée et coupa la valve d'un pneu, puis de l'autre. Quand les pneus se trouvèrent sur les jantes, il inséra la lame du couteau dans les plis mous du caoutchouc et scia la trame de façon qu'ils ne soient pas réparables. Il replia le couteau dans sa paume, le laissa tomber dans la poche de son pantalon et regarda le concert depuis l'arrière de la foule, les yeux fixés sur les deux adolescentes.

À 13 h 5, les filles regagnèrent leur voiture rouillée et, sous le choc, fixèrent les pneus lacérés.

« J'ai vu deux gamins pas nets traîner autour de votre voiture, dit l'homme. Quand je me suis approché, ils ont décampé. Je suis arrivé trop tard, je le crains. »

Les deux filles étaient visiblement des sœurs, peut-être deux ans de différence, avec des yeux bleus et des cheveux blonds presque dorés. La plus âgée avait perdu ses rondeurs de bébé, et mesurait au moins dix centimètres de plus que la plus jeune. « Pourquoi nous a-t-on fait ça ? dit-elle.

– Sans doute à cause de la façon dont un tas de gamins sont élevés de nos jours, dit l'homme. Je vous proposerais bien de changer votre pneu, mais vous en avez deux à plat et sans doute une seule roue de secours. Vous pouvez appeler quelqu'un ?

– Il n'y a personne à la maison, dit la plus jeune.

– Où sont vos parents ?

– Notre mère travaille pour Goodwill, dit l'aînée. Et notre père est chauffeur à mi-temps pour une compagnie de poids lourds. Aujourd'hui, il est à Spokane. Il rentre ce soir. Il est prédicateur. Le vendredi soir, l'église se réunit chez nous.

– Je suis le révérend Geta Noonen. Appelez votre mère, et demandez-lui si elle accepte que je vous ramène chez vous.

– Inutile de l'inquiéter.

– Voilà ce qu'on va faire. Je vais monter votre roue de secours, et on va apporter l'autre jante dans la boutique de pneus pour qu'ils en mettent un neuf. Ensuite on reviendra ici, on l'installera, et vous prendrez la route.

– Je dois aller travailler au Dairy Queen à 3 heures et demie. Je n'arrive pas à réfléchir. Et je n'ai pas d'argent, dit l'aînée.

– Je paierai, et vous me rembourserez plus tard, dit l'homme.

– Ça coûte combien, un pneu ? » demanda-t-elle.

Quand il le lui dit, elle sembla sur le point de pleurer.

« Écoutez, ne vous inquiétez pas de ça, dit-il. Prenez mon portable et racontez à votre mère ce qui s'est passé. On posera la jante à la boutique de pneus, et je vous ramènerai chez vous toutes les deux. Je te conduirai au travail, si c'est indispensable, ou je t'emmènerai chercher le pneu neuf. On va arranger ça ensemble. Il n'existe pas de problème sans solution. Vous vivez dans quel coin ?

– Sur la Nationale 12, à l'ouest de Lolo.

– Il faudra que vous m'indiquiez le chemin. Maintenant, appelez votre mère et dites-lui que tout va bien.

– Je ne sais comment vous remercier.

– Inutile de me remercier. Vous me fournissez l'occasion de mettre en pratique une partie de ce que je prêche. »

Trois quarts d'heure plus tard, il quittait la Nationale 12 pour s'engager sur un chemin de terre menant à un ravin entre des montagnes boisées balafrées de routes forestières datant de l'époque des coupes claires. « C'est vraiment joli, par ici. Vous ne savez pas s'il y a quelque chose à louer dans le coin ? demanda-t-il.

– Il nous arrive de louer une chambre, dit l'aînée des filles.

– Il me faut juste un endroit pour aller et venir, et un petit lieu de stockage, dit-il. Je suis un pasteur itinérant, un peu comme les prêcheurs à cheval d'autrefois, sauf que je n'ai pas de cheval.

– Vous voulez que je demande à ma mère ?

– J'aimerais beaucoup. Je ne vous dérangerais pas. Dites donc, il y a un gros ranch, ici.

– C'est chez M. Hollister. C'est un écrivain. Trois de ses livres ont été adaptés au cinéma. »

En passant devant l'arche qui dominait l'allée d'Albert Hollister, l'homme abaissa le pare-soleil côté conducteur, et ne regarda pas la maison de bois et de pierre sur l'accotement, ni ne jeta un coup d'œil dans la direction de la grange et des chevaux dans la pâture nord.

« Je vous demande un peu, un homme qui réalise des films isolé à la campagne. La vie est remplie de surprises, dit-il. C'est votre maison, dans ce vallon verdoyant au bout du chemin ? Si vous voulez mon avis, vous avez trouvé un vrai paradis. Ça m'irait comme un gant. »

19

J'ai toujours aimé et accueilli avec plaisir la pluie, même si parfois les esprits des morts me visitent avec elle. Quand j'étais enfant, durant l'été, quel que soit le temps, il y avait une averse presque chaque après-midi à trois heures. L'horizon au sud se remplissait de nuages de tempête ressemblant à des prunes trop mûres, et en quelques minutes on sentait le baromètre chuter, et on voyait les chênes prendre une teinte d'un vert plus sombre, et la lumière devenir couleur de cuivre. On sentait le sel dans le vent, et une odeur comme celle d'une pastèque éclatée sur un trottoir brûlant. Soudain, le vent changeait et les chênes s'animaient, des feuilles tourbillonnaient et la mousse espagnole s'ébouriffait sur les branches. Juste avant la première goutte de pluie, le Bayou Teche était ondulé par les brèmes montant se nourrir à la surface. Et moins d'une minute plus tard, la pluie tombait à seaux, et la surface du Teche scintillait d'un éclat d'un jaune brumeux qui évoquait la brume plus que la pluie.

Pour moi, la pluie a toujours été une amie. Je crois que c'est vrai pour presque tous les enfants. Ils semblent comprendre sa nature baptismale, la façon dont elle absout et lave et restaure la terre. Ce qu'il y a de plus merveilleux dans la pluie, c'est quand elle cesse. Au bout d'une demi-heure, le soleil ressortait, l'air était frais et vif, les belles-de-nuit s'ouvraient dans l'ombre, et le soir il y aurait un match de base-ball dans le parc municipal. La pluie participait d'un témoignage qui nous assurait que, d'une certaine façon, l'été était éternel, et que même l'arrivée de l'obscurité pouvait être tenue en lisière par les éclairs de chaleur brillant dans le ciel après que le soleil s'est couché.

La pluie m'amenait aussi des visiteurs qui me persuadaient que les morts n'abandonnent jamais ce monde. Après que mon père, Big Aldous, fut mort dans la mer, je le voyais au milieu de la pluie, dressé à genoux dans les vagues, son casque incliné sur sa tête. Quand il lisait l'inquiétude sur mon visage, il levait les pouces pour me dire que la mort n'était pas un gros problème. Je voyais des membres de ma section traverser un torrent à la saison de la mousson, la pluie rebondissant sur l'acier de leurs casques, et glissant sur leurs ponchos, les blessures mortelles qu'ils avaient reçues brillant comme des hosties.

La personne qui me rendait le plus souvent visite dans la pluie était ma femme assassinée, Annie, qui en général se manifestait pendant un orage électrique pour m'assurer qu'elle allait bien, s'excusant toujours pour les grésillements sur la ligne. Ne vous laissez pas convaincre que la vie s'arrête là. Ils mentent. Les morts sont parmi nous. Quiconque jure le contraire n'est jamais resté debout tard dans un orage d'été, à écouter leurs voix.

La pluie tambourina sur le toit ignifugé d'Albert pendant toute la nuit du mercredi et jusque dans les petites heures du matin, pour s'arrêter à l'aube, laissant les pâtures pleines de flaques et les arbres fumant de brume. Quand j'ai regardé par la fenêtre de notre chambre au deuxième étage, j'ai vu un animal émerger des bois au nord de la propriété, passer sous le grillage et entrer dans le pré. J'ai pensé qu'il s'agissait d'un coyote, un des nombreux coyotes qui viennent sur la propriété au lever du jour pour attirer les spermophiles hors de leurs terriers. Puis je me suis rendu compte qu'il n'était pas de la bonne couleur. Sa fourrure était noire, mouchetée d'argent, ses épaules larges, son pas rapide et assuré, son museau pointé droit devant lui, et non pas vers le sol. Les chevaux dans la prairie s'agitaient. J'ai compris que je voyais un loup, peut-être le chef d'une horde venue des étendues sauvages de l'Idaho, à l'ouest du ranch d'Albert.

J'ai enfilé mon blouson et mes bottes semi-montantes, je suis descendu, et j'ai pris le Springfield .03 à viseur d'Albert dans sa vitrine à armes. J'ai pris aussi une poignée de cartouches de .30-06, que j'ai laissées tomber dans la poche de mon blouson. Albert buvait son café dans la cuisine, en pyjama, pantoufles et peignoir. « Où vas-tu avec mon fusil ? demanda-t-il.

– Il y a un loup dans la pâture nord. Il s'en prend à tes chevaux.

– On n'a jamais eu de loup.

– Maintenant, il y en a un.

– Ne lui tire pas dessus.

– Tu veux t'en occuper ? dis-je en lui tendant le fusil.

– Je descends dans une minute. »

J'entendais les chevaux hennir, marteler l'herbe de leurs sabots et patauger dans l'eau. J'ai traversé le débarras, je suis sorti par le garage, et j'ai couru en direction du portillon de la pâture nord. Les chevaux étaient paniqués ; ils couraient en rond, tournaient en vrille, donnaient des coups de pied à l'aveugle derrière eux. Le loup se déplaçait à moitié tapi dans l'herbe, accélérant le pas, la mâchoire pendante. J'ai mis cinq balles dans le chargeur du Springfield, et fermé la culasse. Une fois franchi le portillon, je suis passé devant l'écurie et, de l'autre côté, je vis le loup clapoter dans une flaque, des gouttelettes de boue aspergeant son museau et ses pattes avant. J'ai enfilé la bride de cuir du fusil à mon bras gauche, me suis calé la crosse sur l'épaule, et j'ai pointé mon viseur télescopique sur la cage thoracique du loup.

Le loup a paru sentir que l'équation se compliquait d'un facteur nouveau. Je l'ai vu me regarder en face, le museau noir, humide, couvert de minuscules stries, les narines dilatées. J'ai déplacé le viseur d'un mètre, et j'ai tiré une balle. Le feu a jailli du canon, et le *carrack* bruyant a résonné sur les montagnes. Un jet de boue et d'eau s'est envolé dans l'air.

Le loup est repassé sous la clôture, le fil de fer vibrant sur les piquets métalliques, un clip sautant de la barrière. Je pensais qu'il allait continuer à avancer, mais je me trompais. Il a remonté la pente, disparu derrière un rocher et réapparu à côté d'un cèdre, le regard fixé sur moi. J'ai dirigé le viseur droit sur sa tête. Il avait une cicatrice grise sous un œil, et une autre sur la poitrine. Sur sa patte avant droite se trouvait une zone presque entièrement dépourvue de fourrure, comme si l'animal s'était dénudé la peau dans un piège.

J'ai éjecté la cartouche utilisée, en ai poussé une autre dans la chambre et refermé la culasse. J'ai déplacé le viseur à la base du rocher et j'ai fait feu. La balle à tête ronde s'est aplatie sur le rocher, poudrant l'air d'un mélange sale de lichen et de pierre explosée.

Le loup a bondi à travers les arbres et remonté la pente. J'ai activé une nouvelle fois la culasse et tiré une balle supplémentaire pour la bonne mesure. Je l'ai entendue heurter une surface dure et gémir par-dessus un arroyo, avec un bruit décroissant comme le trémolo d'une corde de banjo.

« Tu lui as fait mal ? » demanda Albert derrière moi. Il avait enfilé un pantalon par-dessus son pyjama, et portait des bottes en caoutchouc et un chapeau de brousse.

« Non, je n'ai pas essayé.

– Je préfère ça. Ils sont protégés, sauf s'ils mettent en danger une personne ou son bétail.

– Ton bétail *est* en danger.

– Néanmoins je suis content que tu ne l'aies pas abattu. Entre prendre un café.

– Tu n'as jamais eu de problèmes avec les loups ?

– Non. C'est sans doute un solitaire. Je doute qu'il revienne.

– Selon moi, il s'agit d'un vœu pieux. Ce loup n'a pas peur. Il sait qu'il y a de quoi manger ici.

– C'est la nature.

– Si ce loup l'avait pu, il aurait attaqué un de tes chevaux à la tête, l'aurait tiré au sol, et lui aurait déchiré la gorge.

– C'est possible. »

Cette discussion n'est pas rationnelle. Ne dis rien de plus, pensai-je.

Le ruisseau dans la prairie était gonflé d'eau de pluie et courait, rapide et brun, sur l'herbe des rives, les *cottonwood*s s'égouttant, les écharpes de brume dans les pins et les mélèzes si blanches et épaisses qu'on ne voyait pas les sommets des montagnes.

« Je regrette que tu aies tiré dans cette direction, Dave, dit Albert. Il y a une maison dans ce canyon.

– Je sais. Mon angle de tir était tel que même si la balle avait ricoché, elle serait partie sur le flanc de la montagne. Quand j'ai tiré, je n'ai fait courir de risque à personne.

– Ne parlons plus de ça.

– Je peux descendre et frapper à la porte, si tu veux.

– Je t'ai dit d'oublier ça. Je suis sûr qu'ils vont bien. »

Albert savait vraiment comment vous harponner. « Qui habite là-bas ? demandai-je.

– Un prêcheur à mi-temps, sa femme, et ses deux filles adolescentes, dit-il. Je leur parlerai plus tard, au cas où ils se demandent pourquoi on tirait. »

J'ai éjecté dans la boue la cartouche utilisée et les balles du magasin, sans prendre la peine de ramasser celles qui n'avaient pas été tirées. Je crois que j'ai marché dessus et les ai enfoncées dans la boue. J'ai refermé la culasse et rendu son fusil à Albert. « La prochaine fois que j'essaie de sauver tes chevaux d'un prédateur, recharge ça et tire sur moi, et suicide-toi ensuite. Le monde ne s'en portera que mieux.

– Pourquoi te mets-tu en colère ? » demanda-t-il.

Clete avait passé sa vie à ne pas discuter avec le destin. Il avait aussi accepté la dure réalité selon laquelle la plupart des expériences, bonnes ou mauvaises, ont un prix. L'expérience d'une soirée vaut-elle une gueule de bois ? Rarement, sinon jamais, aurait-il sans doute répondu, même s'il se conduisait toujours de la même façon. Tomber amoureux valait-il le prix que l'on payait ? La réponse à cette question n'était pas de celles qui méritent que l'on s'y attarde. Sans amour, la vie n'a aucune valeur.

Existe-t-il pire destin que de ne pas aimer, et n'être pas aimé en retour ? Si la couleur grise pouvait être attribuée à un état émotionnel, ce serait à une existence dépourvue d'affection et de chaleur humaine. L'absence d'amour garantissait la dépression, la haine de soi-même, un sentiment de culpabilité, de peur et d'hostilité, et une inexplicable impression d'échec personnel qui ternissait toute relation, toute situation sociale. Pour détruire quelqu'un, selon Clete, il suffisait de lui apprendre qu'il n'était pas tolérable au regard de Dieu ni de son prochain.

Telles étaient les leçons de survie qu'il avait dû apprendre dans son enfance. Il ne parlait pas du prix qu'il avait payé, et il considérait l'apitoiement sur soi comme le fléau de la race humaine. Le revers de son stoïcisme, c'était la solitude morale qu'elle induisait.

Le jeudi matin, Clete devait retrouver Felicity Louviere dans le centre de Missoula. Il pensait qu'ils iraient ensemble dans une boutique de pêche, ou exploreraient peut-être les magasins d'antiquités et d'occasions près de la voie ferrée, ou profiteraient tout simplement du temps, comme n'importe quel couple. Et c'est ce qu'ils firent, sous un ciel bleu qui semblait s'étendre à l'infini sur l'horizon. À midi, ils terminèrent dans une épicerie-traiteur ouverte depuis la fin du dix-neuvième siècle. Ils commandèrent des salades, des boissons fraîches et des sandwichs débordant de tranches de viande, de fromage, de laitue et de tomates, et trouvèrent une table à l'extérieur sous l'auvent de toile qui battait dans la brise. Aux lampadaires étaient accrochées des panières de métal aérées dégoulinant de pétunias ; des cyclistes vêtus de maillots en lycra fonçaient dans la circulation ; les montagnes et les collines entourant la ville étaient vertes des pluies de printemps, l'air aussi pur et propre que le vent soufflant d'un glacier.

Demeurait un seul problème : Clete avait apporté avec lui son propre nuage de pluie, et il ne savait comment l'écarter sans dégâts.

Elle baissa la tête pour le forcer à croiser son regard. « Tu es bien pensif, dit-elle.

– C'est ma gamine. Elle s'est mise dans le pétrin.

– Avec le shérif ?

– Des gens essaient de la tuer, mais c'est elle qui se fait secouer par la police. C'est ce que j'appelle être dans le pétrin. Ce type qui a fini avec une balle dans la tête ? C'était quoi, son nom, déjà ?

– Tony Zappa. Il appartenait à l'équipe de jardiniers de Love.

– Il n'appartenait pas qu'à ça. Quand il ne taillait pas les haies, il violait la petite amie de ce sacré Wyatt Dixon.

– Je ne le connaissais pas, Clete. Love embauche d'anciens détenus. Je pense que c'est comme ça qu'il se donne bonne conscience pour le reste.

– Quel reste ?

– Ses intrigues politiques. Polluer l'environnement. Donner des pots-de-vin aux Arabes. Tout ce qui marche. Il a grandi dans une cabane au sol en terre battue, et il pense que le monde est un aquarium rempli de requins.

– Parce qu'il y a des types comme lui dedans, voilà pourquoi.

– Qu'essaies-tu de me dire ?

– Quelqu'un veut tuer ma fille. Elle prépare un documentaire qui révèle certaines des entreprises de Love Younger.

Quelles conclusions devrais-je en tirer ? Et pendant ce temps, ce cinglé du Kansas est quelque part dans le coin. Et il a sans doute des liens avec la famille Younger.

– Ce n'est pas vraiment ce que tu essaies de me dire, non ? »

Elle avait la main sur le gobelet de plastique. Ses doigts étaient humides, et il avait envie de prendre sa main dans la sienne et de la protéger. Mais la protéger de quoi ?

« J'ai une dette envers ma gosse, dit Clete. Son père l'a laissée tomber. C'était moi. Maintenant j'ai une occasion de me rattraper. Mais j'ai le sentiment que je ne fais pas un bon boulot.

– Tu ferais peut-être un meilleur boulot si tu me quittais. »

Elle portait une robe de paysanne, un béret, des tennis et un fin collier de jade. Elle semblait extravagante et mystérieuse, comme une orpheline ayant fait irruption d'un roman du dix-neuvième siècle dans le monde des richards et des célèbrités. Ou bien était-ce simplement une personnalité fabriquée pour transformer en marionnette un chasseur d'évadés de conditionnelle ? Si elle cherchait un type à manipuler, pourquoi lui ? Quand on veut un pur-sang, on ne va pas dans un élevage d'éléphants.

« Je t'ai posé une question, Clete. Tu veux que je disparaisse de ta vie ?

– Ne dis pas ça. » L'auvent de toile se gonflait dans le vent, se libérant du cadre en aluminium qui le maintenait. Le soleil était aveuglant. « Je tiens à toi. Je ne veux pas qu'on se quitte. Mais je ne peux oublier que tu es mariée, dit-il, rougissant quand il se rendit compte qu'il parlait fort.

– Tu viens juste de remarquer que j'étais mariée ? Ça s'était perdu dans ton agenda mental ?

– Tu ne veux pas le quitter pendant qu'il fait son deuil. Je comprends, mais ça ne me fait pas plaisir. »

Elle mit ses mains sur la sienne. « Tu n'as rien fait de mal. Si quelqu'un a eu tort, c'est moi. J'ai épousé Caspian parce qu'il était riche. J'ai essayé de me convaincre du contraire, mais je l'ai fait pour ça. Ce n'est pas sa faute, ni la tienne, ni celle de Love Younger, ni celle de mon père. C'est la mienne.

– Qu'est-ce qu'on va faire, petite ?

– J'ai l'air d'une petite ?

– Pour moi, oui. Je suis vieux, tu es jeune. Tu es un cadeau tel qu'un type comme moi n'en reçoit pas souvent. »

La couleur des yeux de Felicity s'assombrit, et son visage sembla rapetisser, devenir plus vulnérable. Le vent était frais, mais Clete était en sueur. Il avait l'impression que le soleil faisait un trou au sommet de son crâne. « On peut partir, dit-elle. Peut-être juste pour un moment, peut-être pour toujours.

– Partir pour où ?

– Une amie à moi me prête son ranch, près de Reno. Sa mère était actrice, elle jouait dans des westerns. C'est comme retrouver l'Amérique des années 1940. La vue est magnifique. Le matin tôt, on sent les sauges et des fleurs qui ne s'ouvrent que la nuit. On pourrait y être si bien, ensemble.

– Il faut que je m'occupe de ma fille. Il faut que j'aide Dave.

– Ça n'a pas d'importance. Tu seras toujours mon grand homme à moi.

– Allons quelque part. Tout de suite. Peut-être au Double Tree, au bord de la rivière.

– Je ne peux pas. J'ai promis à Love de l'accompagner sur la tombe d'Angel. Il ne va pas très bien.

– Il était proche de ta fille ?

– À sa façon. C'est un homme réservé, il ne montre pas ses sentiments. Il considère le monde avec hostilité. Sa véritable tragédie, c'est qu'il essaie de contrôler les gens qu'il aime le plus, et qu'il les détruit l'un après l'autre.

– Pourquoi tu ne t'es pas tirée depuis longtemps loin de cette bande ? demanda Clete.

– Appât du gain, égoïsme, colère parce que, pour mon père, ses idéaux étaient plus importants que moi. Choisis. » Elle se leva, son sac à la main. « Il faut que j'y aille. Quand je suis partie, Caspian se méfiait.

– Je déteste ce mot. Il me donne l'impression d'être minable.

– Je suis désolée de l'avoir utilisé.

– On se retrouve ce soir, dit-il.

– Je pense qu'on va avoir des ennuis tous les deux, Clete.

– En quel sens ?

– Quelle est l'expression, déjà ? "Notre destin n'est pas dans les étoiles, mais en nous-même." Quoi qu'il arrive, je t'aimerai et te respecterai toujours. Je regrette de ne pas t'avoir connu il y a des années. » Là-dessus, elle s'éloigna.

Il eut l'impression que tout l'oxygène avait été aspiré de ses poumons. Il fixa son dos tandis qu'elle marchait jusqu'au bout de la rue, sa robe froufroutant sur ses hanches, son béret incliné sur le côté. En quelques secondes, elle avait disparu, comme une apparition qui n'aurait jamais fait partie de sa vie. Il regarda la rue d'un œil vague et prit son portefeuille pour laisser un pourboire sur la table. C'est alors qu'il vit Caspian Younger traverser après que le feu fut passé au rouge, sans regarder les voitures, le visage noué de la rage d'un cocu, ou de celle d'un alcoolique dangereux, qui a décidé de plonger dans les abysses.

Tandis que Caspian se frayait un chemin à travers la cohue sur le trottoir, Clete voyait la faiblesse dans son menton, l'expression mesquine et infantile de quelqu'un qui est vexé, les bras flasques et tubulaires qui n'avaient sans doute jamais soulevé de lourdes charges, ni fendu du bois à la hache, les mains incapables de se transformer en poings susceptibles de porter un coup plus fort qu'une piqûre de moustique. Caspian Younger était de ceux qui se trouvent toujours au bout de la queue, ou dont la tête est plongée dans la cuvette des toilettes, ou dont le père paie la caution, que leur mère infantilise. Il était de ceux dont les rêves sont remplis de brutes qui se moquent de leurs petits poings rageurs. Il était aussi du genre à sortir de sa poche un .25 automatique, et à vous en coller une entre les deux yeux avant qu'on l'ait vue venir.

Clete resta assis, levant une main pacifique, évitant de croiser son regard. « Waou, dit-il.

– Je vous avais averti, dit Caspian.

– Vous avez le droit d'être en colère, monsieur Younger. Mais pas ici. On peut parler de ça ailleurs.

– C'est moi qui en décide.

– Oui, monsieur. Vous en avez le droit. Mais rien de bon ne sortira de tout ça. Je dirais que pour le moment, on devrait laisser tomber. Je ne croiserai plus votre chemin.

– Vous baisez ma femme, et vous osez me faire la leçon ? Où est-elle partie ?

– Je l'ignore, désolé.

– Elle vous retrouve dans un motel ? Ne me dites pas le contraire. Je la connais.

– Il est temps de baisser d'un ton, monsieur Younger.

– Vraiment ? Et pourquoi ça ? » Il prit le verre de thé glacé de Clete et le lui jeta au visage.

« À votre place, je ferais peut-être la même chose », dit Clete. Il sortit son mouchoir et s'épongea. « Je ferais peut-être pire. Votre femme n'est pour rien là-dedans. S'il y a un responsable, c'est la personne que vous avez devant vous. Mais je vous demande d'arrêter ça.

– Levez-vous.

– Non, je ne me lèverai pas. Je me lèverai et je m'en irai quand vous serez parti. En attendant, je suis désolé du mal que je vous ai fait.

– J'en ai par-dessus la tête de votre humilité. C'est à elle ? Sûrement. Il y a une trace de son rouge à lèvres de pute », dit Caspian qui prit le gobelet de Coca-Cola de Felicity et le versa lentement sur la tête de Clete, la glace pilée coulant sur son front, son visage, sa chemise, ses épaules.

Clete s'essuya à nouveau le visage et les cheveux. « C'est une femme bien, dit-il. Je pense que vous avez de la chance.

– Vous allez vous contenter de rester là, devant tous ces gens, sans vous défendre ? Levez-vous. Je n'ai pas peur de vous.

– Vous n'avez aucune raison d'avoir peur, dit Clete. Maintenant, je m'en vais. Tenez-vous à l'écart. Ne retournez pas votre colère contre votre femme. Si vous le faites, vous marcherez sur des moignons. »

Il mit son feutre et s'éloigna en direction de sa Caddy, sa veste de sport bleu pâle tachée de thé, de Coca-Cola et de cristaux de glace fondue. Aux autres tables, les gens étaient trop gênés pour le regarder en face.

Deux heures plus tard, il m'appelait depuis l'unique saloon de Lolo, un rade pour bikers, souvent surpeuplé pendant l'été, en particulier au moment de la ruée vers Sturgis. « Descends me rejoindre. Je t'offre un soda citron », dit-il.

En arrière-fond, j'entendais de la musique et le heurt de boules de billard. « Tu m'as l'air à moitié bourré, dis-je.

– J'ai la cervelle claire comme du cristal. C'est justement mon problème. Quand ma cervelle est claire, je tombe en dépression clinique.

– Reviens au chalet, Clete.

– Non, ici, ça me plaît, mon noble ami. En ce moment même, je suis en train de regarder ce gros plein de soupe avec un anneau dans le sourcil jouer aux neuf boules. » Il écarta l'appareil de son oreille. « Ouais, je parle de toi. Ce dernier coup, c'était une fusée. T'es magnifique, mec. Je n'ai jamais douté de la supériorité génétique de la race blanche.

– Tu es fou ? dis-je.

– Quand ai-je jamais prétendu être normal ? Tu me rejoins ou pas ?

– Il s'est passé quelque chose entre Felicity Louviere et toi ?

– J'ai envie de me tuer, Dave. Je ne me suis jamais senti aussi mal. »

Vous parlez d'un début d'après-midi ! J'ai pris mon pick-up et suis descendu jusqu'au saloon. Deux rangées de motos étaient garées devant. Clete était debout tout seul à l'extrémité du bar, devant une Bud à long col et trois petits verres de whisky. Le barman m'a arrêté. « Vous connaissez ce type, là-bas ?

– C'est Clete Purcel. C'est un vieil ami. Je m'appelle Dave Robicheaux. Je suis flic, dis-je. Lui, c'est un privé. Il n'a pas de mauvaises intentions.

– Il a besoin de rentrer chez lui et de faire une sieste. Et peut-être de recommencer la journée.

– Je vais voir ce que je peux faire.

– Ces types à la table de billard ont payé ces trois whiskies et la Budweiser. Ils ont tous été en Afghanistan ou en Irak.

– Il n'y aura pas de problème », dis-je

J'ai commandé un Dr Pepper que j'ai emporté au bout du bar. Dans l'éclat de néon de l'enseigne sur le mur de rondins, la nuque de Clete paraissait huileuse, rouge, piquée de cicatrices d'acné. Sa veste était pliée sur le bar, son feutre posé à l'envers dessus. « Que se passe-t-il, noble ami ? demanda-t-il.

– Tu m'as appelé de ton portable.

– J'ai fait ça ? Qu'est-ce que je t'ai dit ?

– Tu ne te souviens plus ? »

Il ferma les yeux, les rouvrit, regarda dans le vide. « J'ai l'impression que ma cervelle a été plongée dans une fosse septique.

– Felicity Louviere t'a largué ?

– Tu sais comment tourner une phrase, Belle Mèche.

– Tu parlais de te tuer. Qu'est-ce que je suis censé dire ? »

Il m'a raconté tout ce qui s'était passé à la table en terrasse, sous l'auvent, par un jour venteux du début de l'été, au cœur d'un paysage de montagnes qui aurait été un arrière-plan parfait pour des amants maudits. Quand il me dit ce qu'avait fait Caspian, je dus baisser les yeux, m'éclaircir la gorge, prendre mon verre de Dr Pepper accompagné de glace, de cerises et de tranches d'orange, et en avaler une gorgée en faisant comme si rien de ce que Clete m'avait dit n'était grave. En même temps, j'avais envie de mettre Caspian Younger en pièces.

« Je pense que tu as agi comme il fallait, dis-je.

– Agi comme il fallait, en quel sens ?

– Tu as eu raison de partir. D'accepter d'en prendre pour ton grade à la place de sa femme. On ne doit pas s'abaisser au niveau d'un type comme ça.

– Ce n'est pas ce que je te demandais.

– Alors quelle était ta question ?

– Tu sais très bien quelle est la question.

– Tu veux dire qu'une certaine personne est en train d'essayer de te mettre la tête à l'envers ?

– En un mot, ouais.

– Comment je le saurais ?

– Avec les femmes, tu es plus malin que moi.

– Je dirais laisse tomber. Débarrasse-toi d'elle.

– Elle me préoccupe. Je n'arrive pas à me la sortir de la tête.

– Tu penses que tu ne mérites pas l'amour d'une femme bien. Le vrai problème, c'est ça, Clete. Et ça l'a toujours été.

– Arrête », dit-il. Il porta un des petits verres à sa bouche et l'engloutit, but une longue gorgée de Bud, jusqu'à ce que la mousse dégorge du col de la bouteille, puis il la reposa sur le bar. L'alcool faisait briller ses joues. « D'une manière ou d'une autre, Surrette joue un rôle dans cette affaire, non ?

Avec Angel Deer Heart, avec Caspian Younger, et peut-être avec le vieux.

– Tu peux en être sûr.

– Tu te souviens du Randy's Record Shop ? À minuit, Randy arrivait à la radio : "Accrochez-vous, les enfants. On vous parle en direct de Gatlinburg." Puis il lançait l'émission avec "Swanee River Boogie" d'Albert Ammons. C'était super, à cette époque, hein ?

– Tu peux le dire, ai-je répondu en évitant son regard et l'éclat chimique de son visage.

– On n'en est peut-être pas encore à la dernière manche, dit-il. À ton avis ?

– Qui sait ? » dis-je en retombant dans le vieux mensonge qu'on se racontait tous les deux.

Il regarda les deux whiskies restant sur le comptoir, puis remit son feutre, enfila sa veste de sport tachée, posa lourdement son gros bras sur mes épaules et sortit avec moi dans le plein soleil.

« Tu crois qu'elle pensait ce qu'elle disait, à propos d'aller dans un ranch à Reno ? » demanda-t-il.

Cette fois, je n'avais rien de plus à dire.

Ce soir-là, après dîner, Alafair, Albert et moi avons regardé les informations locales. Le sujet principal concernait une serveuse célibataire de vingt-six ans qui ne s'était pas rendue sur son lieu de travail, un café sur l'Interstate 90, à l'est de Lookout Pass. Elle s'appelait Rhonda Fayhee. On avait trouvé sa voiture garée devant sa petite maison de bois, les clefs sur le contact. Toutes les portes et les fenêtres de sa maison étaient fermées à clef, et les portes verrouillées de l'intérieur. Son sac et son portefeuille étaient sur la table de la salle à manger. Ses trois chats étaient dans la maison, leurs bols d'eau à moitié pleins. Des croquettes étaient éparpillées sur un morceau de papier journal dans la cuisine.

Interrogé, un adjoint du shérif disait face aux caméras que l'uniforme rose qu'elle portait sans doute la veille à son travail avait été lavé dans un évier et suspendu à un cintre dans la salle de bains. Quiconque savait quelque chose devait appeler les services du shérif de Mineral County.

20

Wyatt Dixon était assis dans le salon de Bertha Phelps, dix étages au-dessus du vieux théâtre de vaudeville nommé le Wilma, avec une vue magnifique sur la scène et le carrousel dans le parc, et sur la rivière qui était haute et troublée. La lumière dans le ciel diminuait et il voyait des étoiles là-haut, au-dessus de l'éclat rose et lavande bordant les montagnes, loin à l'ouest. Mais Wyatt n'avait pas la tête au panorama. Quand il regardait la silhouette de Bertha en train d'arroser les plantes sur sa fenêtre, il éprouvait le même conflit d'émotions qui l'avait toujours harcelé à chaque fois qu'il faisait confiance aux autres.

Pendant la plus garde partie de son existence, la survie, pour Wyatt, avait été synonyme de guerre, et les règles n'avaient pas changé : si on voulait des femmes, il fallait se faire remarquer ; si on voulait le respect des hommes, on ne montrait jamais sa peur, et lorsqu'on était provoqué, on ne frappait qu'une seule fois.

Bertha Phelps était une énigme permanente dont il ne trouvait pas la clef. C'était une femme de la campagne intelligente et éduquée, qui semblait sincèrement l'apprécier et l'accepter, et elle avait le parfum d'un camion de fleuriste par un jour de grande chaleur. Elle avait du cran, aussi. Après l'agression, elle avait appelé une hotline destinée aux femmes en détresse, et pris rendez-vous avec un psychothérapeute, comme elle aurait contacté un exterminateur de nuisibles pour débarrasser sa maison des termites. Dès qu'elle était sortie de l'hôpital, elle avait insisté pour que Wyatt et elle couchent immédiatement ensemble, pour lui prouver qu'elle n'avait pas le mauvais œil. Bertha Phelps lui semblait avoir un côté agressif dont elle-même n'était pas consciente. Le genre de femme qui vous faisait sauter le chapeau de la tête si vous ne l'ôtiez pas de vous-même en entrant dans la maison. Tout homme qui affirme ne pas être attiré par les émules de Calamity Jane est un sacré menteur.

Bertha regardait fixement l'écran de télévision. « Écoute ça, Wyatt », dit-elle.

Un adjoint du shérif était interviewé devant une maison de bois couverte de bardeaux d'amiante, près de Lookout Pass. La locataire, une nommée Rhonda Fayhee, était portée disparue, à peu près comme une femme huttérite sortie faire une petite promenade autour de la St. Regis, deux mois plus tôt, et qu'on n'avait pas revue depuis.

En arrière-plan, Wyatt voyait une Mazda garée et un jardin, avec du linge sur un fil. Un adjoint en uniforme traversait la pelouse, une cage à oiseaux à la main. La speakerine locale réapparut à l'écran et dit que les enquêteurs n'arrivaient pas à comprendre que les fenêtres aient été fermées, et les portes verrouillées de l'intérieur.

« C'est pas la première fois qu'il fait ça, dit Wyatt. C'est ce qu'on appelle un crocheteur.

– De qui tu parles ? demanda Bertha.

– Le type qui l'a kidnappée. C'est comme le bateau dans la bouteille, sauf que la bouteille, c'est la maison.

– Tu comprends sûrement ce qui s'est passé, mais moi pas.

– Le type a verrouillé la porte, puis il est sorti par une fenêtre, et il a utilisé un truc pour fermer le crochet de l'extérieur. La dame des informations a dit que les animaux avaient de l'eau et de quoi manger. Le type qui a fait ça est un metteur en scène. Il donne beaucoup à réfléchir aux flics. Il en tire une impression de puissance. Pendant ce temps, la femme connaît sans doute l'enfer, si elle est pas déjà morte.

– Comment sais-tu tout ça ?

– J'ai connu à Huntsville des hommes à qui tu aurais pas donné tes bas à laver.

– Tu crois que c'est lui ?

– Le type qui a tué Angel Deer Heart ? Ouais, je crois que c'est lui. »

Elle s'assit à côté de lui, le divan s'enfonçant sous son poids. « Il faut que je te dise quelque chose. La police municipale et les services du shérif m'ont tous interrogée. Ils voulaient savoir si tu avais des armes à capsules.

– Qu'est-ce que tu leur as répondu ?

– Je ne sais pas même pas ce que ça veut dire, "à capsules".

– Des armes à poudre noire. Quelqu'un a collé trois balles de cuivre à un type qui bossait pour Love Younger. Les flics veulent me mettre ça sur le dos, sauf que j'ai pas de pistolet à capsules.

– Le type qui a été tué, c'est l'un de ceux qui nous ont agressés, n'est-ce pas ?

– Ça ne fait aucun doute.

– Il a été kidnappé et torturé dans un motel. C'est ce que dit le journal.

– J'appellerais pas ça de la torture.

– Tu y étais ?

– Oui, m'dame.

– Je ne veux pas que tu fasses des choses comme ça, Wyatt.

– C'était un fils de pute, et il méritait bien pire que ce qu'il a eu.

– Tu ne peux pas faire des choses comme ça à quelqu'un en mon nom.

– Je l'ai fait en mon nom à moi. »

Elle lui mit une main sur le front et lui caressa les cheveux. Les yeux de Wyatt ne changèrent pas d'expression. « Je dois t'avouer un truc, dit-elle.

– Quoi ?

– Je pense que je vais beaucoup te décevoir.

– Non, sûrement pas.

– Tu ne sais pas ce que je vais dire.

– Je m'en doute un peu.

– Pourquoi ?

– Ce stylo à bille bas de gamme dont tu te servais, tu l'avais pas acheté au Walmart, n'est-ce pas ? »

Il la vit déglutir. « Non.

– Tu connaissais ce salopard d'inspecteur Bill Pepper ?

– Je le connaissais. Je le connaissais très bien.

– À Los Angeles, quand il était au LAPD ?

– Encore avant.

– Tu es en train de me dire que tu as eu des rapports sexuels avec lui ?

– C'était mon frère. »

Les yeux sans couleur de Wyatt ne manifestèrent aucune réaction, mais le sang dans sa tête lui sembla remplacé par de l'hélium.

« Alors tu pensais que c'était moi qui l'avais buté, qui l'avais démembré au couteau, et le reste ? Tu pensais que tu t'approcherais de moi, et que peut-être tu me rendrais la monnaie de ma pièce ? C'est ce que tu pensais, Bertha ?

– Je ne te connaissais pas. Ensuite, je me suis rendue compte que tu es incapable de faire une chose pareille.

– Tu sais pas ce que je suis capable de faire. Tu me connaissais pas avant que l'État transforme ma tête en flipper, et me force à boire tous ces cocktails chimiques. L'homme que j'étais est peut-être profondément enfoui. Tu as déjà pensé à ça ?

– Tu te souviens quand j'ai vu le maïs sur ta pelouse ?

– Et alors ?

– Tu donnais de quoi manger à la biche blessée et à son faon. À cet instant, j'ai su que je me trompais, et que tu étais quelqu'un de gentil.

– Je savais peut-être que ça serait exactement ce que t'allais penser. Peut-être que j'ai fait ça pour la frime. J'ai deux équipes de flics aux fesses qui essaient de me remettre au trou. J'ai pas besoin de Jézabel dans ma vie.

– Je sais que je t'ai profondément blessé.

– Pour que quelqu'un me blesse, il faudrait pour commencer qu'il ait de l'importance pour moi, dit-il.

– Ne dis pas ça, Wyatt, je t'en prie.

– Je viens de le dire. »

Trois secondes plus tard, il était sorti, la fenêtre au bout du corridor éclairée par la foudre, ses oreilles vrombissant d'un bruit de tempête.

Le vendredi matin, il se réveilla tôt, chez lui, sur la Blackfoot River. Il enfila un costume de coupe western, cira ses bottes et prit un nouveau stetson dans un carton à chapeau au fond de son placard. Il fouilla dans un tiroir rempli de bijoux indiens et western, de montres cassées, de trousseaux de clefs en patte de lapin, et trouva un insigne de shérif honoraire qu'une barmaid lui avait donné à Prescott, Arizona, des années auparavant. Il trouva un portefeuille vide, dans lequel il inséra l'insigne d'un côté, avant de glisser dans le compartiment de celluloïd, de l'autre côté, une photo d'identité prise à la foire aux bestiaux de Houston. Une heure plus tard, il s'arrêtait sur le parking du café sur la I-90 où avait travaillé Rhonda Fayhee.

« Bonjour-bonjour. Je m'appelle Wyatt Dixon, dit-il au propriétaire en ouvrant son étui à insigne improvisé. J'aimerais vous parler de la fille Fayhee. »

Le propriétaire arrosait au tuyau le toit du café, pour le rincer de la cendre provenant d'un feu mal contrôlé sur la montagne. Il essaya de scruter l'insigne, mais Wyatt le remit dans la poche de sa veste. « J'ai déjà raconté tout ce que je savais aux services du shérif, dit le propriétaire.

– J'ai choisi un angle différent, dit Wyatt. Je crois que l'homme qui l'a chopée était un peu différent de vos clients habituels du motel et des habitués de votre café.

– Que voulez-vous dire, "différent" ? Qu'est-ce qui vous fait penser que c'est un de mes clients ou de mes habitués qui l'a enlevée ?

– Je ne crois pas avoir dit ça. Peut-être que vous écoutiez pas. Peut-être que quelqu'un l'a suivie de son travail à chez elle. »

Le propriétaire dévisagea Wyatt. « Attendez que je coupe l'eau.

– Ce que je suis en train de vous demander, c'est si Miss Fayhee aurait parlé de choses personnelles à quelqu'un. Aurait-elle dit à un routier, ou à un môme dans une voiture de frimeur, ou à un mari en chasse, où elle habitait et à quelle heure elle quittait le travail ?

– Non, ce n'est pas son genre.

– C'est justement ça. Vous rappelez-vous l'avoir vue parler à un homme plus âgé, peut-être bien habillé, peigné de façon à cacher sa calvitie, ou à un homme susceptible de posséder un gros ranch, ou peut-être avec l'air d'un père de famille ?

– Quelqu'un à qui elle aurait fait confiance ?

– Bien, on est sur la bonne voie.

– Ça pourrait correspondre à un tas de gens. D'où vous avez dit que vous étiez ?

– De Missoula, je vous l'ai dit.

– Vous n'avez pas l'accent du coin.

– Le problème, c'est pas *moi*. Avez-vous eu ici un client qui aurait pu impressionner une jeune fille qui en a marre des types qui essaient toujours de s'introduire dans sa culotte ?

– Qui diable êtes-vous ?

– Quelle importance ? J'aide l'État. Essayez d'imaginer ce que cette fille subit pendant que vous êtes là à discuter et à arroser votre toit.

– Un prêcheur est venu ici. C'était un brave type. Je l'ai vu aider une dame à décharger sa voiture et à porter ses affaires à l'intérieur.

– De quelle Église ?

– Il ne l'a pas dit. Je me souviens que Rhonda lui a posé la question. Il a répondu que son Église était la grande, celle qui n'a pas de nom.

– Ce qui veut dire qu'il a sans doute été ordonné par Internet. De quoi il avait l'air ?

– Il était du genre blond, comme s'il était resté longtemps au soleil. Il avait l'air propre sur lui. Il a dit qu'il avait perdu sa fille.

– Vous avez son nom et son immatriculation à l'intérieur ?

– Il a payé en liquide, alors je n'ai pas prêté attention à l'immatriculation, mais je me souviens de son nom. C'était la première fois que je l'entendais. Révérend Geta Noonen. J'ai dit que c'était un drôle de nom. Il a dit : "On ne peut jamais savoir qui va apparaître dans la tempête."

– Vous vous souvenez de sa voiture ?

– Un SUV gris. Peut-être un Blazer. Avec un peu de rouille sur le côté. Qui est-ce ? »

Wyatt regardait le feu brûler sur la montagne, et les cendres qui flottaient comme un fil noir dans le ciel. « C'est peut-être un traîne-savate comme un autre qui essaie d'arnaquer un dollar ou deux à des gens ignorants, répondit-il. Ou peut-être juste un type qui aime s'introduire dans la petite culotte des dames.

– Je n'aime pas votre façon de parler.

– Avez-vous senti une odeur particulière dans la chambre où il a dormi ? » demanda Wyatt.

Le propriétaire se mordit la lèvre inférieure.

« Vous trouvez que ce feu sur la montagne est très chaud ? dit Wyatt. Si vous revoyez ce type, demandez-lui ce que ça veut dire, "très chaud". »

***

Les changements de saison en Louisiane – les changements tels qu'on les perçoit sur terre – sont prévisibles et suivent la règle des causes et des effets, en bien comme en mal. Les ouragans provoquent des inondations, les tornades détruisent des villes, et les raz-de-marée démolissent les digues. Les traces de l'âge industriel sont là sous la forme de canaux charriant des millions de litres d'eau salée dans l'eau douce, empoisonnant le système racinaire qui maintient en place les marécages.

Il en va différemment dans le Montana. Le vendredi soir, au crépuscule, j'étais assis sur la terrasse en bois en compagnie d'Albert, de Molly et d'Alafair, et je regardais la foudre frapper en trois endroits sur une crête dans le lointain. En moins d'un quart d'heure je vis trois étroites colonnes de fumée noire monter droit dans le ciel immobile, teinté de rose. Le printemps avait été long et froid avec plus de pluie que d'ordinaire, et la neige était restée tassée dans les arbres sur les sommets des Bitterroots. Comment une forêt verdoyante, humide de la fonte des neiges, pouvait-elle s'enflammer aussi rapidement ?

« Parce que depuis 1990, on a la sécheresse », dit Albert. Il buvait du scotch soda, plus qu'il n'aurait dû. « Parce que les insectes tuent plus d'arbres que les feux de broussailles. La sécheresse arrive d'abord, puis ce sont les dendroctones du pin[1]. La foudre y met le feu. Il y a des endroits en Idaho qui semblent avoir été aspergés d'herbicide.

– Je crois que je vais aller faire un tour. Et vous ? dis-je à Molly et Alafair.

– Ça ferait peut-être plaisir à Albert, dit Molly.

– Dave pense que je gâche toujours tout, dit Albert.

– Non, il ne pense pas ça, dit Molly.

– Allez-y, je vais prendre un autre verre », dit-il.

1. Coléoptères qui s'attaquent à certaines variétés de conifères.

Nous avons descendu la longue allée qui passe sous l'arche et mène à la route. La température chutait, le dernier rayon du soleil disparaissait derrière les montagnes.

« Pourquoi n'as-tu pas proposé à Albert de nous accompagner ? dit Molly.

– Il est dans une de ses humeurs noires. Je n'avais pas envie d'entamer une discussion avec lui.

– C'est le troisième anniversaire de la mort de sa femme.

– Je l'ignorais.

– Il me l'a dit cet après-midi.

– Je vais y retourner.

– Non, ça finira par aller mieux Ne lui donne pas l'impression qu'on a pitié de lui.

– C'est moi qui ai eu tort. Je ne vais pas en rester là », dis-je.

J'ai remonté l'allée. La vallée était presque entièrement dans l'obscurité. J'entendais la chaîne cliqueter au portail, les chevaux hennir doucement et s'emballer dans la pâture nord. Le vent s'était levé et soufflait dans les *cottonwoods* près du torrent, mais je ne sentais pas d'odeur de fumée, et ne comprenais pas l'agitation des chevaux.

Quand je suis arrivé en haut de l'allée, j'ai vu le rayon d'une lampe-torche rebondir le long du sol derrière le bureau d'Albert. « Qu'est-ce que tu fais ? » ai-je demandé.

Albert dirigea sa torche sous la rangée de fenêtres courant à l'arrière de la maison. « J'ai cru voir un homme dehors, dit-il.

– Quand ?

– Il y a deux minutes. » Il s'approcha de moi, levant sa torche sur le sommet des arbres au flanc de la montagne. Je sentais le scotch dans son haleine, la chaleur enfermée dans sa chemise de flanelle.

« Où est-il parti ?

– Quand je suis sorti, il n'y avait personne.

– Parfois, le vent fait des ombres sur l'herbe, dis-je.

– Je n'ai jamais vu une ombre courir. Regarde un peu ça. »

Il dirigea sa lampe sur une zone comprise entre les buissons de lilas et la fenêtre d'une salle de bains. Je distinguai deux traces en forme d'entonnoir profondément imprimées dans la terre.

« On dirait un chien ou un coyote, dis-je.

– Non, elles sont trop grandes.

– Un loup ? ai-je suggéré.

– Ouais, je pense que ce sont bien les traces de Frère Loup. » Il déplaça la lumière à la base des lilas, et sur la bande de pelouse entre la maison et la montagne. « Et c'est justement le problème. Il n'y en a que deux.

– Quoi ?

– Deux empreintes de pattes. Elles sont profondes de dix centimètres dans le sol. On voit les pointes des ongles. L'animal était lourd. Mais il n'a laissé que deux traces. Comment est-ce possible, sauf s'il était debout ? En plus, ce n'est pas un animal que j'ai vu ici. J'ai vu un homme.

– Il est peut-être temps que tu rebouches la bouteille pour ce soir.

– Ne me parle pas comme ça, Dave. » Il balaya les troncs des arbres de sa torche, éclairant des rochers à moitié enfouis dans le sol. « J'ai toujours dit que cette terre était sanglante. Comment imaginer que nous pouvons détruire toute une race d'hommes sans en payer le prix ?

– Ce n'est pas *nous* qui l'avons fait.

– Tu parles. » Il coupa sa torche. « Je rentre. Il fait froid, dehors. »

Je ne croyais pas aux loups qui se dressent sur leurs pattes arrière pour regarder par une fenêtre de salle de bains, pas plus que je ne croyais Wyatt Dixon quand il affirmait qu'une créature aux pieds fourchus sortie d'un livre de démonologie médiévale s'était installée dans la grotte derrière la maison d'Albert. C'est du moins ce que je me disais. Néanmoins, cette nuit-là, je n'ai pas pu dormir. Dans ce cas, la source de mon insomnie était simple : je craignais pour la vie d'Alafair.

Au journal de la nuit, il y eut de nouveaux détails à propos de la serveuse disparue. Un bracelet d'argent avec son nom gravé à l'intérieur avait été retrouvé par un pêcheur sur un rocher plat au milieu de la St. Regis River. On n'expliquait pas comment il était arrivé là

Selon moi, l'enlèvement était l'œuvre d'Asa Surrette. Il avait placé sur le rocher l'un de ses trophées pour déconcerter ses poursuivants. C'était l'un de ces tueurs en série qui contrôle à la fois ses victimes et ses adversaires en frappant leur imagination, les menant dans un cul-de-sac, les poussant à s'en vouloir pour leur impuissance et pour la souffrance qu'il leur imposait. Surrette voulait infliger le maximum de douleur aux amis et à la famille de sa victime. Jusqu'à ce que son corps soit découvert, ils n'auraient aucun repos, ne trouveraient aucune paix, seraient tourmentés chaque fois qu'ils fermeraient les yeux par toutes les obscures possibilités imaginables.

Tandis qu'Asa Surrette torturait ainsi les autres, Love Younger et sa famille vivaient dans la richesse et la splendeur, et se préoccupaient de problèmes comme la température de leur bain, ou le bruit de débroussailleuse. J'ai bien conscience que nous sommes tous voués à la même fin, que nous retournerons à la poussière, que nos dents se trouveront enfoncées dans le champ par la charrue du paysan, mais quand on regarde le visage de sa fille en essayant de deviner quel destin un homme comme Asa Surrette peut être en train de lui préparer, il s'agit d'une piètre consolation.

Je me suis endormi aux alentours de quatre heures et demie du matin, et réveillé à sept. Molly dormait encore. Je me suis habillé, je suis descendu au chalet de Clete, et je l'ai réveillé. « Que se passe-t-il ? a-t-il demandé.

– Il me faut le numéro de portable de Felicity Louviere.

– Pourquoi ?

– Parce que je n'ai pas le numéro de Love Younger, et que je dois lui parler.
– Je vais l'appeler pour toi.
– Non, je vais le faire.
– Elle ne te connaît pas très bien. Elle pense que tu ne l'aimes pas.
– C'est le cas. À mon avis, elle fout ton existence en l'air.
– Tu te souviens de ces feux d'artifice qu'on appelait des "chasseurs de démons" ? Ils ricochaient partout et n'allaient nulle part ? On les collait sur les pots d'échappement, sur la promenade des amoureux, ou au drive-in. C'est exactement à ça que tu me fais penser.
– Tu me donnes son numéro, oui ou non ? »
Il était assis sur le bord de son lit, la couverture tirée sur les genoux, l'air ensommeillé. La porte de la chambre de Gretchen était fermée. Il m'a lancé son portable. « Elle est dans mes contacts. »
J'ai roulé jusqu'à la route pour avoir du réseau, puis j'ai composé le numéro de Felicity Louviere.
« Tu ne devrais pas m'appeler chez moi, Clete, dit-elle.
– Ce n'est pas Clete. C'est Dave Robicheaux. J'aimerais parler à Love Younger, s'il vous plaît.
– Lui parler de quoi ?
– De quelque chose qui ne vous regarde pas, Miss Louviere. Vous voulez bien me le passer ?
– Je vais lui poser la question. Inutile de vous montrer aussi sec.
– Vous allez lui poser la question ? » J'ai répété. « *Vous allez lui poser la question ?*
– Mes amitiés à votre famille », dit-elle.
Elle a dû rester absente deux minutes, puis je l'ai entendue parler et quelqu'un qui lui prenait le téléphone des mains. « Love Younger à l'appareil, dit une voix masculine.
– Il faut que je vous parle, monsieur, d'homme à homme, chez vous, ou dans le lieu qui vous conviendra.

– Me parler de quoi, monsieur Robicheaux ?

– Il se peut qu'Asa Surrette soit venu sur la propriété d'Albert Hollister, hier soir.

– Quelle preuve avez-vous de ça ?

– On en parlera de vive voix.

– Tony Zappa, un de mes employés, a été assassiné. La fille de votre ami, Gretchen Horowitz, fait partie des suspects. Pourquoi devrais-je parler de quoi que ce soit avec vous ?

– Premièrement, les charges contre Gretchen Horowitz sont non seulement fausses, mais elles sont irrecevables et seront abandonnées, et le shérif et le bureau du procureur le savent tous les deux. Deuxièmement, l'homme dont vous parlez comme de votre employé était un violeur.

– Tony avait une vie compliquée. Mais je n'ai encore aucune preuve qu'il ait commis le moindre crime pendant qu'il était mon employé.

– Vous avez entendu parler de Jack Abbott ? Il a écrit un livre intitulé *Dans le ventre de la bête*. Norman Mailer a été profondément touché par ce livre, et a contribué à tirer Abbott du pénitencier d'État de l'Utah. Abbott lui a montré sa reconnaissance en poignardant à mort un serveur de vingt et un ans.

– Je n'ai jamais lu Norman Mailer, et ça ne m'intéresse pas. Je pense que cette conversation est terminée, monsieur Robicheaux.

– Votre petite-fille a sans doute été enlevée et tuée par Surrette. Je ne veux pas que ma fille connaisse le même sort. Surrette la hait passionnément, et lui fera probablement pire que ce qu'il a fait à votre petite-fille. Franchement, je vous soupçonne d'être un vrai fils de pute, monsieur Younger. Cela dit, vous devez quand même tenir aux vôtres et savoir ce que c'est que le deuil. Si vous ne voulez pas me retrouver quelque part, je viendrai chez vous. »

Il y eut un silence. « J'organise un barbecue à mon ranch sur la Nationale 12 à une heure, dit-il. Je vous accorderai un quart d'heure en privé. Ensuite, vous partirez, ou vous resterez pour manger. Ça m'est égal. Et vous n'exigerez plus rien de moi. Je me fais bien comprendre ?

– J'attends notre conversation avec impatience », dis-je.

Il a coupé la connexion. J'ai rendu le portable à Clete et suis rentré à la maison. Quand Alafair est descendue prendre son petit déjeuner, je lui ai demandé si elle avait envie d'aller à un barbecue.

« Chez qui ? demanda-t-elle.

– Chez Love Younger.

– Il t'a appelé pour t'inviter à son barbecue ?

– Pas exactement.

– Miss Snobinarde 1981 sera là ?

– Tu veux parler de Felicity Louviere ? Je ne savais pas que vous vous connaissiez.

– Je ne la connais pas. Je l'ai aperçue en ville. Gretchen me l'a montrée. Elle porte la tête haute, littéralement. On dirait une actrice en train de jouer le rôle d'une salope de classe mondiale.

– Et si tu surveillais ton langage ?

– Ouais, j'aimerais bien aller à ce barbecue. Et cesse de protéger Felicity Louviere. C'est une salope opportuniste, et tu le sais. »

Quand elle a eu fini de manger, Alafair est remontée pour réviser une scène qu'elle avait écrite pendant la nuit. La brume sur la pâture sud donnait l'impression qu'elle était saupoudrée de pollen vert. Un faon et sa mère léchaient un bloc de sel près de l'abreuvoir. Je suis sorti derrière la maison et j'ai regardé les traces dans le parterre de fleurs sous la fenêtre de la salle de bains. Elles étaient toujours là, profondes et nettes malgré les arroseurs. À la lumière du jour, je vis aussi que plusieurs branches de lilas avaient été cassées beaucoup trop haut pour un loup ou un coyote. Comment un grand et lourd quadrupède aurait-il pu ne laisser que deux traces ? Et qu'est-ce qui avait cassé les branches de lilas ?

Je regrettais de ne pas avoir descendu le loup dans la pâture nord quand j'en avais eu l'occasion, autorisation ou pas.

Alafair est redescendue en jean, chaussures de marche à gros crampons et chemise en jean bleue avec des lisérés blancs et, brodé dans le dos, un énorme aigle américain argenté tenant des flèches entre ses serres. « Tu es sûr que tu veux y aller, Dave ?

– On est samedi. Dieu est en son paradis, et tout va bien dans le monde, dis-je.

– Je suis désolée d'avoir insulté la Louviere.

– Elle le mérite peut-être, dis-je. Par une belle journée comme ça, comment un barbecue pourrait-il mal tourner ? »

21

Le ranch de Love Younger se trouvait à trente kilomètres à l'ouest, sur la nationale à deux voies qui monte progressivement dans les étendues sauvages de l'Idaho, par-delà Lolo Pass. La campagne, d'un vert lustré à cause des pluies de printemps, s'étendait le long de la rivière, les feuilles des *cottonwoods* au bord de Lolo Creek s'agitant dans le vent, les lilas et les rosiers sauvages en pleine floraison, les rampes d'arrosage pulvérisant une brume iridescente. Près de la rivière, les Angus, les longhorns et les Holstein avaient de l'herbe jusqu'au ventre, et il y avait un élevage de chevaux, avec des Morgans, des pur-sang, des appaloosas et des Fox-trotters devant des écuries qu'on se serait attendu à voir dans le Kentucky plutôt que dans l'Ouest. C'était l'un de ces rares lieux oubliés par le commerce et l'urbanisation, et je me demandais combien des invités de Younger – qui roulaient dans des véhicules modestes, aux pare-chocs surchargés d'autocollants patriotiques – pensaient pouvoir posséder un jour un ranch dans un endroit pareil ; à moins qu'ils n'aient admis qu'ils ne seraient jamais que des visiteurs ? Je me suis demandé si telle était leur notion du rêve américain, ou s'ils étaient comme tous ceux, et ils étaient nombreux, qui voulaient juste toucher l'ourlet de l'habit d'un puissant, non seulement pour être guéri, mais pour échapper à la mortalité ?

Leurs voitures et leurs pick-up formaient devant l'entrée une file de près d'un kilomètre, clignotant à l'unisson. L'arche qui enjambait l'allée était faite de fers à marquer antiques, et de lourds segments de chaînes de métal soudés ensemble, le tout supporté par deux colonnes de pierres blanches ressemblant à des œufs de dinosaures fossilisés. Il n'y avait pas de prix d'entrée pour le barbecue, pas de carton d'invitation en dehors d'un détail indiquant que quiconque se présentait sur le ranch croyait à l'esprit saint des *minutemen*[1], toujours présent parmi eux. Les hôtes de Love Younger arrivaient en grand nombre, confiants et le cœur en fête, leurs enfants juchés sur les plateaux des pick-up, tous pleins de joie et d'attente en pénétrant dans un lieu qui semblait appartenir à un royaume magique.

Des hommes imposants en stetson, lunettes noires, bottes et tenue western, se penchaient sur chaque véhicule qui entrait dans le domaine, mais c'était simplement pour accueillir les visiteurs et leur indiquer la meilleure place de parking. Toute présence martiale ou policière était inutile sur le ranch de Love Younger. Un orchestre country jouait sur une scène de pin fraîchement blanchi ; des enfants rebondissaient à l'intérieur des maisons gonflables ; une odeur de bière pression, de poulet au barbecue, d'aloyau en tranches et de porc rôti faisait monter l'eau à la bouche. Quel événement aurait pu être plus impressionnant, ou plus américain, qu'une visite au ranch d'un milliardaire égalitaire, d'un patriarche qui était l'un des leurs et qui, d'un geste de la main, pouvait balayer leurs doutes et leurs peurs ?

Des fanions et des drapeaux de toutes sortes flottaient au sommet des piquets des tentes sur toute l'étendue d'une prairie qui avait été nettoyée des déjections animales. On retrouvait l'ambiance festive d'une foire médiévale. Ne manquaient que les jongleurs, les flûtistes, et les bouffons en bonnet à clochettes et souliers pointus. Les éléments de *La Semonce de tout homme*[2] et les figures du tarot étaient partout. La mort avait perdu son aiguillon, été mise à l'écart, et la vertu, les bonnes actions, le courage et la sagesse

---

1. Membres des milices villageoises prêtes à se déployer à l'époque des premières colonies en Amérique.

2. *Everyman*, moralité anglaise composée au XIVe siècle.

populaire avaient triomphé du mal. Malheureusement, la moralité médiévale exigeait un méchant. Qui pourrait remplir ce rôle ?

« Regarde les tee-shirts de certains de ces types, dit Alafair. On a l'impression qu'ils se préparent pour une fusillade au centre commercial.

– Parle moins fort, dis-je.

– Ils pensent qu'on les admire.

– Je parle sérieusement, Alf. Ne les énerve pas.

– Ne t'inquiète pas pour moi, dit-elle. Regarde là-bas, sur la route. »

Voilà trente-cinq ans que Clete Purcel s'était assigné auprès de moi le rôle d'ange gardien, et il n'était pas prêt à l'abandonner. Sa Caddy de collection astiquée à la main, capote baissée, se trouvait dans la file des véhicules attendant de passer sous l'arche.

« Clete n'a pas sa place ici, dis-je.

– Ne décharge pas ton anxiété sur moi, Dave.

– Comment il a su qu'on était là ?

– Il a appelé à la maison pour demander ce qu'on faisait aujourd'hui. Qu'est-ce que j'aurais dû lui répondre ?

– Super. Occupe-le. Je pars à la recherche de Love Younger. »

Un pick-up surdimensionné, avec des vitres fumées et d'énormes pneus cloutés, se gara sur une place de parking non loin de nous. « Qu'est-ce que tu penses de l'autocollant sur le pare-chocs de ce type ? demanda Alafair.

– Ne dis rien. Ils sont sur leur terrain. Ici, ils ont tous les droits.

– Comme les patients d'un asile. »

Sur l'autocollant, on lisait DA BRO GOTTA GO[1].

1. Littéralement : « Ce frère doit partir », slogan des conservateurs anti-Obama, écrit par moquerie dans une langue de « Noir », ou de rappeur.

« Voilà Younger qui sort de la maison, dit Alafair. C'est qui, ce type avec lui ?

– À ton avis ?

– Le fils qui a versé du Coca sur la tête de Clete ?

– Je reviens dans un quart d'heure, et on s'en ira.

– Clete arrive à la tente à bière. »

J'avais le sentiment que non seulement la situation commençait à se déliter, mais qu'Alafair avait décidé de se laisser porter par le courant et d'en profiter. Je l'ai laissée sous un auvent et j'ai coupé la route à Love Younger et à Caspian entre le ranch et la foule. « Vous m'avez promis un quart d'heure », dis-je.

Il avait les yeux bleu ciel, le visage rouge et lisse d'un bébé, des mèches folles de cheveux blancs s'agitant dans la brise. « Suivez-moi à l'intérieur, dit-il.

– Débarrasse-toi de lui, papa, dit Caspian. Il est là pour faire des histoires. C'est écrit sur son visage. C'est un alcoolo et un chasseur de chatte.

– Va chercher ta femme, dit son père.

– Elle est quelque part par-là. Tout va bien.

– Tu m'as entendu ? » dit le vieil homme.

J'ai vu le front de Caspian se tendre de façon visible. On aurait dit un enfant qui vient d'être giflé par un parent en qui il avait confiance.

« Tu n'as pas besoin de moi ici. Je pense que je vais aller faire un tour en ville, dit-il.

– Putain, pour une fois, ne discute pas. Il est temps de te conduire comme le mari de ta femme et comme le père de ton enfant disparu », dit Younger. Son expression s'adoucit. Il serra l'épaule de son fils. « Allons, mon garçon. Courage. Va nous trouver une table. Je vous rejoins directement. »

Tandis que Caspian s'éloignait, un camion à plateau quitta la nationale et passa sous l'arche. Plusieurs personnes commencèrent à le montrer du doigt, puis l'assemblée fut parcourue par une vague de rire, qui bientôt se transforma en joie collective. À l'arrière du camion, arrimées par des chaînes, se dressaient deux cabines de WC portatives arborant, peints en blanc à la bombe, le nom de notre actuel président et les mots MAISON-BLANCHE. Les deux WC avaient été criblés de trous.

Le regard de Love Younger ne quitta pas son fils. Puis il s'est tourné vers moi. « Vous venez ? »

Le ranch était fait de bois de démolition sans doute vieux d'un siècle, les traces rouillées de verrous de fer, de pointes d'acier et de morceaux de chaînes volontairement laissées en l'état. L'extérieur de la maison était sobre, et sans rapport avec l'intérieur. L'éclairage obéissait à une commande vocale, les robinets et les éviers de la cuisine étaient plaqués d'or. La cheminée du salon était de la taille d'une Volkswagen ; dans le hall, un ascenseur donnait accès à un parking sous-terrain.

Par la fenêtre de la cuisine, je voyais les gens faire la queue au buffet. « Devant la tente des boissons fraîches, c'est ma fille, dis-je. Je l'ai tirée d'un avion submergé quand elle avait cinq ans.

– Ah bon ?

– Je n'ai pas l'intention de la livrer à Asa Surrette. »

Il parut ne pas m'entendre. Il se roula les manches devant l'évier, ouvrit le robinet et se mit à se savonner les mains et les avant-bras, les frottant comme aurait pu le faire un chirurgien. Il se passa du désinfectant sur les mains, et se fit couler de l'eau froide le long des bras, avant de les essuyer avec une serviette en papier qu'il jeta dans une poubelle sous l'évier.

« Ainsi, vous n'avez pas l'intention de perdre votre fille, dit-il. Que dois-je répondre à pareille déclaration, monsieur Robicheaux ?

– Je pense que vous êtes de ceux qui ont des oreilles et qui n'entendent pas, qui ont des yeux et qui ne voient pas.

– J'ai compris. Vous êtes ici en mission ? Pour faire bénéficier les sourds et les aveugles de votre sagesse ?

– Votre employé, le violeur, a été tué par trois balles de cinquante-quatre. Pourquoi quelqu'un utiliserait-il pour commettre un meurtre une arme à feu du XIXe siècle ?

– J'ai parlé de ça au shérif. Il dit que Dixon est toujours parmi les suspects.

– Dixon n'est pas notre homme. Je pense que le cinquante-quatre a été utilisé pour porter les soupçons sur lui, et peut-être sur vous.

– Je ne dis pas ça méchamment, mais je verserais volontiers deux fois plus d'impôts afin qu'on paie des gens comme vous et Albert Hollister pour les empêcher de penser.

– J'ai autre chose à vous dire à propos de ma fille. Elle a survécu à un massacre dans son village au Salvador, et à l'âge de huit ans elle a été enlevée par un homme diabolique qui pensait pouvoir la terroriser. Elle l'a mordu au sang. J'ai vu son kidnappeur se prendre six balles à tête ronde d'un trois-cent-soixante-quinze. Les blessures ressemblaient à des fleurs en train d'éclore sous sa chemise. La dernière balle l'a littéralement éviscéré. Ça m'a fait plaisir de le voir exploser. Je regrettais juste de ne pas l'avoir fait moi-même. Qu'est-ce que ça vous suggère ?

– Que vous êtes un malade et un obsédé.

– Voilà le problème. L'alcool a sans doute cramé quinze ou vingt ans de mon espérance de vie. Ça veut dire que je n'ai plus grand-chose à perdre. Je pense que vous faites ce que vous voulez des services du shérif. Soit vous êtes dans le déni total, soit vous aidez et encouragez un tueur.

– Comment osez-vous ?

– Vous avez des ressources que même le gouvernement fédéral n'a pas. Pourquoi ne vous occupez-vous pas de l'homme qui a tué votre petite-fille ?

– Pourquoi pensez-vous que je ne le cherche pas ?

– Le fait que vous soyez mal informé. Le coupable, c'est Surrette. La question, c'est de savoir pourquoi, et comment.

Elle était dans un saloon rempli de bikers délinquants. Et soudain, pouf, elle a disparu.

– Je ne suis pas persuadé de l'existence de cet homme.

– Il a torturé à mort des gens dans sa ville pendant deux décennies, sous le nez du FBI. Vous le pensez incapable de s'échapper d'un fourgon cellulaire accidenté et de venir tuer des gens dans la région ? Et la serveuse qui a disparu à Lookout Pass ?

– Je ne suis pas au courant.

– Ce qui veut dire qu'aucun de vos enquêteurs n'a pris la peine d'y jeter un coup d'œil. Ou qu'ils ne vous en ont pas parlé. »

Il détourna le regard. Quand il ramena les yeux sur moi, il n'avait plus l'air aussi confiant. « Qu'est-il arrivé à la serveuse ?

– Elle n'est pas venue travailler. Sa maison était fermée à clef et verrouillée de l'intérieur. Son bracelet avait été posé sur un rocher au milieu de la St. Regis River. Ça fait partie des méthodes de Surrette. Il se nourrit de l'attention, de la confusion et de la peur qu'il instille chez les autres.

– Que dit le shérif de Mineral County ?

– Le shérif fera tout ce qu'il peut. Mais si le kidnappeur est Surrette, ça ne suffira pas. Ne trouvez-vous pas ironique que je doive vous expliquer tout ça, monsieur ? »

Il ne répondit pas. Il continuait à me scruter d'un œil inquisiteur, comme aurait pu le faire un clinicien.

« Vous voulez me poser une question ? dis-je.

– J'essaie de deviner ce que vous cherchez. »

Je n'en croyais pas mes oreilles. « Je vous l'ai déjà dit. Et je crains que ça n'ait servi à rien.

– Un peu plus tôt, vous m'avez traité de fils de pute. Je ne vous en veux pas, parce que vous avez dit franchement ce que vous ressentez. Mais je pense que vous avez un mode de fonctionnement particulier. Vous en voulez aux autres de leur fortune. Où que vous regardiez, vous voyez des complots et des conspirations, des corporations qui détruisent la planète, qui volent les pauvres, ce genre de choses, et vous ne vous rendez jamais compte que ces choses que vous pensez voir reflètent votre propre échec.

– Si j'éprouve un ressentiment envers quelqu'un, c'est envers moi-même, monsieur Younger. Je n'ai pu empêcher ma fille d'aller interviewer Surrette dans sa cellule, et d'écrire des articles l'exposant à la peine capitale. Il n'aura de cesse qu'il ne l'ait tuée.

– Vous lui aviez dit de ne pas le faire ?

– Oui.

– Alors c'est sa faute à elle. »

Je me suis demandé ce que ça devait être de grandir dans une maison obéissant au système de valeurs de Love Younger.

J'ai entendu frapper à la porte de la cuisine. Par la fenêtre, je vis un homme blond avec des lunettes de soleil. Caspian se tenait derrière lui, sur la pointe des pieds pour voir à l'intérieur. Love Younger ouvrit la porte. « Que voulez-vous, Kyle ? demanda-t-il.

– Caspian pensait que vous aviez peut-être besoin d'un peu d'aide.

– Je n'ai pas besoin d'aide.

– Bien, monsieur. Je reste dehors. »

Younger referma la porte, mais continua à regarder le dos de son fils par la fenêtre. « Je n'arrive pas à surmonter ça, dit-il.

– Pardon ? dis-je.

– Quand je regarde Caspian, je vois toujours le petit garçon, et pas l'homme. Je ne sais pas si vous avez connu cette expérience. Il a toujours été un tout petit gars à la traîne des autres. Il écartait les coudes, comme un coq qui veut se battre. Quand il avait neuf ou dix ans, je l'ai emmené visiter le vallon où j'ai grandi. Là-bas les gosses marchaient pieds nus dans la neige, et ils étaient méchants comme des teignes. Caspian voulait donner l'impression qu'il était aussi dur que ces pauvres loqueteux. Il disait “il est pas”, pour “il n’est pas”, “il le fait pas” pour “il ne le fait pas”, il parlait d’enfiler son “futal” le matin. Il adorait dire “futal”. »

Le but de notre conversation s’était perdu, en même temps que Younger semblait avoir perdu conscience de qui j’étais. Il a continué à regarder par la fenêtre, les mains sur les hanches. Puis il a secoué la tête et s’est tourné vers moi comme s’il parlait à un vieil ami. « Malin comme tout pour les chiffres, et bête comme ses pieds pour tout le reste. Quelle erreur ai-je commise avec ce pauvre enfant ?

– Quand je regarde Alafair, tout ce que je vois, c’est une petite fille. Je suppose que c’est ce que j’étais venu vous dire », dis-je.

Il y a des instants où notre humanité commune nous permet de voir à l’intérieur de l’âme de nos pires adversaires. J’aurais voulu croire que cet instant était l’un de ceux-là. Tel n’était pas le cas.

« Enfin, je suppose que c’est moi qui ai entamé cette introspection à l’eau de rose, dit-il. Maintenant que vous avez atteint votre objectif, monsieur Robicheaux, vous pouvez partir. »

Toutes les illusions que j’avais concernant Love Younger avaient disparu. J’ai compris que j’avais pour lui la même importance que les domestiques qui traversaient quotidiennement son champ de vision.

Je suis sorti sur la pelouse, dans le vent qui gonflait les drapeaux et les fanions au-dessus des tentes de toile et des auvents. Les invités de Love Younger n’étaient pas de mauvaises gens. Ils travaillaient dur, aimaient leur pays et étaient farouchement individualistes : ils ne s’excusaient pas pour leurs croyances ou leur système de valeurs, et leur courage physique était indéniable. Mais j’en voulais à l’illusion qui, j’en avais le sentiment, les avait trompés. Un peu plus tôt, j’avais pensé que la réunion sur le ranch de Younger ressemblait à une fête médiévale. Il n’en était rien. Love Younger n’était pas un idéologue. Son énergie n’avait rien à voir avec la politique. L'invitation à son ranch était une feinte, un masque destiné à dissimuler les desseins d'un homme volontaire et impérieux qui avait passé sa vie à contrôler et à détruire ceux qu'il aimait le plus.

Pourquoi ce manque de charité de ma part ? Parce que l'agent de sécurité du nom de Kyle, qui suivait les ordres de son maître, me fixait depuis ses lunettes noires avec beaucoup plus de curiosité que la normale. Son pantalon de treillis était remonté haut sur ses hanches, sa chemise à manches boutonnée aux poignets par des pressions. Son langage corporel le desservait : il avait les bras croisés, un mécanisme inconscient qui trahit souvent une hostilité refoulée ou la rétention d'informations qu'un individu s'enorgueillit de ne pas partager. Ce sont ses bottes qui attirèrent mon attention. Elles étaient en cuir de Cordoue, et à la raideur des jambes de son pantalon, j'ai pensé qu'elles étaient montantes. Peut-être des Tony Lama.

Je me suis approché de lui. Caspian se tenait à ses côtés, se glissant dans la joue une pincée de Copenhagen. « J'étais en train d'admirer vos bottes, dis-je.

– Je parie qu'un jour vous aurez les mêmes, dit-il.

– Ce sont des Lamas ?

– Des Justins.

– J'aimerais y jeter un coup d'œil. Ça ne vous dérange pas ? » demandai-je.

Il eut un rire satisfait et tourna son visage dans le vent. Il avait des cheveux longs, jusque dans le cou, raides de gel. Il m'a regardé. Quelque chose dans ses yeux n'allait pas. Il semblait regarder deux objets à la fois, ou penser à une chose sans rapport avec la conversation. « Je peux vous aider à trouver une table ? »

À l'arrière-plan, je voyais Alafair et Clete qui nous regardaient depuis un auvent. Clete tenait dans une main un gobelet débordant de bière, et dans l'autre un énorme sandwich barbecue. « Non merci. Je suis avec ma fille et un ami, dis-je. Mais j'aimerais quand même jeter un coup d'œil à vos bottes. »

Kyle sourit dans le vide et souleva la pointe d'une botte, le talon enfoncé dans l'herbe. « Elles sont de première classe. Je vous les recommande, dit-il. Autre chose ?

– On dirait que vous avez une vilaine blessure au cou, sous votre bandage.

– Vous avez raison. Ma petite amie mord. Elle hurle, aussi. Qu'est-ce que vous faites ?

– Je parie que vos Justin sont faites main. Vous voulez bien me laisser voir le haut ? »

Kyle regarda Caspian Younger en souriant. « T'es un cas, mon pote, dit-il.

– Beaucoup de gens me disent ça. Vous savez ce qu'est un *short-eyes*[1] ? »

Il regarda pensivement dans le vague. « Un Pygmée ?

– C'est un type qui se retrouve au trou pour avoir violé un enfant. Un type avec un casier de *short-eyes* passe de sales moments en taule. Selon moi, la plupart des pédophiles sont capables aussi de viols collectifs. Vous en connaissiez, des violeurs comme ça, là-bas ?

– Je réponds de Kyle, dit Caspian. Si vous lui cherchez des crosses, c'est à moi qu'il faut en parler. »

Des *crosses* ? Je me suis demandé dans quel film il avait appris ce terme. « Votre père et vous employez d'anciens détenus. J'ai pensé que Kyle s'y connaissait peut-être en violeurs et en pédophiles.

– Qu'êtes-vous venu faire ici ? C'est à cause de ce que j'ai fait à votre ami là-bas ? demanda Caspian.

– À cause de Clete ? Non. Il m'a dit que vous lui aviez jeté un gobelet de Coca-Cola au visage, mais je pense que c'est oublié.

---

1. Argot de prison pour « pédophile ».

– C'est parce qu'il sait qu'il ne joue pas dans ma division, dit Caspian.

– Vous avez une idée de la chance que vous avez, monsieur Younger ?

– Avant que vous ne me fassiez la leçon sur le danger que représente votre copain, laissez-moi vous expliquer une chose. Je lui ai donné un avertissement la première fois qu'il est sorti avec ma femme. Je lui ai dit que ce n'était pas sa faute. Je lui ai dit aussi de ne pas recommencer. »

Il avait raison. Clete couchait avec la femme d'un autre, une situation qui met rarement le coureur de jupons en position avantageuse. Je suppose que j'aurais dû m'en aller. Sauf que je ne parvenais pas à oublier un des détails du récit de Wyatt Dixon à propos de l'agression dont ils avaient été victimes, sa petite amie et lui, de la part de trois hommes masqués, au bord de la Blackfoot River.

« J'ai des compulsions, Kyle, dis-je. Quand j'ai quelque chose dans la tête, impossible de le faire sortir. Pour moi, ce sont vos bottes. J'aimerais aussi en savoir plus sur votre passé. Vous voyez, je sais que vous avez été en taule. Vous n'aimez pas les flics, vous êtes un petit malin, et vous vous croyez plus intelligent que les autres. C'est le profil de 98 % de ceux qui sont dans le système. Selon moi, vous n'aimez pas les femmes, et la raison en est qu'elles ne vous aiment pas.

– Qu'est-ce qui te ferait plaisir ? dit Kyle. Tu veux te faire jeter ou tabasser ? Il y a quelque chose en moi qui te fait bander ? T'es trop vieux pour ça, mec. »

Ce n'était rien de tout ça. Je ne savais pas exactement ce que j'éprouvais à l'égard de Caspian et Love Younger, et de l'employé du nom de Kyle. Il se pouvait qu'ils fussent les catalyseurs de l'étrange transformation à la fois physiologique et émotionnelle qui avait lieu en moi, mais ils n'en étaient pas la source. La transformation commençait toujours par un un tic sous l'œil, comme si je perdais le contrôle de mes muscles faciaux. Puis il y avait une explosion dans mes oreilles, si violente que je n'entendais plus rien de ce qu'on disait autour de moi. Je voyais leurs bouches s'ouvrir et se refermer, mais sans rien entendre. Je suppose qu'un thérapeute aurait qualifié ce syndrome d'agression chimique sur le cerveau, comme celle qui est censée se produire quand un suicidé saute d'un toit, ou repeint le plafond en se mettant un fusil sous le menton. Dans mon cas, l'intérieur de ma tête se remplissait d'un vrombissement qui précédait un afflux de couleurs d'un rouge sombre, et une chaleur que je ne peux comparer qu'avec celle d'un mélange d'huile et d'essence s'enflammant dans un espace clos.

Quand tout ça se produisait dans l'ordre que j'ai décrit, je devenais quelqu'un d'autre. Je ne voulais pas seulement punir mon adversaire : je voulais le tuer. Pire encore. Je ne voulais pas le tuer avec une arme, je voulais le faire à mains nues. Je voulais détruire à coups de poing les os de son visage, lui rentrer les dents dans la gorge, lui écraser le thorax, le laisser suffocant tandis que je me redressais barbouillé du sang de ses blessures.

Quand je parlais de ça à d'autres, je sentais dans leurs yeux un degré de tristesse, de pitié et de peur qui me faisait jurer de ne plus jamais évoquer le succube qui avait vécu en moi pendant la plus grande partie de mon existence

Par-dessus l'épaule de Kyle, je voyais Clete et Alafair se diriger vers nous, Clete ne s'arrêtant que le temps de poser son sandwich et son gobelet de bière sur une table de pique-nique. Pour l'occasion, il avait ciré ses chaussures et mis un costume. Il avait le regard clair, le teint libéré des marbrures roses de l'alcool, son feutre incliné de façon désinvolte. Quand Clete arrêtait la défonce, il paraissait presque aussi jeune et bel homme que lorsque nous faisions tous les deux des rondes dans le Vieux Carré.

« Comment va votre saucisse, Caspian ? demanda-t-il en balançant le bras, frappant Caspian Younger entre les épaules avec une telle force qu'il manqua le déséquilbrer.

– Tout est sous contrôle, Clete, dis-je.
– Je capte ce que tu dis, me répondit-il en se glissant entre Kyle et moi, parcourant des yeux l'assemblée sans nous regarder ni l'un ni l'autre. Je capte cet endroit. Je capte la nourriture. Je capte les gens.
– Vous *quoi* ? » demanda Kyle.
Clete regardait toujours autour de lui. « Dave va bien, Caspian ? Tout se passe bien, ici ?
– Si c'est elle que vous cherchez, elle est à l'intérieur, répondit Caspian en se redressant le dos après le coup de Clete. Pourquoi n'allez-vous pas lui parler, et ensuite vous vous tirerez d'ici, putain !
– *Qui* est à l'intérieur ? demanda Clete.
– Vous savez très bien qui. Et elle va rester à l'intérieur, dit Caspian.
– Vous avez une salle des trophées, là-dedans, avec des têtes sur les murs, des pumas empaillés tapis sur les poutres, ce genre de trucs ? demanda Clete. J'ai l'impression de me trouver au milieu d'un dépôt de munitions. »
Clete était comme l'entraîneur de base-ball qui bondit du banc de touche, les mains dans ses poches arrière, et commence à hurler de façon inoffensive contre l'arbitre pour décharger la pression de ses joueurs. Dans le cas présent, il était intervenu pour me rendre service, et m'avait peut-être empêché de me faire du mal. Mais maintenant, il frôlait les limites.
« Allez-y, dit Caspian.
– Aller où ? dit Clete.
– Faites ce que vous avez dans la tête, et vous verrez ce qui se passe. Je pense que vous êtes un gros lard, et que vous avez une saucisse de Francfort en guise de pénis. C'est du moins ce que dit Felicity. Ouais, vous y êtes, elle s'est confessée dans les grandes largeurs. Tous les péchés sont pardonnés. J'ai appelé quelques types à Tahoe. Ils disent que Sally Ducks vous gardait pour s'amuser, et vous laissait cirer

sa voiture, ou laver ses toilettes, je ne sais plus. Ils disent que quand Sally Dee vous a rencontré, vous étiez à peine plus que de la viande à pédés sur le Strip.

– Je vais vous raconter la fin de l'histoire : Sally Ducks a été frit dans sa propre graisse, en même temps que tous les passagers de son avion », dit Clete.

Kyle sortit un talkie-walkie de la poche de son pantalon.

« Posez ça, dit Clete. On va retourner à notre table, Alafair, Dave et moi. Et quand j'aurai fini mon sandwich, on va se motiver pour la route.

– Vous allez faire *quoi* ? dit Caspian.

– Se motiver. C'est de Chuck Berry, connard », dit Alafair. Elle passa devant Clete et se dressa devant Caspian. « Dites encore un truc comme ça à Clete, et je vous mets en morceaux, espèce de petit crétin. »

Comment désamorcer pareille situation ?

« Je suis venu ici pour parler avec M. Younger, et je l'ai fait, dis-je. C'est tout. On est partis. »

J'ai commencé à m'éloigner comme si notre départ était un fait acquis. Alafair et Clete ont hésité, avant de me suivre.

« Tu t'en vas comme ça ? demanda Clete.

– J'apprécie ce que tu viens de faire, dis-je. Mais maintenant, on rentre.

– À propos, de quoi s'agit-il ? demanda Alafair.

– Un des hommes qui ont agressé Wyatt Dixon et sa petite amie a volé ses bottes Tony Lama. Dixon m'a dit qu'elles étaient en cuir de Cordoue, exactement comme celles que porte ce Kyle.

– Il porte des Lamas ? dit Clete.

– Il prétend que ce sont des Justins. Il n'a pas voulu me les montrer.

– Pourquoi tu ne me l'as pas dit ? Ne bouge pas. »

Il fit demi-tour et se dirigea droit sur la tente où Kyle se tenait à l'écart, en train d'allumer une cigarette, protégeant l'allumette des deux mains. Lorsque Clete s'approcha de lui, il leva les yeux au-dessus de la flamme. Il jeta l'allumette d'une pichenette, retira la cigarette de ses lèvres et souffla un filet de fumée.

« Hé, j'ai oublié de te dire quelque chose, dit Clete.

– Je suis impatient de savoir quoi.

– Tu sais ce que c'est, le onzième commandement, à La Nouvelle-Orléans ?

– Tu vas me le dire, vieux machin.

– "Tu n'essaieras jamais d'arrêter les Bobbsey Twins des Homicides."

– Arrêter qui ?

– Je savais que tu dirais ça. Retire tes bottes.

– Je vais te dire : je vais te laisser les cirer », dit Kyle. Il porta la cigarette à sa bouche et en tira une bouffée. « Et tant que tu y es, tu peux me sucer. »

Clete regarda son reflet dans les lunettes de Kyle. L'image était déformée, comme celle d'un homme en miniature prisonnier d'une bouteille de bière. « La pancarte dehors dit "Réservé au personnel", dit-il. Tu as envie de polluer l'endroit réservé à tes collègues ? » Clete arracha la cigarette de la bouche de Kyle et la jeta sur l'herbe. Puis il lâcha le rabat de la tente.

« T'apprendras jamais rien, mon pote, dit Kyle.

– Remonte la jambe de ton pantalon.

– Ça suffit avec ces bottes. Ce sont des *bottes*, c'est tout. Qu'est-ce que vous avez dans la tête, les gars ?

– Il n'y a aucune chance que toi et tes copains, vous ayez arraché les vêtements d'une femme au bord de la Blackfoot, et fourré de la boue dans sa bouche, n'est-ce pas ? Juste avant que deux d'entre vous ne la maintiennent au sol, pendant que le troisième lui grimpait dessus ?

– Vous avez de sérieux problèmes mentaux, ton ami et toi. » Kyle s'apprêtait à sortir de la tente, mais Clete lui barra la route.

« Je veux tes bottes.

– Au cas où tu ne l'aurais pas remarqué, il y a ici à peu près cinq cents personnes. Et j'ai beaucoup d'amis parmi elles.

– T'as raison, dit Clete. Oublie tout ce que j'ai dit, et voyons si on peut trouver un autre moyen. »

Il referma sa main gauche sur la nuque de Kyle, comme pour le consoler, puis précipita son point droit dans le ventre de l'homme, si fort que tout le haut du corps de Kyle fit un bond en avant et que sa bouche forma un cône comme s'il avait voulu parler sans pouvoir le faire, ses joues se vidant de leur sang.

Clete le poussa sur le sol, mit le pied sur l'une de ses chevilles et dévissa la botte de son autre pied. Il regarda l'étiquette à l'intérieur. « C'est ce que j'appelle une location vraiment pas chère. Tu voles les bottes d'un type comme Wyatt Dixon ? Il a sans doute la fièvre aphteuse. Tu lui as pris ses chaussettes, aussi ? »

Il fourra la botte sous sa veste et sortit de la tente. Kyle le suivit en titubant, faisant voler le rabat de la tente. Il glissa sur l'herbe et retomba, suffocant.

« Ce type a une attaque, dit Clete, le visage dilaté par une inquiétude feinte. Appelez une ambulance ! » Il se fraya un chemin à travers la foule, sans regarder derrière lui.

« Que s'est-il passé ? dis-je.

– J'ai une de ses bottes. C'est une Tony Lama.

– Qu'est-ce que tu as fait ? demanda Alafair.

– Je crois que le type est tombé, et que ça lui a coupé le souffle, dit Clete. Ne courez pas. Tout se passe bien. » Il jeta un coup d'œil derrière lui. « Je retire ce que je viens de tire. Magnez-vous ! »

22

Dimanche matin, Wyatt Dixon était allongé, torse nu et en chaussettes, dans un hamac tendu entre deux *cottonwoods*, près de la rivière, devant sa maison sur la Blackfoot. Quand il entendit le pont suspendu en acier cliqueter sous le pas de quelqu'un, il ne savait pas si le bruit était réel, ou si une décharge lui dégringolait dans la tête. Il prit sa pinte de gin parfumé à la menthe et en avala une gorgée dont il commença par se gargariser. Un œil fermé, il regarda s'approcher de lui un homme mince à la moustache d'un noir de jais et dont les pattes s'étalaient sur la joue. L'homme portait un sac en papier.

« Vous savez qu'on dit qu'un chien policier a une odeur qui ne s'en va pas ? dit Wyatt. On dit que c'est comme essayer de laver la puanteur de la merde.

– Vous êtes difficile à trouver, Dixon.

– Pas si vous venez à l'endroit où je suis. Vous pouvez m'appeler M. Dixon.

– Vos voisins disent que vous êtes bourré depuis plusieurs jours.

– Je peux pas forcément le savoir. J'ai des espaces vides dans ma mémoire, un peu comme des trous dans du gruyère. Mes voisins continuent à donner des bulletins d'information à mon sujet, c'est ça ?

– Vous vous souvenez de moi ?

– Jack Quelque Chose. Je sais que c'est pas Jack-la-Merde. Attendez une minute, ça me revient. Vous avez remplacé l'inspecteur Pepper. Jack Boyd, c'est ça. Mais vous préférez peut-être Jack-la-Merde. »

L'inspecteur montra du doigt la petite bouteille en équilibre sur poitrine de Wyatt. « J'ai toujours entendu dire que ce truc avait le goût d'un bain de bouche parfumé à la térébenthine.

– C'est exactement ça. C'est pour ça que j'en bois.

– Je suis allé chez votre petite amie. Bertha Phelps est toujours votre petite amie, n'est-ce pas ?

– On est sur la piste d'attente. »

L'inspecteur regarda la rivière. Elle était large et verte et veinée de l'écume d'une digue de castors en amont. « Vous devez avoir des femmes bien entraînées. J'aimerais connaître le truc.

– Le truc pour quoi faire ?

– Pour entraîner les femmes. Vous prenez du Viagra ? »

Wyatt revissa la capsule de la bouteille de gin et la posa dans l'herbe. Il regarda l'inspecteur d'un œil. « J'ai un peu de mal à me concentrer sur le sens de votre conversation.

– Elle a accusé le service d'avoir voulu vous remettre en taule. D'après elle, vous êtes totalement innocent. Pour tout dire, à ses yeux, vous êtes un dieu. Quel est votre secret ? Voilà ce que je suis en train de dire.

– Mon secret à propos de quoi ?

– Pour éclairer l'intérieur d'une femme. Je suppose que vous ne les montez pas à la dure en les laissant toutes mouillées. Je croyais que c'était la façon de faire des cow-boys. »

Wyatt se redressa dans le hamac, et posa sur l'herbe ses pieds en chaussettes. « Je n'apprécie guère votre façon de parler de Miss Bertha. »

L'inspecteur retourna le sac en papier et en laissa tomber le contenu sur le sol. « Vous avez déjà vu ça ?

– C'est une botte.

– C'est une botte Tony Lama. Vous avez affirmé que les hommes qui vous ont agressé vous ont volé vos Tony Lama. Elles étaient en cuir de Cordoue. Celle-là aussi.

– C'est pas la mienne.

– Comment vous le savez ?

– Elle est trop petite. Je vais vous montrer. » Wyatt prit la botte et tâtonna l'étiquette à l'intérieur. « Celle-là est du dix et demi. Je fais du douze.

– À voir vos pieds, on ne dirait pas que vous faites du douze. »

Wyatt montra une paire de bottes semi-montantes en daim dans l'herbe.

« Vérifiez.

– Il se pourrait que vous portiez ça parce que vous avez un bandage à la cheville.

– Je les porte parce qu'elles sont de taille douze. Si c'était ma botte, je la prendrais et je vous demanderais où se trouve l'autre. Mais c'est pas la mienne. »

Le visage de Wyatt restait dépourvu de toute expression. Il regarda ses ongles, puis leva les yeux sur le ciel à travers les *cottonwoods*, apparemment indifférent à la provenance de la botte. L'inspecteur lui tendit un montage de six photos d'identité judiciaire. « Vous avez déjà vu l'un de ces hommes ? »

Wyatt étudia les photos. « J'ai vu ce type, là, au milieu.

– Vous en êtes certain ?

– Absolument.

– Où ?

– À la foire, ou à un pow-wow.

– Quand ?

– Cet été. Au rodéo indien sur la réserve.

– C'est intéressant, parce qu'il est mort à Deer Lodge, il y a dix ans. J'ai relu le rapport, Dixon. Vous avez dit que l'un de vos agresseurs avait des cheveux blonds et longs. Il a perdu son masque, et son bandana a glissé de sa tête. C'est alors que vous avez vu ses cheveux. Vous avez dû voir au moins une partie de son visage.

– C'est à ce moment-là qu'on m'a frappé le crâne à coups de pierre. »

L'inspecteur tapota la photo d'un homme dont les yeux semblaient mal appariés, comme s'ils avaient été transplantés depuis deux visages différents. « Vous avez déjà vu cet homme ?

« Non. C'est qui ?

– Un nommé Kyle Schumacher. Il a fait trois ans en Californie pour viol de mineure.

– Où avez-vous eu cette botte ?

– Si elle n'est pas à vous, inutile que vous le sachiez. Quoiqu'à y bien réfléchir, je pense que ça ne peut pas faire de mal. C'est un privé de La Nouvelle-Orléans qui l'a apportée. »

Wyatt regarda un canard branchu rebondir au milieu du rapide. « Vous avez du nouveau sur la serveuse qui a disparu près de Lookout Pass ?

– Pourquoi ?

– Vous ne pensez pas que c'est peut-être le type qui a tué Angel Deer Heart qui a kidnappé la serveuse ?

– Rien ne prouve un rapport entre les deux affaires.

– J'essaie de comprendre votre logique, inspecteur. Pour ainsi dire, le truc que vous avez pas été capables de trouver prouve qu'il y a pas de relation entre les deux affaires ?

– Peut-être que vous devriez essayer d'entrer dans les services du shérif de Mineral County. Vous pourriez mener votre propre enquête.

– Je vais y réfléchir. »

L'inspecteur prit la botte et la remit dans le sac. « Je pensais qu'on tenait peut-être notre homme, dit-il. Dommage.

– Vous êtes censé révéler le nom d'un suspect sur un montage de photos ?

– Quelle différence ça fait ? Vous dites que ce n'est pas lui. »

Wyatt prit sa bouteille de gin sur l'herbe, la lança en l'air et la rattrapa. « Vous avez dit que j'étais du genre à monter une femme à la dure et à la laisser toute mouillée. Vous parliez de Miss Bertha, ou pas ? »

Il y eut un long silence. « C'était juste pour plaisanter.

– Plaisanter à propos de Miss Bertha ? »

La gorge de l'inspecteur se marbra de couleurs. « Je ne parlais pas d'une femme en particulier, dit-il. Non, je ne parlais pas d'elle.

– C'est bien ce que je pensais », dit Wyatt.

Quand Wyatt Dixon trouva enfin le courage d'aller voir Bertha Phelps, c'était le soir. Il prit l'ascenseur jusqu'à son appartement qui surplombait la Clark Fork River, et frappa. Quand elle ouvrit la porte, elle était fermée par une chaîne. Il vit ses narines se gonfler. « Tu as bu ? dit-elle.

– J'ai bu. Maintenant je bois plus.

– Cet inspecteur est avec toi ?

– Non. Mais il est venu chez moi. Tu veux que je m'en aille ?

– C'est juste que je n'aime pas te voir te faire du mal. J'ai été affreusement inquiète, si tu veux tout savoir. » Elle fit glisser la chaîne de sécurité et ouvrit la porte. « Je ne pensais pas que tu buvais.

– Je bois pas. Du moins, je bois pas d'alcools forts.

– Assieds-toi à table. Je vais te préparer une tasse de café et une assiette de lasagnes. Je t'ai appelé trois fois. Pourquoi tu n'as pas répondu ?

– J'étais de mauvais poil. Ça m'arrive parfois.

– Parce que je t'avais trompé ?

– L'inspecteur m'a dit que tu avais parlé en ma faveur.

– Et pourquoi pas ?

– Tu sais qu'il y a des gens incapables de faire le mal, du moins pas volontairement ?

– Tu essaies de me faire un compliment ? Si c'est le cas, arrête. Je n'aime pas qu'on me flatte, Wyatt.

– T'es une drôle de femme, Miss Bertha. T'es une brave femme avec un grand cœur.

– Et arrête de m'appeler “Miss”. »

Il s'assit à la table près de la fenêtre. Des enfants tournaient sur les chevaux de bois du carrousel, chacun tendu hors de sa selle pour attraper un anneau en plastique offrant trois tours gratuits. « Tu as étudié l'histoire, à la faculté ? demanda-t-il.

– J'ai étudié le commerce. Je ne suis pas aussi éduquée que tu le penses.

– Je recherche un prêcheur qui se fait appeler Geta Noonen. J'ai trouvé personne de ce nom sur Internet. Tu as déjà entendu ce prénom, Geta ?

– Pas que je me souvienne.

– J'ai recherché sur Google. Un empereur romain s'appelait comme ça. C'était le frère d'un certain Caracalla.

– Je ne comprends pas de quoi on parle. » À l'aide d'un torchon, elle sortit du micro-ondes une assiette de lasagnes qu'elle porta à table. « Mange. Il faut que tu prennes mieux soin de toi.

– Quand ce type, ce Caracalla, ne construisait pas des bains, il tuait des gens, y compris son frère Geta.

– Pourquoi recherches-tu ce prêcheur ?

– Je pense que c'est peut-être lui qui a kidnappé cette serveuse à la frontière de l'Idaho. Et je crois pas qu'il soit vraiment prêcheur. Je crois que c'est quelqu'un qui vient d'un endroit qu'on n'a pas envie de connaître.

– Ce sont les ombres du cœur qui parlent. C'est une partie de ton éducation dont il faut qu'on se débarrasse, Wyatt.

– J'ai pas entendu parler du démon dans une église, mais parmi mes frères humains.

– C'est parce que tu n'as jamais connu l'amour. Tu dois oublier ces années en prison, et pardonner aux gens qui t'ont fait du mal.

– Pour ce dernier truc, je suis pas très bon.

– Ça t'arrivera un jour. Alors ta vie changera. En attendant, reste l'homme que tu es.

– Ce prêcheur, c'est peut-être l'homme qui a tué ton frère. »

Elle lui apporta une tasse de café et s'assit en face de lui. Par la fenêtre, il entendait la musique du carrousel. « Je ne veux plus parler de ça, dit-elle. Je veux oublier tout le mal qu'il y a dans le monde, et ne plus jamais haïr de ma vie.

– Pourquoi un prêcheur bidon prendrait-il le nom d'un empereur romain ?

– Il ne faut plus que tu boives, dit-elle.

– Je le ferai plus.

– Ne fais pas quelque chose que tu regretteras, je t'en prie. » Comme il ne répondait pas, elle ajouta : « Tu vas me répondre ? »

Il piqua de sa fourchette un morceau de lasagne qu'il se mit dans la bouche, regardant par la fenêtre le soleil rougeoyer sur la rivière, et la façon dont les enfants continuaient à chercher à attraper l'anneau de plastique, alors même qu'il était passé bien des fois à portée de leurs doigts tendus.

Le jour fraîchissait, les feuilles filaient le long des trottoirs de ciment, on se serait cru en automne plus qu'en été. Wyatt se sentit parcouru d'un inexplicable frisson. « Je fais jamais de projets. Personne ne sait ce qui se passera demain, alors inutile de faire des projets. C'est comme ça que je vois les choses.

– Tu peux choisir la personne que tu veux être, c'est ça ?

– Ce que certains appellent la vengeance, j'appelle ça la justice.

– Ce n'est pas la même chose.

– C'est un plat italien ?

– Ne me fais pas plus de mal que tu ne m'en as fait. Ne cherche pas la vengeance en mon nom.

– J'avais pas l'intention de te blesser, Bertha. T'as déjà été sur un carrousel ?

– Quand j'étais gosse.

– On va descendre et faire un tour sur un de ces gros sièges pour adultes. Ensuite on mangera une glace, dit-il.

– Si ça te fait plaisir.

– Tu vois le ciel ? On a l'impression qu'il pleut, là-bas au bord du monde. On a l'impression qu'on pourrait naviguer et laisser tous nos soucis derrière nous. C'est ce que j'aimerais faire un jour avec toi. Juste naviguer dans la pluie, depuis le bord du monde. »

Ce même soir, Gretchen Horowitz était allongée à plat ventre devant la télévision d'Albert, au rez-de-chaussée, et regardait un DVD d'une série câblée, *Les Borgia*. Elle la regarda pendant trois heures. Albert descendit de la cuisine avec une tasse de cacao et une assiette de crackers. « Je pensais que ça te ferait plaisir, dit-il.

– Pardon ? dit-elle sans détourner les yeux de l'écran.

– Je te les pose là », dit-il en s'apprêtant à partir.

Elle mit la télécommande sur pause. « C'est gentil à vous, dit-elle.

– Qu'est-ce que tu aimes le plus, dans cette série ?

– Ça me rappelle *Le Parrain*. Je pense que *Le Parrain* est le meilleur film jamais tourné. Chaque scène est une petite histoire qui tient debout toute seule.

– Vraiment ? »

Elle leva les yeux sur lui. « Vous savez, *Le Parrain* n'est pas un film sur la Mafia. C'est une tragédie élisabéthaine. Vous avez déjà rencontré un mafioso ?

– Je ne souviens pas que quelqu'un se soit jamais présenté à moi de cette façon. Ils tendent des cartes de visite ? »

Elle ignora sa plaisanterie. « La plupart sont stupides, et sentent l'ail et la gomina. Ma mère était la prostituée maison de trois hôtels de Miami Beach. Pendant un moment, elle a fait les Arabes, puis elle a recommencé à se faire sauter par les Ritals. L'un dans l'autre, je crois que les Ritals posaient plus de problèmes. Je pense que c'est comme ça qu'elle a arrêté de mener cette vie. »

Albert la fixa, comme si le sol oscillait sous ses pieds.

« J'ai dit quelque chose qu'il ne fallait pas ? demanda-t-elle.

– Non, absolument pas.

– Vous avez regardé *Les Sopranos* ?

– Quelquefois.

– La Mafia, c'est vraiment ça. Le seul travail honnête qu'ils connaissent, c'est recycler les ordures. Mais il y a un problème avec cette série. Ce n'est pas une tragédie. Alors que *Le Parrain* en est une. Vous savez pourquoi les gens regardaient *Les Soprano* ?

– Non.

– Ils voulaient voir Tony Soprano trouver la rédemption. Dommage. Tony a assassiné son neveu, et s'est révélé une grosse merde stupide qui ne voulait pas de rédemption. Je pense que les créateurs des *Soprano* se sont moqués de leur public. Vous savez ce que John Huston disait toujours à son équipe ? Respectez votre public.

– Tu as des idées intéressantes, dit Albert.

– C'est ce que les gens disent quand ils s'emmerdent et qu'ils ne savent pas comment se sortir d'une situation. »

Il s'assit, les mains sur les genoux, et regarda l'image figée sur l'écran de la télévision du pape Alexandre VI faisant brûler vif son pire ennemi. « Tu sais comment c'était, la vie à la dure en Floride ?

– Une chaîne de forçats ?

– J'y ai passé six mois. J'ai passé aussi un certain temps dans une prison paroissiale de Louisiane. Parmi tous les gars que j'y ai connus, je dirais que seuls deux ou trois étaient de vrais sociopathes. Les autres auraient pu avoir une bonne vie, si quelqu'un s'était occupé d'eux.

– Pourquoi vous me dites ça ?

– Sans raison précise. Je pense que tu es une artiste. Je pense que tu as un bel avenir devant toi.

– Que savez-vous de mon histoire, monsieur Hollister ?

– Je me fiche de ton passé, ou de celui de quiconque. Le passé n'est rien de plus qu'un souvenir qui se fane. Clete, Dave et sa famille ont une haute opinion de toi. Ça me suffit. Tu as essayé d'aider Wyatt Dixon quand il était tourmenté par cet inspecteur. C'est *ça*, ton histoire. C'est *ça*, la femme que tu es. Ne laisse personne te dire autre chose. S'ils le font, c'est pour une unique raison.

– Laquelle ? dit-elle en le regardant de façon différente.

– Ils veulent que tu perdes.

– Merci du conseil.

– Donner des conseils, c'est facile. » Il remonta l'escalier, sa silhouette se découpant dans la lumière de la cuisine, une main sur la rampe, ses épaules et son dos aussi ronds et durs qu'une arche de pierre.

Elle coupa la télévision et sortit dans le crépuscule pour aller voir un appareil photo à infra-rouges qu'elle avait fixé par une sangle à un tronc derrière la maison. L'appareil avait un étui camouflage qu'on pouvait laisser pendant des jours, des semaines, voire des mois, afin de capter des images d'animaux sauvages traversant un bouquet d'arbres. Sa seule faille technologique était son incapacité à distinguer le mouvement des animaux de celui du vent dans les arbres et les sous-bois, et l'appareil se déclenchait toutes les quinze secondes, jusqu'à ce que les piles et l'espace sur la carte mémoire soient épuisés.

Gretchen desserra la courroie de toile sur le tronc, sortit l'appareil de son étui et se servit de l'écran témoin pour cliquer sur les images de la carte mémoire. Elle vit un élan avec un œil collé à l'objectif, un sconse, un vol de dindes sauvages se laissant tomber d'un arbre, un bébé puma et un ours noir. Puis un homme.

Ou ce qu'elle prit pour un homme. La silhouette se tenait droite, remontant la pente, la tête détournée de l'objectif comme si elle avait entendu un son en contrebas. La photo suivante avait été prise quinze secondes plus tard. On y voyait la silhouette enfouie dans les broussailles et l'ombre noire qui tombait sur la montagne immédiatement après le coucher du soleil, ses dimensions impossibles à estimer. Elle regarda la date et l'heure auxquelles les deux clichés avaient été pris. La silhouette était passée devant l'objectif dix minutes plus tôt.

Elle ne manifesta aucune réaction. Elle glissa l'appareil dans son étui, refixa la courroie au tronc et redescendit au chalet. La température paraissait chuter sans préavis ni transition, et elle essaya de se rappeler si la météo avait fait mention d'un front froid. Elle sortit une lampe-torche d'un tiroir de la cuisine, prit son Airweight .38 sous son matelas, enfila un blouson et un chapeau de cow-boy informe. Quand elle revint sur le flanc de la montagne, la lumière avait quitté le ciel, la lune se levait, et elle distinguait à peine le chemin forestier abandonné qui passait derrière la grotte où Asa Surrette avait peut-être campé.

De sa main gauche, elle tint la torche au niveau des yeux, prit l'Airweight dans sa main droite et s'engagea sur le chemin forestier. L'air était dense et sentait le feu de bois qui sortait de la cheminée d'un voisin. En contrebas, elle voyait les lumières dans la maison d'Albert, et les ombres des lilas bouger sur la pelouse. Le vent changea de direction et se mit à souffler du nord, gonflant le toit de métal de la grange, éparpillant des aiguilles de pin sur le sol de la forêt, remplissant l'air d'un frais parfum d'oxygène, d'humus, de pierre, de lichen et de champignons vénéneux qui ne voient jamais le soleil. Elle déplaça la lampe parmi les arbres qui poussaient au-dessus de la route et de la grotte. Où étaient les dindes ? Chaque soir, au coucher du soleil, tout le vol, une quinzaine d'oiseaux, descendait au cours d'eau dans le pâturage nord et buvait avant de remonter sur la montagne et de se nicher dans les branches ou autour des troncs.

Le vent lui faisait venir les larmes aux yeux. Puis elle sentit une odeur, comme une odeur d'humus, mais beaucoup plus forte, comme si elle était plus puissante que le vent, comme si elle était douée d'ubiquité et s'était installée dans la pierre, dans les troncs, dans le sol, dans les aiguilles de pin qui tapissaient la pente. Certains disent que le grizzly sent comme ça. Un grizzly dégage la puanteur des cerfs qu'il a tués et enterrés près de sa tanière à l'automne, la puanteur des cerfs qu'il a mangés et déféqués à son réveil au printemps. Il dégage la puanteur du rut et des excréments dans lesquels il a dormi, du sang qui a séché sur son museau, du poisson qu'il a arraché au courant et dévoré, boyaux compris. L'odeur qu'elle sentait maintenant était tout ça à la fois, et si dense qu'elle crut défaillir.

« Vous êtes là ? » cria-t-elle dans le vent.

Tandis qu'elle attendait une réponse, sa poitrine palpitait. Elle ferma les yeux, les rouvrit. *Il n'y a rien par ici*, se dit-elle.

Salut, baby doll. T'as tabassé pas mal de monde hein ? dit une voix.

Sa respiration se bloqua dans sa gorge.

Tu me ressembles plus que tu ne crois. Tu te souviens de la supplication dans leurs yeux ? Tu peux faire ce que tu veux avec eux. Tu as un pouvoir que n'a personne au monde.

« Je n'ai rien en commun avec toi, fils de pute », dit-elle.

Des branches et des pierres.

« Où êtes-vous ? »

Dans ta tête. Dans tes pensées. Dans tous les endroits secrets où tu essaies de cacher qui tu es vraiment. C'est comme un orgasme, ou une première expérience avec la blanche de Chine. Une fois qu'on a goûté au fruit défendu, l'addiction ne disparaît jamais.

« Vous n'êtes pas là. »

Continue à te répéter ça, petite fille.

« Montrez-moi votre visage. »

Cette fois, il n'y eut pas de réponse. Elle était en sueur sous ses vêtements. Elle approcha de l'entrée de la grotte, puis s'arrêta et essaya de respirer aussi lentement que possible.

Elle se mit devant l'ouverture, éclairant l'intérieur, l'Airweight pointé droit devant elle. Elle voyait les traces de roussi sur les parois et le plafond, les excréments frais de chauves-souris et de rats sur les saillies et dans la cendre, mais aucun signe d'une présence humaine. L'odeur sous la canopée lui rappelait un incinérateur en hiver.

Elle s'écarta de la grotte, se plaça dans le vent, et coupa sa torche. « Si vous êtes Asa Surrette, faites-moi un signe. »

Elle compta cinq secondes, puis dix, puis vingt. Elle avait l'impression que quelqu'un lui avait entortillé un fil de fer autour de la tête, y avait inséré un bâton et serrait de plus en plus.

« Je suis plus forte que vous, dit-elle. Alafair aussi, et Albert Hollister aussi, et mon père aussi. Vous tuez des enfants. »

La lune était suffisamment haute pour éclairer le sommet des arbres, et elle commença à s'aventurer plus loin sur le chemin forestier, le regard fixé sur la pente qui était comme un parc. Elle crut voir un animal courir à travers bois, juste sous la crête, sa fourrure noire striée d'argent. Ses épaules et son train avant étaient ondulants et fortement musclés et quand il sauta par-dessus un arbre abattu, sans ralentir sa foulée ni briser son rythme, il atterrit dans un bruit sourd.

Était-ce le loup qu'Albert avait vu ? Si c'était le cas, elle ne l'intéressait pas. Elle posa la torche et effectua un tour complet sur elle-même, l'Airweight tendu devant elle. La voix avait disparu de l'intérieur de sa tête, si c'est bien de là qu'elle venait. Les seuls bruits qu'elle entendait maintenant étaient celui du vent parcourant la canopée, et de deux ou trois pommes de pin dégringolant la pente.

Avait-elle eu une hallucination ? Les voix n'étaient-elles pas le premier symptôme de la schizophrénie ? Ou était-ce sa conscience qui se moquait d'elle ? La Gretchen dont parlait Albert n'était-elle rien de plus qu'une invention, un alter ego symbolique qui lui permettait de continuer à fonctionner sans cesser de répandre le sang des autres en y prenant un secret plaisir ?

Elle se retourna et commença à descendre la pente. Un caillou, ou une petite pomme de pin, heurta le rebord de son chapeau. Elle regardait derrière elle à l'instant où un second objet, pas plus gros que le premier, lui frappait la joue.

Une trentaine de mètres plus haut, elle vit la silhouette d'un homme sur une piste de cerf. Elle ne distinguait pas son visage dans l'obscurité. Elle rabattit son chapeau sur son front et baissa la tête pour que son visage ne reflète pas la lumière, puis commença à descendre lentement, jusqu'à un endroit où le chemin croisait une piste de cerf, sans quitter des yeux l'homme qui n'avait pas bougé.

Elle fit dix mètres, respirant par le nez, essayant d'ignorer le martèlement de son cœur. Puis elle entendit plus qu'elle ne vit la silhouette prendre de l'altitude, accélérer sa course, le corps fouetté par les branches des arbres, un corps qui était fait de chair et de sang, et n'était pas celui d'une lamia[1] ou d'un spectre.

Elle commença à courir derrière lui sur la piste. Il obliqua et zigzagua à travers les arbres, en direction du nord, vers l'extrémité de la vallée, et en même temps il gagnait de la hauteur jusqu'à presque atteindre la crête.

S'il arrivait au sommet, sa silhouette se découperait contre le ciel, et elle l'aurait en plein dans sa ligne de mire. Mais si la voix qu'elle avait entendue était imaginaire ? Si l'homme qui courait était l'un de ces sans-abri qui vagabondaient parfois depuis la deux-voies ?

L'air était plus froid et plus coupant, et imprégné d'une fumée en suspension dans les arbres, et qui lui brûlait les poumons. La piste de cerf devenait serpentine, s'enfonçait dans un ravin, sinuait entre les buissons, aussi rêche qu'un fil de fer. Il se tenait au bout du chemin, regardant derrière lui. Puis elle le vit se précipiter vers la crête, s'arrêter une

1. Créature monstrueuse de la mythologie grecque.

nouvelle fois, se retourner, et étendre les bras contre le ciel, comme pour parodier un homme crucifié.

Elle se mit à courir plus vite, sans se soucier des cailloux pointus et des branches brisées sur la piste, les yeux rivés sur l'homme.

Un lièvre arctique déboula du sous-bois et passa devant elle comme une flèche, déclenchant le ressort d'un piège à ours d'acier dentelé qui avait été piqué au milieu du passage à l'aide d'une chaîne et d'une broche. Le ressort était si tendu que le piège parut se soulever du sol, tranchant quasiment l'arrière-train du lièvre. Quand elle se pencha pour essayer de le libérer du piège, Gretchen pleurait.

L'homme sur la crête plaça ses mains en porte-voix autour de la bouche. « T'as de la chance, petite fille. J'avais préparé une expérience délicieuse pour nous deux. »

Elle se redressa et leva l'Airweight des deux mains, visant la silhouette, sa poitrine palpitante de l'effort et de la fumée qu'elle avait inhalée, les joues chaudes de larmes. « Avale ça, espèce de misérable connard », dit-elle.

Elle entendit le *pop* solitaire de la détonation et sentit le recul contre ses paumes, mais elle savait que son angle n'était pas bon, et qu'elle avait tiré trop haut, et pas en face. Quand elle baissa le revolver, la silhouette avait disparu, sans doute de l'autre côté de la crête. Elle s'agenouilla à côté du lièvre et lui caressa la tête et les oreilles. « Je suis désolée, petit bonhomme. Tu m'as sauvé la vie. S'il existe un paradis, c'est là que tu iras. » Elle resta à côté du lièvre jusqu'à ce qu'il meure, puis elle l'enterra et redescendit la montagne dans l'obscurité, un goût de cendre dans la bouche.

23

Après s'être fait arracher une botte devant la moitié du Montana, Kyle Schumacher décida qu'il allait laisser tomber quelques jours son job pour la famille Younger, et prendre un peu de vacances sur Flathead Lake, au milieu des vergers de cerisiers, des voiliers et des saloons au bord de l'eau.

Il ne fuyait pas quoi que ce soit. Kyle Schumacher avait connu des temps difficiles au milieu de durs à cuire d'East Los et de Noirs à moitié cannibales. Kyle n'avait jamais fui devant personne. Il avait juste besoin de se détendre un peu pour se remettre les idées en place. Quel mal à ça ?

Il avait appris à aimer la tequila et la Dos Equis quand il était opérateur de matériel lourd à Calexico. C'était juste après qu'il eut achevé son séjour gratuit dans la chaîne d'hôtels à barreaux de Californie. Malheureusement, il y avait pris goût aussi à d'autres choses, à la coke et à la skunk afghane et, de temps en temps, à une injection de blanche de Chine entre les orteils. Ce qui faisait vraiment planer Kyle tenait à la géographie. Reno et Vegas étaient le terrain de fêtes perpétuelles, où le lucre et la sensualité étaient des vertus, et non des vices. Pour Kyle, la lumière irradiant des casinos dans un ciel d'été avait quelque chose de théologique, comme témoignant de la possibilité que la modernité et la complaisance envers soi-même pussent protéger de l'étreinte de la mort.

L'unique revers de sa vie, c'était la condamnation qui le suivait où qu'il aille. S'enregistrer dans une nouvelle ville comme maniaque sexuel, c'était comme se déshabiller au milieu d'un tribunal de comté. L'alternative consistant à ne pas s'enregistrer était un billet de retour pour le placard. Que disait le vieux dicton ? On commet un crime, on effectue son temps. Quelle rigolade. On tombe pour un crime sexuel, on passe sa vie entière avec un bâton dans le cul. Il avait donc signé avec les Younger. C'était un asile. Quel mal à ça ?

Son saloon et son casino préférés dans la région se trouvaient au nord de Flathead Lake, dans les hauteurs, sur la route de Whitefish, où venaient traîner les stars de cinéma et des connards d'Européens. Ce n'était pas Vegas ou Reno, mais ça avait de bons côtés, en particulier quand il restait encore une petite mignonne au bar au moment de la fermeture. Il descendit un verre de tequila, suça un citron saupoudré de sel et, par la fenêtre du saloon, regarda l'immensité du lac. Il faisait quarante kilomètres de long, la plus grosse masse d'eau à l'ouest du Mississippi, bordé de montagnes glaciaires. C'était là qu'il devait être, un endroit où il pouvait cesser de penser aux événements qui s'étaient produits à Missoula, des événements qui n'étaient pas de son fait, et dans lesquels il avait été injustement entraîné. Comme cette histoire avec la botte. Le privé l'avait-il rapportée à Wyatt Dixon ? Kyle n'aimait pas l'idée de devoir traiter avec Wyatt Dixon.

La pendule sur le mur indiquait 1 h 46 du matin. La dernière fois qu'il l'avait regardée, elle indiquait 23 h 14. Que s'était-il passé entre-temps ? Peut-être la pendule était-elle détraquée, ou le barman s'était-il trompé en la remontant. « Encore un petit coup, dit-il.

– Oui, mais c'est le dernier, Kyle.

– Alors mets-en plusieurs. Pendant que tu fermes, on peut papoter.

– Impossible », dit le barman. Il renversa l'embout de la bouteille de tequila dans le petit verre de Kyle. « Et si celui-là était pour la maison ?

– J'ai l'air de quelqu'un qui peut pas payer ses consommations ? » dit Kyle.

Un couple sortit, on entendit leur voiture démarrer. Le barman commença à rincer les verres dans un évier d'aluminium. L'intérieur du saloon avait des boiseries de pin jaune laqué, et une lumière couleur de miel semblait émaner des abat-jour verts des appliques sur les murs. L'ambiance donnait une impression de chaleur et de bien-être que Kyle n'avait pas envie de quitter.

« Donne-moi deux Dos Equis pour la route, dit Kyle.

– Tu as bu la dernière.

– Alors donne-moi ce que tu as comme bière étrangère.

– Tu habites là-haut avec la Mexicaine ?

– Qui a dit que j'habitais avec quelqu'un ?

– Je pensais que tu avais une petite amie dans le coin.

– Je me souviens pas avoir dit ça. Quelqu'un t'a raconté ça ? On est dans un office de tourisme ?

– Qu'est-ce que j'en sais ? dit le barman.

– J'aime mieux ça. »

Le barman posa les bras sur le bar, regarda vers la porte et sembla se concentrer sur ce qu'il allait dire. Sa tête ressemblait à une boule de bowling avec des bosses. Un nœud de veines bleues battait sur l'une de ses tempes. Il jeta un coup d'œil à sa montre.

« J'ai oublié. Cette pendule retarde. Bonne route. »

Kyle sortit et monta dans son pick-up. Le ciel était noir comme de l'encre, et tapissé d'étoiles, les cerisiers alentour couverts de feuilles qui se gonflaient dans le vent. Il avait dit à Caspian qu'il irait peut-être à Elko, jouer aux dés et se détendre. Ça ne lui plaisait pas ? Tant pis pour lui ! Kyle n'avait pas signé pour le sketch de la botte en public. Il n'avait pas non plus signé pour être pris dans une tempête de merde avec un cow-boy psychotique dont le corps n'évoquait que de la peau tendue sur un ressort.

Tandis qu'il roulait sur l'étroite deux-voies en direction du cottage de la Mexicaine, sur la montagne, il ne pouvait se libérer de la peur qui lui rongeait l'estomac. Il avait envie de se rouler un gros pétard, de se défoncer, de tirer son coup et de disparaître dans un lieu sûr, où il ne penserait pas trop à Wyatt Dixon et aux autres problèmes suscités par son travail chez les Younger. Puis le jour arriverait, et il pourrait récupérer un peu de coke, ou traîner dans un bar, ou passer la journée à boire des coups sur la terrasse en imaginant une solution à sa situation. Il prit son stock dans la boîte à gants et le tendit à la lumière. Il n'y avait plus au fond du sac zippé qu'une fine bande d'herbe et de tiges. Super. Il tendit le bras par la fenêtre et laissa le vent lui arracher le sac.

Il tâtonna sous son siège pour trouver son .357 Mag et effleura par inadvertance la matraque qu'il avait toujours avec lui en cas de différends avec d'autres conducteurs. Il avait oublié la matraque. Comment peut-on être aussi stupide ? Il haussa les épaules à l'idée que Dixon aurait pu la trouver sous son siège et la lui fourrer dans la gorge, en remboursement de son tabassage par Kyle. Il baissa la vitre et jeta la matraque dans le noir ; il entendit un bruit, comme du verre brisé. Ce n'était pas possible. On ne pouvait pas être à ce point malchanceux.

Il tourna sur le chemin de terre traversant trois hectares de cerisiers jusqu'à un cottage où une énorme Mexicaine mère de deux enfants l'attendait, persuadée qu'il tiendrait sa promesse, qu'il l'épouserait cet été et lui obtiendrait une carte verte.

On voyait de la lumière dans la cuisine. Le vent soufflait fort sur le lac, courbant les cerisiers qui poussaient depuis le sommet de la pente jusqu'à la route. Les pics montagneux semblaient aussi aigus que du fer-blanc se découpant sur le fond de l'orage qui se préparait à l'ouest. Kyle vit quelqu'un se lever de la table de la cuisine, regarder à travers les stores, puis s'éloigner de la fenêtre. Était-ce Rosa ? Dans ce cas, pourquoi n'était-elle pas venue à la porte ? Et si Dixon était à l'intérieur ?

Kyle coupa la lumière avant de sortir de sa voiture. Il prit son .357 sous le siège et le glissa à l'arrière de son jean. *Ressaisis-toi*, se dit-il. Et si Dixon était dans la maison ? Kyle était passé par Tracey[1] avant de tomber pour viol sur mineure, en l'occurrence une fugueuse de seize ans qui s'avéra être la fille d'un flic. Trois ans à la dure pour avoir fait une bonne action. Jusqu'à quel point on peut foirer ! Il fit ses trois ans d'une traite, sans remise de peine, et survécut aux gangs de Noirs et de Latinos à Quentin sans rejoindre la fraternité aryenne. Il soulevait de la fonte, restait dans son coin, et ne se querellait avec personne. Il arriva même à être respecté. Dixon pouvait-il en dire autant ? D'après ce que savait Kyle, l'État avait fait fondre le cerveau de Dixon à coups de produits chimiques et d'électrochocs, et il voyait en lui un acteur de ces interminables niaiseries qu'on entend à la radio au milieu de la nuit dans la San Joaquin Valley. Quel cinglé, quand même !

Le temps qu'il parvienne à l'escalier derrière le cottage, il se sentit parcouru d'un élan d'indignation et de pharisaïsme qui le soulagea presque de sa peur. Il était temps qu'il pense à tirer un coup. Rosa n'était pas si mal, au plumard. Par le panneau vitré de la porte de la cuisine, il vit une ombre sur le mur, non loin du poêle. Il passa la main droite dans son dos, saisit la crosse quadrillée du .357 et ouvrit la porte.

« Où t'étais ? » demanda la Mexicaine. Son tablier était aspergé de sauce tomate, et elle tenait une cuiller en bois. Sur la table était posé un gâteau d'anniversaire à moitié mangé. « Tu avais dit que tu serais rentré à sept heures.

– J'ai eu un problème de moteur. Il y avait quelqu'un ici ?

– Ouais, moi et les enfants, on t'attendait, espèce de merde. Je dis au pasteur que j'en ai marre. Il dit qu'on vivait dans le péché. Je dis qu'il avait raison.

– Quel pasteur ?

– Qu'est-ce t'en as à foutre ? C'est l'anniversaire de Miguel. Il est resté debout.

1. Pénitencier californien servant essentiellement de plate-forme d'orientation vers les autres prisons.

– J'ai oublié.

– Va-t'en, dit-elle.

– Redis-moi, pour ce pasteur. Est-ce qu'il avait des cheveux roux et un accent du Texas ? »

Elle scruta son visage. « Quelqu'un te poursuit ? J'espère que oui. T'es un *cobarde*. Ça veut dire un couard. Un *gusano*, un ver jaune.

– Ferme ta gueule », dit Kyle.

Elle prit sur le poêle une casserole de sauce tomate qu'elle lui jeta au visage, manquant l'aveugler. Il trébucha sur les marches jusque dans l'allée, ses yeux fixant l'obscurité à travers un masque rouge. Elle claqua la porte et la verrouilla.

Il n'arrivait pas à croire à quel point sa vie avait changé en moins de deux minutes. Ses cheveux, son visage, ses vêtements, dégoulinaient de sauce tomate, sa valise était enfermée dans la maison et il frissonnait dans un vent froid venu d'un lac qui n'offrait aucun asile à Kyle Schumacher et à ses semblables. Et il était absolument persuadé que l'homme le plus effrayant qu'il ait jamais rencontré, un homme au visage aussi inexpressif qu'une citrouille d'Halloween, avait failli le coincer dans le cottage de Rosa.

Il envisagea de prendre la route de la Colombie-Britannique, sauf que son passeport était dans sa valise qui était enfermée dans la maison. C'était une conspiration. C'en était une, forcément. Il prit une brique qu'il jeta dans la fenêtre de la cuisine. « À quoi il ressemblait, ce pasteur ? hurla-t-il.

– *Chinga tu madre, maricon* », cria-t-elle en retour.

Il monta dans son pick-up, dévala le chemin dans un grondement, et fit une queue-de-poisson pour rejoindre Eastside Highway. Immédiatement, son moteur commença à hoqueter et à pétarader. Il écrasa les freins, se mit au point mort et pompa sur l'accélérateur jusqu'à ce que le moteur démarre et commence à remettre en route les huit cylindres, puis fonça dans l'obscurité sur la deux-voies en direction de Polson, les nuages d'orage de l'autre côté du lac scintillant comme si des rubans de pétards humides explosaient silencieusement au milieu d'eux.

Il n'y avait pas âme qui vive sur la nationale. Les étoiles étaient voilées, le lac aussi noir qu'une énorme flaque d'huile préhistorique. Son moteur chauffait et faisait un bruit de cylindres mal synchronisés. Qu'est-ce qui n'allait pas ? Il avait effectué une révision la semaine précédente. Polson était à au moins vingt kilomètres. Il fallait qu'il contrôle ses émotions et qu'il réfléchisse. Il avait son .357. Il avait dans son portefeuille deux cents dollars et sa carte de crédit. Il pouvait s'inscrire dans un motel, retourner au cottage le matin venu, et discuter avec Rosa. Elle voulait une carte verte, n'est-ce pas ? Il avait toujours été gentil avec ses gosses, n'est-ce pas ? Il avait oublié l'anniversaire du garçon. Quelle affaire, Seigneur ! Mais il avait la tête occupée par un certain nombre de soucis. Pourquoi n'essayait-elle pas de se mettre un peu à sa place, pour changer ?

Avant qu'il ait pu poursuivre la litanie de ses tourments, son moteur pétarada si fort que ça fit sauter le silencieux. Puis le moteur s'arrêta, et tous les signaux s'allumèrent sur le tableau de bord. Quand il se gara sur le bas-côté, il se trouva entouré d'arbres plantés pour cacher la maison en contrebas. Polson était à quinze kilomètres, le vent était glacé et soufflait à plus de vingt nœuds à l'heure.

Il regarda dans le rétroviseur et vit un pick-up arriver du nord, tous phares allumés. Avait-il un caisson monté sur son plateau ? Était-ce un pick-up orange, comme celui de Wyatt Dixon ? Non, c'était une dépanneuse. Il apercevait la rampe et le treuil montés à l'arrière. *Quelle chance*, pensa-t-il.

Il sortit sur le bitume et commença à agiter les bras. Le chauffeur de la dépanneuse ralentit, actionna son signal d'arrêt d'urgence, s'immobilisa sur l'accotement. Kyle l'entendit ouvrir sa portière et sortir de sa cabine en oubliant de couper ses phares. « Hé, vous allez m'aveugler, dit Kyle.

– Désolé », dit le chauffeur. Il baissa les lumières. « Je vais faire demi-tour pour vous remorquer. Vous voulez aller chez le concessionnaire de Polson ? »

Kyle ferma les yeux et vit des cercles rouges qui semblaient avoir été marqués au fer à l'intérieur de ses paupières. « Ouais, ça serait super. Vous passiez là par hasard ? »

Le conducteur de la dépanneuse avait de larges épaules et portait un costume froissé, une casquette de base-ball et des tennis. On aurait dit qu'il souriait. « J'ai des horaires de travail irréguliers, dit-il.

– J'aimerais trouver un motel et dormir un peu. Il y en a un sur la route ?

– Il faut signer un formulaire. Vous voulez bien venir par là ?

– On ne peut pas faire ça en ville ? Il fait froid. Je n'ai pas de manteau. Et je suis couvert de sauce tomate. Ce n'est pas le plus beau jour de ma vie.

– Vous devez signer une décharge avant que je vous remorque. C'est pour la compagnie d'assurances. » Le chauffeur prit sur le siège de la dépanneuse une écritoire à pince qu'il tendit à Kyle, ainsi qu'un stylo qu'il sortit de la poche de sa chemise. « Juste là, tout en bas », indiqua-t-il.

Kyle toussa, d'une toux profonde. « C'est quoi, cette odeur ?

– J'ai écrasé un porc, au nord de Big Fork.

– Il avait dû se vautrer dans la merde avant que vous lui rouliez dessus. Vous portez un costume pour travailler ?

– J'ai été au boulot directement en revenant des vêpres. J'ai pas eu le temps de me changer. Je suis aussi pasteur. »

S'agissait-il de l'homme mystérieux ? « Vous n'êtes pas allé voir Rosa Segovia, par hasard ?

– Jamais entendu parler de cette dame. Signez, s'il vous plaît. »

Kyle griffonna son nom sur le formulaire et lui tendit l'écritoire.

« Merci, dit le chauffeur. Retirez vos clefs du contacteur. Encore une règle de l'assurance. Les gens laissent le contact, et parfois ça fait un court-circuit. »

Kyle commença de revenir à son pick-up. À la lumière des phares de la dépanneuse, il remarqua une tache de granulés blancs en bas du rabat qui recouvrait le bouchon de son réservoir. Tandis qu'il passait les doigts sur les granulés, il entendit derrière lui un bref bruit de ferraille, comme si un objet en bois dur avait heurté une surface de métal. Il se retourna à l'instant où le chauffeur lui balançait dans la tempe une queue de billard sciée, l'expédiant sur un genou au milieu de la route. L'homme le frappa de nouveau, cette fois sur la nuque. Il se retrouva à quatre pattes, comme un chien, incapable de parler, du sang lui coulant sur le côté du visage.

« Lève-toi, dit le chauffeur. C'est ça, tu peux y arriver. Tu vas aller derrière ma dépanneuse, je vais t'installer, et ensuite on va faire du toboggan sur la route. »

Pourquoi vous faites une chose pareille ? aurait voulu demander Kyle. Mais les mots ne sortaient pas. Le chauffeur avait touché sa gorge, ou ses cordes vocales, et les mots se fondaient en une pâte qui lui coulait sur les lèvres et le menton. Ses poignets furent attachés dans son dos avec une ligature quelconque, et une boucle de câble métallique lui fut passée autour du cou. Il entendit le chauffeur dérouler le câble, pour lui donner plus de mou. *Ne faites pas ça*, aurait voulu dire Kyle.

« Je connais toutes tes pensées, dit le chauffeur. Elles te serviront à rien. Rien te servira à rien. Quand tu mourras tu sauras pas pourquoi. T'as vécu une vie sans but, et personne te pleurera. Ce seront tes dernières pensées. Puis le moindre souffle, la moindre lumière, déserteront ton corps, et tu descendras dans un trou noir sans te souvenir d'avoir jamais vécu. »

D'un coup de pied, le chauffeur faucha les jambes de Kyle, dont le visage heurta violemment la surface dure de la route.

Il sentait le sang dans sa bouche, et une odeur de goudron et d'huile, et même la chaleur du jour sur l'asphalte. Il ne se préoccupait plus du vent froid. Il voulait rester là où il était pour le restant de ses jours.

Le chauffeur monta dans la dépanneuse et démarra, accélérant graduellement jusqu'à faire du quatre-vingt-dix, glissant dans les virages tandis que sa charge se balançait d'un côté à l'autre de la route, carambolant sur les troncs et les panneaux de signalisation comme une planche de surf hors de contrôle.

***

Le shérif Elvis Bisbee m'appela le mardi à 3 heures de l'après-midi. « On a Wyatt Dixon en garde à vue. Comme il n'est pas en état d'arrestation, on ne lui a pas lu ses droits Miranda. Il dit qu'il n'acceptera de nous parler qu'en votre présence.

– Pourquoi moi ?

– Vous lui poserez la question.

– Pourquoi vous l'avez embarqué ?

– Disons qu'on joue aux éboueurs.

– C'est une plaisanterie entre vous ?

– Pas si vous vous appelez Kyle Schumacher. Son corps était éparpillé en morceaux sur trois kilomètres le long d'East Highway, à côté de Flathead Lake. Venez, et je vous montrerai quelques photos. On est à la prison.

– Qui, "nous" ?

– L'inspecteur Boyd et moi.

– Je peux amener Clete Purcel ?

– Vous parlez sérieusement ? »

Trois quarts d'heure plus tard, je me garais devant le vieux tribunal dans le centre de Missoula. Wyatt Dixon était détenu dans une cellule de garde à vue au premier étage. Elvis Bisbee et Jack Boyd m'accompagnèrent à la cellule. Dixon était assis sur un banc de bois contre le mur, endormi, le menton sur la poitrine. Il portait un tee-shirt où l'on voyait Geronimo et trois autres Apaches, chacun armé d'un fusil. Dessus, on lisait : SÉCURITÉ DU TERRITOIRE – LUTTE CONTRE LE TERRORISME DEPUIS 1492.

L'inspecteur déverrouilla la cellule et donna un coup de pied dans la pointe de la botte de Dixon. « On se réveille », dit-il.

Dixon leva la tête. « Vous avez cogné dans le pied qui me fait mal, inspecteur. C'est déjà l'heure de dîner ?

– M. Robicheaux est là, dit le shérif.

– Bonjour-bonjour, dit Dixon.

– Pourquoi vouliez-vous me voir, Dixon ? demandai-je.

– Parce que vous êtes un croyant, et pas eux.

– À quoi je crois ?

– À ce qui se passe dans le coin. Vous avez peut-être fait des études, mais on voit le monde de la même façon, vous et moi. Vous savez ce qui se cache derrière tous ces problèmes, et c'est pas la bande de débiles de Love Younger.

– Vous avez quelques mauvais points, Wyatt, dis-je. Vous en vouliez à Kyle Schumacher. Et ensuite il se fait tirer par une voiture jusqu'à ce que mort s'ensuive.

– C'est pas mes oignons. »

Boyd m'a regardé. « Vous voyez, c'est un comédien. Tout ce qu'il fait est pensé. C'est pas vrai, comédien ?

– Vous m'avez bien que dit que votre compagnon de cellule au Texas avait tiré un type sur une route au bout d'une chaîne, jusqu'à ce que mort s'ensuive ? dis-je.

– Ouais, je vous ai dit ça, non ? C'était sans doute pas très malin.

– L'inspecteur Boyd vous a montré une photo judiciaire de Schumacher, au milieu d'autres, dis-je. Et ensuite, on apprend que Schumacher est mort.

– L'inspecteur s'est pas contenté de me montrer la photo, il m'a aussi donné le nom de Schumacher. Jusqu'à ce moment-là, j'avais jamais entendu parler de lui.

– Vous mentez, dit Boyd.

– Pourquoi je mentirais ?

– Parce que vous étiez à la recherche des types qui vous ont agressés, votre petite amie et vous, et que vous n'avez pas d'alibi, dit Boyd.

– J'ai passé la nuit dernière sur le divan de Miss Bertha. J'étais pas dans le coin de Flathead Lake.

– Pourquoi vous ne l'avez pas dit ? demanda le shérif.

– Parce que l'inspecteur Boyd veut me remettre au trou, ou que je m'en prenne aux Younger. L'un ou l'autre, je ne sais pas.

– L'inspecteur Boyd appartient au complot ? demanda le shérif.

– Il pense que j'ai quelque chose à voir avec le découpage en morceaux de Bill Pepper. Comment ça se fait que vous ayez aucune piste à propos de cette serveuse qui a été enlevée près de Lookout Pass ? Le type qui a tiré Schumacher le long d'Eastwood Highway est le même que celui qui a enlevé la serveuse. Demandez à M. Robicheaux. »

Le shérif et l'inspecteur m'ont regardé. « Selon moi, c'est Asa Surrette, dis-je.

– Vous en êtes *certain* ? dit Boyd.

– Non, dis-je. C'est sa méthode. Ça correspond à son programme. Mais je ne peux affirmer avec certitude que le coupable soit Asa Surrette. J'exprimais juste une opinion.

– Pourquoi n'appelez-vous pas le shérif de Mineral County ? dit Boyd.

– Je n'ai aucune autorité ici. Mon souci, c'est ma fille. Apparemment, son nom s'est perdu en cours de route.

– Nous en sommes désolés, dit Boyd. Deux hommes qui travaillaient pour Love Younger sont morts, mais on va tout laisser tomber et revenir au cas de votre fille. Voyons un peu. Elle *pense* que quelqu'un a tiré sur elle avec un arc ? C'est une sacrée catastrophe, Robicheaux.

– On a fini ? dis-je au shérif.
– Non, sortez avec moi, dit-il.
– Que voulez-vous que je fasse, shérif ? demanda Boyd.
– Va dans mon bureau et restes-y.
– Pardon ? » dit Boyd.

Le shérif et moi sommes sortis par une porte latérale sur la pelouse du tribunal. Les jardins le long des allées resplendissaient de fleurs, et les érables, à contre-jour, étaient dans l'ombre. « Et maintenant, que va faire Surrette ? demanda le shérif.
– Causer le plus de mal et de souffrance possibles.
– Vous pensez que la serveuse est vivante ?
– Non.
– Pourquoi non ?
– Surrette ne prend pas de risques. Et il a peur de ses victimes.
– Je ne vous suis pas.
– Tous les tueurs en série sont des lâches. Ils veulent que leurs victimes restent terrorisées. Ils ne veulent pas que leurs victimes voient l'enfant effrayé qui est en eux.
– Où se trouve la fille Horowitz ? demanda-t-il.
– Chez Albert Hollister.
– Quoi qu'il arrive, je pense qu'elle devrait partir.
– Quelqu'un a essayé de l'attirer dans le ressort d'un piège à ours.
– Je n'y crois pas.
– C'est pour ça qu'elle n'a pas porté plainte.
– Dixon a dit que vous étiez un croyant, dit le shérif. Qu'entendait-il par là ?
– Qui sait ce qui se passe dans la tête d'un type comme ça ?
– Je pense que vous, vous le savez. Je pense que vous êtes des âmes sœurs, tous les deux. C'est ce qui me dérange chez vous. »

Je suis rentré à Lolo. Le ciel était bleu et bordé de bandes de nuages roses sous les pics à l'ouest, mais je n'arrivais pas à détacher mes pensées de la serveuse kidnappée. Si elle était morte, Asa Surrette allait bientôt chercher une autre victime. Il avait essayé et échoué avec Gretchen. Alafair serait-elle la prochaine ? Je ne pouvais supporter cette idée.

24

Le lendemain du jour où elle avait été sauvée par le lièvre arctique, Gretchen monta au sommet de la crête et essaya de suivre la piste de l'homme qui s'était moqué d'elle et avait failli la tuer. Elle trouva des branches brisées dans les sous-bois, des traces de glissades le long de la pente, et les empreintes boueuses d'une chaussure de marche sur un rocher plat. Plus bas, elle voyait la pâture entourée de barrières que Wyatt Dixon louait pour ses chevaux. Au sud, en direction de la deux-voies qui menait à Lolo Pass, elle ne voyait aucun signe du passage de quiconque à travers les feuillages ou les éboulements ou les zones humides où les sources suintaient du flanc de la montagne. Au nord, il y avait un escarpement que seul un désespéré aurait essayé d'escalader. Où était passé l'homme sur la crête ?

Il existait une autre possibilité : et si l'homme n'était allé nulle part ? Peut-être était-il revenu sur ses pas, et se cachait-il dans une autre grotte dans les bois. Il n'y avait que deux ou trois maisons au nord du ranch d'Albert, toutes situées dans un cul-de-sac naturel formé par des falaises et des montagnes escarpées que personne ne tenterait d'escalader dans le noir.

Elle décida de revenir sur ses propres pas et de recommencer sa recherche. Elle retourna d'abord à l'endroit où elle avait failli se faire prendre dans les mâchoires dentelées du piège à ours. Le piège, la chaîne et le piquet de métal qui les ancrait dans le sol avaient disparu.

Elle effectua un cercle et fixa la poussière qui flottait dans les rayons de soleil passant à travers la canopée. « Vous êtes par là, connard ? cria-t-elle. Vous en aviez, des choses à dire, hier soir ! Causons un peu ! »

Elle entendit sa voix résonner sur la montagne.

« Vous n'allez pas vous enfuir devant une femme, non ? »

Rien.

On était maintenant mardi, et elle n'avait aucune preuve que quelqu'un avait essayé de l'estropier ou de la tuer sur la montagne derrière la maison d'Albert. Cet après-midi-là, elle prit son sac de sport et alla au club de gymnastique sur la nationale entre Lolo et Missoula, sans avoir conscience qu'elle s'apprêtait à affronter sa plus ancienne Némésis, à savoir sa crainte que le fait de désobéir à son instinct et de se fier aux autres ne la mène inévitablement à être trahie et manipulée.

Elle enfila un collant, un bustier, des chaussures de course et une casquette des marines, et elle fit quatre kilomètres sur la piste intérieure, au premier étage. Puis elle entra dans une niche en bord de piste, enfila une paire de gants renforcés de billes de plomb, et entreprit de frapper le sac de sable, le cognant si fort qu'il rebondissait au bout de sa suspension et heurtait violemment le mur. Tous les quatre coups, elle se tordait le corps et donnait dans le sac un coup de pied qui faisait un *whap* si sonore que tous les gens qui couraient sur la piste se retournaient et la regardaient, presque inquiets.

Elle retira ses gants, s'essuya le visage et le cou avec une serviette éponge, puis chargea un livre audio dans son iPod et s'attaqua au punching-ball. Elle commença à frapper des coups doubles, deux coups avec un poing, deux coups avec l'autre. Au bout d'un quart d'heure, elle passa à des coups simples, créant un mouvement semblable à celui d'une bicyclette, chaque poing suivant l'autre sans interruption, le sac tonnant sur la planche de rebond. Pendant tout ce temps, elle comptait ses coups à voix basse, ses jointures heurtant le cuir soixante fois en quarante secondes. Le sac semblait une tache noire résonnant sur la planche avec un bruit sourd.

Elle alla à la fontaine d'eau fraîche, but une longue gorgée, et revint à la niche à l'instant où un coureur sur la piste arrivait au virage. Le coureur était une petite femme avec un teint très pâle et des grains de beauté sur les épaules. Elle avait les cheveux épais et en sueur, d'un lustre sombre, avec des mèches brunes. Son visage était rouge d'avoir couru, et elle haletait. Elle ralentit et s'arrêta en reconnaissant Gretchen. « Comment allez-vous ? » dit-elle.

Gretchen retira ses oreillettes et mit son iPod sur pause. « Ça va bien, Miss Louviere.

– Je vous entendais frapper ce sac depuis l'autre côté de la piste. Je ne savais pas que c'était vous.

– Je viens ici deux fois par semaine », dit Gretchen. Pour s'occuper les mains, elle se frottait les jointures et les endroits écorchés le long de ses paumes. En dessous, elle voyait un homme bien bâti, Tim, qu'un accident de moto avait laissé paralysé, avec des défauts d'élocution irrémédiables. Il était connu pour son courage et sa détermination à se débrouiller tout seul. Il déplaçait lentement son fauteuil roulant à travers le terrain de basket.

« Vous voulez bien qu'on descende prendre un verre de thé glacé ensemble ? demanda Felicity.

– J'ai des choses à faire.

– Je ne vous en veux pas de ne pas m'apprécier, Miss Horowitz. Mais je vous en veux de ne pas me laisser une chance.

– Une chance de faire quoi ?

– Peut-être de vous expliquer un certain nombre de choses. De m'excuser.

– Les gens sont ce qu'ils font, pas ce qu'ils disent.

– Je vois.

– Vous êtes mariée, Miss Louviere. C'est un fait incontournable. Mon père se réveille chaque matin avec la tête dans un étau.

– Je suis désolée. »

Gretchen donna du plat du poing un petit coup au punching-ball qu'elle regarda se balancer d'avant en arrière sur son tourillon. « Je ferais mieux de retourner à mon entraînement.

– Qu'est-ce que vous écoutez ?

– *La Captive aux yeux clairs*, de A. B. Guthrie.

– C'est un livre superbe. »

Gretchen donna à nouveau un petit coup au sac, le frappant lentement au deuxième rebond. « Vous avez vu *L'Homme des vallées perdues* ?

– Avec Alan Ladd, Jean Arthur et Van Heflin ?

– C'est Guthrie qui a écrit le scénario. On dit que c'est le meilleur western jamais tourné. Sauf que ce n'est pas un western, c'est une tragédie judéo-grecque. Shane n'a pas de prénom, ni de nom. C'est juste Shane. Il arrive de nulle part, et n'explique jamais ses origines. Dans la dernière scène, il se fond dans une chaîne de montagnes qu'on voit à peine. Brandon de Wilde jouait le petit garçon qui court après lui, et n'arrête pas de crier le nom de Shane, parce qu'il sait que le Messie est parti. Personne n'oublie cette scène. Il m'arrive de me réveiller en y pensant au milieu de la nuit.

– Où avez-vous appris tout ça ?

– Au cinéma. Vous savez pourquoi les magnats du bétail détestent Shane, dans le film ? C'est parce qu'il n'a pas envie, ni besoin, de ce qu'ils ont. »

Les yeux de Felicity se détournèrent de ceux de Gretchen. « Vous essayez de me dire quelque chose ?

– Non, pas du tout. Comment saviez-vous que Jean Arthur et Van Heflin jouaient aussi dans le film avec Alan Ladd ?

– J'ai été ouvreuse dans un cinéma d'art et d'essai.

– Je prépare mon deuxième documentaire. Mon premier a été présenté à Sundance. Je pense que j'aurai peut-être un financement suffisant de la France pour tourner un film en costumes. Une adaptation d'un roman à propos de Shiloh.

– Pourquoi aller chercher un financement en France ?

– Les producteurs américains ont peur de risquer de l'argent dans un film historique. Vous avez vu *Cold Mountain* ? C'était l'un des meilleurs films jamais tournés sur la guerre civile, mais il s'est planté. Le monde entier est fasciné par l'histoire américaine, mais nous pas. » Gretchen frappa le sac. « Il faut que je retourne à mon entraînement.

– Vous êtes une femme intéressante, Miss Horowitz.

– Qui jouait le rôle de Jack Wilson, le tueur à gages ? demanda Gretchen.

– Jack Palance.

– Et Stonewall Torrey, le type qu'il tue ?

– Elisha Cook, Jr.

– Vous saviez que dans la scène où Stonewall se fait abattre, il était harnaché à un câble et qu'une automobile l'a arraché vers l'arrière ?

– Je l'ignorais. Je suppose que c'est le cas de la plupart des gens.

– Lâchez un peu mon vieux, Miss Louviere. C'est un type bien. Son problème, c'est qu'il n'est pas aussi dur qu'il le croit, et qu'il est facilement blessé.

– Demandez-lui son avis d'abord, et vous me le direz, dit Felicity. Comme ça on le saura tous les trois. »

Cinq minutes plus tard, Gretchen, par la fenêtre, regardait le parking du club. Tim, l'homme handicapé, avait roulé son fauteuil sur la pente cimentée jusqu'à l'endroit où, tous les jours, un véhicule spécialement équipé venait le chercher. Sa main avait glissé sur le volant de son fauteuil qui avait tourniqué sur la pente, hors de contrôle, et basculé sur le côté, le projetant sur le ciment. Il n'y avait personne d'autre sur le parking. Felicity Louviere arrêta son Audi et la laissa, moteur en marche et portière ouverte, tandis qu'elle essayait de soulever Tim toute seule et de le remettre dans son fauteuil. Quand il retomba, elle lui caressa la tête, ses deux genoux à elle en sang, tout en agitant frénétiquement la main vers l'entrée du bâtiment.

Gretchen ne pensait plus à Felicity Louviere. Elle avait trouvé un moyen de mettre la pression sur Asa Surrette. Elle alla en ville et passa des annonces personnelles dans les colonnes du journal de Missoula et de deux publications indépendantes.

Le mercredi matin, je me suis éveillé à cinq heures. Un épais brouillard s'était installé dans les arbres et dans les pâtures nord et sud et, sans les voir, j'entendais souffler les chevaux d'Albert. Je me suis rendormi et j'ai rêvé que j'étais chez nous, sur le Bayou Teche, à New Iberia. C'était la fin de l'automne, et je voyais de gros nuages de brouillard monter des cyprès, des chênes verts, des pacaniers, des bambous submergés et de l'herbe à éléphant le long de la rive. Puis je me suis vu marcher dans le brouillard jusqu'au pont à bascule de Burke Street et regarder la longue bande de lumière ambrée courant au milieu du bayou jusqu'au pont suivant, les chênes verts formant un tunnel qui, je ne sais pourquoi, me rappelait un canal utérin. Cependant, ma vision n'avait rien de festif. Les pelouses derrière les maisons le long du bayou étaient fleuries de chrysanthèmes, et non de fleurs de printemps, et je sentais une odeur de gaz dans le vent, une odeur d'eau croupie, de coques de noix de pecan et de feuilles jaunies et noircies par la moisissure.

La scène changea, et je vis une image qui me réveilla comme si quelqu'un m'avait frappé sur la joue. Je m'assis sur le bord du matelas, les mains sur les genoux, la gorge sèche. Je m'étais vu entrer dans un vieil abri à bateaux sur le Bayou Teche, ses parois de métal violettes de rouille, et striées de volutes de mousse espagnole arrachées aux arbres par le vent qui en secouait le toit et les murs, tendant le métal sur ses solives. Quand je suis entré dans la baraque, la porte a claqué derrière moi et je me suis trouvé plongé dans l'obscurité, réduit à tâtonner à l'aveuglette le long des parois, le froid de l'eau me montant au visage. Il n'y avait aucune issue, nulle part.

Molly a mis sa main sur mon dos. « Tu as fait un cauchemar ?

– Ce n'est rien. Tout va bien.

– Tu as appelé ta mère.

– J'ai fait ça ? Elle n'était pas dans mon rêve.

– Tu as dit "Alafair Mae Guillory".

– C'était son nom de jeune fille. Elle s'en servait quand elle était en colère contre mon père. Elle disait : "Moi, je suis Alafair Mae Guillory."

– Je regrette de ne pas l'avoir connue. Ça devait être quelqu'un de bien.

– Un homme mauvais l'a corrompue. Ce qui lui est arrivé ensuite n'était pas sa faute. »

Je suis allé m'habiller dans la salle de bains. Je ne voulais plus parler du rêve. Je savais ce qu'il signifiait, et je savais pourquoi, et dans quelles circonstances, les hommes appellent leur mère en pleurant. « On va petit-déjeuner, et ensuite on emmènera Clete à la pêche, dis-je.

– Maintenant ?

– Il y a un meilleur moment ? »

Ça n'avait rien de sentimental. À un certain âge, on se rend compte que le pire préjudice que l'on puisse subir consiste en un vol que l'on perpètre contre soi-même – le gâchis des jours qui nous ont été donnés. Existe-t-il remords plus taraudant que le fait de réaliser qu'on a jeté au vent les possibilités offertes par chaque aube nouvelle ?

Alafair choisit de rester à la maison pour travailler à son roman. Clete, Molly et moi avons pris mon pick-up pour nous rendre sur la Blackfoot River, dans un coin proche de l'ancien ranch du colonel Lindbergh. Il est difficile de décrire la Blackfoot, car nombre de ses qualités naturelles semblent teintées de mysticisme. C'est peut-être la raison pour laquelle les Indiens la considéraient comme un lieu sacré. Après les crues de printemps, l'eau est d'un bleu-vert, vive et froide, courant en longs rapides parmi des rochers à moitié submergés tout au long de l'année. Les canyons sont à pic, couronnés de sapins, de ponderosas et de mélèzes qui, à l'automne, deviennent dorés. Si l'on écoute attentivement, on entend s'entrechoquer au fond du torrent les cailloux qui produisent un murmure, comme s'ils se parlaient entre eux, ou nous parlaient à nous.

Les rochers le long des rives sont énormes, parfois blanchis par le soleil, parfois marqués par des traces de larves. Nombre de rochers sont plats, et il est agréable de marcher dessus pour jeter sa canne et faire de grands huit au-dessus de sa tête sans prendre sa mouche dans les arbres. Des roses sauvages poussent le long des rives, ainsi que des buissons et des plantes grimpantes feuillues qui, à l'automne, deviennent orange et violettes, couleur prune et abricot. Quand le vent souffle du canyon, les feuilles et les aiguilles de pin sont soulevées dans l'air, comme si toute la nature était en réalité un unique organisme très simple, suscitant sa propre renaissance, obéissant à ses propres règles, et ne prenant pas garde à la présence de l'homme.

Ce qu'il y a de plus étrange sur la rivière, c'est la qualité de la lumière. Elle ne vient pas d'en haut. Un éclat moussu d'un vert doré semble émaner des tables de rocs qui tapissent le fond de la rivière, et les truites qui sillonnent le rapide sont éclairées par-derrière.

Molly, Clete et moi avons construit un feu avec du bois flotté, préparé un café de cow-boy, fait fondre un morceau de beurre dans une poêle et mis à brunir des sandwichs jambon-oignons auxquels nous avons ajouté des tranches de fromage et de bacon. Quand le soleil fut arrivé en haut du canyon, les premières mouches sont montées des buissons le long de la rive et sont restées en suspension dans la vapeur d'eau au-dessus du rapide. Nous avons pataugé avec de l'eau jusqu'aux hanches et pêché dans un bassin derrière une digue de castors où des arcs-en-ciel et des truites fardées se jetaient sur tout ce qu'on leur lançait. Elles se précipitaient avec cette ferveur qu'on leur voit quand éclosent les premiers éphémères. Elles montaient rapidement de l'ombre, faisant rouler la mouche, battant la surface de leur queue, puis s'enfuyaient au fond de l'eau tandis que la canne se courbait et vibrait dans la paume. Tous les soucis, les ennuis qui nous perturbent quotidiennement, semblent se dissoudre et disparaître, comme de la fumée, dans le canyon moucheté de soleil au cœur du pays des Blackfoot.

Jim Bridger, Andrew Henry, Will Sublette, étaient venus là, et Hugh Glass[1] qui, plus tard, rampa sur cent cinquante kilomètres jusqu'aux Missouri Breaks après avoir été déchiqueté par un grizzly sur la Milk River, et Lewis et Clarke et Sacagawea, et le Noir qui s'appelait York, et faisait le délice des Indiens parce qu'il savait marcher sur les mains. Pour moi, cette terre était magique, protégée par d'anciens esprits, et nous rappelait les paroles de l'Ecclésiaste, selon lesquelles la course n'appartient pas aux plus robustes ni la bataille aux plus forts, et la terre subsiste toujours.

Nous sommes remontés à contre-courant à huit cents mètres du pick-up, et tandis que Molly ramassait des pierres, Clete et moi avons commencé à jeter nos lignes sur un long ruban ondulant d'eau à truite d'un bleu-vert, bordée d'un côté par une plage de galets dépourvue de buissons, et de l'autre par un talus herbu plein de sauterelles qui tombaient régulièrement dans le courant et attiraient les truites brunes et les ombles à la surface des bassins.

---

1. Légendaires trappeurs et explorateurs américains.

Clete se tenait devant moi, son bras droit tirant proprement la mouche hors du rapide avant qu'elle ne soit entraînée par le courant. Sa main se bloquait à la verticale, et du poignet il dessinait au-dessus de sa tête un lent motif elliptique qui séchait la mouche et remplissait l'air d'un froufroutement presque musical.

Puis j'ai entendu sonner son portable. Il a rembobiné sa ligne, accroché sa mouche à la poignée de liège de sa canne, et pataugé jusqu'au rivage. À cause du courant, je n'entendais pas ce qu'il disait, mais j'ai vu son expression préoccupée, et la façon dont il m'a tourné le dos sans cesser de jeter des coups d'œil derrière lui, comme s'il voulait dissimuler l'intrusion du monde extérieur dans cette parfaite bande de rivière sur laquelle nous étions tombés par hasard.

C'est alors que je vis quelque chose qui, plus tard, me fit trop penser à une coïncidence. Au moins cinq canidés couraient au milieu des arbres sur l'autre rive. Au début, j'ai pensé qu'il s'agissait de coyotes. Mais, en règle générale, les coyotes sont des solitaires et ne courent pas en horde. À la différence des loups, ils reniflent le sol, pas le vent, à la recherche de pistes de lapins, de spermophiles et de terriers de tamias. Les canidés courant au milieu des arbres étaient foncés, leurs oreilles pointées en avant, la tête dressée, la queue touffue et en broussailles. Les bosses de trois d'entre eux étaient striées d'argent. Je n'avais aucun doute : il s'agissait de loups.

J'ai vu Clete fermer son portable et le remettre dans sa poche. Je suis sorti sur la plage, de l'eau clapotant dans mes tennis. « C'était Gretchen ? ai-je demandé.

– Comment tu le sais ?

– À l'expression de ton visage. Tu caches mal tes émotions. Surrette est revenu ?

– L'Office de sécurité des transports a remis son rapport à propos du crash de l'avion du Sierra Club. Il y a eu une explosion dans la cabine. C'était sans doute une bombe.

– Comment elle s'est retrouvée dans l'avion ?

– Gretchen dit que le pilote et elle s'étaient garés devant un magasin à la lisière de la réserve Blackfoot. Le type qui tient le magasin est un parent d'Angel Deer Heart.

– Gretchen pense que les Indiens sont mêlés à l'explosion de l'avion ?

– Non, elle pense que quelqu'un ayant un rapport avec les Younger a posé la bombe pendant que le pilote et elle prenaient des photos plus loin sur la route.

– Peut-être la bombe avait-elle été posée plus tôt.

– Elle dit que lorsqu'elle est montée, à Missoula, la cabine était vide. Du moins autant qu'elle ait pu voir.

– Comment prend-elle tout ça ?

– Le pilote était son ami. Comment elle le prend, à ton avis ?

– Rentrons en ville, dis-je.

– Je ne voulais pas tout gâcher.

– On a passé un bon moment. On récupère Molly et on rentre à la maison. »

Il a regardé les arbres, de l'autre côté de la rivière. Il a pointé le doigt. « Tu vois ce que je vois ?

– Ce sont des loups.

– Je n'ai jamais entendu parler de loups sur la Blackfoot. Ils font partie de ce programme de repeuplement ?

– Je l'ignore, Clete. Je ne suis plus sûr de rien. »

Nous avons redescendu la rivière, marchant sur des rochers aussi blancs que des œufs, les arbres froufroutant de chaque côté du canyon. Un canot de caoutchouc bleu rempli de vacanciers a flotté à côté de nous, et ils nous ont tous porté un toast avec leurs cannettes de bière, leurs visages heureux et roses de coups de soleil. J'aurais voulu ne jamais quitter cet endroit. Nous avons suivi une courbe et vu Molly se diriger vers nous. Ses lèvres bougeaient, mais ses mots se perdaient dans le vent. Derrière elle, j'apercevais mon pick-up garé sur le talus, le soleil frappant le pare-brise comme un héliographe.

« Que se passe-t-il ? ai-je demandé.

– J'ai été au-delà du virage pour ramasser du bois flotté. Je n'avais pas fermé le pick-up. Tu ferais bien de regarder à l'intérieur.

– Qu'y a-t-il ?

– Tu le verras toi-même. Je n'ai touché à rien. »

J'ai quitté ma veste de pêche que j'ai posée sur les rochers, et j'ai allongé ma canne dessus. En approchant du pick-up, j'ai vu une culotte de femme, bleue, suspendue au rétroviseur. Il n'y avait aucun mouvement dans les arbres, aucune trace de pneus en dehors des miennes sur la route d'accès, personne sur la rive en dehors de Molly et de Clete. J'ai ouvert la portière passager et décroché la culotte du rétroviseur. On distinguait des traces de sang séché près de l'élastique. Clete se tenait derrière moi. Il a sorti de petites jumelles du sac à dos de toile qu'il prend toujours pour aller pêcher, et a commencé à scruter les bois, puis l'autre rive.

« C'étaient peut-être des étudiants qui voulaient faire une farce, dit-il. Il y en a plein qui viennent pagayer dans le coin. »

Quelqu'un avait posé sur le tableau de bord un permis de conduire du Montana. Je l'ai pris par l'arête, et j'ai regardé la photo plastifiée d'une jeune femme. Elle était jolie et paraissait contente d'être photographiée. Elle avait un regard clair et décidé, quelque chose en elle rayonnait.

« À qui est ce permis ? demanda Clete.

– À Rhonda Fayhee.

– À qui ?

– La serveuse qui a disparu à Lookout Pass.

– Ce fils de pute est venu ici ?

– Téléphone à Elvis Bisbee, et dis-lui ce qu'on a trouvé.

– Bisbee est un crétin. Je préférerais avoir affaire à Foutre, Bite et Ictus[1]. Au moins ils n'ont pas de moustache qui ressemble à une corde.

– Le FBI a eu vingt ans pour coincer ce type. Il a fallu que ce soit un privé de Wichita qui le fasse.

– Comment est-il venu ici et reparti sans qu'on le voie ? » dit-il en composant le 911 avec son pouce.

Je n'avais pas envie de penser aux loups au milieu des arbres de l'autre côté de la rivière, ni à celui qui vivait sans doute quelque part derrière la maison d'Albert. Le théâtre mental était une arme de Surrette. Mais je n'avais aucun doute sur le fait qu'il était venu là et nous avait laissé deux de ses trophées. J'avais aussi le sentiment qu'il incarnait un degré de malignité bien supérieur, en dimension et en ruse, aux machinations d'un seul individu. J'ai interrogé des condamnés dans le couloir de la mort, en Louisiane, au Mississippi et au Texas. Avec chacun d'eux, mon expérience a été la même. J'étais convaincu qu'ils étaient non seulement dysfonctionnels, mais irrémédiablement atteints. Soit ils étaient schizophrènes, soit ils présentaient un syndrome d'alcoolisation fœtale, soit ils avaient été neurologiquement endommagés par les coups reçus dans leur enfance. Ils n'avaient jamais eu le choix de la normalité. Et leur histoire n'avait rien de mystique.

Il en allait différemment avec Surrette. Les gens comme lui veulent recréer le monde à leur image. Le mal qu'ils font est de ceux qu'on ne peut effacer de sa mémoire. Je savais que je n'oublierais jamais l'image d'un sous-vêtement de femme taché de sang suspendu à mon rétroviseur. Et je ne serais jamais capable d'expliquer comment un homme peut s'enorgueillir de torturer une jeune femme innocente dans la fleur de sa vie. Je voulais affronter Surrette et le faire

1. Fart, Barf and Itch (graisse, vomi et démangeaison) : FBI.

payer, pas seulement pour ses crimes, mais pour son existence même. Je pense savoir pourquoi Himmler et d'autres criminels de guerre nazis se sont suicidés. Ils assuraient ainsi leur propre immortalité en nous refusant la connaissance de ce qu'ils étaient vraiment. Si je prenais Asa Surrette, j'étais résolu à ce qu'il nous dise ses secrets et ses origines, même si le règlement devait passer par-dessus bord.

Clete a refermé son portable.

« Qu'est-ce qu'ils ont dit ? ai-je demandé.

– Ils envoient deux types du labo. On ne doit toucher à rien », dit-il. Il glissa entre ses lèvres une cigarette qu'il n'alluma pas, le regard perdu sur l'autre côté du torrent. « Cette affaire m'ennuie vraiment, Dave.

– Bienvenue au club. »

Avant de reprendre la parole, il regarda si Molly était à portée d'oreille.

« Quand on tiendra ce type, il passera à la broyeuse à bois. On est bien sur la même longueur d'ondes là-dessus, hein ?

– Un peu plus tôt, j'ai commis une erreur.

– À propos de quoi ?

– J'aurais dû écouter Wyatt Dixon.

– Tu es fou.

– C'est le problème. Je ne suis pas fou, et toi non plus. Dixon l'est. Il voit sans doute un enfer que les autres ne peuvent pas voir. Et celui-là n'a pas de code postal, Clete. Le vrai problème, c'est Surrette. »

Je pensais que Clete allait me contredire, mais il n'en a rien fait. Son visage s'est vidé de toute expression, comme s'il avait perdu le fil de notre conversation. Il s'est penché, a ramassé une poignée de cailloux et a commencé à les jeter dans la rivière, les regardant faire de grands trous dans le rapide. Puis il a dit : « Si jamais je rentre à La Nouvelle-Orléans, je n'en partirai plus jamais. »

Voici le texte de l'annonce de Gretchen :

Cher ami de la Route de Brique jaune,

Ça m'a impressionnée. Je suis réalisatrice. Mon premier documentaire a été projeté à Sundance. Je pense que vous et moi pourrions travailler ensemble à un biopic. J'ai déjà le financement. Quelqu'un m'a dit que vous aviez un roman pas encore publié. Vous savez comment me contacter. À vous de jouer.

La môme de la crête,

G. H.

« Comment tu as imaginé un truc pareil ? avait demandé Clete lorsqu'elle lui avait raconté ce qu'elle avait fait.

– Tous les prédateurs pêchent à la traîne. Même lorsqu'ils sont inactifs, ou qu'ils sont en prison, ils pêchent à la traîne.

– Ce n'est pas le sujet.

– Il a laissé Alafair l'interviewer en prison parce qu'il pensait qu'elle allait écrire un livre sur lui. Il a suivi un atelier d'écriture au pénitencier d'État de Wichita, et il a écrit un roman inspiré de sa propre histoire. Il se prend pour un intellectuel et pour un grand artiste.

– Tu aurais dû m'en parler avant.

– J'ai besoin de ton autorisation ?

– Ce type a essayé de te tuer avec un piège à ours. C'est un lièvre qui t'a sauvé la vie.

– J'ai compris. Je suis tellement nulle que, sans l'intervention d'un animal, je serais morte.

– Ce n'est pas ce que je voulais dire.

– Surrette est un narcissique, Clete. Il va mordre à l'hameçon, crois-moi. Hollywood est une drogue. Même ceux qui le critiquent le plus sont fascinés. Sinon, ils n'en parleraient pas tout le temps.

– Pendant vingt ans, il s'est montré plus malin que les flics, Gretchen. Il a survécu à une collision avec un camion-citerne. Dave pense qu'il se peut que Surrette vienne d'ailleurs. Il n'a pas dit ça exactement de cette façon, mais c'est ce qu'il pense.

– Et si tu crachais la bouillie que tu as dans la bouche ?

– Il y a des années, on s'est occupés d'un nommé Legion Guidry. Il était surveillant dans une plantation dans la paroisse d'Iberia. » Clete secoua la tête, comme s'il se demandait s'il devait vraiment revivre cette expérience. « Je pense que ce type n'était peut-être pas humain. J'essaie de l'oublier. Quand je commence à trop penser à des trucs comme ça, ça me fout des frissons. »

Ils étaient assis sur le porche du chalet. On était vendredi, le début d'un beau week-end, et Gretchen voyait la buée montant des arroseurs d'Albert soufflée sur les parterres et les plaques de trèfle dans la fétuque. C'était l'un de ces jours d'été auxquels ne manque, pour atteindre la perfection, que l'odeur de l'herbe coupée. « Quels trucs comme ça ? dit-elle.

– Je n'ai pas envie d'en parler.

– Allons, dis-moi.

– Dave était persuadé que Legion Guidry travaillait pour le démon. Je refusais d'entendre des choses pareilles. J'ai entendu des trucs de ce genre pendant toute mon adolescence. Mais Dave et moi, on n'a jamais pu expliquer un certain nombre de choses qu'a faites Guidry, ni le pouvoir qu'il semblait avoir sur les autres.

– Vous l'avez eu, non ? Ça ne te dit rien ? Il était de chair et de sang.

– On n'y était pour rien. Il a été frappé par la foudre. Il a couru dans un marécage avec des balles crépitant autour de lui. Puis la foudre est tombée sur les bois. Le coroner et quelques adjoints ont trouvé son corps flottant dans la baie, entouré de charognes de porcs. »

Clete était en train de boire une canette de bière tiède. Il la prit, puis la regarda comme s'il ne savait pas d'où elle provenait. Il la reposa et regarda dans le vide.

« Tu te sens bien ? dit-elle.

– Ouais, ça va. Mais parfois je n'aime pas fouiller dans ma tête.

– Le privé de Wichita a coincé Surrette, dit-elle. Ce n'était pas le génie criminel du siècle.

– Il lui avait envoyé une disquette par laquelle on pouvait remonter à l'ordinateur de son employeur. Il l'a enregistrée un samedi, quand il n'y avait personne dans le bureau. Je pense qu'il a merdé volontairement.

– Pour quelle raison ?

– Il ne bénéficiait pas de suffisamment d'attention. Il voulait se dresser devant la cour, devant les familles, et décrire dans le détail ce qu'il avait fait à ses victimes. Il était plus heureux qu'un porc qui se vautre dans la boue.

– Vous vous laissez atteindre par ce type, Dave et toi. Il n'y a qu'une seule façon de s'occuper des gens comme Surrette. Il faut lui faire plus de trous qu'il n'a de prises à brancher. C'est aussi simple que ça. » Il se tourna sur son siège. Elle vit de la tristesse dans ses yeux. « Ne me regarde pas comme ça, dit-elle.

– Tu parles comme les surineurs qu'on rencontre en taule, dit-il. J'aimerais que tu cesses de t'exprimer de cette façon.

– Ce que je suis en train de dire, c'est que ce type n'est pas le Super-Méchant. Il ne vient pas des abysses. Tu as connu les pires des pires. Tu sais qu'ils finissent tous par tomber.

– J'ai reçu de l'argent des Giacano, et j'ai travaillé pour Sally Dee. C'étaient des sales types, mais sans comparaison avec Legion Guidry. C'est ce que tu ne veux pas comprendre. Dave a raison à propos de Surrette. Comment se fait-il qu'il puisse aller et venir sur la propriété d'Albert ? Comment a-t-il disparu après avoir manqué te tuer avec un piège à ours ?

– On travaille ensemble, ou pas ?

– Je serai toujours derrière toi. Tu le sais.

– Parfois, je n'en suis pas si sûre.

– Ne me répète jamais une chose pareille.

– Pourquoi tu me parles comme ça ?

– Parce que parfois, j'en ai envie.

– Tu sais vraiment t'y prendre avec les femmes, Clete. Va te faire foutre », conclut-elle.

25

Le samedi matin, Albert est descendu au chalet pour avertir Gretchen que quelqu'un avait laissé un message pour elle sur son répondeur. L'appel ne venait pas d'Asa Surrette, mais d'une femme qui semblait lire une déclaration toute préparée. « Ce message est pour Gretchen Horowitz de la part de son ami de la crête, disait la voix de femme. Quand vous dites que j'ai écrit un roman, vous avez raison. Peut-être que M. Hollister aimerait le lire un jour. Peut-être même qu'il lui plairait. J'aimerais aussi vous parler du biopic. Est-ce qu'Alafair travaillera sur le projet ? Prends soin de toi, la môme. Je pense qu'on va bien s'amuser, tous les deux. »

La femme donnait un numéro et interrompait la communication. Gretchen nota le numéro et se retourna. Sans qu'elle s'en soit rendu compte, Albert se tenait à deux pas derrière elle. « Qu'est-ce que c'était ? demanda-t-il.

– Un projet auquel je travaille, dit-elle.

– Il faut que tu comprennes bien une chose, mademoiselle Gretchen. Je n'impose pas aux autres mes façons d'agir. Mais mon nom était cité dans ce message. Je veux savoir de quoi il s'agit.

– D'Asa Surrette.

– Tu vas l'appâter pour qu'il sorte de son trou ?

– Si j'y arrive.

– Qu'est-ce que tu vas faire, quand tu l'auras ?

– Ça dépend de lui.

– Tu as un don. Il te vient d'une source extérieure. Il t'a été accordé pour une raison précise, et un jour cette raison se manifestera dans ta vie. Ne laisse pas le monde le corrompre, ou te le retirer. Les hommes comme Surrette vous méprisent pour le talent et l'intelligence qui vous ont été accordés dans des buts plus élevés.

– Je doute qu'un type comme ça médite sur l'art et les humanités, monsieur Hollister.

– Tu te trompes. Les Surrette du monde entier méprisent ceux à qui le Créateur a accordé un don, et pas à eux.

– Surrette a toujours opéré dans des zones rurales, où la police ne dispose pas de moyens sophistiqués, dit-elle. Ça veut dire que c'est un amateur, et qu'il finira par commettre une erreur.

– À ta place, je ne parierais pas trop là-dessus. »

Sans le dire à Clete, Gretchen prit sa voiture pour rejoindre la deux-voies, où elle pourrait avoir du réseau, et composa le numéro que la femme avait laissé sur le répondeur d'Albert. Elle était convaincue que le numéro était celui d'un téléphone volé, et que Surrette avait sans doute payé quelqu'un pour laisser un message à sa place. La question était de savoir qui allait décrocher. Elle n'eut pas à attendre longtemps pour l'apprendre.

« C'est toi, Gretchen ? dit une voix d'homme.

– Sûr.

– Tu as dit à la police que je t'avais contactée ?

– Je ne suis pas très copine avec les flics.

– J'ai entendu dire qu'en Floride, tu avais été une mauvaise fille.

– Pas tant que ça. Vous pensez que ça vous plairait qu'on fasse un film ensemble ?

– Déjà entendu parler d'un certain Bix Golightly ? demanda-t-il.

– Ce nom me dit quelque chose.

– Bix Golightly, de La Nouvelle-Orléans ?

– Et alors ?

– Il s'en est pris trois dans la gueule, assis dans sa voiture, à, comment on dit ça, déjà ? À The Big Easy[1] ?

– C'est faux. C'était à Algiers, de l'autre côté du fleuve.

– T'es maligne.

– Comment vous savez, pour Bix Golightly ?

– Ta réputation se répand. Tu as peut-être des admirateurs que tu ne connais pas.

– Si je vous appelle Asa, ça vous dérange ?

– Appelle-moi l'Homme en Fer-Blanc. Comment va Alafair ?

– Elle craint que vous ne soyez fâché contre elle.

– J'aimerais qu'on se retrouve, tous les trois. J'ai de très bonnes idées. Pendant des années, j'ai vécu dans ma tête en pensant à des choses que j'aimerais faire avec les autres.

– Quel genre de choses ?

– Je ne devrais peut-être pas te le dire. J'ai l'impression que le sexe te dérange. Je n'ai jamais connu de fille garçon manqué qui ne soit pas prude à l'intérieur d'elle-même.

– Je suis cinéaste. Je vis à West Hollywood. Ça vous paraît prude ?

– J'aime tes jambes. La silhouette d'Alafair est jolie, mais pas aussi intéressante que la tienne.

– Vous êtes en train de me dire que vous voudriez qu'on baise ?

– Tu vois bien, tu *es* une mauvaise fille.

– Où on peut se retrouver ?

– Je te rappellerai. En ce moment, je suis occupé.

– Avec le type qui s'est fait traîner sur la nationale près de Flathead Lake ?

– Les simples d'esprit ne sont pas très amusants.

– La serveuse de Lookout Pass ? C'était vous ?

1. « The Big Easy », surnom de La Nouvelle-Orléans.

– Laisse-moi réfléchir. » Il émit un borborygme, comme s'il jouait avec son index sur ses lèvres. « Je ne suis pas sûr de savoir où ça se trouve. Il y a une question que je voulais te poser.

– Allez-y.

– Quand tu as expédié Golightly dans un autre monde, ça t'a plu, non ? C'était pas juste un boulot. Tu aimes la montée d'adrénaline. Tes reins en bourdonnent, comme un nid d'abeilles. Non, ce n'est pas exactement ça. C'est comme de lécher un cornet de glace. »

Elle essaya de garder sa voix vide de toute émotion. « Je pense qu'ensemble, on pourra faire un film qui marche.

– Je me suis un peu trop approché de la vérité, n'est-ce pas ?

– Des photos non autorisées de vos scènes de crime ont été postées sur Internet. C'est vous qui les avez prises ?

– Peut-être. Elles t'ont plu ?

– Je peux vous apprendre le cinéma. J'ai des amis dans des ateliers de création. Ils pourront nous aider de bien des façons.

– Tu me parais un peu pusillanime. Je te préviens qu'Alafair doit être à bord, notre pièce centrale, pour ainsi dire. Donne-moi ton numéro de portable. J'ai quelques engagements à régler, mais on se verra, tous les deux. »

Elle lui donna son numéro et referma son portable. Quand il eut raccroché, elle ouvrit la portière de sa voiture et vomit.

Gretchen monta jusqu'à la maison d'Albert et parla de cette conversation à Alafair.

« Tu es certaine que c'est lui ? Tu as vraiment eu ce salopard en ligne ? » dit Alafair.

Gretchen était assise près du bureau d'Alafair, au deuxième étage de la maison d'Albert, les épaules voûtées. Elle regarda par la fenêtre, peu désireuse de dire ce qu'elle avait à dire. « Il en a après toi. Tu l'obsèdes.

– Ce n'est pas une révélation, dit Alafair.

– Il a laissé entendre qu'il allait me rencontrer. Mais uniquement si tu es à bord, comme il dit. » Une vague de chaleur sembla briller et se déformer sur le toit de métal de la grange. « Je n'ai rien dit pour le décourager.

– Tu as conclu un accord avec ce trou-du-cul sans me poser la question ? Un accord dont je fais partie ?

– Je t'admire. Tu es tout ce que je voudrais être. Je ne laisserais personne te faire du mal. Si quelqu'un essayait, je le tuerais.

– Et à ton avis, il essaie de faire quoi, ce type ? Tu penses que tu vas être plus maline que lui ?

– J'ai une expérience que n'ont pas les autres.

– Tu as déjà lu "Le Jeune Maître Brown", de Nathaniel Hawthorne ?

– Non.

– On en a tiré un film. Goodman Brown pensait pouvoir se balader avec le diable dans une forêt à minuit, et se montrer plus malin que lui. Sa femme s'appelait Faith[1]. Et pour finir, il a perdu non seulement sa femme, mais aussi son âme. »

Gretchen commença à écrire sur un morceau de papier pour machine à écrire. « Qui a réalisé le film ? » demanda-t-elle.

Alafair lui arracha la feuille de papier, qu'elle déchira en deux et jeta à la poubelle. « Tu es folle ? Il ne s'agit pas de cinéma. Il s'agit du démon. Comment Surrette était-il au courant, pour Bix Golightly ?

– Je n'y ai pas réfléchi.

– Penses-y un peu. Il n'y a que deux façons qu'il l'ait su, Gretchen. Soit il a été dans la Mafia, soit il est familier d'un monde qu'on ne soupçonne pas.

– Non, la Mafia utilise des pros. Ce sont des hommes d'affaires.

---

1. Foi.

– Alors d'où tient-il ce savoir omniscient ?

– Tu es en train de dire qu'il a des pouvoirs particuliers ?

– Je suis en train de dire qu'on devrait aller voir les flics. » Alafair mit la main dans le dos de Gretchen. « Tes muscles sont durs comme du fer. Je m'inquiète pour toi.

– Je vais bien.

– Tu es la sœur que je n'ai jamais eue, Gretchen. » Elle lui effleura les cheveux.

« Surrette a mis une bombe dans l'avion de Percy Wolcott. Percy était l'une des personnes les plus gentilles que j'aie jamais connue, dit Gretchen. Son corps a été carbonisé au-delà de toute identification possible. Je pense que c'est Surrette qui a fait ça. Je vais le scier en deux. »

Alafair regarda la panière à manuscrit sur son bureau. Elle était à moitié remplie de feuilles tapées à la machine. « Que veux-tu que je fasse ? demanda-t-elle.

– Surrette a beaucoup d'argent. D'où vient ce fric ? Il faut aussi qu'on se penche sur le passé de Felicity Louviere. Son mari dit qu'elle était la pute locale. Elle dit que son père l'a laissée sombrer quand il est parti jouer le bon Samaritain professionnel au milieu des Indiens d'Amérique du Sud.

– Et alors ? dit Alafair.

– Elle n'est pas claire. Clete se fait facilement avoir par les femmes. C'est pas parce qu'il suit sa grosse queue que tout le monde doit en faire autant.

– Je n'en crois pas mes oreilles.

– Il y a encore une chose. Ne parle pas de ça à ton père ni à Clete.

– Tout ça me dérange.

– Tu en es, ou pas ? » dit Gretchen.

Sur North Higgins, à côté d'un saloon ouvert depuis 1891, existait un kiosque à journaux-bureau de tabac où l'on trouvait des *pulps*, des tabloïds et toutes sortes de magazines. Un homme vêtu de souliers à deux tons, d'un chapeau de pluie, de lunettes d'aviateur, d'un costume brun clair déstructuré et d'une chemise bleue à rayures blanches au col ouvert entra et commença à regarder les revues sur le présentoir, les feuilletant et les reposant de travers lorsqu'il n'y trouvait rien d'intéressant. Ou alors il laissait simplement tomber le magazine sur le sol, ouvert à ses pieds, tandis qu'il en prenait un autre.

Deux adolescentes aux cheveux blonds, presque dorés, étaient sorties de son SUV pour regarder un guitariste qui jouait au coin de la rue. Puis elles firent du lèche-vitrine et quittèrent le champ de vision du vendeur, mais l'homme au costume brun clair sembla ne pas prêter attention à elles. Il ressemblait à un écumeur de plages, ou à un débauché rôdant dans les bouges d'une cité orientale dans un film noir des années 1940. Il prit un exemplaire de *Hustler*, se léchant parfois un doigt pour tourner les pages, inclinant le magazine pour mieux voir les images.

Le vendeur était un gamin boutonneux aux bras maigres tatoués, des poignets aux aisselles, de serpents, de crânes et de couteaux sanglants. Il était assis sur un tabouret derrière le comptoir, les yeux fixés sur le client au costume brun clair, agitant une allumette entre ses lèvres. « Je viens juste de trouver ce boulot. J'aimerais le garder, dit-il.

– Ah ouais ? dit le client.

– Et si vous évitiez de saccager ce présentoir ?

– Pourquoi vous vendez ces saletés ?

– Parce que des vieux lubriques entrent pour les acheter ?

– J'aime bien votre nouvelle façon de parler, les jeunes. Vous terminez chaque phrase comme s'il s'agissait d'une question.

– J'ai l'impression que vous n'avez pas compris. Le problème, c'est pas *moi*. »

Le client continua à lire, plissant le coin des yeux.

« Et si vous ramassiez les magazines par terre, mec ? dit le vendeur.

– Vous ne devriez pas vendre cette merde.

– Alors pourquoi vous la regardez ? »

Le client continua à lire sans lever les yeux. « Comment tu t'appelles ? »

Le vendeur hésita avant de répondre. « Seymour Little.

– C'est parfait. »

Le vendeur eut comme un reniflement. « Vous avez marché dans une merde de chien, ou quoi ? »

Le client leva les yeux du magazine. « Répète un peu ça ?

– Il y a une odeur bizarre.

– T'es en train de dire que l'odeur bizarre vient de moi ?

– Non, c'est juste une question que je me posais.

– Mais tu te demandais si c'est moi qui sentais la merde de chien ?

– Non. J'ai perdu mon boulot au motel. J'essaie juste de prendre un nouveau départ.

– Ouais, tu travaillais dans ce nid à puces sur West Broadway, c'est ça ? Tu as été viré parce que t'as traîné la Harley de quelqu'un sur la chaussée.

– Comment vous savez ça ?

– T'as fait couler de l'encre. T'es une vedette.

– Non, j'ai pas fait couler d'encre.

– Je viens de te dire que si. Mais tu devrais détacher tes pensées de ce qui se passe dans le monde extérieur, Seymour. Tu crois que tu peux y arriver ?

– Oui, monsieur. »

Le client sortit de sa poche un billet de cent dollars et un morceau de papier plié, et les posa sur le comptoir. « Je veux que tu ailles à la pharmacie et que tu prennes une ordonnance pour moi. Il y a plusieurs autres trucs que tu devras prendre dans les rayons.

– Je peux pas quitter mon boulot.

– Je le ferai à ta place.

– C'est quoi, votre problème, mec ?

– Je donne les ordres, et tu exécutes. Ce n'est pas difficile à comprendre, non ? Tu devrais pas faire le malin avec les gens qu'il faut pas, Seymour. »

Le vendeur déplia le morceau de papier, qu'il lut. « Vous voulez que j'achète des tampons périodiques ?

– Il faut que tu sois rentré dans treize minutes. Ne m'oblige pas à aller te chercher.

– Vous êtes cinglé ?

– Vas-y, ne perds pas de temps.

– Treize minutes ? Pas douze, ni quatorze ?

– Regarde-moi en face. Dis-moi ce que tu vois. Ne détourne pas la tête. Regarde-moi droit dans les yeux. As-tu le moindre doute sur ce qui pourrait t'arriver si tu ne fais pas ce que je dis ?

– Je suis désolé. Je veux pas d'ennuis. Hé, mec, je faisais juste mon boulot. C'est quoi le problème, putain ? »

Il y eut un long silence. « Je m'amuse un peu avec toi. Je t'ai vu traîner cette moto dans la rue.

– Pourquoi vous arrêtez pas de me regarder comme ça ?

– Comme quoi ?

– Avec ce sourire.

– Tes tatouages. Tu veux faire croire aux gens que t'as été en taule. Mais c'est faux. En taule, tu tiendrais pas, Seymour. La première nuit dans la douche, les loups t'auraient découpé en côtelettes d'agneau. Ils te feraient frire à la poêle comme un morceau de beurre.

– Pourquoi vous faites ça ?

– Je t'aide pour qu'une autre fois tu n'ouvres pas ta gueule avec le type qu'il faut pas. Tu te souviendras toujours de ce moment. Aussi longtemps que tu vives, tu te souviendras de moi. Quand tu penseras que tu as changé, que tu es devenu fort, et que tout ça est du passé, tu rêveras de moi, et tu réaliseras que je serai toujours dans ta tête. Maintenant, vas-y. À ton retour, tout sera impeccable. Ça te dérange si je vais me chercher un soda ? »

Le vendeur alla à la pharmacie et revint moins de treize minutes plus tard, la peau aussi sèche et exsangue que du papier. On avait l'impression que la moitié de sa personnalité était restée en dehors du magasin. « Je peux vous poser une question ? dit-il.

– Vas-y, dit le client.

– Les nanas dans le SUV, ce sont vos filles ?

– Je suis leur parrain. Pourquoi tu me demandes ça ?

– Pourquoi il vous faut tout cet OxyContin ?

– Je suis leur maquereau. » Il attendit, puis son visage se fendit d'un large sourire. « Tu sais jamais quand on plaisante, hein ? Profite du reste de ta journée, Seymour. Console-toi en te disant que tu fais partie de l'histoire. C'est juste que tu ne le sais pas encore. »

Tandis que le client s'éloignait avec les deux adolescentes, le vendeur mémorisa le numéro d'immatriculation et l'écrivit au crayon sur le comptoir, puis il prit le téléphone et composa le 911. Aussitôt après le troisième chiffre, il raccrocha et, de la main, effaça du bois l'immatriculation, la gorge obstruée par un caillot aussi gros qu'une noix.

Pourquoi les membres des A.A. affirment-ils avoir payé la carte de club la plus difficile à obtenir du monde ? C'est pourtant facile. Tôt dans la vie, on entreprend de démolir tout ce qu'on pensait pouvoir devenir de bien. Quand on en a terminé, on a pollué son sang, pissé sa cervelle dans les rues, hypothéqué ses lendemains, détruit sa famille, trahi ses amis, courtisé quotidiennement le suicide, et on est devenu un objet de ridicule et de mépris aux yeux de ses frères humains. Et ce n'est que le commencement. Le reste du carnet de bal comprend la désintoxication, la prison, les cellules capitonnées et, pour finir, le cimetière. Lorsqu'on veut se faire exploser l'âme, ou entrer dans une période d'agitation dépressive et d'anxiété psychonévrotique connue sous le nom d'expérience de Gethsémani, l'alcoolisme non traité est un moyen infaillible d'y parvenir.

La grande surprise, quand on assiste à sa première réunion des A.A., c'est l'apparente normalité des gens dans la pièce. Ils viennent de tous les milieux socio-économiques imaginables. La seule chose que la plupart ont en commun, c'est la névrose qui a gouverné leur vie. La réunion à laquelle j'ai assisté le lundi soir se tenait au premier étage d'une église méthodiste, en face du lycée, dans un quartier planté d'érables rappelant une époque révolue. La femme assise à côté de moi était un pasteur luthérien. La femme de l'autre côté était un ancien professeur de collège qui, enfant, avait été violée, et avait séduit deux de ses élèves. L'homme qui menait la réunion était un peintre en bâtiments qui avait été mitrailleur au Vietnam et avait tué des innocents dans une zone de tir à volonté (« juste pour les regarder mourir », selon ses propres mots). Le gosse qui arriva en retard durant la récitation de la Prière de la Sérénité et s'est posé près de moi dans une bouffée de nicotine fut le premier à prendre la parole quand le modérateur ouvrit la réunion.

« Je m'appelle Seymour, et je suis accro à l'alcool.

– Salut Seymour ! » dit chacun.

Son portefeuille était suspendu à une chaînette, et malgré la chaleur de la soirée, il portait une chemise de flanelle à manches longues. Il avait un jean avec des guitares brodées sur les poches arrière, des bottes de cow-boy qui semblaient en plastique. Son front avait un éclat huileux, et sa voix ressemblait à une corde de guitare trop tendue et prête à se rompre.

« Le sujet que je veux soulever ce soir, c'est pourquoi des gens essaient de vous transformer la tête en décharge. Au bout d'un moment on sait plus qui a un problème, eux ou nous, dit-il. Ce que je dis, c'est qu'un type est entré là où je travaille, et il puait la merde de chien, et quand je le lui ai fait remarquer, il m'a dit que j'avais ouvert ma gueule avec le type qu'il fallait pas, et qu'il allait me donner une leçon.

« Il m'a dit de le regarder en face. Non, il m'a dit de le regarder dans les yeux. Il m'a vraiment fait peur. Mon tuteur dit que je mérite pas encore le cinquième échelon, et que j'ai un tas de culpabilités enfouies qui heurtent les autres et qui me reviennent dessus. Ça me donne envie de boire et de me droguer. Ce soir, je pensais sortir et acheter de la came, mais à la place je suis venu à une réunion. Tout ça, c'est peut-être juste mon imagination, non ? »

Tout le monde pensait qu'il avait terminé et avait entamé un « Merci, Seymour » collectif, mais il agita les mains et reprit la parole. « Vous voyez, il m'a fait aller dans une pharmacie pour prendre son ordonnance et acheter des trucs de femmes, un type que j'avais jamais vu, je veux dire, un type qui prenait plaisir à me dire à quel point j'étais minable. C'est peut-être vrai. Je sais pas, mec, mais j'ai l'impression de marcher sur une putain de voie ferrée. Vous savez ce qu'il a dit en sortant ? "Hé, dis à tes copains que t'as rencontré l'Homme en Fer-Blanc." C'est qui, ce putain d'Homme en Fer-Blanc ? »

Certains essayèrent de l'aider en racontant leurs histoires, mais il était évident que Seymour avait fait ses bagages et s'était isolé dans un espace sombre à l'intérieur de sa tête, où personne d'autre ne pouvait pénétrer. À la fin de la réunion, je lui ai mis la main sur l'épaule. « Je m'appelle Dave Robicheaux. Tu as une minute ?

– Vous êtes un flic ?

– Qu'est-ce qui te fait penser ça ? dis-je en souriant.

– Je vous ai déjà vu à une réunion. Vous avez une veste de sport, et vous gardez les mains sur les côtés. Les flics laissent jamais voir ce qu'ils pensent. J'ai raison, hein ?

– Ouais. Si on sortait ?

– Tout de suite, je me sens pas très bien. Je ferais peut-être mieux de rentrer à la maison.

– Le type dans ton magasin, il est du Kansas. C'est un sale type. Et il faut qu'on parle. »

Il regarda par la fenêtre le soleil qui descendait derrière les montagnes à l'ouest. « Ça vous dérange pas si je fume ?

– Non », ai-je menti.

On s'est assis sur les marches de l'église dans le crépuscule. Les lampadaires venaient de s'allumer, et les érables le long des trottoirs avaient une luminescence verte qui me rappelait les couleurs voilées, mais brillantes, qu'on voit sur les toiles de Van Gogh. Il sortit une cigarette du paquet qu'il avait dans la poche de sa chemise, alluma une allumette en papier et essaya de la protéger de ses mains en coupe, mais il tremblait tellement qu'il la laissa tomber sur le ciment. « J'ai l'impression que je suis en manque, dit-il.

– Je pense que tu es un type bien, Seymour. Il faut du cran pour parler de ses problèmes dans une salle remplie de gens dont la plupart sont des étrangers. Le type dans ton magasin, il avait un nom, à part l'Homme en Fer-Blanc ?

– Non, juste une odeur. Il puait. C'est comme s'il avait laissé ses empreintes partout. Il a fallu que je passe au Lysol tout ce qu'il avait touché. »

Je ne voulais pas le voir s'exciter à nouveau, alors j'ai changé de conversation.

« Tu n'as pas trop chaud, avec ta chemise ?

– Je voulais cacher mes tatouages.

– Tu as été en taule ?

– Non. Le type m'a dit que j'étais bidon. Je suppose qu'il a raison. J'ai pas mérité mes tatouages. Je voulais que les gens me prennent pour un dur. J'ai même fait dérailler la réunion, ce soir. On est censés parler de drogue et d'alcool, pas des problèmes qu'on a avec des vieux débiles qui lisent des magazines pornos. Je me sens vraiment mal.

– Il veut infecter les autres avec sa maladie, partenaire. Ne le laisse pas entrer dans ta tête. Tu es un type bien. Ne l'oublie jamais.

– Quand je l'ai regardé dans les yeux, ça m'a vraiment foutu la trouille, mec. C'était comme de regarder dans une grotte sans fond.

– Il ne t'a pas donné une indication sur l'endroit où il habite ?

– Non. Il avait deux filles avec lui. Il conduisait un SUV gris.

– Tu te souviens de l'immatriculation ?

– Je l'ai notée, et ensuite je l'ai effacée.

– Tu t'en souviens d'une partie ?

– C'était une plaque du Montana. C'est tout ce que je sais. Il a dit qu'il était le parrain des deux filles. Vous avez un problème avec lui ?

– Je pense qu'il a essayé de tuer ma fille. Si on parle bien du même homme, il s'appelle Asa Surrette. Il a torturé et tué huit personnes.

– Seigneur, dit-il. C'est peut-être pour ça qu'il avait ces filles avec lui. Vous croyez qu'elles se sont enfuies ? Je me demande si c'est pour ça qu'il avait toute cette dope.

– Quelle dope ?

– L'OxyContin. Il avait aussi une autre ordonnance. Je crois que c'était pour des somnifères, ou des calmants.

– Qu'est-ce qu'il t'a demandé d'acheter d'autre ?

– Des tampons périodiques, du dentifrice, une pince à ongles, du fil dentaire, du déodorant pour femmes, du Pepto-Bismol.

– Il n'a pas dit pour qui c'était ?

– Il était pas du genre à qui on pose des questions. Il a dit que je faisais partie de l'histoire. Putain, il voulait dire quoi ? Qu'est-ce que l'histoire a à voir avec ça, putain ?

– Rien, dis-je

– L'OxyContin est aussi proche de l'héroïne que peut l'être un produit en vente libre. Il va faire chauffer l'Oxy et shooter les filles, non ? C'est comme ça qu'il va entrer dans leur culotte.

– Il se masturbe sur ses victimes après les avoir étranglées. Voilà le type qui était dans ta boutique, Seymour. Considère ta rencontre avec lui comme tu le ferais d'une maladie. Et oublie ça à jamais. Il n'a rien à voir avec ta vie. Tu as un tas d'amis dans la pièce là-haut. N'oublie jamais qui tu es, un type sympathique qui fait du mieux qu'il peut. Tu m'as bien compris ?

– Oui, monsieur. »

J'ai noté mon numéro de portable au dos d'une carte professionnelle que je lui ai tendue. Lorsque je me suis levé, il est resté sur les marches, les yeux levés sur moi, sans dire un mot.

« Je vais te dire un truc. Si on allait prendre un hamburger et une tasse de café ?

– Je crois que je peux y arriver », a-t-il répondu.

La véritable signification de ma conversation avec lui ne m'est apparue qu'à quatre heures le lendemain matin. Je me suis assis sur mon lit, dans le brouillard, les oreilles tintant d'un sentiment d'urgence qui semblait inexplicable. Je suis allé à la salle de bains, j'ai allumé la lumière et appuyé les bras sur le lavabo, essayant de reconstituer le rêve que je venais de faire. Dans ce rêve, je voyais une fille enfermée dans une bulle de plastique géante, les mains sur les flancs, ses cris inaudibles, presque à court d'oxygène.

J'ai regardé dans la glace et j'ai vu Molly debout derrière moi. « Tu as fait un cauchemar ? a-t-elle demandé.

– Elle est vivante, dis-je.

– Qui est vivante ?

– La fille qui a été enlevée à Lookout Pass. »

26

À neuf heures ce matin-là, j'étais dans le bureau d'Elvis Bisbee. Je lui ai raconté ma rencontre imprévue avec Seymour Little. Pendant que je parlais, il prenait des notes sur un bloc. « OK, on va parler à ce gamin et inspecter la pharmacie, dit-il. Merci d'être venu.

– J'ai déjà été à la pharmacie. L'ordonnance a été donnée par téléphone par un médecin de Whitefish. J'ai appelé son bureau. Il est quelque part au Canada, et on ne l'attend pas avant un moment.

– *Vous* avez été à la pharmacie ?

– C'est bien ça.

– Qu'est-ce qui vous fait penser que vous pouvez venir d'un autre État et mener votre enquête de votre côté ?

– Je suis désolé que ça vous déplaise. »

Il posa son stylo et regarda les arbres et le monument aux morts sur la pelouse du tribunal. « Ça vous dérangerait de me dire pourquoi le pharmacien a partagé son information avec vous ?

– Je lui ai montré mon insigne.

– Vous lui avez expliqué que vous étiez de l'État de Louisiane, et que vous n'aviez aucune autorité légale ici ?

– Ça n'a pas semblé lui poser de problème. »

Il est resté immobile sur son siège pivotant. Les pointes de sa moustache étaient aussi blanches que de la cendre. La clarté de ses yeux bleus me rappelait un ciel vide, illuminé par le soleil. Il était de ceux dont l'honnêteté et l'honneur sont indiscutables. Quelqu'un de moins patient se serait montré plus sévère envers Clete, Gretchen Horowitz et moi. Elvis Bisbee était persuadé que le monde est un lieu rationnel, et que la procédure, de bien des façons, est une fin en soi.

Sans des gens comme lui, nous aurions sans doute le chaos. Voici cependant les risques des raisonnements de ce type : les rapaces, ceux qui font leurs proies des gens plus faibles, et qui mettent en échec le système, ne sont pas liés par les procédures, et prennent un grand plaisir à côtoyer ceux qui le sont.

« Rhonda Fayhee est vivante, shérif. Mais je pense qu'on n'a pas beaucoup de temps, dis-je. J'étais presque certain que Surrette l'avait tuée. Il n'a jamais gardé ses victimes en vie, sauf pour les torturer. Cette fois-ci, il a décidé d'agir différemment.

– Pour quelle raison ?

– En général il dissimule sa frappe, dans son gant ou derrière sa cuisse.

– Pourquoi êtes-vous si sûr qu'il s'agit de Surrette ?

– Parce qu'il s'améliore de plus en plus. Il aurait pu aller chercher l'ordonnance lui-même, mais il a préféré utiliser et humilier un gosse qui ressemble à un sac de bâtonnets d'esquimaux cassés. Il savait aussi que le gosse le dénoncerait, et qu'on comprendrait que la fille est toujours vivante. Sauf qu'on n'a aucune idée de l'endroit où elle est, ni de ce qu'elle subit pendant qu'on perd notre temps dans votre bureau.

– On perd du temps, c'est ça ? »

Je me suis levé. « Surrette s'apprête à nous envoyer un message. Ils le font tous. Je ne sais pas ce que ce sera. Je ne veux même pas y penser. Mais c'est ce qu'il va faire. Il y a dans notre conversation quelque chose qui me dérange, shérif.

– Ne me cachez rien.

– Vous êtes un homme intelligent. Je pense que vous savez déjà tout ça. Surrette est dans les parages pour un bon moment, et votre service n'est pas équipé pour s'occuper de lui. Alors c'est beaucoup plus facile de regarder voler les mouches que d'admettre que vous avez un véritable monstre parmi vous. Je ne vous en veux pas de votre impuissance face à cette situation, je vous en veux de faire semblant de l'ignorer.»

Il prit son stylo sur son bureau et se le mit en équilibre sur une main, puis sur l'autre, et pour finir il le laissa tomber sur le buvard. « Au revoir, monsieur Robicheaux. Si vous avez une autre information pour moi, téléphonez. Je vous adresse cette requête parce que je voudrais que vous ne remettiez pas les pieds dans mon bureau pendant le plus longtemps possible. »

Quand elle était petite, Alafair était incapable de garder un secret. Ses émotions se manifestaient immédiatement sur son visage, avec une transparence telle qu'on avait l'impression de regarder à travers du verre. Elle se mettait en rage avec Batist, le vieux Noir qui travaillait à notre magasin d'appâts et de location de bateaux. Le problème était toujours le même : Tripod, notre raton laveur apprivoisé, qui n'avait que trois pattes, mais qui était un maître cambrioleur lorsqu'il s'agissait de s'introduire dans la réserve de barres sucrées et de tartes à frire de Batist. Une fois, en regardant en contrebas de notre ancienne maison, j'ai vu Alafair se précipiter hors de la boutique avec Tripod niché entre ses bras et Batist à leurs trousses, brandissant un manche à balai. Elle gravit la pente à toute vitesse à travers les pacaniers et les chênes verts, passa devant moi comme une fusée et entra dans la maison, la queue de Tripod battant comme un ressort.

« Que s'est-il passé ? ai-je demandé.

– Batist est méchant ! Je le déteste !

– Tu ne devrais pas parler comme ça de Batist, Alafair. Tripod a fait quelque chose qui ne lui a pas plu ?

– Il n'avait rien fait. Batist a dit qu'il allait le transformer en civet. J'espère qu'il va tomber à l'eau et qu'un bateau va le heurter. Pourquoi il ne rentre pas chez lui, avec ses cigares qui puent ?

– Tu peux m'expliquer pourquoi Tripod a du chocolat sur les pattes et sur la gueule ? »

Alafair avait le visage rond comme une assiette, et ses boucles lui tombaient dans les yeux. Elle a jeté un regard de côté. « Il a dû trouver une barre au chocolat sur le ponton.

– Ouais, ça arrive souvent que les gens jettent leurs barres chocolatées sur le ponton. Tu as remarqué que le ventre de Tripod ressemble à un ballon rempli d'eau ?

– Il allait faire du mal à Tripod, Dave. Tu n'as pas vu l'air qu'il avait.

– Batist ne sait ni lire ni écrire, mais il est très fier du travail qu'il accomplit pour nous. Quand Tripod dévaste le comptoir, Batist a l'impression de nous avoir laissés tomber. Vous devez comprendre son point de vue, Tripod et toi. »

Son visage s'est fripé, et elle s'est mise à pleurer. Quand j'ai essayé de lui caresser la tête, elle a filé par la porte de derrière, qu'elle a claquée aussi fort qu'elle pouvait, Tripod rebondissant entre ses bras.

Elle avait un cheval nommé Tex, que je l'autorisais à monter uniquement quand j'étais à côté. Un après-midi, alors que ma femme Annie et moi étions partis en ville, Alafair a pris la bride de Tex et, en s'aidant de la barrière, elle est montée sur son dos. Elle portait son tee-shirt Baby Orca, et la casquette de Donald avec la visière qui fait coin-coin que nous avions achetée à Disney World. Je ne sais pourquoi elle a voulu que la visière fasse coin-coin. Tex a réagi en la jetant les quatre fers en l'air dans notre carré de tomates. Quand nous sommes rentrés, Alafair avait de la terre dans les cheveux et une égratignure au visage, mais elle a refusé de nous dire ce qui s'était passé. J'ai regardé par la fenêtre sur le côté, et j'ai vu Tex près de l'appentis, ses rênes traînant au sol.

« Tu as monté Tex pendant qu'on n'était pas là ? » ai-je demandé.

Elle a plissé les yeux, comme si elle essayait de se souvenir. « Peut-être un tout petit peu. Oui, je crois que je l'ai fait.

– Tu es tombée ?

– Non, il est monté en l'air et il m'a jetée par-dessus sa tête !

– OK, alors ne recommence jamais ça. Et si tu t'étais assommée ? »

Elle ferma les yeux, des larmes lui coulant sur les joues.

« Qu'y a-t-il, mon petit bonhomme ? dis-je. Ce n'est pas si grave. Ne recommence pas, c'est tout.

– Tu as dit que les tomates étaient pour les Noirs. Maintenant que je les ai écrasées, ils n'auront rien à manger et tout le monde sera fâché contre moi. »

Bien des années avaient passé, et la même petite fille était toujours dans ma vie, pas différente dans mon esprit que lorsque nous vivions dans un monde idyllique au sud de New Iberia. Quand je suis revenu du tribunal de Missoula, je suis allé dans la cuisine me préparer un sandwich. Par la fenêtre, je voyais Alafair arroser les pétunias et les géraniums en pots sur la terrasse à l'aide d'une boîte munie d'un pommeau d'arrosoir. Elle la balançait d'avant en arrière sur les fleurs, aspergeant la terrasse autant que les pots. Puis elle l'a remplie à nouveau, et a recommencé à arroser les pots. « Tu as déjà arrosé hier soir ? ai-je demandé à travers la moustiquaire. Les soucoupes débordent.

– Oh, je n'avais pas vu, désolée, dit-elle en posant la boîte.

– Tu veux manger quelque chose ?

– Non, ça va. »

Elle avait le regard perdu sur la pelouse ; les chevaux buvaient dans la citerne de la pâture sud et deux tamias mangeaient les cosses éparpillées autour de la mangeoire à oiseaux.

« Quelque chose te tracasse ? » ai-je demandé.

Elle s'est retournée et m'a regardé en face. « Comment s'est passée ta matinée ?

– Le shérif Bisbee m'a dit clairement qu'il ne voulait plus me voir dans son bureau pendant un moment.

– Tu peux sortir ?

– Je prépare le déjeuner. Entre, toi.

– Je pense que pour l'instant, il vaut mieux que je ne me trouve pas dans un espace confiné. »

J'ai ouvert la porte-moustiquaire coulissante et me suis assis à la table de céramique qu'Albert avait achetée au Mexique.

« Gretchen a pris contact avec Asa Surrette », dit-elle.

J'ai secoué la tête, sans rien manifester. « Quand ?

– Samedi. »

J'ai observé les ombres des nuages se déplacer au-dessus de la pâture, des flancs des montagnes et des pins, des mélèzes et des cèdres sur la crête. J'ai regardé le soleil, et senti une douleur, comme si un rayon laser m'avait brûlé les rétines. « Ça s'est passé il y a trois jours ?

– Elle a fait paraître une annonce personnelle. Elle en a parlé à Clete.

– Mais pas de l'appel de Surrette ?

– Non, elle ne lui en a pas parlé.

– Pourquoi m'as-tu caché cette information ?

– J'attendais que Gretchen vous en parle à tous les deux. J'ai commis une erreur.

– Tu pensais que tu ne pouvais pas me faire confiance ?

– On n'est pas certaines que ce soit vraiment à Surrette qu'elle ait parlé, Dave. N'importe quel allumé aurait pu lire son annonce dans le journal.

– Arrête ça. »

Elle avait une main posée sur la rambarde de la terrasse, comme si le vent la déséquilibrait. « Tu ne voulais pas que j'aille au Kansas l'interviewer. Je ne t'ai pas écouté. Je suis responsable d'un tas de choses qui se sont passées.

– Je ne sais pas si j'ai envie d'entendre ça, Alafair.

– J'ai un autre problème, dit-elle. Après avoir vu Surrette, j'ai écrit des articles destinés à enflammer le lecteur. Je voulais le voir envoyé sur la table à injections. Non, ce n'est pas exact. Je voulais le voir frire dans sa propre graisse.

– C'est ce qu'il mérite, dis-je.

– À l'idée d'avoir utilisé l'avantage d'être journaliste pour provoquer l'exécution de quelqu'un, je me sens mal, même si le sujet en question est un sacré sac à merde.

– Tu aurais voulu le buter toi-même ?

– Je pourrais descendre Surrette sans que ça m'empêche de faire la sieste ensuite.

– N'accorde pas de pouvoir à un homme comme ça. Ne le laisse pas t'infecter avec son poison.

– Je ne voulais pas que tu le pourchasses, Dave. Tu es complétement obsédé. Mais tu ne veux pas le reconnaître. »

Je me suis frotté le visage. « Tu te souviens de ton tee-shirt Baby Orca ?

– Ne détourne pas la conversation.

– Je l'ai toujours dans mon placard, avec ta casquette de Donald, tes livres de Baby Squanto et tes tennis avec écrit "gauche" et "droite" sur les orteils. »

Elle attendait que je continue.

« C'est tout ce que j'avais à dire. Je sors ta casquette, ton tee-shirt, tes livres et tes tennis du placard, je les regarde et je les remets en place. Je ferai sans doute ça tous les trois ou quatre jours pour le restant de ma vie. C'est comme ça, mon petit bonhomme. »

Je suis rentré et j'ai préparé le déjeuner pour nous deux.

Ça s'appelle un « pouce de M-1 ». Quand on s'en fait un, c'est en général en nettoyant la plus mignonne des armes d'infanterie de la Seconde Guerre mondiale, une délicieuse création de John Garand à laquelle le Japon impérial et le Troisième Reich n'avaient pas prévu de se frotter. Sans le M-1, la guerre au sol en Europe et dans le Pacifique aurait pu se terminer différemment. C'était un mécanisme merveilleusement simple, d'une précision, d'une rapidité et d'une puissance de destruction sans égales. Une fois que la culasse s'était ouverte automatiquement, il ne fallait que quelques secondes pour que les excités de la compagnie B fassent monter d'un coup de pouce un nouveau clip de huit balles dans le chargeur.

Avec la permission d'Albert, j'ai ouvert une de ses vitrines à armes, j'ai sorti un M-1 et une bandoulière lourde de clips de .30-06, et les ai apportés au stand de tir. J'ai ouvert la culasse, nettoyé le canon, la crosse, le viseur, le chargeur et la carcasse. J'ai glissé le pouce dans le mécanisme libérant la culasse, ancré la main à la poignée du levier d'armement, et dégagé pouce et main avant que la culasse ne se referme. Le M-1 pesait plus de cinq kilos, et me paraissait lourd, mais d'une lourdeur rassurante, telle que sa visée n'était pas affectée par le vent, ou le mauvais temps, ou le frottement de buissons sur la crosse et le canon. Le moindre centimètre du M-1 était voué à la pratique et à l'efficacité, jusqu'aux insertions tubulaires dans le canon, où l'on pouvait passer un bâtonnet de nettoyage et un écouvillon. Il ne s'obstruait pas ; il était facile à démonter. Que ce soit dans la neige ou sous les pluies tropicales, on ne pouvait avoir un meilleur ami.

Pour la dernière cible de son stand de tir improvisé, Albert avait installé sur un tas de terre contre le flanc de la montagne une tourelle de tank rescapée de la Seconde Guerre. Elle était haute, cylindrique et brunie par la rouille, et il y avait au sommet une fente de visée. Elle ressemblait au casque d'un croisé. J'ai mis un genou à terre, à peut-être quarante mètres de la cible, j'ai ouvert la culasse du M-1 et j'ai enfoncé un clip de balles perforantes dans le chargeur. J'ai refermé la culasse, glissé mon avant-bras droit dans le harnais, visé, et commencé à tirer. J'ai vu de la poudre de rouille s'élever dans l'air et sur les stries décapées sur le côté de la tourelle, là où les balles ne l'avaient pas touchée dans le mille, puis les trous au centre, là où les balles avaient transpercé le métal avant de ressortir de l'autre côté.

Quand j'ai eu tiré huit balles, la culasse s'est ouverte et le clip s'est éjecté avec le *ping* que lui associe quiconque a tiré avec un M-1. J'ai ôté mes oreillettes, regardé la tourelle du tank, et essayé d'imaginer ce que les mêmes balles auraient fait à la tête d'un être humain, en l'occurrence à celle d'Asa Surrette.

Pourquoi d'aussi sombres spéculations ?

Juste avant de sortir le fusil d'Albert de sa vitrine, j'avais accédé une fois de plus aux photographies concernant Surrette qu'on pouvait trouver sur Internet. J'ai découvert deux publications que je n'avais pas encore vues. L'une contenait des photographies, sans doute prises par un journaliste sur les scènes de crime de Surrette à Wichita. Elles étaient de celles qu'on n'a pas envie de voir, ni maintenant ni jamais. La seconde publication comprenait la photo d'une lettre tapée à la machine que Surrette avait envoyée aux services de police de Wichita, photocopiée à la bibliothèque de WSU[1]. Dans la lettre, il décrivait en détail chaque instant des tourments de ses victimes, le degré de souffrance qu'elles avaient connu, et leurs supplications. Il disait que ces dernières lui procuraient un rush qu'il n'aurait jamais imaginé.

J'avais connu des sociopathes et des sadiques dans l'armée et au Vietnam. J'en avais connu dans la police, dans des prisons, dans des quartiers de haute sécurité où ils attendaient leur exécution. Mais la lettre de Surrette utilisait le langage le plus cruel que j'aie jamais lu. Je déconseille à toute personne de bonne volonté de jamais lire les mots de cet homme, qui donnait ainsi une deuxième vie à ses actes.

1. Wichita State University.

Albert m'avait permis de m'approprier son M-1, et j'avais l'intention non seulement de le garder, mais de m'en servir. Il s'agissait peut-être de pensées stupides et vaines, mais parfois la confiance en soi est le seul moyen de traiter des problèmes beaucoup trop lourds pour les remèdes que la société peut leur apporter. Il arrive que, du moins mentalement, on doive passer le bras sous ceux de Doc Holliday et des frères Earp, descendre à OK Corral et parler aux Clanton un langage qu'ils comprennent.

J'ai porté le M-1 et la bandoulière de clips dans notre chambre et les ai mis dans le placard, puis j'ai décroché le téléphone et passé un appel que je n'avais pas envie de passer, avant tout parce que je savais que ce serait une complète perte de temps.

J'ai été redirigé plusieurs fois, mais j'ai fini par être mis en communication avec un agent spécial du FBI du nom de James Martini. « J'ai entendu parler de vous, dit-il.

– Ah bon ?

– Apparemment vous et votre ami Purcel avez une sacrément longue histoire avec nous en Louisiane.

– En bien ou en mal ?

– En quoi puis-je vous aider ? a-t-il répondu.

– Je pense qu'Asa Surrette, le tueur du Kansas, est vivant et se porte bien. Je pense aussi que c'est lui qui a enlevé la serveuse, Rhonda Fayhee, chez elle, à Lookout Pass.

– Vous avez mené une enquête poussée ?

– Non, pas du tout. Je n'ai aucun pouvoir ni autorité légale dans l'État du Montana. C'est pour ça que je vous appelle. Je pense que Rhonda Fayhee est encore vivante.

– Comment vous savez ça ? »

Je lui ai parlé de ma conversation avec Seymour Little. Je lui ai parlé des objets pour femmes, de l'OxyContin et des calmants qu'un homme qui avait traîné avec lui une odeur fécale dans le magasin de journaux avait forcé Seymour Little à aller chercher à la pharmacie

« Pourquoi concluez-vous que ces prescriptions ont pour but de sédater la serveuse ?

– Surrette est un chasseur de trophées. Il s'apprête à nous en envoyer un.

– Beaucoup de gens disent que Surrette est mort.

– Il est venu sur la propriété où nous habitons actuellement. Il a laissé un message sur la paroi d'une grotte derrière la maison.

– Que disait ce message ?

– C'était une déclaration pompeuse basée sur un extrait de la Bible.

– Vous pourriez en prendre une photo et me la mailer ?

– Je l'ai brûlé.

– Vous faites beaucoup de feux dans les grottes, n'est-ce pas ? »

Je sentis ma gorge palpiter.

« Vous êtes toujours là ? dit-il.

– J'ai fait ça sur une impulsion.

– Vraiment ? Une tante de la femme disparue a reçu hier une carte postale de la femme disparue. Elle avait été postée de Boise, Idaho. L'écriture semble être la sienne.

– Vous vous trompez, monsieur.

– On va essayer de continuer à merder, et on verra ce qui se passe.

– Je vais vous dire une chose : oubliez mon appel. Si on tombe sur des informations qu'on pense pouvoir vous intéresser, on vous tiendra au courant.

– Vous ferez *quoi* ? »

J'ai raccroché, me sentant idiot, inutile, et infiniment vieux, même pour mon âge. En plus, je ne lui avais pas parlé du possible contact de Gretchen Horowitz avec Surrette. Pourquoi ? Je me disais que son agence avait envie de la pendre haut et court, et que ça leur donnerait matière à le faire. S'ils s'en prenaient à Gretchen pour obstruction à la justice, ce dont elle était peut-être coupable, ils pourraient, pour la bonne mesure, s'en prendre aussi à Alafair. Et Rhonda Fayhee, la serveuse ? Je n'arrivais pas à me la sortir de la tête. J'ai rappelé l'agent spécial James Martini. « Il se peut que quelqu'un de ma connaissance ait établi un contact avec Asa Surrette, dis-je. Cet individu a passé une annonce personnelle et a reçu une réponse d'un type qui parle comme Surrette.

– Vous voulez direz que vous avez entendu sa voix ?

– Non, *je* n'ai pas entendu sa voix. Ma fille Alafair l'a interviewé dans une prison du Kansas. Je crois qu'il a tenté de la tuer. Je crois qu'il va recommencer. C'est pourquoi j'ai un intérêt personnel dans cette enquête.

– Quel est le nom de la personne qui a pris contact avec le type dont vous pensez qu'il s'agit de Surrette ? »

Mes tempes martelaient, j'avais des élancements dans les veines de mes poignets. « Gretchen Horowitz, dis-je.

– C'est une amie à vous ?

– On peut dire ça.

– Si je vous rencontre en personne, j'aurai pas mal de choses à vous dire, croyez-moi. »

Je suis allé dans la chambre d'Alafair et lui ai dit ce que je venais de faire. Elle m'a regardé un long moment. La fenêtre était ouverte et j'entendais les feuilles du dernier hiver filer sur l'allée dans un bruit sec. « Je ne sais pas quoi dire, Dave, dit-elle. Tu veux en parler à Gretchen, ou tu préfères que je le fasse ?

– Je m'en occupe.

– Pourquoi as-tu agi comme ça ?

– La vie de Rhonda Fayhee est en jeu.

– Et celle de Gretchen ?

– Gretchen a eu le choix. La serveuse, non. »

Elle avait travaillé à son manuscrit avec un stylo bleu, ôtant des adjectifs inutiles, resserrant les phrases, réduisant les dialogues à l'os jusqu'à ce que chaque ligne soit parfaite. Elle posa son stylo en haut d'une page et regarda par la fenêtre. Une brève averse de soleil avait traversé la vallée, et un arc-en-ciel était descendu des nuages au milieu de la pâture nord, où les chevaux se tenaient abrités sous un bosquet de *cottonwoods*. « Je sais que tu as agi selon ta conscience, dit-elle. Mais je me sens plus vide que jamais. Il faut que je sorte et que je reste seule un long moment. Tu n'y es pour rien, alors inutile que tu dises rien de plus. Ne me dis rien, je te demanda ça comme une faveur. Je serai ta débitrice. »

Elle se leva, descendit et sortit. J'entendis sa voiture démarrer et s'éloigner. Quand j'ai à nouveau regardé la pâture, l'arc-en-ciel, aussi vite qu'il s'était formé, s'était dissous en une bande empoisonnée de jusquiame noire.

Je suis sûr que certains traiteraient Gretchen Horowitz de sociopathe. Le nombre de cadavres qu'elle a laissés derrière elle tendrait à le confirmer. Cependant, elle était un être humain complexe, et je soupçonnais que plus d'une personne habitait dans sa peau. Sigmund Freud a emprunté la plus grande partie de sa terminologie clinique aux Grecs anciens, qui possédaient culturellement une vision des faiblesses humaines comme aucune civilisation, avant ou après eux. Si j'ai appris quoi que ce soit au cours de toutes ces années, c'est une leçon toute simple : les êtres humains sont toujours plus compliqués, plus courageux, plus résistants et, pour finir, plus héroïques qu'on ne le pense, et aucun d'entre nous ne comprend complètement une autre personne, aussi intimes soient-ils.

Au Vietnam, je mettais le visage du maquereau qui s'appelait Mack sur les soldats ennemis que je tuais. Et si je n'étais pas allé au Vietnam ? Aurais-je trouvé un autre moyen de libérer ma rage sur d'autres substituts, ici, aux Etats-Unis ? En tant qu'officier de police, oui.

À cinq heures cet après-midi-là, Gretchen remonta le chemin de terre. Elle gara son pick-up à côté de la pâture nord et commença à se diriger à pied vers le portillon pour piétons. Depuis le jardin, je voyais Clete devant leur chalet, en train de faire cuire une côte de porc au barbecue, éventant la fumée de son visage. Je me suis dirigé vers Gretchen avant qu'elle n'ait franchi le portillon. « J'ai à te parler », dis-je.

Elle s'est tournée vers moi. Comme toujours, ce que sa présence physique avait de martial, et l'intensité de son regard, ne donnaient pas envie d'une confrontation. Elle tenait dans la main droite une enveloppe en papier kraft. « Qu'y a-t-il ? demanda-t-elle.

– Je t'ai dénoncée aux fédés.

– À propos de quoi ?

– Tes contacts avec Asa Surrette.

– Alafair t'a dit que je lui avais parlé ?

– Je ne les aurais pas appelés, Gretchen, mais je crois que Rhonda Fayhee est peut-être toujours en vie.

– Alors tu es train de me dire que je risque d'être arrêtée pour obstruction, ou même complicité ?

– C'est une possibilité.

– Et tu veux que je te dédouane ? C'est de ça qu'il s'agit ?

– Je n'ai pas eu le choix.

– Si, tu l'as eu. Tu aurais pu m'en parler avant. Pendant que les bouffons du coin cherchaient des moyens de nous mettre à l'ombre, Wyatt Dixon et moi, on a effectué des recherches sur Felicity Louviere, avec Alafair.

– Qu'avez-vous trouvé ?

– Sa mère est morte à Mandeville. Il est clair qu'il y a de la folie dans la famille. Avant sa rencontre avec Caspian Younger, Felicity était connue comme un coup facile. Tu sais ce qu'on a trouvé d'autre ?

– Non, désolé.

– Elle a été en rapport avec des Noirs de la campagne qui habitaient près d'endroits utilisés comme bassin de décantation pour les déchets pétrochimiques. Elle a essayé d'empêcher une citerne de déverser un chargement dans une fosse ouverte dans la paroisse St. James, et elle a failli se faire écraser.

– Qu'essaies-tu de me dire ?

– À ton avis ? D'après ce que je sais, elle est schizophrène, mais j'ai d'elle une meilleure opinion qu'avant. On a appris aussi que Love Younger a des baisodromes à Atlantic City, Vegas et Porto Rico, dans les mêmes casinos-hôtels que ceux où son fils avait des crédits à six chiffres.

– Il n'est pas le Cotton Mather[1] de l'industrie pétrolière ? »

Elle fit un pas vers moi, la poitrine palpitante, sa chemise tendue sur ses épaules. « Je n'aime pas me faire baiser, Dave. Et je crois que c'est ce que tu viens de faire.

– Si tu avais été franche avec ton père et moi, on n'aurait pas ce problème.

– Qu'est-ce qui te fait croire que je n'ai pas été franche avec lui ? »

J'ai regardé, derrière elle, Clete qui, avec une fourchette, picotait la côte de porc sur le gril, heureux d'avoir sa fille à la maison, et d'envisager la possibilité d'inviter ses amis à dîner. « Je pense que tu as agi selon ta conscience, Miss Gretchen, dis-je. Je suis désolé de t'avoir fait du mal. »

Elle se gonfla une joue et tapota du poing la barre de la clôture. « J'étais garée à Harvest Foods. J'avais laissé ma vitre à moitié baissée. Quand je suis sortie, voilà ce qu'on avait laissé tomber sur le siège. »

Elle sortit de l'enveloppe en papier kraft une photo qu'elle me tendit. Elle avait dû être prise sans flash. L'intérieur de la pièce était gris, les murs en ciment et dépourvus de fenêtres, comme dans un sous-sol. L'éclairage était chiche.

---

1. Puritain célèbre (1663-1728), chef religieux influent à son époque.

Une femme en sous-vêtements était attachée à une chaise, bâillonnée. Les yeux sur la photo avaient été coupés au rasoir, créant l'impression d'un masque et rendant impossible toute identification certaine de la femme.

« Voilà le mot qui allait avec, dit Gretchen. C'est une photocopie. Tu peux parier qu'elle ne porte pas de trace, et l'enveloppe et la photo non plus. »

Néanmoins, j'ai pris la feuille par le bord. La note était tapée à la machine, à la différence de celle que Surrette avait envoyée à Alafair après qu'elle l'eut interviewé en prison. Si l'expéditeur était Surrette, il était malin. Il n'y avait aucun moyen de comparer les lettres. Même les tirets entre les phrases avaient été remplacés par une ponctuation conventionnelle.

Chère Môme,

J'ai déjà commencé à faire la distribution de notre film. Je pense que cette femme est parfaite pour le rôle de la « reine sacrificielle », non ? On pourra en ajouter d'autres au fur et à mesure. Tu n'as pas idée du nombre de « volontaires », et de la facilité à les recruter.

Apporte ton matériel à notre première réunion, s'il te plaît, et on commencera immédiatement. On mangera de la tarte aux cerises.

Sincèrement

Ton plus grand admirateur,

A.

« Il faut porter ça au shérif et au FBI, dis-je.

– C'est ce qu'il veut que je fasse, dit-elle.

– Comment tu expliques ça ?

– Parce que Surrette disparaîtra, et que j'aurai l'air d'une idiote. Pendant ce temps, on deviendra fous en pensant à ce qu'il est en train de faire à la fille.

– Je t'accompagne chez les fédéraux de Missoula.

– Tu peux prendre la lettre et la photo, Dave. Fais-en ce que tu veux. »

Elle décrocha la chaîne du portillon et s'apprêta à le franchir.

« Tu es la fille bien-aimée de mon plus ancien et de mon meilleur ami, Miss Gretchen. Tu crois que je ferais volontairement du mal à l'un de vous ? Tu le crois vraiment ? »

Elle remit la chaîne au portillon, sans se retourner. J'aurais aussi bien pu parler au vent.

27

Le mercredi, Wyatt Dixon construisait une loge à sudation dans son jardin, avec des pierres prises dans la rivière qu'il roulait en haut de la pente, torse nu, à l'aide d'une brouette, lorsqu'il vit une Chrysler noire conduite par un chauffeur quitter la nationale et se garer à l'entrée du pont métallique piétonnier sur la rive opposée. Love Younger émergea du siège arrière et entreprit de traverser le pont, en cuissardes, ses pas résonnant sur la grille, un panier à poissons en osier à une épaule, une canne à pêche de bambou dans la main droite, une visière en liège sur la tête.

Il descendit du pont et s'approcha de la rive, où Wyatt chargeait une grosse pierre dans la brouette. « Ça ne vous dérange pas que je pêche devant votre propriété ? demanda Younger.

– Tant que vous restez dans les limites de la ligne d'inondation de la rivière, la loi du Montana vous autorise à traverser le terrain de n'importe qui, dit Wyatt.

– J'ai entendu parler d'un trou profond sous ce pont. On m'a dit qu'il était plein de truites.

– Allez-y », dit Wyatt. Il s'assit en haut de la rive, une longue tige entre les dents, son chapeau de paille incliné sur le front, et regarda le vieil homme avancer dans l'eau et passer son fil de nylon dans l'œillet d'une mouche. *Qu'est-ce que t'as vraiment dans la tête, vieillard ?* pensa-t-il.

Wyatt ne parvenait pas à concilier les proportions du vieil homme avec sa fortune et sa position. Love Younger avait un cou de taureau et des mains de maçon. Les rares riches que Wyatt avait connus ne ressemblaient pas à Love Younger. Est-ce que Younger était arrivé à la dure, tirant des tuyaux et fixant des mèches de forage dans un champ de pétrole ?

Ou quelqu'un lui avait-il légué sa fortune, une femme riche, peut-être ? Wyatt ne pensait pas qu'on acquiert une immense fortune par le travail. Si c'était le cas, presque tout le monde serait riche.

Il se leva. « C'est pas comme ça que vous en prendrez, dit-il.

– Ah ? dit Younger qui se retourna, de l'eau jusqu'aux genoux.

– Il faut se mettre face à l'autre rive et jeter la mouche à onze heures. Ensuite vous laissez la ligne dériver. En s'enfonçant, la mouche passera près de vous et tendra la ligne. À ce moment-là, la plume de la mouche commencera à tirer. Le temps que la ligne arrive à deux heures, la mouche se promènera au-dessus du fond. Les truites se précipiteront dessus. Le meilleur moment, c'est à l'automne, au moment du frai. Elles vous arrachent la canne des mains. »

Wyatt savait que Younger ne l'écoutait pas, et il se demandait pourquoi il s'étendait aussi longuement sur une technique de pêche auprès d'un homme que ça intéressait sans doute peu, voire pas du tout.

« Je vois que vous êtes un expert, dit Younger en sortant de l'eau. Je peux m'asseoir ?

– Je vous en prie.

– Je voudrais acheter ce terrain que vous avez derrière chez Albert Hollister.

– Il appartient à la réserve naturelle. Je loue les droits de pâture. »

Le regard de Younger tomba sur les épaules et le dos de Wyatt. « Où avez-vous eu toutes ces cicatrices, mon garçon ?

– Sur le circuit. Avant, mon papa me les faisait à l'œil.

– Il était dur sur la discipline ?

– Il aurait pas su épeler le mot. »

Younger ouvrit sa panière en osier et en sortit une bouteille de bière brune allemande. « Vous en voulez une ?

– Non merci.

– Vous paraissez avoir du sang indien. Votre profil, je veux dire.

– C'est ce qu'on me dit. C'est pas le cas.

– Que faisaient vos parents ?

– Ils ramassaient le coton et castraient le maïs. Mon papa m'a appris à mettre des mottes de terre dans le sac avant d'aller à la pesée. Parfois ma mère faisait le ménage dans un motel sur la route, du moins quand on forait encore dans le coin.

– Mon père fabriquait de l'alcool de contrebande et le portait à Detroit, dit Younger. Avant quinze ans, je ne savais pas ce que c'était qu'un plancher. Votre papa était pas un brave type, hein ?

– Je sais pas ce qu'il était. Je me penche plus sur la question. »

Le regard de Younger se perdit sur les montagnes qui bordaient le torrent et sur les *cottonwoods* poussant le long des rives, leurs branches se gonflant dans la brise. « Vous avez trouvé un bel endroit », dit-il.

Wyatt se pressa un bouton sur l'épaule, sans répondre. Il s'essuya les doigts sur son jean.

« Dites votre prix.

– J'en ai pas. Parce qu'il est pas à vendre.

– Vous parlez comme un homme qui a trouvé la paix.

– La paix, c'est ce qu'on trouve au cimetière, monsieur Younger.

– J'ai dit quelque chose qui vous a fâché ? »

Wyatt retira la tige de sa bouche et, d'une chiquenaude, la lança sur le rivage. « Je suis allé chez vous pour vous dire que Bill Pepper essayait de me coller la mort de votre petite-fille sur le dos. Vous m'avez fait chasser de la propriété. Et maintenant vous en pouvez plus d'attendre pour me filer une mallette pleine de liquide.

– Nous avons peut-être beaucoup en commun, mon garçon.

– J'aime pas qu'on m'appelle comme ça, personne.

– J'avais un fils comme vous. Il n'avait peur de rien. Il était aviateur.

– Qu'est-ce qui lui est arrivé ?

– Il s'est crashé dans le désert et il est mort de soif. Un autre fils est mort dans un accident de voiture. J'ai fait lobotomiser ma fille. »

Wyatt ne répondit pas. Il sentait le regard du vieux monsieur sur son profil.

« Dans l'ancien temps, vous auriez été gladiateur, monsieur Dixon.

– Je pense que je vais reprendre le rodéo.

– Ça a été un plaisir de vous parler », dit Younger. Il posa une main sur l'épaule de Wyatt et se leva. Sur la peau de Wyatt, sa main était comme du papier de verre. « Que sont devenus vos parents ?

– Je sais pas trop. J'ai des trous noirs dans la tête. Je vois des gens entrer et sortir de mes rêves, comme s'ils essayaient de me dire quelque chose. Des gens que j'ai connus. Mais j'arrive pas à me rappeler ce qui leur est arrivé, ni où ils sont. J'ai l'impression qu'ils sont morts, et que ça leur plaît pas de rester sous la terre. »

Wyatt fixa longtemps le torrent, l'oreille tendue au bourdonnement du courant dans les creux sous la rive. Un nuage cachait le soleil, et il y avait un lustre impénétrable à la surface de l'eau, comme si la lumière qui vivait dans les rochers et le sable au fond était morte, et que le monde était devenu plus froid, plus menaçant. Quand il leva les yeux, il vit que Love Younger marchait vers la rive opposée, indifférent au balancement du pont sous ses pas et aux rapides en dessous. Wyatt essaya de se rappeler ce qu'il lui avait dit qui aurait pu le réexpédier sur l'autre rive, mais les mots avaient déjà échappé à sa mémoire, en même temps que les images des gens qui lui parlaient dans ses rêves, le laissant rarement en paix.

Felicity Louviere avait donné rendez-vous à Clete pour le soir au Café Firenze, un joli restaurant couleur chamois sur une petite route dans la Bitterroot Valley, installé au milieu des trembles et des peupliers, sur le fond des Sapphire Mountains à l'est et, à l'ouest, de la silhouette gigantesque des Bitterroots. Clete cira ses chaussures, étala ses vêtements sur le lit, se rasa en se douchant et resta sous l'eau brûlante jusqu'à ce que sa peau devienne rouge. Puis il enfila son pantalon beige, ses mocassins à glands, une chemise bleue avec une cravate lavande, et la veste de sport qu'il portait aux courses à La Nouvelle-Orléans. La perfection de la soirée, le ciel rose, l'odeur lointaine de la pluie, un éclair d'électricité dans un nuage, lui rappelaient le printemps en Louisiane, quand il était jeune, que la saison paraissait éternelle, et que tous ses désirs étaient à portée de main.

Il arriva tôt au restaurant, s'installa à une table près de la fenêtre et commanda un verre de vin rouge. Il la vit quitter la nationale dans le crépuscule qui tombait, prendre la route de campagne et garer son Audi près d'une rangée de peupliers. Avant d'entrer dans le restaurant, elle chaussa une paire de lunettes noires.

Quand il se leva pour lui tirer sa chaise, il lui vit des marques rouges au coin d'un œil et remarqua le bleu sur sa mâchoire, qu'elle avait recouvert de fond de teint. « C'est ton mari qui t'a fait ça ? demanda-t-il.

– Je lui ai dit que je le quittais. Le contrat de mariage m'assure cent mille dollars. Je pars au Nevada avec. » Elle prit une gorgée dans le verre de Clete et sourit, un sourire empreint de dérision. « Ça te dirait de jeter les dés sous un ciel étoilé ?

– Il t'a battue ?

– Quelle importance ? C'est un enfant.

– *Moi*, ça m'importe.

– Il s'est mis à l'absinthe. Parfois, ça le rend fou. C'est un petit homme cruel et manipulateur, mais personne ne m'a forcée à l'épouser. Maintenant, je vais me démarier, et faire quelque chose de ma vie. Tu ne veux pas m'accompagner ?

– Pour l'instant, je n'arrive pas à réfléchir correctement, Felicity. Ma fille a toujours sur le dos cette inculpation bidon pour meurtre. Ça finira par se tasser, mais pour l'instant, je ne peux pas partir. »

Elle prit le menu et le regarda sans paraître le voir. « On peut commander ? » demanda-t-elle.

Il le lui retira des mains et le posa sur la nappe à carreaux. « Tu veux te marier dans le coin ?

– Je ne suis pas encore divorcée.

– Tu veux ou non ? Tu es déjà allée dans la région d'Austin, au Nevada ?

– Non.

– C'est à deux mille mètres dans les nuages. C'est comme revenir cent ans en arrière. Les gens jouent au poker vingt-quatre heures par jour. La rivière est si froide que les truites arc-en-ciel ont une bande violette sur les flancs. Une vie comme ça, ça me plairait vraiment.

– Tu es sérieux ? dit-elle.

– J'ai des tendances à l'addiction. Je ne suis pas une affaire.

– Je dois rattraper quelques-uns de mes mauvais choix, Clete. Je n'ai pas encore tout envisagé.

– Ne pense plus à tout ça. Le passé est le passé. Pourquoi continuellement s'enfoncer des clous dans la tempe ?

– J'ai épousé la fortune, et je l'ai fait pour des raisons égoïstes. D'une certaine façon, je me sens responsable de la mort d'Angel. Si j'avais été une meilleure mère, elle n'aurait pas été boire dans un saloon de bikers.

– Sa présence dans ce saloon n'avait rien à voir avec sa mort. Le problème, c'était l'argent. Dans presque tout homicide, il est question de sexe ou d'argent. »

Felicity fronça les sourcils. « Angel n'avait pas d'argent. Pas d'argent à elle.

– Toute cette affaire tourne autour de l'argent. Je ne vois pas exactement comment, mais c'est le cas. En tout cas en grande partie.

– Ta proposition de mariage est très généreuse. Il y a un autre problème. Caspian est jaloux et vindicatif. Il connaît des gens qui peuvent te faire du mal. »

Clete regarda par la fenêtre. « Tu l'attends ?

– Ici ? Non. Il ne sait pas où je suis. Sauf s'il m'a entendue téléphoner. »

Clete sortit son portable de la poche de sa veste. « Lui et un autre type viennent d'entrer dans le parking. Tu dis que parfois il pète les plombs. Il lui arrive d'avoir une arme sur lui ?

– Je ne sais pas.

– Qui est le mec avec lui ? »

Elle regarda par la fenêtre. « Il était dans les services du shérif. Caspian vient de l'embaucher comme nouveau responsable de sa sécurité. Il s'appelle Boyd. »

Albert m'a appelé dans la cuisine et m'a dit qu'il avait Clete en ligne.

« Je suis au Café Firenze, à Florence, avec Felicity, dit-il. Je pense que j'aurai besoin de soutien, ou de témoin.

– Pour quelle raison ?

– Caspian Younger et un type qui était un adjoint du shérif sont assis de l'autre côté de la salle. Aujourd'hui, Younger a tabassé Felicity. Je pense que c'est peut-être un traquenard.

– Qui est l'ex-adjoint ?

– Boyd.

– C'est l'un des types qui ont fait passer un sale moment à Gretchen dans la grotte. Que font-ils, pour l'instant ?

– Ils commandent. C'est un traquenard, Belle Mèche. Je le sens.

– Tu as ton arme ?

– Ça rend Felicity nerveuse. Je l'ai laissée au chalet. »

Le petit village de Florence se trouvait sur la quatre-voies, à quinze kilomètres au sud de Lolo. Quand je suis arrivé dans le parking, le soleil était encore haut dans le ciel, les montagnes massives et pourpres dans l'ombre à l'horizon vers l'ouest. Je me suis dirigé droit sur la table de Clete et de Felicity Louviere, sans regarder dans la direction de Caspian.

« Il est armé, dit Clete.

– Qui ? dis-je.

– L'ancien adjoint. Quand il s'est levé pour aller aux toilettes, j'ai vu son holster. C'est sans doute un vingt-cinq. »

J'ai tiré une chaise et demandé au serveur de m'apporter une tasse de café. Clete et Felicity Louviere étaient déjà en train de manger. Elle n'avait pas parlé, ni même paru remarquer mon arrivée. Je ne voyais pas à travers ses lunettes noires, et je ne sais pas si elle me regardait ou non. Elle mangeait par petites bouchées, comme si la nourriture était dépourvue de goût, ou représentait un plaisir défendu. Je n'avais aucune idée de ce qu'elle avait en tête, ni si elle participait à un complot visant à éliminer Clete Purcel.

« Ça fait plaisir de vous revoir, dis-je.

– Vous m'en voyez ravie », dit-elle.

Comment répondre à ça ? « La Nouvelle-Orléans vous manque parfois ? demandai-je.

– J'ai de La Nouvelle-Orléans plus de mauvais souvenirs que de bons. Je suppose que c'est ma faute. Mais non, elle ne me manque pas. »

Je voyais le regard absent de Clete. J'ai commandé un bol de minestrone. De l'autre côté de la salle, Caspian Younger et Jack Boyd mangeaient en silence, sans rien manifester. La jambe droite de Caspian s'agitait.

« Je vais aux toilettes, dit Clete. Si un de ces types me suit, ça va tomber.

– Tu es sûr que tu veux faire ça ici ?

– Il faut que j'aille aux toilettes. Qu'est-ce que je suis censé faire ? Me retenir jusqu'à Lolo ? »

Quand il eut quitté la table, Felicity Louviere leva les yeux et dit : « Vous ne m'aimez pas, n'est-ce pas ?

– Je n'ai rien contre vous, répondis-je. Mais je n'aime pas le fait que vous soyez mariée, et je n'aime pas ce que vous faites à Clete.

– Je ne peux vous en vouloir. » Elle se remit à manger, la tête penchée sur son assiette.

« Pourquoi vous ne lui donnez pas un peu de mou ?

– Je l'ai fait. Je quitte mon mari. Prenez garde au père.

– Pourquoi devrais-je me méfier de Love Younger ?

– C'est un sentimental, et comme la plupart des gens sentimentaux, il n'a pas conscience de sa propre cruauté. Il éprouve une énorme culpabilité pour ce qu'il a fait subir à sa famille. Si vos chemins se croisent, il vous détruira. »

J'ai levé les yeux sur la table de Caspian Younger. Ni lui ni l'ancien inspecteur ne semblaient avoir remarqué que Clete était allé aux toilettes. Peut-être Clete s'était-il inquiété inutilement, et la soirée se passerait-elle sans problèmes, pensai-je. Les tables étaient décorées de fleurs, les nappes immaculées. On entendait de la musique de fond, et aux autres tables les familles rompaient des miches de pain frais et se partageaient des plats de spaghettis et de boulettes de viande. J'aurais voulu mettre de côté toute la violence, la rage et l'autodestruction qui avaient caractérisé ma vie et celle de Clete, et me laisser gagner par l'humeur festive. J'en arrivais même à apprécier Felicity Louviere, et je me demandais si Clete et elle ne pourraient pas entamer une nouvelle vie, qui gagnerait de vitesse le dénouement que lui et moi avions courtisé pendant des dizaines d'années.

Clete revint à la table sans incident. « Et si on finissait de manger et qu'on allait autre part ? proposai-je.

– Je prends encore un verre. Et toi, Felicity ? demanda Clete.

– Pourquoi pas ? dit-elle.

– On pourra prendre un verre sur la route, dis-je.

– Tu t'inquiètes trop, Belle Mèche », dit Clete.

J'avais envie de regagner mon pick-up et de les laisser à leurs affaires. Felicity scruta mon visage. « Il a raison. On devrait y aller, Clete », dit-elle.

Clete régla l'addition et nous sommes sortis tous les trois. « Désolé de t'avoir fait venir pour rien, dit Clete.

– Ils avaient peut-être l'intention de te buter sur le parking. Peut-être ont-ils changé d'avis parce que j'étais là. »

Il était visible que Clete était déjà passé à autre chose. « On pensait aller un peu plus bas dans la vallée, pour discuter de certaines choses », dit-il.

Retour à la danse horizontale, pensai-je. Mais c'était le problème de Clete, et je devais le laisser tranquille. « À plus tard », dis-je.

Ils laissèrent l'Audi de Felicity sur le parking, prirent la quatre-voies avec la Caddy de Clete, et tournèrent vers le sud, en direction de Stevensville. J'entendis derrière moi s'ouvrir la porte du restaurant, et la voix de Caspian Younger qui s'adressait à Jack Boyd. Aucun des deux ne regarda dans ma direction. Ils montèrent dans le véhicule de Younger et s'éloignèrent. Eux aussi obliquèrent vers le sud au lieu de retourner à Missoula.

J'ai suivi Younger et Boyd plus loin dans la Bitterroot Valley. Après Stevensville, ils ont doublé un semi-remorque, mis les gaz, et m'ont laissé coincé derrière une voiture qui roulait lentement et bloquait la voie de gauche. Quand je pus enfin passer, leur véhicule avait disparu. J'ai fait demi-tour et suis reparti dans la direction opposée. C'est alors que j'ai vu une station service-supérette près de la sortie de Stevensville, et la Caddy de Clete garée près de l'une des pompes. Caspian Younger s'était arrêté sur le parking à côté du magasin. J'ai quitté la quatre-voies dans une embardée.

Quiconque est chargé de faire appliquer la loi a appris la leçon suivante : on ne se fait pas descendre dans un échange de coups de feu avec des voyous. En général, confrontés à une équipe d'assaut constituée d'anciens Seals[1], de marines et de parachutistes, les voyous abandonnent. Quand on a affaire à un suspect barricadé – en général un déséquilibré qui a décidé d'écrire son nom sur le mur avec son propre sang ou celui de ses otages – le malfaiteur se retrouve isolé et gazé, et si ça ne suffit pas, on se sert d'un tuyau.

Quand un officier de police se fait tuer, c'est le plus souvent dans une circonstance des plus anodines, comme une plainte pour tapage nocturne. Le policier qui se déplace gravit un escalier branlant menant à un taudis où un homme et une femme, ivres tous les deux, se battent dans la cuisine. Peut-être le policier est-il à la fin de son service, fatigué, las, négligent, son instinct de prudence émoussé. Avant qu'il ait pu dire un mot, le mari en sous-vêtements sort en titubant sur le porche et lui tire à bout portant dans le visage.

Il existe un autre scénario, un scénario qu'on ne peut prévoir, et contre lequel on est impuissant. Devant vous, un feu arrière clignote. Le problème est sans doute un fil mal branché, ou une ampoule, quelque chose qui peut être réparé en dix minutes sur une aire de repos. On « protège et on sert » dans un État qui autorise les gens à posséder et à conduire des véhicules à moteur dont les vitres fumées sont aussi noires que du charbon. Peut-être le même État permet-il au conducteur d'avoir un pistolet chargé dans sa boîte à gants ou sous son siège. Le policier s'approche de la portière sans savoir ce qui l'attend à l'intérieur du véhicule. Ça procure la même émotion que de marcher, les yeux bandés, sur une ligne à haute tension. Un instant

1. Sea, Air, Land : forces spéciales de l'armée américaine.

d'inattention, une erreur de jugement, un geste de confiance mal placé, il suffit de ça. On n'est pas dans la merde : on est mort.

Clete était sorti de la Caddy et avait inséré l'embout du tuyau dans son réservoir, la fluorescence bleutée du plafonnier se reflétant sur sa voiture et sur la bande de ciment. Felicity était assise sur le siège passager, le regard fixé droit devant elle. Caspian et Jack Boyd se dirigèrent vers Clete, Caspian devant, la mâchoire crochue comme celle d'un barracuda.

« Vous ne pourrez pas prétendre que je ne vous avais pas averti, dit-il.

– Averti de quoi ? demanda Clete.

– De pas mettre votre queue là où c'est pas sa place. »

Clete baissa les yeux sur sa braguette. « Non, elle est exactement là où elle doit être. »

Je me suis garé près de la pompe à air et suis sorti sur le ciment. J'ai vu Jack Boyd tourner la tête vers moi, puis regarder Caspian et Clete. J'ai commencé à me diriger vers l'arrière de la Caddy, sans arme, certain que Clete allait se faire descendre. La pompe à essence s'était bloquée automatiquement, mais Clete appuya sur le déclencheur et la remit en marche, jetant un coup d'œil sur les étoiles au-dessus des montagnes, l'air serein.

« Vous vous prenez pour un comédien ? dit Caspian. Vous baisez une nana qui a trente ans de moins que vous, et vous vous croyez vachement bon ? L'adultère est une vertu, à La Nouvelle-Orléans ? C'est ce que vous pensez ?

– Il est temps de vous tirer, les gars, dit Clete.

– Regardez-moi.

– Je vous regarde. Vous vous souvenez du type dans les publicités pour Charles Atlas[1] ? Le petit maigrichon de quarante-cinq kilos qui se prenait toujours du sable dans la

1. Méthode de body-building.

gueule ? Quand je vous regarde, je repense à cette pub d'il y a quarante ans. C'est un moment de nostalgie.

– Vous êtes un mec marrant. Je vous aime bien. Je comprends pourquoi elle aussi elle vous aime bien, dit Caspian. Mais un godemiché est un godemiché. J'espère que ça en valait la peine. »

Celte retira l'embout du réservoir et commença à revisser le bouchon, imperturbable, le regard neutre. Un des tubes fluorescents éclairant la zone de service avait baissé d'intensité et commençait à grésiller, comme une guêpe enfermée dans un vide sanitaire. Caspian s'est penché en avant, à moins de deux mètres de l'oreille de Clete, et lui a craché dessus.

Clete finit de revisser le bouchon sur son réservoir, ses yeux verts aussi dépourvus d'expression que des billes. Il sortit d'un distributeur deux mouchoirs en papier, essuya la salive de sa joue, de son oreille et de ses cheveux, et laissa tomber les mouchoirs dans la poubelle. Felicity ouvrit la portière passager de la Caddy et sortit. « Tu ne peux pas nous laisser tranquilles, Caspian ? Tu as eu tout ce que tu voulais. Pourquoi tu continues à faire du mal aux autres ? »

Caspian adressa un grand sourire à Clete. « Elle vous a sucé ? J'ai l'impression que c'est une des raisons pour lesquelles elle vous a gardé près d'elle. Plus elles sont grosses, plus elles sont faciles à contrôler.

– Vous avez gagné, les gars, dit Clete.

– Gagné quoi ? demanda Caspian.

– Vous obtenez ce que vous voulez, les gars. Vous êtes beaucoup plus malins que moi. Qu'y puis-je ?

– Désolé, je ne comprends pas le sanscrit, dit Caspian.

– Vraiment ? dit Clete. Je vais vous le traduire. » Il envoya un tel coup de pied dans l'entrejambe de Jack Boyd que son visage devint rouge betterave, puis blanc comme un œuf, tandis qu'il tombait à genoux, se tenant les testicules des deux mains, sa bouche ouverte sous le coup d'une douleur si intense qu'aucun son n'en sortait.

Le crochet qui atteignit Caspian le souleva en l'air et l'expédia dans le flanc de la Caddy. Clete ramena son attention à Jack Boyd, puis lui envoya un coup de pied au visage et lui marcha sur la tête avec la semelle de son mocassin, lui fendant les lèvres, lui cassant le nez et les dents. Quand Caspian tenta de se relever, Clete l'attrapa par l'arrière de sa chemise et lui écrasa le visage sur l'aileron de la Caddy, puis il lui balança encore et encore la tête dans une pompe à essence, avant de finir par le précipiter sur le ciment.

Il n'en avait pas terminé. Il sortit un petit automatique du holster fixé à la ceinture de Boyd, libéra le chargeur qu'il jeta dans l'obscurité, puis éjecta la balle qui était dans la chambre, et lança l'arme sur le toit de la supérette. « Où est ton *drop*[1], trou-du-cul ? » demanda-t-il.

Boyd essaya de se redresser en position assise, crachant sur sa chemise des dents et du sang. « Arrête, Clete ! Je t'en prie ! dit Felicity. Ne les frappe plus, je t'en prie !

– Tu as vu ça ? dit Clete à Felicity en remontant la jambe du pantalon de Boyd. Ça s'appelle un *drop*. Il s'apprêtait à me buter. Et toi aussi, peut-être. »

Il retira le petit revolver du holster fixé au velcro, écarta le barillet, et vida sur le visage de Boyd les cinq balles de .22. Le revolver était moucheté de rouille, le bleuissement du barillet était usé, le viseur obstrué, la crosse de bois enrobée de ruban d'électricien à l'envers, la partie collante à l'extérieur. Clete fourra le barillet dans la bouche de Boyd, et l'enfonça du plat de la main.

« C'est fini, Cletus. On s'en va, dis-je.

– Ils avaient l'intention de nous expédier tous les deux, Belle Mèche. Ces types méritent un traitement spécial. Oui,

1. « Drop », ou « throwdown » : arme dont le numéro a été limé, la crosse entourée parfois de fil de fer, et qui a été rendue intraçable, de façon à pouvoir la laisser sur un homme abattu et faire croire que celui-ci était armé, et a été abattu en légitime défense.

c'est ce qu'ils méritent. Vous avez déjà vu un village saccagé au lance-flammes, les gars ? Vous pouvez pas imaginer ce qui se précipitait hors des huttes. »

À cet instant, je compris que Clete était parti dans une zone temporelle à part, une zone où il n'y avait plus ni raison ni morale, et où la psychose était la norme. Il aspergea les deux hommes d'essence, sur le visage, la bouche, les yeux. Il sortit son briquet de sa poche. « Personne ne joue avec les Bobbsey Twins des Homicides. Vous avez compris ? Montrez-moi que vous avez compris, ou vous allez vous transformer en feux d'artifice humains.

– Clete, non ! supplia Felicity. Ce n'est pas toi. Quoi qu'ils aient fait, tu ne peux pas agir comme ça.

– Écoute-la, dis-je. C'est terminé. Regarde-les. Ils sont pitoyables. Aussi longtemps qu'ils vivent, jamais ils n'oublieront cette soirée. »

J'ai mis la main sur le briquet et j'ai appuyé, lui écartant les doigts du pouce. Il m'a regardé d'un air absent. J'ai vu la lueur quitter ses yeux, la chaleur déserter son visage, comme l'éclat d'un charbon chaud qui meurt dans ses propres cendres.

« Ils savaient que je plaisantais, dit-il. Aucun problème. Pas vrai ? Tout va bien, là-dessous, les gars ? Je vous offre un soda. »

Par la fenêtre de la supérette, j'ai vu un vendeur composer un numéro sur le téléphone et parler dans le récepteur, agitant rapidement les lèvres.

« On est à Ravalli County, dis-je. Je n'ai pas envie d'expliquer tout ça aux locaux. »

J'ai commencé à me diriger vers le pick-up. Je pensais qu'on en avait terminé. Puis j'ai entendu Caspian se remettre sur pied, tituber contre les pompes, s'agripper à la poubelle pour se soutenir, du sang et de l'essence lui coulant sur le visage, ses lèvres fendues se tordant en un sourire. Il commença à parler, puis il dut cracher et recommencer. « Aucun de vous n'a la moindre idée de ce qui se passe, hein ? dit-il. Vous savez pourquoi ? Vous êtes des minables, mais vous êtes trop stupides pour vous en rendre compte. Demandez à Felicity quel genre de type est mon père. Elle est payée pour le savoir. Il l'a baisée. Et maintenant ils vont vous baiser tous les deux, comme ils m'ont baisé tous les deux. »

Il se mit à rire, glissant le long de la pompe comme un épouvantail qui s'effondre sur ses baguettes.

28

Le lendemain, lorsque Gretchen s'éveilla, le soleil n'était pas levé au-dessus de la montagne. L'intérieur du chalet était froid, et quand elle se lava le visage, l'eau était comme de la glace sur sa peau. Clete venait d'allumer le poêle à bois, et elle voyait les flammes à travers les fentes de la grille, la condensation sur le métal se rétrécissant et disparaissant en volutes de vapeur. Elle écarta le rideau de la cuisine et regarda la brume sur la prairie, les rafales de neige soufflées dans l'obscurité, aussi blanches et flottantes que des papillons de nuit enfermés dans un placard.

Elle ne se rappelait pas ce qu'elle rêvait au moment de son réveil, mais en regardant le monde extérieur, elle sut que l'homme qui avait des doigts aux extrémités lumineuses, et pas de visage, était revenu lui rendre visite.

« Albert a laissé un message sur la porte. Un agent du FBI demande que tu l'appelles, dit Clete. Dave leur a porté la photo de la serveuse disparue.

– Je ne suis pas certaine que ce soit Surrette qui l'ait mise sur le siège de ma voiture. Et je ne suis pas certaine non plus que ce soit la photo de la serveuse.

– Que cherches-tu, Gretchen ? À te faire tuer ou envoyer en prison ? Tu veux tomber pour obstruction ? Arrête de te raconter des histoires.

– Je veux buter Surrette.

– Tu as choisi en toute connaissance de cause de quitter le milieu. Ne laisse pas cet homme influer sur ta vie.

– Je ne sais pas combien de fois je devrais te le répéter : je n'ai jamais été dans le milieu.

– Tu appelles ça comment, alors ?

– Mettre les pendules à l'heure.

– Est-ce que tu vas parler à l'agent du FBI ?

– Et toi, tu lui parlerais ? » Elle leva les sourcils en silence, les cheveux dans les yeux. « C'est bien ce que je pensais. Je descends petit-déjeuner en ville. »

Elle suivit le chemin de terre jusqu'à la deux-voies et mangea au McDonald's de Lolo. Par la fenêtre, elle voyait le soleil monter sur un flanc de montagne abrupt couvert de pins Douglas, comme si le soleil luttait de toute sa volonté contre les forces de la nuit. Elle savait que ces pensées étaient idiotes, mais elles accompagnaient son réveil presque chaque jour. L'homme dont le bout des doigts brillait de feu, qui se penchait sur son berceau et lui effleurait la peau, demeurerait avec elle pour le restant de sa vie. Elle aurait voulu dire tout ça à Clete, mais il s'était mis à parler de l'agent fédéral et de la photo de la fille prise dans le sous-sol, une fille en sous-vêtements, une fille bâillonnée, dont les côtes se dessinaient sur les flancs, une fille à qui son identité avait été dérobée par quelqu'un qui avait découpé au rasoir ses yeux sur la photo.

Gretchen savait que n'importe quel psychiatre aurait conclu qu'elle identifiait Asa Surrette avec celui dont les bouts des doigts lui avaient brûlé le corps de la tête aux pieds, ou avec le nommé Bix Golightly, qui l'avait sodomisée le jour de ses six ans. *Et alors ?* s'entendait-elle demander aux psychiatres imaginaires avec qui il lui arrivait souvent de discuter. Tous ceux qui pratiquent des sévices sexuels sur des enfants sont taillés dans la même étoffe. Selon elle, tous méritaient le même sort. Aucun d'eux n'avait rien de compliqué. Ils étaient lâches et se nourrissaient de la satisfaction de leurs propres besoins aux dépens des autres. Asa Surrette était l'incarnation de tous les misogynes et de tous les prédateurs qu'elle avait connus. Comment il avait pu tuer des gens pendant vingt ans dans sa propre ville, ça la dépassait. Qu'y avait-il de mal à ce qu'elle veuille le pister et l'acculer au bord des abysses créés pour des hommes de sa sorte ?

D'après son expérience, les seuls hommes capables de comprendre le degré de la souffrance subie par une femme victime d'un viol sont ceux qui ont eux-mêmes été sexuellement agressés, ou violés. La plupart d'entre eux n'en parlent pas, et la plupart d'entre eux passent leur existence dans un désespoir silencieux, emportant dans la tombe leur sentiment de honte et de culpabilité. Méritent-ils un vengeur ? *Quelle question stupide*, pensa-t-elle. Était-elle ce vengeur ? Non, elle était juste une survivante. Ceux qui avaient abusé d'elle l'avaient transformée en victime et, ce faisant, l'avaient rendue impuissante. Le jour où elle avait cessé d'être une victime était celui où ils avaient commencé à comprendre le sens du mot « peur ».

Son portable vibra sur le dessus de la table. Les mots APPEL MASQUÉ apparurent sur l'écran. Elle avala une gorgée de jus d'orange pour être bien sûre d'avoir la gorge dégagée quand elle répondrait. Elle ouvrit le portable et se le mit à l'oreille. « Gretchen à l'appareil, dit-elle.

– Bonjour, la môme.

– Je n'apprécie pas les surnoms.

– Je ne le ferai plus. Promis.

– Je peux vous appeler Asa ?

– Qui ?

– Si on doit travailler ensemble, il faut nous dire franchement qui on est.

– Vous avez donné la photo au FBI ? »

Ne te laisse pas enfermer dans un mensonge, pensa-t-elle. « *Je* ne l'ai pas fait, dit-elle.

– Mais quelqu'un l'a fait ?

– Je ne contrôle pas les actions des autres.

– C'est une bonne réponse, Gretchen. Plus je vous parle, plus je sens qu'on est faits pour travailler ensemble. »

Elle attendit qu'il continue, en vain. « Un biopic est un défi, Asa. La ligne de l'histoire doit être authentique. Et en même temps, elle doit se conformer aux règles de la dramaturgie. Il y a des choses qu'on doit voir ensemble, vous et moi.

– Vous n'allez pas vous montrer condescendante, hein ? J'ai suivi des ateliers d'écriture et j'ai lu la *Poétique* d'Aristote. Pourquoi continuez-vous à m'appeler Asa ?

– Parce que vous êtes un homme célèbre. L'anonymat est le masque des faibles.

– Oh, ça, ça me plaît.

– Nous devons nous rencontrer. C'est impératif. »

Une nouvelle fois, il se tut.

« Vous êtes là ? dit-elle.

– Allez dans sa maison.

– La maison de qui ?

– Vous savez très bien de qui. Sur Lookout Pass. Il y a un pot de fleurs sur le porche de derrière. En dessous, vous trouverez quelque chose d'intéressant. Je l'ai mis ce matin, tôt, exprès pour vous.

– Vous avez tort de me mener en bateau.

– Je suis plus malin que ça. J'ai passé mon existence à étudier les gens. Je connais leurs peurs secrètes et leur désir du fruit défendu. Je vois les faiblesses qu'ils essaient de cacher aux autres. Vous êtes différente. Vous êtes comme moi, vous êtes forte.

– Merci, dit-elle.

– Que pensez-vous du cow-boy ?

– Quel cow-boy ?

– Celui qui pourrait jouer dans notre film.

– Vous voulez parler de Wyatt Dixon ?

– Il s'appelle comme ça ? Bonne route jusqu'à Lookout Pass.

– Attendez. Qu'êtes-vous en train de me dire à propos de Dixon ?

– Rien. Quelqu'un ne l'aime pas, c'est tout. Je pensais qu'on pourrait lui donner un rôle. Il y a chez lui une raideur que j'aimerais explorer. Ils craquent tous, vous savez. C'est comme un barrage qui cède. Je ne peux vous dire à quel point ce moment est jouissif. »

Elle roula une serviette en papier qu'elle se mit sur la bouche, prise d'une nausée. « J'aimerais vous demander une faveur, dit-elle.

– Tout ce que vous voudrez.

– Ne faites pas de mal à la serveuse.

– Vous êtes délicieuse », dit-il. Puis la communication fut interrompue.

Gretchen remonta la longue dénivellation menant à Lookout Pass et aux hauteurs qui souvent disparaissent dans les nuages à la frontière de l'Idaho. Pendant la nuit, une tempête était arrivée du Canada, qui avait laissé le ciel noir à l'aube et les sommets des arbres raides de neige gelée sur les branches. Elle quitta la nationale, des rafales de neige tournoyant depuis les montagnes jusque sur son pare-brise, et suivit un chemin de terre menant à la petite maison de bois où avait vécu Rhonda Fayhee.

La maison était isolée, une boîte à biscuits au milieu d'un paysage balayé par le vent qui ne semblait pas destiné à une habitation humaine. Elle se gara à l'arrière, sortit dans le jardin et regarda les coulées rocheuses saignant au flanc des montagnes, les maigres bouquets de pins qui avaient du mal à s'enraciner, les pointes des pics et des rochers escarpés, comme s'ils n'avaient jamais été affectés par les forces érosives du vent et de l'eau. Plus haut, sur une ancienne route forestière, quelqu'un avait creusé une carrière dans la montagne, laissant une cicatrice qui, dans ce décor, paraissait naturelle.

Elle savait que Surrette pouvait être n'importe où, l'observant à la jumelle ou l'enfermant dans la croix d'un viseur télescopique. Les nuages d'orage roulant au-dessus des montagnes étaient d'un bleu sombre et chargés d'électricité, et elle entendit le tonnerre dans un lointain canyon. Alors qu'en général le froid ne la dérangeait pas, elle se rendit compte que sa peau la picotait, et elle prit sur son siège son blouson de toile et un bandana qu'elle se noua sur la tête.

Comme la plupart des gens aux maigres revenus qui vivent sur les bassins hydrographiques du haut pays, Rhonda Fayhee avait protégé sa maison contre l'hiver en clouant des feuilles de plastique transparent sur les fenêtres. Maintenant le plastique et les rubans jaunes de la scène de crime étaient déchiquetés et battaient dans le vent. Sur l'escalier de derrière se trouvait un grand pot en céramique avec un demi-cercle de terre près de sa soucoupe. Gretchen posa le pot et la soucoupe sur l'herbe et prit une enveloppe banale, dans laquelle se trouvait une feuille pliée. Un plan y avait été tracé au feutre, indiquant la maison, le chemin de terre, une montagne à trois kilomètres, et un lieu dénommé « ancienne mine ».

En dessous, elle lut : *Je ne vous mène pas en bateau – Ne redites jamais ça de moi – Allez voir la mine – Ce que vous y trouverez va vous plaire – Notre distribution s'améliore même si ceux qui y participent ne le savent pas encore.*

La calligraphie coupée de tirets était la même que dans la lettre écrite par Surrette à Alafair après qu'elle l'eut interviewé en prison. Soit Surrette devenait moins prudent, soit il commençait à considérer Gretchen comme une âme sœur. Son allusion à leur conversation indiquait qu'il avait écrit le message très peu de temps auparavant. Elle était convaincue qu'il était quelque part sur la montagne, se pourléchant les lèvres, se délectant de savoir que ses mots pénétraient en elle, agitaient son imagination, tandis qu'il l'observait de loin. Elle s'obligea à ne pas lever les yeux, à remonter dans le pick-up et à gravir le chemin en direction d'une montagne zébrée de scories et couverte, sur des kilomètres, d'arbres dénudés par un feu de forêt.

Elle coupa son moteur devant la mine, sortit de son véhicule, et fourra son .38 Airweight dans sa poche arrière.

Le vent était plus froid et plus sec, et sentait la cendre, le bois carbonisé ou la fumée sortant d'un incinérateur par un jour d'hiver. Dans sa main gauche, elle tenait une lampe-torche de six volts. Plus bas, elle apercevait la maison de Rhonda Fayhee, le minuscule terrain sur lequel elle avait été construite, et le chemin de terre qui sinuait dans le lointain. Elle voyait l'étendue vide dans laquelle une frêle et pauvre jeune femme avait vécu et lutté, et gagné son existence jusqu'au jour où elle avait rencontré Asa Surrette. Gretchen monta jusqu'à l'entrée de la mine et éclaira l'intérieur.

Elle ne s'enfonçait pas profondément dans la montagne. Elle avait dû être creusée au cours de la Grande Dépression, quand l'Ouest était rempli de chômeurs qui, lorsqu'ils voyaient une veine de quartz dans un affleurement de roche métamorphique, savaient que l'or et l'argent étaient souvent nichés dans la même couche. Elle déplaça la torche le long du sol et sur les parois. Au moins une demi-douzaine de photographies étaient scotchées aux murs, toutes du même format, toutes montrant une femme attachée, un sac de toile noué sur sa tête par un cordon. Sur deux des photos, la femme était en position fœtale sur un sol rocheux, une couverture tirée sur elle. Sur une autre, elle était assise bien droite, le sac sur la tête, les poignets attachés derrière elle, les genoux remontés, ses chevilles nues apparaissant au-dessus de ses tennis.

Sur un rocher plat au fond de la mine, Gretchen trouva une clé USB emballée dans du papier-bulle. Elle était accompagnée d'un mot : *Elle était là la première nuit – Personne n'a pensé à regarder – C'est comme les autres endroits où j'ai chassé sur la réserve de gibier – Que pensez-vous des images – Je pense qu'une présentation avant-et-après de nos sujets rendra le film plus choquant – Il me tarde tellement de travailler avec vous, Gretchen.*

Quand Gretchen revint au chalet sur le ranch d'Albert, elle inséra la clef USB dans son ordinateur. La scène qui apparut sur l'écran ne durait pas plus d'une minute. L'objectif avait été dirigé à travers une charmille feuillue mouchetée de soleil sur le bord d'un cours d'eau. Un homme et une femme faisaient rôtir des saucisses de Francfort sur un gril, le dos tourné à l'appareil. À l'arrière-plan, une fille faisait des cabrioles. Une autre fille la regardait. Toutes deux étaient blondes. L'objectif ne se concentrait jamais sur leur visage.

Juste avant la fin de l'extrait, une main plaça un mot devant l'objectif. On y lisait : *Si seulement ils savaient.*

« Tu devrais venir voir, Clete », dit Gretchen. Elle repassa la vidéo tandis qu'il regardait par-dessus son épaule.

« Où tu as trouvé ça ? demanda-t-il

– Asa Surrette.

– Tu plaisantes ?

– Il l'a laissée à mon intention dans une mine près de la frontière de l'Idaho. Tu reconnais quelqu'un, sur l'écran ?

– Non. C'est qui ?

– Ses prochaines victimes. J'ai appelé le FBI et les services du shérif de Mineral County. Je suppose que les fédés ne vont pas tarder à arriver. Donne-leur l'USB, et dis-leur d'aller se faire foutre.

– Où vas-tu ?

– Trouver Wyatt Dixon.

– Pour quoi faire ?

– Je crois que Surrette est après lui.

– Pourquoi Surrette s'intéresserait-il à Dixon ?

– Je l'ignore. Aucune personne censée ne chercherait à se faire un ennemi de Wyatt Dixon.

– Hier soir, j'ai un peu cogné Caspian Younger et Jack Boyd. Je pense que Younger voulait me piéger.

– À cause de sa femme ? »

Clete ignora la question. « Boyd avait un *drop* sur lui, dit-il. Et je devrais te préciser autre chose.

– Quoi ?

– On va peut-être se marier, Felicity et moi. Mais il y a un truc qui m'embête : son mari dit qu'elle a couché avec le vieux.

– Avec Love Younger ?

– C'est ce qu'il a dit.

– Et *elle*, elle a dit quoi ?

– Ce qu'elle dit toujours, que son mari est un menteur. Je la crois. Je pense.

– Personne n'est capable de se coller autant d'ennuis sur le dos, dit-elle.

– J'essayais d'être franc avec toi. Hier, je voulais exploser Jack Boyd encore plus fort. Et ce n'était pas parce qu'il s'apprêtait à me buter. Il t'a traitée de "gouine", près de cette grotte, là-haut, et son ami Bill Pepper t'a agressée et kidnappée. Alors j'ai fait en sorte que pendant un bon moment il se nourrisse avec une paille. Si je le revois, peut-être que je finirai le boulot. »

Elle ouvrit une boîte d'Altoïds et s'en mit un sur la langue. « Qu'est-ce que je vais faire de toi ? dit-elle.

– Rien. Je suis ton père. Il faut voir les choses dans l'autre sens. Il faudrait que tu comprennes ça, Gretchen.

– Tu es le roi du bordel, dit-elle en se soulevant sur la pointe des pieds pour lui poser un baiser sur le front. Ne te laisse pas avoir par les fédés. Ils aimeraient bien nous embarquer tous les deux. »

Le rodéo et la foire du comté se tenaient à mi-chemin de la Bitterroot Valley. Toute la semaine, une armée de gens du voyage avait monté la grande roue, les attractions, les manèges à sensations, les gondoles rotatives, le bateau pirate, le château gonflable, le carrousel, des avions suspendus à des câbles, et un train miniature qui roulait sur une piste en boucle qui n'était jamais à plus de deux mètres du sol. Le soleil était encore haut dans le ciel à l'ouest lorsque Wyatt, après être passé à une roulotte de snack, vint s'asseoir à côté de Bertha Phelps à une table sous un *cottonwood*, tenant dans chaque main une assiette en carton remplie de hot dogs au chili. Des Indiens vêtus de costumes à perles piqués de plumes et tintant de clochettes passèrent près d'eux pour rejoindre une immense tente ouverte sur le côté où allait commencer la danse du serpent. Wyatt fit sauter la languette de deux cannettes de Pepsi qu'il posa sur la table.

« Tu sais ce que les gens du rodéo appellent la période de Noël ? demanda-t-il.

– Non, je l'ignore. Mais je sais que tu vas me le dire.

– La période de Noël ce sont les deux semaines avant et après le 4 Juillet, dit-il. C'est là qu'on gagne de l'argent.

– Tu ne vas pas te déguiser, non ?

– Ça se pourrait.

– On paye tous un tribut aux années, Wyatt. Tu devrais y penser.

– Je dis qu'il faut rester en selle jusqu'à la sonnerie. Je dis qu'il ne faut pas céder d'un pouce. »

Elle posa sa main sur celle de Wyatt.

« Quoi ? dit-il.

– Rien. Tu es juste quelqu'un de spécial, c'est tout. »

Le vent se leva, et les feuilles des *cottonwoods* semblèrent s'animer d'une vie à elles, tremblotant si rapidement que l'œil ne pouvait les suivre. Leur bruit, pour Wyatt, évoquait une pochette d'allumettes prise dans les rayons d'une roue de bicyclette. Il entama son chili-dog, s'interrompit, et regarda les montagnes à l'ouest. En quelques minutes, le soleil était devenu une bouillie de pourpre au-dessus du canyon déjà plongé dans l'ombre. Il le fixa jusqu'à en avoir des larmes dans les yeux, puis il vit une femme se détacher de son rayonnement et se diriger vers lui en ombre chinoise, ses cheveux châtains soufflés sur ses joues, ses jambes anormalement longues, sa posture semblable à celle d'un homme.

« Quelque chose qui ne va pas ? demanda Bertha.

– J'ai des trous dans la tête. Le temps s'écoule, et je ne sais plus où il est passé, ni ce que j'ai fait. Ma tête redevient comme elle était avant que je boive tous ces cocktails chimiques. Ça m'arrive ces temps-ci, et ça me donne une impression d'anxiété pour laquelle je n'ai pas de nom.

– Tu es resté ici, dit-elle. Avec moi. Il n'y a pas de quoi s'inquiéter.

– Tu vois, là-bas ?

– Je vois quoi ?

– La femme qui sort du soleil. Elle vient droit à notre table. Je sais déjà ce qu'elle va dire et pourquoi elle est là. Comment ça se fait que ses mots soient déjà dans ma tête ?

– Le soleil est trop fort. Je ne la vois pas. Tu dis n'importe quoi, Wyatt.

– Elle a été envoyée.

– Tu me fais peur.

– Elle s'appelle Gretchen Horowitz. Elle vient me parler de *lui*. Je savais que ça allait arriver.

– Je ne comprends rien à ce que tu dis. Mangeons ce qu'il y a dans nos assiettes. Ne fais pas attention à cette femme, ni à ces pensées folles. Prends ta fourchette et mange.

– Les gens ne veulent pas croire qu'il est là. Cet inspecteur de Louisiane, Robicheaux, il le sait, lui aussi. Et la femme aussi. Il a descendu ton frère. Arrête de faire semblant, Bertha.

– Tu as été élevé parmi des gens primitifs et violents. Tu n'es pas responsable de la superstition et la peur qu'ils t'ont enseignées. Mais tu ne peux laisser leur poison continuer à infecter ta vie. Tu m'écoutes, Wyatt Dixon ? »

Il se leva de sa chaise pliante. Il portait des jarretelles à ses manches, sa ceinture or et argent du championnat national, un éperon à une botte, muni d'une minuscule roue dentée, et une chemise de cow-boy trop grande qui ne le bridait pas quand il était à cheval. Il portait toutes les choses qui lui disaient qui il était et qui il n'était pas. Sauf que toutes ces choses semblaient dépourvues de signification.

Gretchen Horowitz s'écarta de l'éclat du soleil, et Bertha Phelps et Wyatt Dixon la virent nettement. Derrière elle, le manège Kamikaze s'éleva dans l'air, basculant contre le ciel tandis que les adolescents dans les nacelles grillagées hurlaient de plaisir, avant d'être précipités vers le sol. « Salut, cow-boy, dit Gretchen. J'en ai pour une minute.

– Je sais pourquoi vous êtes là, dit-il. Je vous présente Miss Bertha. Je suis pas sûr de vouloir me mêler de ça.

– Asa Surrette affirme que quelqu'un veut vous voir souffrir. Je pense que ce qu'il veut dire, c'est qu'il s'en occupera lui-même, dit-elle. Vous savez qui est Surrette, n'est-ce pas ?

– Comment il dit qu'il s'appelle, ça a pas d'importance. Son vrai nom se trouve dans l'Apocalypse de Jean.

– Non, il n'y est pas. C'est un tueur en série du Kansas. Ce n'est pas un personnage mythologique. C'est un sac de merde. Il a tué Angel Deer Heart, et il se peut qu'il essaie de vous tuer, vous.

– Ne lui dites pas des choses pareilles, intervint Bertha. Qui êtes-vous, pour venir ici et vous conduire de cette façon ? Vous devriez avoir honte. »

Gretchen regarda la femme lourdement charpentée, puis ramena les yeux sur Wyatt Dixon. « Vous voyez une raison pour que la famille Younger puisse vous en vouloir ? En particulier Caspian Younger ?

– Je pourrais dire que les gens comme eux aiment pas ceux qui travaillent, et que je me suis opposé à eux. Mais c'est pas ça.

– Allez-vous-en, mademoiselle, je vous en prie, dit Bertha.

– C'est bon, dit Wyatt. Miss Gretchen fait juste ce qu'elle pense son devoir. Quand il a enlevé la serveuse, il a pris le nom de Geta Noonen.

– Comment vous savez ça ? demanda Gretchen.

– J'ai mené ma petite enquête.
– Vous en avez parlé à quelqu'un ?
– L'État du Montana m'a cramé la tête à coups d'électricité. Vous pensez qu'ils me demandent conseil pour coincer des tueurs en série ? En plus, c'est pas ce qu'il est.
– Il est la Bête de la Bible ?
– Non, c'est sans doute un acolyte, un ange secondaire dans la bande qui a été jetée en enfer.
– Je ne peux pas en entendre plus, dit Bertha. Partez d'ici, et laissez-nous tranquilles.
– Je suis désolée de vous avoir inquiétée, dit Gretchen.
– Love Younger est venu chez moi et a pêché sur ma rive, dit Wyatt. Il a posé des questions sur mes parents. Il m'a demandé si j'avais du sang indien. Pourquoi diable il s'intéresserait à mes parents ?
– Prenez garde, Wyatt. Au revoir, Miss Phelps », dit Gretchen.

Wyatt regarda Gretchen se frayer un chemin dans un champ rempli de voitures garées, sa chemise rouge et ses cheveux noisette paraissant se fondre dans l'intensité du soleil en fusion. Il écarta son assiette, et sortit du sac à dos qu'il avait à ses pieds une pierre à aiguiser et un large couteau de chasse gainé. Le couteau avait un manche blanc et une garde nickelée. Il commença à passer la lame sur toute la longueur de la pierre, les yeux fixés sur un point distant d'un mètre.

« Pourquoi tu fais ça ? demanda Bertha.
– Je vais le porter pour la danse du serpent.
– Pourquoi tu l'aiguises ?
– Je faisais ça quand j'étais gamin. Je prenais ma bicyclette et je partais dans les bois, avec mon couteau de poche et un morceau de pierre à savon que j'avais récupéré dans la rivière. C'est comme ça que j'ai appris qu'on n'est pas tous réglés sur la même pendule. Je disparaissais et j'allais dans un endroit dont plus tard je me souvenais pas, puis je revenais et je me retrouvais en train d'aiguiser mon couteau.

– Tu ne dois plus parler de choses pareilles, dit-elle. Il faut qu'on parte en voyage, peut-être à Denver. On pourrait loger au Brown Palace. Le Sundance Kid et Butch Cassidy y ont séjourné. Tu le savais ?

– Je pense qu'il y a certaines choses qui commencent à me rattraper, Bertha. Dans mes rêves, il y a quelque chose que je suis pas censé voir. J'ai le sentiment que je sais ce que c'est.

– Ne parle pas de ça. Oublie le passé.

– Quand j'avais environ quinze ans, il s'est passé quelque chose. Je peux presque le voir, comme si c'était caché au coin. Tu sais de quoi il s'agit ?

– Non. Et je ne veux pas le savoir, dit-elle d'une voix qui commençait à se briser.

– J'ai tiré les mauvais parents, dit-il. Soit c'est ça, soit c'est eux qui ont tiré le mauvais gamin pour se servir de leur cravache. »

29

La chambre que louait le révérend Geta Noonen se trouvait au premier étage d'une vieille maison en bois au bout du vallon, sous une échancrure dans les montagnes à travers laquelle, de sa fenêtre, il voyait l'étoile du soir. Geta, comme l'appelaient ses hôtes, bénéficiait d'une entrée indépendante à l'arrière et de sa propre salle de bains, avec une baignoire ancienne aux pieds en forme de griffes. Sa nouvelle demeure avait quelque chose de nostalgique, une touche de Midwest agraire, à l'époque des familles d'immigrants labourant les prairies et semant du blé venu de Russie. Tout dans la maison lui rappelait le monde dans lequel il avait grandi : la balancelle sur le porche, le linoléum de la salle de bains, les craquelures de gel dans la peinture autour des fenêtres, le plafond en métal gaufré, dans le mur un trou pour le poêle, obstrué par un plat à tarte en aluminium. L'étage résonnait des bruits des adolescentes courant dans les couloirs, claquant les portes, gloussant à propos des garçons qui leur téléphonaient, un peu comme ses sœurs à lui à l'époque. Geta pensait à tout cela avec beaucoup de tendresse, jusqu'à ce qu'il commence à se rappeler d'autres choses qui s'étaient passées à l'intérieur de la maison de la famille adoptive, à l'ouest d'Omaha, dans laquelle une pièce restait toujours fermée, sans que personne ne demande ce qui se trouvait derrière la porte.

Ce n'était pas le moment de repenser à tout ça. Le monde changeait, et lui aussi. Tandis qu'il marinait dans la baignoire, le menton dépassant à peine de la patine grise de savon qui couvrait la surface, il voyait le soleil se coucher derrière les arbres au milieu des rochers, sa lueur orange aussi vive qu'un bouclier poli sur le mur d'un château. Non, ce n'était pas un bouclier, se dit-il. C'était un talisman céleste, la source d'une chaleur naturelle et d'une énergie énormes qui allaient se trouver transférées entre les mains d'un homme que le monde avait trop longtemps négligé.

Bien des nuits il avait étudié les cieux à travers la fenêtre d'une cellule, et avait vu sa destinée aussi nettement qu'il voyait la Voie lactée, une averse de verre blanc sur fond de velours noir se perdant dans l'infini, un peu comme la lumière magique qu'il sentait parfois irradier de ses paumes.

Le plus grand don qu'il possédait et que les autres n'avaient pas était le don de reconnaissance. Il voyait un univers qui ne se dilatait pas, mais se contractait, un vortex dont le centre aspirait toute la Création dans son gouffre. Le but de l'univers physique était le contraire de ce que chacun pensait. Son but, c'était l'annihilation. Qu'est-ce qui, en termes de perfection, pouvait égaler le rien ? Ceux qui étaient capables d'admettre pareilles conclusions devenaient capitaines de leur âme, maîtres de leur destin, marionnettistes qui contemplent de haut des silhouettes en baguettes en train de s'agiter au bout de leurs ficelles.

Il avait causé de la souffrance ? Et alors ? Moïse avait exécuté des centaines, voire des milliers de gens ; durant la Grande Guerre, les rois d'Europe dînaient de faisans tout en envoyant à la mort des centaines de milliers de gens. Personne ne ruminait sur les dommages qu'une empreinte de bottes cause à une fourmilière. Les forts non seulement l'emportent sur les faibles, mais se libèrent volontairement des contraintes de la morale. Ce faisant, ils deviennent immatériels, capables de flotter loin de leurs attaches terrestres. Ce n'était pas une idée compliquée.

Il ferma les yeux et se glissa plus profondément dans l'eau, se prélassant dans sa chaleur, les mains agrippées au rebord de la baignoire, son phallus flottant à la surface. La moitié de l'étage lui avait été cédée par la famille, en même temps que les clefs de la porte de derrière et de la salle de bains. Quand il ne s'en servait pas, il gardait verrouillée la porte de la salle de bains, en partie pour que personne d'autre ne voie les photos qu'il avait scotchées au mur, et en partie pour dissimuler l'odeur qu'il laissait deux fois par jour collée aux parois de la baignoire, au savon qu'il utilisait, à la brosse avec laquelle il se frottait la peau, à la serviette avec laquelle il s'essuyait les aisselles.

Le problème, il en était sûr, venait d'un parasite qu'il avait ingéré en prison en mangeant dans une assiette sale. Il avait pondu dans ses viscères, s'était infiltré dans son organisme et caché dans ses glandes, emplissant ses vêtements d'une odeur qui poussait les gens à s'écarter de lui dans les ascenseurs et les transports en commun. Il n'en était pas la seule victime. Un détenu aveugle qui avait tué sa femme et ses enfants et restait à l'isolement vingt-trois heures par jour avait le même syndrome. Et aussi un pédéraste qui travaillait à la lingerie du pénitencier. Le psychiatre de la prison disait que le problème venait soit d'une occlusion intestinale, soit d'un empoisonnement dû à la nourriture, et que cette odeur était parfaitement naturelle. Il disait que ça finirait par passer. Quand le psychiatre s'éloignait pour aller aux toilettes, Geta crachait dans sa tasse de café.

Il vida la baignoire et se lava une nouvelle fois, cette fois avec de l'eau glacée, pour cacheter ses pores, puis aspergea son corps de déodorant. Il enfila un pantalon propre et une chemise blanche, peigna en arrière, devant la glace, ses cheveux décolorés. Il avait perdu du poids, sa peau avait foncé, et il avait gonflé ses avant-bras en coupant du bois pour le feu, rajeunissant de dix ans. Ça serait peut-être une bonne soirée pour faire une petite balade en ville, rendre visite à un ou deux bars pour étudiants. Juste pour le plaisir. Rien de sérieux. Question de tester sa puissance. C'était sa version à lui du *catch and release*[1]. Il sourit à son propre humour.

---

1. Technique de pêche récréative, consistant à relâcher la truite qu'on a pêchée.

Toutes les photos sur les murs avaient été prises avec un zoom après qu'il eut décidé d'entamer une nouvelle carrière dans l'ouest du Montana. Sur les vingt photos, huit montraient une femme petite mais bien en chair, entre deux âges, qui arborait l'allure et l'air indifférent d'une enfant du *flower power* des années 60.

Il effleura une des photos du bout des doigts, puis souffla dessus comme s'il essayait d'embuer une vitre. Il lui tapota le visage et les cheveux, puis s'humidifia l'index et tira un trait mouillé en travers de sa gorge, un autre sur ses yeux, et encore un sur sa cage thoracique. Il avait un vrombissement dans l'oreille, comme le bourdonnement d'un immense stade, le soleil brûlant lui tombant droit sur la tête. Il crut entendre des gémissements de bêtes sauvages, un cliquettement de chaînes, une grille de fer qui s'ouvrait en glissant, les hurlements d'une foule. Il aurait pu jurer qu'il sentait l'odeur brute du sang et du sable chaud, la puanteur moite de gens maintenus captifs dans une pièce en sous-sol.

Il tapota affectueusement la photo, les joues creusées par un sourire rentré. *Notre temps est presque arrivé*, pensa-t-il. *Ça sera un grand événement annoncé par des trompettes, des nains battant tambour, un centaure en costume attendant de danser autour des morts et des soldats frappant la pierre de la hampe de leurs lances.*

Il commença à sentir une telle excitation qu'il dut fermer les yeux et ouvrir la bouche, comme s'il était dans un avion perdant de l'altitude au milieu d'un orage électrique.

À travers la porte, il entendit les deux filles dévaler l'escalier en bois et sortir par-devant, et leur père leur dire de rentrer tôt. Geta retourna dans sa chambre et referma la porte à clef derrière lui, puis sortit de son placard quatre sacs à habits de plastique transparent, et les étala sur le lit. *Oui, rentrez tôt, mes petites,* pensa-t-il. *Et vous, Popa et Moman, profitez de vos vies larvaires et insignifiantes tant que vous le pouvez. Des sacs attendent les embryons que vous êtes.*

Le coup à la porte le surprit. « Qui est là ? demanda-t-il.
– C'est moi, dit la femme. Vous voulez vous joindre à nous pour le dessert et le café ? »

Il réfléchit un instant. « Vous avez de la tarte aux cerises ? demanda-t-il à travers la porte.

– Comment avez-vous deviné ?

– La saison des cerises arrive, dit-il. Je descends dans une minute. C'est si gentil à vous de m'inviter. »

Le vendredi matin, j'ai dormi jusqu'à sept heures et me suis réveillé sans me souvenir de mes rêves, ni de m'être levé pendant la nuit. Je me suis réveillé avec une clarté d'esprit qui semble de moins en moins fréquente au fur et à mesure qu'on vieillit, peut-être parce que la banque de mémoire est pleine, ou parce que nos craintes d'enfant ne sont pas résolues dans l'inconscient. Néanmoins, j'ai réalisé une chose qui m'avait échappé avant ce matin : Asa Surrette, un homme que je n'avais jamais vu, s'était insinué dans nos vies à tous, et nous avait divisés.

En m'adressant au FBI, j'avais fâché à la fois Alafair et Gretchen, et j'avais mis Gretchen dans leur ligne de mire. Je me doutais que Surette recherchait précisément la discorde et la perte de confiance. Ce qu'il y a de plus ironique, lorsqu'on combat des êtres diaboliques, c'est le fait que la moindre proximité qu'on puisse avoir avec eux vous laisse souillé, diminué, un peu moins confiant en vos frères humains. C'est un vol par osmose.

Après m'être brossé les dents et rasé, je suis descendu et j'ai préparé deux tasses de café avec du lait chaud, que j'ai montées dans la chambre d'Alafair. Elle était réveillée dans son lit, allongée sur le flanc, et regardait par la fenêtre un faon et sa mère jouer avec l'un des poulains d'Albert gambadant dans la prairie.

Alafair m'a jeté un coup d'œil par-dessus son épaule. « Quoi de neuf, docteur ? » dit-elle.

J'ai tiré une chaise près de son lit et lui ai tendu une des tasses de café. « La seule leçon durable que la vie m'ait apprise, c'est que rien n'a d'importance, en dehors de la famille et des amis, dis-je. Quand on arrive au bout de la route, l'argent, le succès, la célébrité, le pouvoir, tout ce pour quoi on s'entre-tue, se dissout dans l'insignifiance. L'ironie de la chose, c'est qu'en général on comprend cette leçon trop tard. »

Elle s'assit, s'adossa à l'oreiller, ses longs cheveux noirs lui effleurant les épaules. « Je n'ai jamais douté de ce que tu avais au fond du cœur, dit-elle.

– On a fait de notre mieux pour traiter avec Surrette, dis-je. Si on se dispute et qu'on n'a plus confiance entre nous, il aura gagné.

– C'est moi qui ai déclenché tout ça en l'interviewant.

– C'est élégant à toi de le dire, mais je ne pense pas que ça ait commencé là. Surrette ne nous a pas suivis de Louisiane jusque chez Albert. Il était déjà là.

– Mais pour quelle raison ?

– Ça a peut-être un lien avec les Younger. Peut-être que non. Il a tiré une flèche sur toi depuis la crête derrière la maison. Il a laissé son message dans la grotte derrière la maison. Il a mis un piège à ours destiné à Gretchen derrière la maison. Il semble éprouver un intérêt tout particulier pour ce morceau de terrain.

– Un rapport avec Albert ? dit-elle.

– Surrette se targue d'être un intellectuel et un écrivain. Albert est les deux, et il est connu pour ses opinions politiques radicales. Alors peut-être. »

Alafair termina son café et enfila un peignoir. « On a effectué quelques recherches sur la famille d'Angel Deer Heart, Gretchen et moi, dit-elle. Ses parents sont morts dans un accident de voiture. Les trois enfants ont été envoyés dans un orphelinat du Minnesota. Le frère et la sœur d'Angel sont morts lors d'une épidémie de méningite. C'est à ce moment-là qu'Angel a été adoptée par Caspian Younger et Felicity Louviere. Jusque-là, tu me suis ?

– Continue.

– La famille possédait cinquante hectares entre la réserve et la frontière de Glacier National Park. Le terrain des Deer Heart n'est pas loin de l'endroit où ont été forés plusieurs puits d'exploration.

– Qu'est-il advenu de la terre ?

– Elle a été mise en fidéicommis pour les enfants. Elle n'a pas une grosse valeur agricole, mais la famille s'accrochait aux droits d'exploitation miniers.

– Qui la possède maintenant ?

– Angel Deer Heart aurait hérité de la terre pour son dix-huitième anniversaire. »

Je l'ai regardée sans comprendre. « Alors, elle revient à qui ?

– Devine, au hasard.

– À Caspian Younger et à sa femme ?

– Non, juste à Caspian. Ce n'est pas merveilleux ?

– Comment avez-vous appris tout ça ?

– Gretchen a embauché deux bibliothécaires. Toutes les deux sont à la retraite, et ont plus de quatre-vingts ans. Elles ont demandé si dix dollars de l'heure, ce serait trop. »

J'avais du mal à me concentrer. Je n'aimais pas Caspian Younger. J'en avais connu beaucoup comme lui, élevés dans un environnement fermé, protégés de la souffrance, du chagrin et du labeur de la masse, décadents et vains et incapables de comprendre les privations. Mais admettre les implications des révélations d'Alafair restait difficile.

« Tu penses que Caspian connaît Surrette ?

– On n'en a trouvé aucune preuve. Après avoir quitté la marine, Surrette s'est occupé de sécurité pour quelques casinos. Atlantic City, Reno et Vegas étaient un second foyer pour Caspian, aussi bien que pour son père. Gretchen t'a dit que le père avait des baisodromes dans plusieurs endroits, non ?

– Et si tu surveillais un peu ton langage ?

– Et si tu arrêtais de me faire la morale ?

– Je suis sérieux. Tu parles très mal. Tu ne peux pas imaginer comment sonnent ces mots quand ils sortent de ta bouche.

– Et pas quand ils sortent de la bouche de quelqu'un d'autre ? »

Ne mords pas à l'hameçon, pensai-je. Je compris aussi, avec un grand soulagement, que notre relation était revenue à la normale. « Je vais vous préparer le petit déjeuner, à Molly et à toi. Tu viens ? dis-je.

– Tu n'as pas répondu à ma question.

– Tu seras toujours ma petite fille, que tu le veuilles ou non.

– Tu ne changeras jamais, dit-elle. C'est pour ça que je t'aime, Pops. »

Gretchen se réveilla à l'aube et regarda par sa fenêtre. Normalement, à ce moment de la journée, les chevaux paissaient près du système d'arrosage, où l'herbe était plus haute. Mais ce jour-là, ils se trouvaient dans un bouquet de trembles près de la route, la tête et le cou tendus par-dessus la barrière pour manger des carottes qu'une femme leur sortait d'un sac. Gretchen enfila un jean, un blouson, ses bottes de daim semi-montantes, et s'enfonça entre les arbres.

« Si c'est Clete que vous cherchez, il est encore au lit, dit-elle.

– Je faisais juste un tour en voiture. Je me suis arrêtée à l'épicerie de Lolo et j'ai acheté ça pour les chevaux, dit Felicity Louviere. Ça vous embête, que je les nourrisse ? »

Son visage était inexpressif, dépourvu de couleur. Même sa voix était sans timbre. Pour Gretchen, elle évoquait quelqu'un qui veut présenter ses condoléances à des funérailles, mais qui arrive trop tard et trouve l'église vide.

« Vous voulez que je réveille Clete ? proposa Gretchen.

– Non. Il m'a dit que vous étiez en contact avec Asa Surrette. C'est vrai ?

– J'ai été en contact avec un type qui est peut-être Surrette. Mais je n'en jurerais pas.

– La serveuse est avec lui ?

– Je l'ignore. Je peux vous aider, Miss Louviere ? Vous ne me paraissez pas bien.

– Vous avez vraiment parlé à cet homme ?

– Il m'a appelée sur mon portable.

– Il a dit quelque chose à propos d'Angel ?

– Non. Je pense que vous devriez entrer. » Gretchen s'avança entre deux des chevaux et prit le sac de carottes. « Il ne faut pas nourrir les chevaux avec le bout des doigts. Il faut mettre ce qu'on veut leur donner sur le plat de la main, pour ne pas risquer de se faire mordre.

– Merci.

– Il s'est passé quelque chose dont vous aimeriez parler ?

– Je n'aurais pas dû vous déranger. Quelle heure est-il ? Il n'y a pas de lumière dans la vallée avant neuf heures, n'est-ce pas ? Ou est-ce qu'il fait presque tout le temps noir ? Apparemment, le Montana est comme ça. Souvent sombre.

– Je vais au club de gymnastique dans quelques minutes, dit Gretchen. Si vous veniez avec moi ?

– C'est très gentil, mais je vous ai sans doute déjà assez embêtée.

– Je n'ai pas beaucoup l'expérience de ça, Miss Louviere, mais je pense que vous vous en voulez pour un événement récent, ou pour une chose que vous venez d'apprendre. Ça a un rapport avec la mort de votre fille ? » Le regard de Felicity était si vide que Gretchen avait du mal à le soutenir. « Je sais que ça ferait plaisir à Clete de vous voir, dit Gretchen. Restez un moment. On prendra le petit déjeuner ensemble.

– Peut-être une autre fois. Merci, Miss Horowitz. » Felicity monta dans son Audi et s'éloigna.

Gretchen rentra dans le chalet, prépara son sac de sport et alla au club de gymnastique, pensant en avoir terminé avec son étrange rencontre avec Felicity Louviere. Tôt dans sa vie, elle en était venue à penser que les différences entre les êtres humains n'étaient pas très grandes, et tenaient moins aux motivations qu'aux apparences. La seule exception était la différence entre les malades et les bien portants. Certains rayonnaient de santé, d'autres semblaient ravagés de corps et d'esprit, comme s'ils avançaient à travers une toile d'araignée invisible et que leurs pores ne respiraient pas.

Trois heures plus tard, quand Gretchen émergea du vestiaire, le teint rubicond, les cheveux humides de la douche, elle était convaincue que Felicity Louviere, où qu'elle aille, portait en elle une forme de perdition.

Felicity se tenait près du bureau d'accueil, son sac à l'épaule, sans s'occuper des membres du club qui devaient la contourner pour tendre leur carte. Gretchen lui mit une main sur l'épaule. « On va prendre un bagel et du fromage à tartiner, dit-elle.

– Avec plaisir, dit Felicity. Clete est ici ?

– Il est au ranch. On est juste toutes les deux. Je vais commander. Asseyez-vous sur le canapé, et on pourra parler. »

Après avoir passé sa commande, Gretchen consulta ses messages téléphoniques, puis s'assit à côté de Felicity dans un coin calme près de la cheminée.

« Il faut que je me confie à quelqu'un, dit Felicity. Je ne me suis jamais sentie aussi mal. Je ne veux pas imposer mon fardeau à Clete, ni le faire souffrir encore plus.

– Qu'y a-t-il ?

– Mon mari a laissé sur son bureau son relevé bancaire de Vanguard. En quatre mois, il a effectué pour quatre-vingt-cinq mille dollars de retraits de son compte. J'ai pensé qu'il s'était remis à jouer. J'ai regardé le livre de comptes qu'il garde au fond de son bureau. Il y inscrit à l'encre toutes les dépenses, les entrées, les transactions, et ne met jamais aucune information sur un ordinateur. Les retraits de Vanguard se trouvaient là. À côté de chacun d'eux, il y avait les initiales A.S.

– Asa Surrette ?

– C'est ce que je lui ai demandé. Il s'est mis en rage.

– Pourquoi paierait-il Surrette ? »

Felicity fixa Gretchen sans répondre. Elle ne s'était pas maquillée et ses lèvres étaient craquelées.

« Surrette le fait chanter ? demanda Gretchen.

– Je pense qu'il a payé Surrette pour tuer notre fille. Je pense que j'ai fermé les yeux sur ce qu'il a fait. Je pense que je suis responsable de la mort de ma fille.

– Ne dites pas une chose pareille. Vous n'avez rien à voir avec la mort de votre fille. Où se trouve votre mari, pour l'instant ?

– Je l'ignore. Il a peur. Hier soir il était ivre, et ce matin je l'ai vu se faire des lignes sur un miroir. Je crois qu'il n'a pas pris de bain depuis plusieurs jours. Il hait Clete, et il hait Dave Robicheaux. Il a tué notre fille. L'homme avec qui j'ai couché pendant des années a tué Angel.

– Quoi qu'il se soit ou ne se soit pas passé, vous n'êtes pas responsable. Vous me comprenez bien ?

– Autre chose. Je crois que je l'ai vu. Deux fois, peut-être trois.

– Vu qui ?

– *Lui*, l'homme qui a tué Angel. Il avait un appareil avec un zoom. J'ai regardé les photos de lui postées sur Internet. Depuis qu'il a été en prison au Kansas, il a perdu du poids, mais je suis presque sûre que c'était lui.

– Vous l'avez dit à votre mari ?

– Oui, ça l'a terrorisé.

– Je ne comprends pas bien ce que vous me dites. Il a peur pour votre sécurité ?

– Il a peur que Surrette ne s'en prenne à nous deux. Vous avez été très patiente, Miss Horowitz. Mais je sais ce que j'ai fait, ou ce que je n'ai pas su faire. Je n'ai pas protégé Angel. Je suis en partie responsable de sa mort. Je ne me le pardonnerai jamais. »

L'une des employées du club souleva les bagels chauds sur un plateau pour les montrer à Gretchen, puis posa le plateau sur le comptoir.

« Je reviens », dit Gretchen. Elle fit mettre les bagels sur son compte et revint au canapé. Felicity avait disparu. La besace de Gretchen était posée sur la table basse, le cordon dénoué. Elle la fouilla. Son portable avait disparu. Par la porte vitrée, elle vit s'éloigner l'Audi de Felicity.

Alafair était assise sur le siège passager du pick-up de Gretchen quand elles quittèrent Higgins Street Bridge et se garèrent le long de la rivière, à côté de l'ancienne gare devenue le Q.G. national d'un groupe de protection de la nature fondé par Teddy Roosevelt.

Six heures avaient passé depuis que Felicity avait volé le portable de Gretchen. « Tu es sûre de vouloir faire ça ? demanda Alafair.

– Love Younger est l'un des hommes les plus puissants des États-Unis, dit Gretchen. Tu crois qu'il ne sait pas ce qui se passe dans sa famille ?

– J'en doute.

– Tu peux me répéter ça sans sourire ? » dit Gretchen. Elle coupa le moteur. La rivière était haute, d'un vert d'ardoise, courant sur les rochers submergés près de la rive.

« Younger a sans doute pris Cronos comme modèle, dit Alafair.

– Qui ?

– Le dieu grec qui mangeait ses enfants.

– Je me fiche des enfants de Younger. Ils sont nés riches. Ils ont eu le choix. J'avais tort à propos de Felicity Louviere. Elle veut se punir, et je pense que pour ça elle va se servir d'Asa Surrette.

– Elle n'est pas innocente, Gretchen.

– Tu m'accompagnes ou pas ?

– Je suis ton amie, non ? »

Gretchen se passa sur l'épaule la bride de la besace, mais ne sortit pas de la voiture. La gare rénovée ressemblait à une forteresse orange et avait les lignes épurées d'une œuvre d'art. Elle était située à la base d'une colline qui descendait abruptement à la rivière. Au sommet de la colline se trouvait la rue bordée d'érables où Bill Pepper avait vécu et où il l'avait droguée et agressée sexuellement. « Tu es davantage qu'une amie, dit-elle.

– Inutile d'en dire plus.

– Je dirai ce que j'ai envie de dire. Tu sais ce que tu représentes pour moi, Alafair ?

– Mieux vaut parfois ne pas trop préciser les sentiments.

– J'allais dire quoi, à ton avis ?

– Je ne sais pas trop.

– Tu es tout ce que je veux devenir. Tu es éduquée, intelligente et superbe. Tu t'imposes aux gens sans avoir à les menacer. Moi, je dors avec une arme. Toi, tu arrives toujours à gérer calmement des situations qui me donnent envie de mettre les gens en pièces.

– Je ne sais pas s'il s'agit toujours d'une vertu.

– Tu as publié un roman. Tu as été Phi Bêta Kappa à Reed. Tu as eu une moyenne de quatre points à la fac de droit de Stanford. À New Iberia, tout le monde te respecte.

– On te respecte aussi, Gretchen.

– Parce que les gens me craignent. Ils savent que j'ai du sang sur les mains. Tu sais ce qu'il y a de pire ? »

Alafair secoua la tête, les yeux baissés, peu désireuse d'en entendre plus.

« Je suis contente qu'ils le sachent, dit Gretchen. Je veux qu'ils connaissent l'odeur du sang. Je veux qu'ils sachent ce que c'est que de vivre avec le genre de peur qui vous pousse à tuer. Tu sais ce que j'éprouve aujourd'hui, même si je crois que j'ai changé ? J'aimerais pouvoir déterrer tous ceux qui m'ont fait du mal, et les tuer à nouveau. Et maintenant, qu'est-ce que tu penses de moi, Alafair ?

– Je t'aime. Je ferais n'importe quoi pour toi. »

Gretchen l'agrippa par la nuque et l'embrassa sur la bouche. « Tu me perturbes, ma fille », dit-elle.

Puis elle sortit du pick-up et se dirigea vers la gare, sa besace se balançant à son épaule. Alafair, à travers le pare-brise, regarda la rivière, l'eau qui glissait sur les rochers et tourbillonnait dans de profonds bassins ombreux et couverts de mousse. Son visage la démangeait comme si elle venait de se faire piquer par une guêpe. Elle expira, cligna des yeux et suivit Gretchen dans le bâtiment

Une réunion se tenait dans une vaste pièce ornée de tableaux rustiques représentant des scènes des parcs nationaux d'Amérique. Une dizaine d'hommes étaient assis à une longue table de bois, sur laquelle étaient posés un service en argent, une carafe à décantation, des verres et un saladier d'argent avec des fleurs rouges flottant à la surface de l'eau. Love et Caspian Younger étaient assis au bout de la table. Un homme aux cheveux gris, élégamment vêtu, était en train de présenter Love Younger à l'assemblée. C'était un homme d'allure agréable, à l'attitude déférente, et qui paraissait sincère. Il avait sans doute travaillé des heures à son discours.

« M. Younger, très tôt, s'est attaché à la protection des forêts, des rivières, des torrents et des montagnes de l'est de son Kentucky natal, dit-il. La cabane dans laquelle il a vu le jour n'était pas très différente du fort révolutionnaire que Daniel Boone a bâti sur la Cumberland River. Ses liens avec l'histoire américaine, cependant, ne sont pas seulement de nature géographique. Il est un descendant de Tecumseh, le grand chef shawnee, et il est fier d'être apparenté à Cole Younger, qui a lutté pour ses convictions lors de la guerre civile, et qui était admiré de ses amis comme de ses adversaires. La donation de cinq mille hectares faite par M. Younger à la Protection de la nature n'est pas uniquement un acte de générosité, mais le fait d'un visionnaire. »

L'homme aux cheveux gris se tourna vers Love Younger et continua : « Je ne peux vous dire à quel point nous apprécions votre soutien. Votre investissement dans l'énergie solaire et éolienne a été un exemple pour tous ceux qui cherchent à trouver un meilleur moyen de fournir de l'énergie pour le vingt et unième siècle. Vous avez prouvé que le rancher, le sportif, le protecteur de la nature et l'industriel peuvent œuvrer ensemble au bien commun. C'est un immense honneur que de vous avoir parmi nous aujourd'hui, monsieur. »

Love Younger observa le gobelet de whisky qu'il tenait dans la main, l'inclinant légèrement comme s'il avait reçu plus de louanges qu'il n'en méritait. Il se leva. « Tout l'honneur est pour moi. Vous, messieurs, avez investi toute votre existence dans une grande cause. Moi, non. Les gens comme moi sont des spectateurs. Tecumseh avait une noble vision, bien plus grande que ne l'a été la mienne. Cole Younger a mené une vie de violence, mais avant sa mort il est devenu chrétien. Il a été l'associé de Frank James dans l'entreprise du Wild West Show itinérant. Les deux hommes n'étaient pas taillés dans la même étoffe. Je ne dis pas ça pour juger ni condamner Frank James, mais pour me rappeler l'admonition de la Bible selon laquelle il y a beaucoup d'appelés et peu d'élus. Je pense que mon ancêtre s'est racheté. La donation que je fais à votre cause est pour moi une humble tentative de compenser certains des mauvais choix de ma vie. » Younger leva son verre de whisky. « À chacun d'entre vous », dit-il en le buvant jusqu'à la dernière goutte. Ce n'est qu'à cet instant qu'il parut remarquer Alafair et Gretchen debout sur le seuil. « Voulez-vous entrer, mesdames ? demanda-t-il.

– C'est la fille de Robicheaux », dit Caspian, levant les yeux de sa chaise à côté de son père. Depuis que Clete l'avait tabassé, il avait une vilaine croûte sur l'arête du nez et, sous un œil, une contusion pareille à une minuscule souris bleu-noir.

Alafair attendit que Gretchen réponde, puis dit : « On peut vous parler plus tard, monsieur Younger.

– Non, si vous avez quelque chose à me dire, dites-le-moi maintenant, répondit Love Younger.

– Asa Surrette fait chanter votre fils. La mort de votre petite-fille peut faire de votre fils un homme riche et indépendant. Il se peut que votre fils ait payé Asa Surrette pour tuer votre petite-fille.

– Qui vous a envoyée ici ? demanda Younger.

– Personne. J'ai appelé votre bureau, et on m'a dit que vous étiez là. Je pense que votre belle-fille est en danger, monsieur Younger, dit Gretchen. Je pense qu'elle pourrait essayer de contacter Surrette. »

L'homme aux cheveux gris se pencha vers Younger. « Je suis désolé, monsieur Younger. Je vais m'occuper de ça ».

Sans quitter Gretchen des yeux, Younger posa la main sur l'épaule de l'homme, l'empêchant de se lever. « Felicity essaie de contacter ce tueur ? dit-il.

– Elle se croit responsable de la mort d'Angel, dit Gretchen.

– Et, pleine de bonnes intentions, vous êtes venue ici pour parler en public de la tragédie de ma vie familiale ? Vous appelez ma petite-fille par son prénom, comme si vous l'aviez connue ?

– Vous préféreriez voir votre belle-fille morte ?

– Je sais tout sur vous. Vous êtes tueuse à gages à Miami. Je pense que vous œuvrez avec Albert Hollister afin de noircir mon nom de toutes les façons possibles.

– Je suis venue pour empêcher que votre belle-fille ne se fasse assassiner. Vous n'êtes pas une victime, monsieur Younger. »

Les autres hommes autour de la table restaient silencieux, sans expression, les mains immobiles sur le plateau. L'un d'eux s'éclaircit la gorge, puis prit son verre d'eau et en but une gorgée avant de le reposer le plus silencieusement possible.

« À mon avis, mesdames, vous êtes venues ici pour faire une scène et développer le programme d'Albert Hollister et des éco-terroristes qui sont ses hommes de paille, dit Younger.

– Je vous ai dit la vérité, déclara Gretchen. Je pense que votre fils a fait tout son possible pour provoquer Wyatt Dixon et l'amener à vous faire du mal. Pourquoi a-t-il agi ainsi, monsieur Younger ? Dixon dit que vous êtes venu sur sa propriété. Pourquoi votre fils et vous vous intéressez-vous à ce point à un cow-boy de rodéo ? »

Love Younger regarda les autres hommes autour de la table. « Toutes mes excuses, messieurs, dit-il. Ma famille a traversé une épreuve douloureuse. Je suis désolé que vous ayez été témoins de ça. Je suis certain que nous nous reverrons sans tarder. Et encore merci de m'avoir permis de participer à votre mission. Vous êtes des gens formidables.

– C'est aussi ce que nous pensons de vous, monsieur Younger, dit l'un des hommes assis.

– Autre chose, intervint Gretchen. Vous êtes éduqué, riche, et vous avez sur les gouvernement étrangers des informations auxquelles seules ont accès les agences de renseignements. Mais vous utilisez votre éducation et votre expérience pour tromper les gens qui n'ont jamais bénéficié des mêmes avantages. Et je ne parle pas de ces hommes qui sont ici ; je pense à ceux qui n'ont jamais eu la moindre chance. Vous exploitez leur confiance et leur patriotisme, et vous instillez en eux un maximum de peur. Peut-on être plus vil, monsieur Younger ? »

Dans la pièce, on n'entendait que le vent dans les arbres derrière la gare.

« Viens, Caspian, dit Younger à son fils. Nous avons déjà abusé du temps de ces messieurs.

– Je suis désolée d'avoir perturbé cette réunion, dit Gretchen aux hommes autour de la table. J'admire votre travail. Si j'avais pu parler à M. Younger en un autre lieu, je l'aurais fait. »

Elle sortit sans attendre Alafair, la nuque aussi rouge que si elle avait pris un coup de soleil.

« Vous vouliez dire quelque chose, Miss Robicheaux ? demanda Love Younger.

– Oui. Vous vous en tirez facilement, dit Alafair. Votre fils a des contacts avec Asa Surrette, un homme qui éjacule sur le corps des jeunes filles qu'il torture, le même type qui a assassiné votre petite-fille. J'ai connu des ordures, mais vous remportez le cocotier.

– On ne me parle pas de cette façon, dit-il, le visage frémissant.

– Je viens de le faire », répondit-elle

Alafair rattrapa Gretchen à l'extérieur. « Où vas-tu ? demanda-t-elle.

– Je pense que je vais aller me noyer.

– Je suis fière de toi, dit Alafair

– Fière de quoi ?

– De ce que tu viens de dire là-dedans. De la façon dont tu as parlé à ces types en partant.

– Et alors ?

– Ils savent reconnaître le courage et l'intégrité quand ils les voient. Ils ne pouvaient pas le dire devant Love Younger, mais ils t'ont respectée. Ça pouvait se lire sur le visage de chacun.

– Tu le penses vraiment ?

– Tu ne devrais pas me poser la question. Je ne t'ai jamais menti, dit Alafair.

– Pourquoi tu me regardes comme ça ?

– Ton sourire, dit Alafair. Quelle beauté. »

30

Dès l'instant où elle eut volé le portable de Gretchen Horowitz, Felicity Louviere sut que sa vie avait changé, définitivement. Elle sut aussi que rien de sa vie passée n'avait pu la préparer à l'épreuve qui l'attendait. Tandis qu'elle s'éloignait du club de sport, elle avait dans la poitrine un puits de peur qui paraissait sans fond. Au feu rouge, elle regarda les visages impassibles des conducteurs, comme si ces étrangers que, dans des circonstances ordinaires, elle n'aurait jamais remarqués, pouvaient connaître une alternative à sa situation et, d'une certaine façon, la sauver des ruines fumantes qu'était devenue sa vie.

Ses mains sur le volant étaient minuscules, impuissantes, dépourvues de sensations. Elle avait l'impression qu'une vapeur empoisonnée avait envahi sa poitrine et attaqué son organisme et que rien, hormis la mort, n'était pire que ce qu'elle ressentait en cet instant. Elle traversa la ville, à peine consciente de la circulation autour d'elle, passant au feu orange sans le remarquer, aboutissant dans un parc au nord de Missoula sans savoir comment elle était arrivée là.

Elle coupa son moteur près de la rivière, à l'ombre des arbres, et ne prit pas les messages. La rivière était aussi transparente que du verre et se ridait sur des rochers orange, verts, bleu-gris, mais elle ne prenait aucun plaisir à ce que cette scène avait de pastoral. Elle ne s'était jamais sentie aussi seule, sauf le jour où elle avait compris que son père l'avait abandonnée pour aller chercher le martyre dans la jungle sud-américaine. Pour la première fois depuis leur séparation définitive, elle réalisa le fardeau qu'il avait dû porter jusqu'à sa mort. Sa culpabilité pour le massacre des Indiens accompli par les hommes avec qui il travaillait devait avoir été telle qu'il n'avait su trouver la paix avant d'avoir pu réparer, en leur nom à eux et au sien. Et s'il avait fait ça, c'était, elle en était certaine, pour être le père qu'il voulait voir à sa fille.

Elle n'avait jamais pensé à son père de cette façon. Ne s'était jamais dit que s'il avait choisi de prendre le chemin de Golgotha, c'était pour elle.

Des taches grises, comme des grains de poussière, dansaient devant ses yeux. Elle ouvrit les vitres pour laisser entrer de l'air frais dans la voiture et fut surprise que le temps fût devenu aussi frais, alors qu'on était proche de l'équinoxe. Elle sortit et vit des rafales de neige tournoyer dans le soleil, scintillant sur les branches des arbres au bord de l'eau. Elle avait mal au ventre, elle avait la peau moite ; elle ne se souvenait pas avoir jamais eu la tête aussi vide. Quand elle ferma les yeux, la terre sembla vaciller sous ses pieds. Le portable de Gretchen vibra sur le tableau de bord. Elle se pencha dans la voiture pour le prendre, et regarda l'écran. L'appel était masqué.

« Allô ? dit-elle.

– Qui est à l'appareil ? demanda une voix d'homme.

– Si vous voulez parler à Gretchen Horowitz, elle n'est pas disponible.

– Alors je vais vous parler à vous. Comment vous vous appelez ?

– Felicity Louviere. »

Il y eut un silence. « La femme de Caspian Younger ?

– Oui.

– Quelle surprise !

– Vous êtes Asa Surrette ?

– Surrette est mort. Il est parti en fumée. C'est ce que dit la police du Kansas.

– Vous m'avez photographiée.

– Je prépare le casting d'un film. Vous pourriez y participer. Où est Gretchen ?

– Partie.

– À une bar-mitsvah ?

– Je ne sais pas où elle est allée.

– La température a changé rapidement. La neige tombe sur la rivière alors que le soleil brille. On dirait du coton qui flotte sur l'eau, n'est-ce pas ? Peut-être que le diable bat sa femme. »

Elle tourna sur elle-même, le cœur battant. Elle ne voyait personne. De l'autre côté de la rivière, un SUV était garé près d'une aire de pique-nique. Il semblait vide. Soit il était couvert de peinture d'apprêt, soit il était noir et poudré de poussière blanche. « Est-ce que la fille est vivante ? dit-elle.

– Qui ?

– La serveuse.

– C'est possible. Je peux vérifier. Vous voulez que je le fasse et que je vous rappelle ?

– Je veux prendre sa place.

– Vous êtes pleine d'astuce, hein ?

– Pardon ?

– Vous m'avez bien entendu.

– Je vous vois, mentit-elle.

– Si on se rencontre, je vous nettoierai la bouche avec du savon.

– Vous avez peur de moi ?

– De vous ? C'est ridicule.

– Vous avez assassiné ma fille. Vous avez peur de me regarder en face et de le reconnaître ? Vous êtes ce petit homme effrayé que décrivent les autorités ?

– Les autorités ? C'est quoi, les *autorités* ? Des gens stupides et sans éducation qui, s'ils ne portaient pas un uniforme, seraient inscrits à l'aide sociale. Faites attention à ce que vous dites. »

Ses genoux tremblaient, et elle s'assit au volant, la portière ouverte, le vent comme une brûlure glacée sur son front. Elle s'entendait respirer dans l'espace confiné de la voiture. « Est-ce que la fille est gravement blessée ? Qu'est-ce que vous lui avez fait ?

– Je suis peut-être plus gentil que vous ne le pensez. J'ai peut-être un côté que les gens ne connaissent pas. Vous pensez me piéger ?

– Je n'ai pas envie de vivre, dit-elle.

– Répétez-moi ça.

– En me prenant la vie, vous me rendrez un grand service. Mais vous n'en êtes pas capable. Vous êtes ce qu'ils disent que vous êtes.

– Qu'est-ce qu'ils disent ?

– Vous avez été élevé par une famille d'accueil. Il y avait une pièce dans laquelle quelqu'un était enfermé. Ou dans laquelle on enfermait les enfants quand ils se conduisaient mal. Que se passait-il dans cette pièce ? Vous vous faisiez sodomiser ? Vous deviez passer la nuit agenouillé sur des grains de riz ? Est-ce qu'on vous disait que vous étiez impur et inacceptable au regard du Seigneur ? Ma mère a été déclarée folle. Je peux peut-être comprendre ce que vous avez subi enfant.

– Quelqu'un a mis ça sur Internet. C'est un mensonge, dit-il.

– C'est pour ça que vous avez aussi peur de moi ? Vous aviez prévu de me tuer de loin ?

– Qui a dit que j'avais prévu une chose pareille ?

– Je pense que mon mari vous a payé pour tuer ma fille. Ça veut dire que j'étais la suivante.

– Votre mari fait ce que je lui dis. Ne me provoquez pas. » Sa voix se fit plus sèche. « Croyez-moi, vous ne devriez pas me provoquer, espèce de petite salope.

– J'ai vu les photos des gens que vous avez étouffés.

– Vous voulez la même chose ? Je peux arranger ça. J'adorerais faire ça pour vous.

– Je pense que vous avez juste une grande gueule. Je pense que vous êtes une ordure. Rappelez-moi quand vous serez capable de vous exprimer de façon intelligente. »

Il commençait à hurler quand elle referma le portable.

Quelques instants plus tard, elle vit quelqu'un entrer dans le véhicule côté passager et le SUV s'éloigner, arrachant des mottes de terre, la fumée d'échappement traînant comme des bouts de ficelle sale.

Une heure plus tard, au domaine Younger sur le promontoire au-dessus de la Clark Fork, le mobile que Felicity avait volé dans le sac de Gretchen vibra sur sa commode. Elle le prit et se le colla à l'oreille. La porte-fenêtre du balcon était ouverte, et elle voyait la floraison bleue et rose des hortensias près de la remise à voitures. Elle pensa à La Nouvelle-Orléans et au Garden District, à la façon dont les plus tendres des fleurs s'ouvraient dans l'ombre, comme si elles défiaient l'arrivée de la nuit ou le passage de la saison. « Vous pensiez vraiment ce que vous m'avez dit ? demanda la voix.

– Oui, dit-elle.

– Attendez mes instructions. Ne parlez de notre conversation à personne. Si vous le faites, je mettrai le nichon de Rhonda dans une essoreuse, et je vous ferai écouter. Vous ne vous sortirez pas ses cris de la tête. Vous êtes toujours là ?

– Oui.

– On va voir si vous êtes à la hauteur. Bonne journée. »

Lorsqu'il eut raccroché, Felicity se laissa tomber sur une chaise, comme si elle craignait que quelque chose à l'intérieur d'elle ne se brisât. Puis elle se mit à pleurer. Quand elle leva les yeux, son mari se tenait sur le seuil, bloquant le soleil, le visage dans l'ombre. Il mangeait un bol de crème glacée arrosée de sirop d'ananas et semblait jouir de la sensation de froid avant même d'avaler chaque cuillerée. « C'est encore l'heure du PPR ? dit-il. Ça veut dire pisser, pleurnicher et renifler.

– Tu l'as fait, n'est-ce pas ?

– J'ai fait quoi ?

– Payé Surrette pour tuer Angel.

– Ta mère était folle. Toi aussi.

– Pourquoi as-tu fait ça, Caspian ?

– Je n'ai payé personne pour faire quoi que ce soit. J'ai fait du trafic de cocaïne. En grande quantité.

– Quoi ?

– J'ai arrêté d'aller aux Joueurs anonymes, et j'ai remis un orteil dans l'eau. Rien qu'à Vegas, j'ai perdu un demi-million. Les intérêts étaient de deux pour cent par semaine. J'ai fait connaissance de quelques types à Mexico City. Ils m'ont forcé à un accord.

– Alors tu as fait assassiner Angel ?

– Non.

– Qu'es-tu en train de me dire ? Ça n'a aucun sens. »

Il s'approcha de la porte-fenêtre, regarda la pelouse, les citronniers et les callistemons en pots sur la terrasse, l'ondulation des montagnes dans le lointain. « Quand je t'ai vue pour la première fois, dans ce cinéma d'art et d'essai, j'ai trouvé que tu étais la fille la plus belle du monde. Que nous est-il arrivé, Felicity ?

– Rien, dit-elle. Les gens ne changent pas. Ils vieillissent tels qu'ils ont toujours été. »

***

À six heures ce soir-là, Clete monta chez Albert et cogna du poing à la porte. Albert se leva de la table du dîner pour lui ouvrir. « C'est une descente ? » demanda-t-il.

Clete rougit comme s'il était resté au soleil, ou qu'il avait bu tout l'après-midi. « Où est Dave ?

– Il mange, dit Albert.

– Je peux entrer ?

– Tu ne vas pas déclencher une bagarre, hein ? dit Albert.

– Qu'est-ce que tu racontes ?

– Tu as la tête de quelqu'un qui a trouvé un cactus sous sa couverture, dit Albert. Je te mets une assiette ? »

Clete ignora Albert et me regarda. « Felicity ne décroche pas son téléphone. Je pense que Surrette l'a enlevée. »

Molly et Alafair s'étaient arrêtées de manger. « Je ne veux pas entendre parler de cette femme, Clete, dit Molly.

– Tu viens faire un tour ? dit Clete, les yeux fixés sur moi.

– Où ?

– Chez Love Younger.

– Non, il ne va pas faire un tour, dit Molly. Et je suis sérieuse, Clete. Ne nous mêle pas aux ennuis de cette femme.

– Il y a cinq minutes, je me croyais chez moi, dit Albert. Vous amenez la bagarre avec vous partout où vous allez, les gars ?

– Je reviens tout de suite », dis-je. J'ai suivi Clete dans le jardin. Le soleil avait plongé derrière la crête, et dans l'ombre je sentais la température chuter, l'humidité monter de l'herbe et des parterres de fleurs. « Je sais que tu es inquiet, mais réfléchis à ce que tu viens de dire. Felicity Louviere est une femme intelligente, dis-je. Elle ne va pas délibérément se mettre entre les mains d'un pervers.

– Tu ne la connais pas. Peut-être qu'elle cherche à souffrir. Peut-être qu'elle veut le buter. Mais elle laisse toujours son portable ouvert pour moi. Et là, je tombe directement sur sa boîte vocale.

– Alors laisse-la faire ses choix.

– C'est dégueulasse de dire ça.

– Ce que je voulais dire, c'est laisse-la le descendre si elle en a envie. Ce qu'elle a prévu de faire n'est pas plus dingue que ce qu'a fait Gretchen.

– Tu veux avoir Surrette, ou pas ?

– À ton avis ? Il a essayé de tuer Alafair, Clete.

– Tu ne me comprends pas. Selon moi, on est plus malins que ce type. Il y a de l'argent en jeu, mais ce n'est pas le problème. C'est personnel, et ça vient de la famille Younger. Et ça implique Wyatt Dixon. Et je soupçonne aussi autre chose.

– Quoi ?

– C'est peut-être saugrenu…

– Vas-y.

– Je me demande si Albert n'a pas quelque chose à voir là-dedans. Il a une façon bien à lui de faire grimper les gens au rideau.

– J'ai déjà pensé la même chose. »

Nous nous sommes regardés. Je suis remonté sur le porche et j'ai entrouvert la porte. « Tu veux bien sortir une minute, Albert, s'il te plaît ? »

Il est sorti et a refermé la porte derrière lui. Il portait une grosse chemise de coton, un pantalon en velours côtelé avec une large ceinture de cuir qui n'était pas passée dans les coulants, et des sandales aux semelles de corde, comme un paysan espagnol. Il souriait, ses petits yeux bleus enfouis dans son visage.

« Y a-t-il une raison pour qu'Asa Surrette te veuille du mal ? demandai-je.

– Il n'aime peut-être pas mes livres.

– Une autre raison ?

– Il n'aime peut-être pas mes adaptations cinématographiques. Personne ne les aime.

– Ce n'est pas drôle, dit Clete.

– C'est ce que disent les producteurs quand ils y ont laissé leur chemise.

– Réfléchis, dis-je. As-tu jamais été en contact avec ce type ? Ou avec quelqu'un qui aurait pu être lui ?

– Je ne pense pas que j'oublierais quelqu'un comme ça. J'ai passé quatre semaines à Wichita, et j'ai adoré les gens là-bas. Je n'ai pas eu une seule expérience négative, avec personne. Ce sont les gens les plus gentils que je connaisse. Ce que je n'ai jamais compris, c'est pourquoi ils vivent au Kansas.

– Tu as été à Wichita ? dis-je.

– J'ai été écrivain en résidence dans leur programme de MFA[1]. Pendant un mois, un soir par semaine, je leur faisais

1. Master of Fine Art.

un séminaire de trois heures. Tous étaient des jeunes gens charmants. Tu es sur la mauvaise piste, Dave.

– En quelle année ? dis-je.

– La session d'hiver 1979.

– À cette époque, Surrette était étudiant à Wichita University.

– Pas dans ma classe, en tout cas.

– Comment tu le sais ? demanda Clete.

– J'ai toujours mes carnets de notes. Je les ai vérifiés. Il n'est pas dessus.

– Est-ce que des auditeurs libres assistaient à ton séminaire sans être formellement inscrits ?

– Deux ou trois, qui allaient et venaient. Je n'ai jamais fait l'appel.

– Surrette a dit à Alafair qu'il avait un professeur d'écriture qui prétendait être un ami de Leicester Hemingway. »

Albert avait le regard fixé sur la pâture nord et les chevaux qui buvaient dans la citerne. Il ramena les yeux sur moi. « Il a dit ça ?

– Surrette accusait son professeur d'écriture de faire du *name dropping*, dis-je. Il semble éprouver un gros ressentiment envers lui.

– J'ai connu Les pendant des années, dit Albert. Je pêchais avec lui dans les Keys, et j'allais le voir chez lui à Bimini. Il disait toujours qu'il allait créer son propre pays dans une île au large de Bimini. Ça devait être une république d'écrivains, d'artistes, de joueurs de pelote basque et de musiciens. Il avait même un drapeau.

– Surrette affirme que son professeur avait refusé de lire sa nouvelle à la classe, dis-je. Tu te souviens d'un truc comme ça ? »

Le regard d'Albert parcourut le jardin, comme s'il voyait dans l'ombre des réalités qu'il était seul à voir. Il respirait fort, par le nez, la bouche pincée. « Je ne me rappelle plus le contenu exact de l'histoire, mais j'ai trouvé qu'il s'agissait d'une agression à la sensibilité plus que d'une tentative de fiction. C'était vraiment perturbant. Il était plus vieux que les autres. Je crois lui avoir dit que l'histoire était trop mûre pour certains des étudiants plus jeunes qui assistaient au séminaire. Il a paru prendre ça assez bien, du moins dans mon souvenir. On ne parle peut-être pas du même type.

– Surrette a dit aussi qu'il avait écrit un mot à propos de son évaluation, en gros qu'il comprenait tes objections à une histoire parlant de garçons qui se sucent le zizi. »

Je vis Albert pâlir. Il commença à parler, puis regarda les flancs de la montagne, les sombres formes coniques des arbres dissimulant la grotte où avait campé Surrette. « J'y suis, dit-il.

– C'était Surrette ? dis-je.

– Quelle est l'expression, déjà ? “Il n'y a pas plus con qu'un vieux con” ? » dit-il.

Le samedi, Wyatt Dixon sortit de son mobile home sur le champ de foire et fléchit les épaules pour manifester le plaisir qu'il prenait à la soirée d'été, au ciel couleur saumon, et à l'ambiance de néon des manèges, des stands de jeu et des snacks, qui avaient imprégné sa jeunesse et qui, à ses yeux, étaient une œuvre d'art en verre coloré autant que tout objet façonné dans la pierre par les artisans des guildes du Moyen Âge. Il portait sa chemise bleu ciel à manches bouffantes avec des étoiles rouges sur les épaules, sa boucle de champion, ses jambières lavande à franges rouges, et un stetson enfoncé sur son crâne, de façon telle qu'il ne s'envole pas dès le premier rebond hors du corral. La lumière d'été était enfermée haut dans le ciel, comme si elle n'avait nulle part ailleurs où aller, la brise était embaumée du parfum de la viande grillée. Pouvait-il y avoir endroit plus agréable ?

Si seulement Bertha avait pu la boucler cinq minutes. « Tu es trop vieux pour ça, dit-elle en le suivant sur le carré d'herbe où ils avaient garé le mobile home. Tu veux devenir tétraplégique ? Tu veux porter une poche à perfusion pour le restant de tes jours ?

– J'ai monté Bodacious jusqu'à la sonnerie, femme, dit-il. Il y a en pas beaucoup qui peuvent en dire autant. On le surnommait le faiseur de veuves. Quand je suis descendu, il était bon à réduire en hot dogs. Qu'est-ce que tu dis de ça ?

– Appelle-moi encore une fois “femme”, et je te gifle à t'en faire loucher. Où vas-tu ?

– Me faire faire une greffe de cerveau.

– Wyatt, *je t'en prie*.

– Bien reçu le message. Même si je suis à moitié sourd, j'ai bien reçu le message, mon dieu.

– Et tu ne monteras pas ?

– Je ne pense pas avoir dit ça. Tu veux une barbe à papa ou une *tater pig*[1] ?

– Non, je n'en veux pas. Ce que je veux, c'est que tu te conduises comme une personne raisonnable.

– Ça, c'est pas marrant. »

Elle lui jeta un chausson à la tête.

Bon, il avait connu pire, se dit-il pour se consoler. À dix-sept ans, il avait épousé une Mexicaine qui crachait de l'essence enflammée dans les fêtes foraines. Ou du moins il *croyait* l'avoir épousée. Tous les deux avaient mangé suffisamment de boutons de peyotl pour lancer une plantation de cactus, et s'étaient réveillés sur l'impériale d'un bus chargé de hippies défoncés en route pour San Luis Potosí. Il se rappelait une cérémonie conduite par un shaman indien vêtu de plumes ; de ça, il était presque sûr. Il s'agissait peut-être de funérailles, car quelqu'un avait laissé tomber un cercueil de bois d'une montagne, et Wyatt l'avait vu rebondir et se fracasser sur les rochers. Ou peut-être la cracheuse de feu

1. Saucisse fourrée dans une pomme de terre.

était-elle dans le cercueil ? Ou peut-être s'agissait-il de sa mère ? Mais il y avait quelqu'un ; c'est sûr.

Il était depuis longtemps convaincu que le fait de se souvenir et de revivre les bons moments n'était pas à la hauteur de sa réputation. D'ailleurs, Bertha Phelps était une brave femme. Le problème, c'est qu'elle était trop brave. Elle s'inquiétait pour lui du matin au soir, et elle faisait l'amour comme si ça devait être la dernière fois, le laissant parfois épuisé le matin, et redoutant de se faire coincer dans la chambre en plein après-midi.

Qu'elle en veuille ou non, il lui acheta une *tater pig*, et pour lui une barbe à papa cotonneuse. Il entendait dans le haut-parleur le speaker dans la cabine au-dessus du corral dire au public de se lever pour « The Star Spangled Banner ». Dans une allée bordée de stands de jeux, il vit une silhouette familière se diriger vers lui, suivie de trois hommes en costume et lunettes noires.

Wyatt n'était pas prêt à une nouvelle séance avec un pétrolier milliardaire qui ne voulait pas laisser tomber l'affaire, quoi que l'« affaire » ait pu être. Wyatt n'avait jamais beaucoup réfléchi aux gens riches ; il avait toujours supposé qu'ils avaient les mêmes vices et les mêmes besoins que tout le monde, mais qu'ils étaient beaucoup plus malins, et capables de les dissimuler. Il se fichait de ce qu'ils étaient, aussi longtemps qu'ils s'occupaient de leurs affaires à eux, consistant à acheter des politiciens et à verser des pots-de-vin aux flics, et aussi longtemps que personne ne lui disait ce qu'il devait faire ou ne pas faire.

Trop tard.

« Je ne vous prendrai pas plus de deux minutes, dit Love Younger.

– C'est pas une bonne idée, dit Wyatt.

– Allons, asseyons-nous, fiston. Laissez-moi dire ce que j'ai à dire, et je m'en vais. »

Ils se tenaient sur une zone herbue, sous un bouleau, près du stand de bingo, non loin de la tribune bourdonnante. « C'est Jack-la-Merde, qui est avec vous ?

– Vous voulez parler de Jack Boyd ?

– Que lui est-il arrivé ? demanda Wyatt.

– Pardon, je dois me reposer une minute, dit Younger en s'asseyant à une table de planches. L'âge est un voleur rusé. Il prend un peu de vous chaque jour, pour qu'on ne se rende pas compte de la perte avant qu'elle ne soit irréversible. »

Wyatt entendait le speaker dans la tribune échanger des plaisanteries avec un clown de rodéo. « Dites-moi ce que vous avez à dire, et qu'on en finisse, dit-il en s'asseyant aussi.

– Ma petite-fille est morte, dit Younger. Ma belle-fille a disparu, et mon fils est dépravé. Et peut-être son état mental est-il dangereux.

– Qu'est-ce que j'ai à voir avec ça ? demanda Wyatt.

– Patientez un peu. J'essaie de remettre quelques trucs d'aplomb sans causer inutilement de mal à personne. Vous avez vu mon fils ?

– Je le reconnaîtrais pas. C'est quoi, cette histoire ?

– Que feriez-vous si une grande quantité d'argent vous tombait entre les mains ? demanda Younger.

– Je demanderais ce que je dois faire en échange, parce qu'on n'a rien pour rien. Et ensuite, je dirais sans doute “Baise-moi le cul”, parce que je suis pas intéressé par ce qu'ont les autres.

– Alors vous êtes quelqu'un de rare.

– Vous avez pas répondu à ma question à propos de Jack-la-Merde.

– Un certain Clete Purcel l'a agressé.

– Vous vous laissez tabasser par les Gros Lards de Louisiane ? dit Wyatt à Boyd.

– Écoutez-moi, fiston, dit Younger.

– Me touchez pas, putain, et arrêtez de m'appeler fiston.

– Le destin ne vous a pas été favorable. Je voudrais corriger ça, si je le peux. Vous comprenez ce que j'essaie de dire ?

– Non, j'en ai aucune idée. Et je commence à en avoir marre. Comment ça se fait que vous ayez toujours autour de vous des types comme ça ? Des gens qui ont été en taule, ou qui devraient y être ?

– J'essaie de leur donner une deuxième chance. Votre papa, pourquoi il vous tabassait ? Pourquoi avait-il une telle animosité envers vous ?

– Ani-quoi ?

– Vous êtes métissé Shawnee, mon garçon. Ça se voit à votre profil. Votre peuple était de la merde, mais vous êtes un combattant. Regardez mes mains, regardez les vôtres. Ce sont des mains qui pourraient abattre un mur de briques. Comment pensez-vous que vous avez fini par devenir l'homme que vous êtes ? Vous pensez que vous tenez vos gènes de votre incapable de père, ou de votre pute de mère ? Quel est le squelette dans le placard ?

– Putain, écartez-vous de moi, vieillard », dit Wyatt.

Il jeta sa barbe à papa et le *tater pig* de Bertha dans une poubelle et se dirigea vers les corrals, un bruit de feu d'artifice lui résonnant dans la tête. Il s'accroupit dans la sciure et commença à boucler ses éperons.

« T'es pas à la hauteur, Wyatt, dit un cow-boy.

– Tu parles si je le suis pas.

– Je fais juste mon boulot. »

Wyatt leva les yeux sur le visage du cow-boy. « Il faut que je me répète ? »

Il grimpa au sommet du corral tandis qu'on préparait son cheval, s'installa sur son dos, passa sa paume gauche dans la poignée tressée de la sellette de monte. Comme la plupart des grosses bêtes, le cheval était presque sauvage, l'œil jaune, agitant la tête, le corps frissonnant de peur et de rage aux limites du corral, frappant les parois de bois, essayant de se libérer d'un coup de pied de la sangle de flanc.

Wyatt mit son chapeau et affermit sa position. « On y va ! » dit-il.

Encore une fois, il se trouva soulevé, les jambes en l'air, son corps faisant un bond en arrière presque jusqu'à la croupe, les mollettes de ses éperons cinglant, les six cents kilos du hongre heurtant le gazon si violemment que Wyatt pensa que son sphincter avait explosé, et qu'il allait uriner dans son suspensoir. Il était tombé sur Buster's Boogie, un hongre explosif qui avait handicapé pour la vie son cavalier au rodéo de Russian River, en Californie. Buster Boogie fit un double saut de carpe puis, en moins de trois secondes, effectua une spirale et, de façon inattendue, se tordit sur le côté. Wyatt vit la tribune commencer à tourner autour de lui, puis les corrals, puis la grande roue, puis les visages fardés des clowns près du cylindre de caoutchouc, comme s'il était immobile et que le monde entier, y compris les étoiles brodées sur le rose du ciel, était devenu une gondole géante, hors de contrôle, et qui faisait des choses qui ne lui étaient encore jamais arrivées.

Il sentit le hongre exploser sous son corps avec une énergie renouvelée, écartant de ses flancs les jambes serrées de Wyatt, l'expédiant haut dans l'air, son dos et ses épaules encore courbés en position de cavalier, la bride glissant hors de sa portée, le sol arrivant soudain sur lui comme un poing, le couinement des huit secondes se faisant entendre trop tard, comme une moquerie réprimée qui n'avait pu s'exprimer jusqu'alors.

Il entendit le bruit sourd lorsqu'il heurta le gazon, puis sa tête se vida du moindre son, comme s'il avait été enfoncé sous l'eau, ses poumons se vidant comme des ballons crevés, ses tympans prêts à éclater. Il vit le cavalier de secours arriver droit sur lui, se dégageant de ses étriers, un infirmier courir muni d'un kit de première urgence, la foule se lever comme un seul homme, les visages remplis de chagrin et de pitié.

Je vais bien, aurait-il voulu dire. *C'est juste que ça m'a coupé le souffle. Il n'y a pas de problèmes. Laissez-moi juste me relever. Quelqu'un a vu mon chapeau ? Pourquoi vous me regardez comme ça, tous ? Est-ce que me suis relâché et pissé dessus ?*

Sa chemise était humide. Il la prit entre ses doigts et la dégagea de sa ceinture, et il vit la blessure en forme d'étoile, là où sa boucle de champion lui avait fait un trou dans le ventre, libérant un liquide qui ressemblait à de l'eau plus qu'à du sang.

Puis il vit Bertha Phelps courir vers lui, ses seins ballottant sous sa robe trop ample, son corps entouré d'un halo de lumières électriques, d'humidité, de poussière et du fumier desséché de l'arène. Il aurait voulu lui demander si quelqu'un venait de lui jouer un très mauvais tour. Comme aurait pu en jouer Papa, s'il était encore en vie et plein de méchanceté, décidé à faire du mal au monde de toutes les façons possibles.

31

Asa Surrette rappela le samedi à midi et lui indiqua où garer sa voiture. « Je vous surveillerai, dit-il. Si tout me convient, je vous ferai signe.

– Il faut que je voie la fille, dit Felicity.

– Vous la verrez. Et elle sera contente de vous voir. Ça fait un moment qu'elle n'a pas entrevu un visage humain.

– Que voulez-vous dire ?

– Vous êtes une idiote. »

Elle était assise au bord de son lit. Elle ferma les yeux, coupant la lumière qui arrivait par la porte-fenêtre, et essaya de réfléchir. Qu'était-il en train de dire ? « Elle n'a pas vu votre visage ?

– Elle n'a pas non plus entendu ma voix. Du moins pas depuis que quelqu'un est entré par-derrière dans sa petite maison sur Lookout Pass. Qu'est-ce que vous pensez de ça ?

– Vos petits jeux ne m'intéressent pas.

– Vous avez une drôle de façon de le montrer. J'éprouve quelques réserves à votre égard. Vous n'essaieriez pas de me jouer un tour, par hasard ?

– Pourquoi avez-vous tué ma fille ?

– Qui a dit que je l'avais fait ? D'après ce que j'ai lu, le crime n'est toujours pas résolu.

– Dites-moi où aller, sinon je raccroche.

– Vous connaissez la gorge d'Alberton ? Prenez la sortie Cyr. Traversez la rivière et roulez six kilomètres au nord sur le chemin de terre. Et ensuite, attendez. »

Quand il eut coupé la communication, elle appela Clete Purcel et tomba sur son répondeur. « Je ne sais pas si je te reverrai, Clete. Il y a un gros risque que tu ne saches jamais ce qui m'est arrivé. Je veux que tu saches que tu n'es pour rien dans tout ça. Je voudrais m'excuser aussi auprès de Gretchen pour avoir volé son portable. Tu es un homme merveilleux. Je regrette qu'on ne se soit pas connus il y a des années à La Nouvelle-Orléans. On aurait pu passer de bons moments, là-bas. »

Elle se leva, les paumes rêches et sèches, la peau autour de ses ongles fendillée et douloureuse dès qu'elle effleurait une surface dure. Dans le silence, elle entendait les aiguilles de pin poussées par le vent cribler le toit, s'éparpiller sur le balcon dans l'éclat du soleil. La maison semblait se gonfler dans le vent, les solives et les murs craquer dans le silence. Elle n'avait aucune idée de l'endroit où se trouvait Caspian. Peut-être était-il ivre ; peut-être était-il avec son père. Quand elle descendit l'escalier pour se rendre dans le bureau de Love, ses pas étaient aussi sonores qu'un balancier dans la caisse de bois d'une horloge. Elle ouvrit une des trousses à outils sur l'établi et en sortit un poinçon à cuir, dont il se servait parfois quand il fabriquait un holster pour l'un de ses revolvers de collection. Il était pointu, et monté sur un manche en bois en forme de T. Elle souleva sa robe, fixa avec du sparadrap le poinçon sur sa cuisse, puis sortit, monta dans son Audi et s'éloigna. Le soleil avait dépassé le zénith, et les ombres des peupliers le long de la route semblaient aussi acérées que des pointes d'épées sur l'asphalte.

À 13 h 48, Clete monta à la maison principale. J'étais assis seul sur la terrasse, entouré des pétunias en pleine floraison dans les pots d'Albert. C'était une belle journée, le genre de journée que, à un certain âge, on ne laisse pas échapper facilement. Quand j'ai vu le visage de Clete, j'ai compris que les projets, quels qu'ils soient, que j'aurais pu faire pour l'après-midi allaient tomber à l'eau. Il m'a donné à écouter le message de Felicity. « Elle sait où se trouve Surrette, dit-il. Elle va le rejoindre.

– C'est difficile à croire.

– Tu ne la connais pas. Elle adorait sa fille. Elle se reproche d'avoir fermé les yeux sur les activités de son mari.

– Elle a peut-être prévu de tuer Surrette.

– Ça ne lui ressemble pas. Surrette s'est montré plus malin que nous, Dave. Il va tuer à la fois Felicity et la serveuse.

– Je ne pense pas que ça se passera comme ça. Il a prévu autre chose. Je pense qu'il va relâcher la serveuse.

– Pourquoi ?

– Pour montrer son pouvoir. Pour montrer qu'il est seul à décider qui doit vivre et qui doit mourir. Et aussi pour prouver qu'il ne se laisse pas emporter par ses impulsions. Écoute, Clete. Peut-être que Felicity Louviere a des tendances suicidaires, et qu'elle veut que Surrette agisse à sa place.

– Elle risque sa vie pour aider quelqu'un d'autre. Si tu lui montrais un minimum de respect ? »

J'avais bu un verre de thé glacé avec une tranche de citron. Je regrettais d'être venu dans le Montana. Je regrettais de ne pas avoir l'autorité, le pouvoir et la latitude que me donnait mon insigne en Louisiane. Je regrettais aussi de ne pouvoir agir sous le drapeau noir, et arriver sur Surrette avec une tronçonneuse.

« J'essaie de voir ce qu'on peut faire, dis-je. Je pense qu'on devrait contacter le shérif, ou les fédés.

– Ils ne nous croiront pas. On est tout seuls, Dave.

– On devrait commencer par Caspian Younger.

– Je l'ai tabassé. Il s'est moqué de moi.

– Qui connais-tu à Vegas et Atlantic City ?

– Des voyous et des Ritals qui me pisseraient pas dessus si je cramais à mort.

– Appelle-les.

– Parler à des gens comme ça, c'est comme boire dans un crachoir. »

J'ai posé mon verre de thé glacé, et je l'ai regardé.

« Il va la tuer, hein ? » dit Clete.

J'ai baissé les yeux sans répondre. La tranche de citron dans mon verre me rappelait un ver jaune lové dans la glace, le chancre dans la rose, l'inéluctabilité du mal.

Felicity Louviere suivit les instructions et traversa le minuscule village d'Alberton. Elle sortit non loin d'une voie ferrée, prit le pont sur la Clark Fork et continua sur un chemin de terre jusqu'à une zone déserte de montagnes boisées et d'affleurements de roches grises ressemblant à des articulations d'animaux préhistoriques. Des nuages de pluie cachaient le soleil, plongeant le paysage dans l'ombre. Elle mit le chauffage en route, même si le tableau de bord indiquait une température extérieure de dix-neuf degrés. Quand l'odomètre lui indiqua qu'elle avait parcouru exactement six kilomètres depuis le pont, elle s'arrêta sur un élargissement du chemin à côté d'une montagne qui descendait au milieu des pins, des ponderosas, et des souches noires vestiges d'un incendie.

Elle coupa le moteur et sortit dans le vent, ses oreilles claquant légèrement à cause du changement d'altitude. *Quel est ce bruit ?* Elle tourna sur elle-même, sans voir d'autre véhicule. Mais elle crut entendre le grondement rauque d'un échappement double, un bruit qu'elle associait aux *hot rods* des films des années 1950, ou à un bruit qu'elle avait entendu dans le parking du club de gymnastique.

Elle soupçonnait celui qui l'avait appelée de l'observer à la jumelle, et qu'elle attendrait longtemps. L'air sentait l'humidité nocturne et les affleurements de roches qui ne voient que rarement la lumière et sont mouchetées de lichen.

Il la prit par surprise. Il ne s'était pas passé trois minutes avant qu'elle ne voie une silhouette dans les arbres sur le flanc de la montagne, juste sous une route forestière en épingle à cheveux remontant à l'époque des coupes claires. Il sortit de sa poche un mouchoir blanc qu'il tint en l'air.

Son geste n'avait rien de théâtral. Il n'agitait pas le mouchoir, se contentait de le tenir pour montrer qu'il contrôlait la situation.

Elle alla à l'avant de l'Audi et leva les yeux sur la pente, le vent lui soufflant les cheveux au visage. La silhouette fit demi-tour et retourna dans l'ombre, puis en ressortit avec une femme en short et tee-shirt, un sac à cordon enfoncé sur la tête, les poignets liés dans le dos.

Felicity entreprit de remonter la pente, les yeux baissés, enjambant précautionneusement les trous de spermophiles et de blaireaux creusés entre les rochers. Le soleil avait complétement disparu, et elle avait l'impression qu'un vent froid soufflait dans son âme. *Donnez-moi la force, donnez-moi la force, donnez-moi la force,* psalmodiait une voix dans sa tête.

Elle entendit encore une fois le grondement de l'échappement double, résonnant dans un canyon, se perdant au milieu des arbres. Elle était à quarante mètres de l'homme sur la montagne, et voyait ses épaules étroites, ses hanches trop larges pour son torse, la chemise tropicale qu'il portait sous un costume brun pâle bon marché. De la main droite, il tenait sa captive par le bras, tandis que, de la gauche, il faisait signe à Felicity de continuer à s'avancer.

« Lâchez-la d'abord », dit-elle.

Il la fixa sans un mot. Derrière lui, sur la route forestière, Felicity vit un SUV gris avec des traces de rouille sur un côté. « J'ai fait ce que vous aviez demandé, dit-elle. Libérez cette jeune femme, et je vous suivrai. »

Un sourire tira le coin de la bouche de l'homme. Il écarta la femme d'une dizaine de mètres, contre le vent par rapport à son ancienne position. Il l'installa sur un tronc abattu, et revint. La femme attachée était hors de portée d'oreille. Pourtant, il ne parla pas. Il souleva les paumes, comme si elles rayonnaient d'un éclat mystique.

« Elle n'a jamais entendu votre voix ni vu votre visage ? » dit Felicity.

Il secoua la tête sans cesser de sourire.

« Vous êtes Asa Surrette, dit-elle. Vous êtes plus vieux que sur les photos, un peu plus vulgaire. Vous vous êtes fait teindre les cheveux, mais vous êtes bien lui.

– Heureux de vous rencontrer en chair et en os. Montez dans ma voiture, s'il vous plaît. J'attends beaucoup de notre association.

– Vous aviez tout préparé.

– Évidemment.

– Que voulez-vous de moi ?

– Je pense que nous nous sommes connus dans une autre vie. Je l'ai su dès que je vous ai vue de loin. Je sentais la chaleur dans le sable, et le cercle des épées sur les boucliers de cuivre. J'entendais une foule hurler. Ça vous rappelle quelque chose ?

– Ce que vous me décrivez, ce sont les symptômes de la schizophrénie.

– Possible. Mais comme l'a écrit Charles Dickens, "Ce monde est fou, Mr Copperfield" ». Puis lui aussi parut entendre l'échappement double. « Vous n'avez pas essayé de me doubler, n'est-ce pas ?

– Si j'avais voulu faire ça, j'aurais appelé le FBI.

– Admettons. Eh bien, on va laisser Rhonda partir et trébucher sur le chemin.

– J'ai besoin de faire pipi.

– Vous êtes *vraiment* marrante, hein ?

– Ça vous dérangerait de vous retourner ?

– Vous êtes mignonne », dit-il.

Elle garda les yeux fixés sur lui, le regard vague.

« Allez-y. Je m'éloigne un peu », dit-il.

Elle s'accroupit dans les feuilles et les aiguilles de pin, le dos tourné, sa jupe étalée. Elle passa la main entre ses jambes et sortit le poinçon à cuir de Love Younger fixé à sa cuisse.

« Terminé ? dit-il.

– Oui », dit-elle en se relevant.

Il tendit la main, se pencha en avant, l'air joyeux. « Vous êtes très jolie. Un mignon petit lot. »

Elle se laissa prendre la main. « Est-ce qu'on va très loin d'ici ? demanda-telle.

– Qu'est-ce que ça change ? Je vous tiens, petite putain.

– Asa ?

– Quoi ?

– Tenez, quelque chose pour vous. »

Le manche en forme de T du poinçon était niché contre sa paume quand elle le lui précipita au visage, la pointe s'enfonçant proprement dans sa joue, les articulations de Felicity lui effleurant la peau. Quand elle le retira, Surrette avait les yeux exorbités et du sang lui giclait de la bouche. À la limite de son champ de vision, elle voyait la serveuse essayer de descendre la pente, la tête toujours couverte du sac de toile. Felicity enfonça le poinçon dans la gorge de Surette.

Il l'écarta du poing et la frappa. Le coup explosa contre son sourcil et l'arête de son nez, déchirant quelque chose en elle, rendant les arbres flous. En roulant sur la pente, elle sentait l'odeur fade des feuilles, des aiguilles de pin et du sol humide et rugueux, et elle aurait voulu ramper dans un cocon et y rester jusqu'à la fin de ses jours dans la fraîcheur de l'après-midi et le balancement des arbres, avec la certitude rassurante qu'elle avait fait tout son possible et que son calvaire avait pris fin.

C'est à cet instant qu'il la hissa sur les genoux, ses vêtements dégageant une puanteur fécale à faire monter les larmes aux yeux, la bave sanglante qui lui coulait de la bouche se collant dans ses cheveux. Elle s'évanouit lorsqu'il la tira vers le haut de la pente en direction de son véhicule, à peine consciente des bruits grinçants qui sortaient de la gorge de l'homme, et des doigts qui plongeaient dans sa peau comme des serres.

Gretchen Horowitz avait suivi l'Audi de Felicity depuis Missoula et l'avait perdue de vue après avoir pris la sortie de la gorge d'Alberton. Elle fit le mauvais choix à une intersection et finit dans un canyon en cul-de-sac, puis dut faire demi-tour, et ce n'est que par hasard qu'elle aperçut l'Audi à une centaine de mètres, garée sur un lieu dégagé au bord du chemin.

Où qu'elle aille, elle avait toujours avec elle diverses armes dans une longue caisse de métal soudée derrière son siège ; l'une d'elles était un German Mauser K-98. Elle laissa son véhicule dans un bosquet de pins, traversa le chemin de terre le fusil à l'épaule et crapahuta sur la pente jusqu'à apercevoir Felicity Louviere debout en contrebas d'un lacet. Felicity levait les yeux sur une silhouette qui se dressait dans l'ombre. Gretchen dégagea le fusil et se laissa tomber sur un genou derrière un rocher, regardant par le viseur télescopique l'étrange scène qui se déroulait sur la colline.

Une femme attachée, avec un sac de toile sur la tête, était assise sur un tronc, en tee-shirt et en short, les genoux écorchés. Gretchen déplaça son viseur de la femme attachée à Felicity. Gretchen s'était installée sur la partie droite du rocher. Elle débloqua la culasse du Mauser et la fit coulisser en arrière, puis fit monter dans la chambre une balle à tête ronde de huit millimètres, refermant silencieusement la culasse de la paume de la main.

Le K-98 ne lui avait jamais fait défaut. Il était incroyablement léger pour sa taille et son époque, d'une précision mortelle de loin, même avec le viseur métallique, la culasse aussi fluide et douce que de l'eau. Elle ne doutait pas que l'homme fût Asa Surrette. Mais il n'y avait pas beaucoup de lumière, et quand Gretchen essayait de la fixer dans son viseur, la silhouette de l'homme se dissolvait dans l'ombre.

Puis il avança d'un pas, la main tendue. Ses joues mal rasées, les sillons sur sa gorge, pareils à ceux d'un pruneau, sa tête oblongue, devinrent nets dans son objectif. Elle inspira, expira lentement, son doigt raidi dans le pontet. En moins d'une demi-seconde, avant même qu'il en ait entendu l'écho dans les collines, la balle de huit millimètres arriverait à destination sans presque de trajectoire, droit à travers le front, s'aplatirait dans son cerveau, couperait son moteur, éteindrait toute lueur dans ses yeux.

Mais ça ne se passa pas comme ça. Felicity décida de prendre les choses en mains et d'attaquer Surrette avec un outil quelconque, et elle gâcha tout.

Gretchen retira le doigt du pontet, son œil droit toujours sur le viseur, et vit la situation se détériorer.

Elle entendit une voix. *Tire.*

Je vais toucher Felicity, répondit-elle.

Tire. Elle a tout foutu en l'air.

J'ai mal à la tête. Je n'arrive pas à réfléchir. La ferme.

Elle vit Surrette frapper Felicity, et une nouvelle fois elle affermit le fût contre son épaule, certaine de pouvoir cette fois tirer sans obstacle. Mais elle n'en fit rien. Surrette empoigna Felicity comme il l'aurait fait d'une tranche de bœuf et la tira, qui se débattait, jusqu'à son véhicule, du sang coulant de sa bouche. Il ouvrit la portière conducteur et entreprit de la fourrer à l'intérieur, tout en lui précipitant le poing droit dans la tempe et les côtes.

Il va la tuer, dit la voix. *Fais-le tant qu'il en est encore temps. Tu es devenue faible ?*

Je n'ai pas le droit de risquer la vie de quelqu'un d'autre.

Tu veux avoir bonne conscience aux dépens de la femme ?

Si tu étais dans le SUV avec Surrette, que voudrais-tu me voir faire ?

Tire.

Je comprends. Crache dans le vent, et vois ce qui se passe. Oh, je t'ai eue dans la poitrine ? Désolée !

Tire, Gretchen.

Ce n'est pas toi qui es dans le véhicule. Tu es de ceux qui aiment le terme de « dommage collatéral ».

Il va la torturer à mort. Essaie d'imaginer le degré de souffrance qu'elle va endurer en moins d'une minute. Et multiplie ça par plusieurs heures.

Je ne peux pas.

Tire maintenant, salope, ou arrête de prétendre que tu es dans le jeu. Engage-toi dans la brigade des lopettes, et brûle des cierges pour celle que tu aurais pu sauver.

Gretchen se redressa, souleva le fusil, essaya de se remettre au point sur la cible et de saisir le moment exact où l'image de Surrette se détacherait tout à fait nettement, distincte de celle de Felicity Louviere, à jamais encadrée dans le viseur, le visage prêt à se dissoudre comme une photographie qui se recourbe au-dessus d'une flamme.

Surrette claqua la portière, se retourna et regarda la pente. Le soleil venait d'apparaître de derrière un nuage, et il avait dû voir le reflet du viseur. Il paraissait moins inquiet que surpris, comme si personne n'avait le droit d'empiéter sur son domaine.

Avale ça, pensa Gretchen.

Et à l'instant où elle pressait la détente, elle vit Felicity Louviere dresser sa tête sanglante juste derrière celle d'Asa Surrette.

La balle fit une encoche en haut du volant, à un centimètre de la main de Surrette, et dans le pare-brise un trou de la taille d'une pièce de monnaie, aspergeant d'éclats de verre le tableau de bord. Il enfonça l'accélérateur, les pneus dérapant sur la route forestière glissante, et bondit par-dessus le sommet de l'épingle à cheveux avant de retomber de l'autre côté. Felicity Louviere se trouva précipitée contre la portière passager, les cheveux dans les yeux, son visage saignant et gonflé.

« Vous aviez dit à Gretchen Horowitz qu'on serait là ? demanda Surrette.

– Quelle importance ? Elle vous pourchassera comme l'animal nuisible que vous êtes. Elle vous mettra à genoux.

– Pas autant que vous. Attendez de voir ce que j'ai prévu. »

Elle perdait conscience, et en même temps elle parlait. Surrette heurtait un nid-de-poule après l'autre, rebondissant sur son siège, sans ceinture de sécurité, la regardant de côté. « Qu'est-ce que vous marmonnez ?

– Il est ressuscité », dit-elle.

Il appuya sur le frein et s'arrêta dans une embardée. Il se souleva sur un genou et se mit à lui marteler le visage des deux poings, comme si sa rage ne pouvait être assouvie.

***

Gretchen remonta péniblement la pente à travers les troncs, le Mauser au port d'armes. La femme attachée était tombée en trébuchant sur une souche. Ses jambes nues étaient souillées de terre, de feuilles, de crottes de cerfs et de petites branches. Une sorte de miaulement sortait du sac de toile noué sous son menton.

« Hé, tout va bien. Vous ne risquez plus rien, dit Gretchen qui s'agenouilla à côté d'elle, posant le fusil sur la souche. Surrette est parti. Je vais vous aider. »

Elle mit une main sur l'épaule de la femme, et la sentit frissonner comme si elle avait été touchée par un morceau de glace. « Je m'appelle Gretchen Horowitz, dit-elle. Maintenant, je vais vous retirer le sac de la tête, puis vous libérer les poignets. N'ayez pas peur. »

La femme ne répondit pas. Gretchen dénoua le sac et le fit glisser par-dessus sa tête. La femme fixa Gretchen avec l'expression d'un enfant qui émerge du ventre de sa mère.

« Comment vous appelez-vous ? demanda Gretchen.

– Rhonda. Je m'appelle Rhonda Fayhee. Je vis sur Lookout Pass. Je travaille au café. Je rentrais de mon travail. Je ne sais pas ce qui m'est arrivé.

– Un tas de gens vous ont cherchée, Rhonda. Tous sont vos amis. Tout le monde est avec vous. » Elle ouvrit son couteau et coupa le sparadrap aux poignets de Rhonda.

« Qui m'a enlevée ? demanda Rhonda.

– Vous n'en savez rien ?

– Je n'ai jamais vu personne. Je sentais les aiguilles quand on me piquait, et quelqu'un me nourrissait, aussi. Un homme. Le même qui a mis son... » Elle ne put terminer.

« Ça va aller, dit Gretchen. Je vais vous conduire à l'hôpital de Missoula.

– Je ne veux pas y aller. »

Gretchen s'assit à côté d'elle. « Pourquoi ne voulez-vous pas aller à l'hôpital ?

– Il m'a fait des choses.

– Pour ça, on le fera payer. Je vous le promets, dit Gretchen.

– Je veux que quelqu'un le tue. »

Gretchen enlaça Rhonda et lui posa un baiser sur la joue. « Vous finirez par oublier. Pas immédiatement, mais avec le temps. Vous m'avez entendue ? Tout ça finira par passer. Rien n'est votre faute. Tout ce qui vous est arrivé a été fait en dehors de vous, et n'a rien à voir avec votre âme, ni avec ce que vous êtes.

– Il avait une odeur. Elle ne partira jamais.

– Si, elle partira, je vous le promets. Quand j'étais enfant, j'ai subi des choses terribles. Et quand j'étais adulte aussi. Mais je suis toujours là. Et moi aussi, je suis là pour vous. Vous m'écoutez, Rhonda ? Je vous donne ma parole : ce mec, on va l'exploser. » Elle serra la tête de Rhonda Fayhee contre sa poitrine et lui embrassa les cheveux. « Maintenant, il faut qu'on y aille, dit-elle.

– Pas tout de suite.

– Il a pris une autre otage, Rhonda. Elle s'est proposée pour vous remplacer. Elle s'appelle Felicity Louviere.

– Je ne connais personne de ce nom. Qui est-ce ? »

Je ne sais pas et je ne suis pas certaine que quelqu'un le sache.

Gretchen ne dit pas ce qu'elle pensait, et se contenta de répondre : « On n'a pas de réseau, par ici. Laissez-moi vous aider à vous relever. Ensuite vous vous en irez. Voilà, mettez juste un pied devant l'autre. Vous voyez ? Vous vous débrouillez très bien. »

La nuit était presque tombée lorsque Gretchen revint au ranch d'Albert. Les journaux avaient collaboré avec les services du shérif, ne donnant qu'un minimum d'informations à propos du sauvetage de Rhonda Fayhee pour éviter que Surrette n'apprenne qu'il avait été identifié. Cependant, tel qu'il était rédigé, l'article posait un autre problème : l'enlèvement de Felicity Louviere n'était pas mentionné.

J'avais toujours le numéro en liste rouge de Love Younger. Je lui ai téléphoné à 22 h 17. Je pensais qu'il filtrerait l'appel, mais non. Quand il a décroché, j'ai eu droit à un autre exemple de son irritabilité. « Pourquoi m'appelez-vous chez moi ? dit-il.

– Je suppose que vous savez maintenant que Surrette a enlevé votre belle-fille ?

– En quoi ça vous regarde ?

– Où est votre fils ?

– Vous êtes sans doute l'homme le plus présomptueux que je connaisse, monsieur Robicheaux.

– Monsieur, au nom du dieu souffrant, qu'est-ce qui ne va pas chez vous ? Le problème, ce n'est ni moi ni vous. Le problème concerne Felicity Louviere, et ma fille Alafair. Il concerne aussi Gretchen Horowitz, qui a failli se faire tuer par Asa Surrette.

– Oui, cette même femme qui lui a tiré dessus et aurait pu blesser ma belle-fille. »

Il était passé maître dans l'art de faire dévier toute tentative raisonnable de régler un problème touchant ses méthodes et sa fierté. Ou, dans le cas présent, son fils débauché. Je lui ai à nouveau demandé s'il savait où se trouvait Caspian.

« Je n'en ai aucune idée », dit-il. Sa voix avait baissé d'un ton. « Il est en train de boire, ou de se droguer. Je ne l'ai pas vu de la journée. Pourquoi ne cessez-vous pas de nous tourmenter ?

– Tous les malfaiteurs que j'ai connus se faisaient passer pour des victimes, monsieur Younger. Ce rôle n'est pas digne de vous. »

Je ne m'attendais pas à ce qu'il dit ensuite. « Peut-être que mon fils est dérangé. Il a toujours été effrayé, même quand il était petit garçon. Caspian, Caspian, Caspian, mon pauvre fils. Que puis-je dire d'autre, monsieur ? Ses péchés sont les miens. C'est moi qui ai semé en lui les graines du doute et de la haine de soi. Vous savez ce que c'est, pour un père, de devoir admettre qu'il a fait le malheur de son fils, monsieur Robicheaux ? Vous avez une idée de ce que c'est ?

– Pourquoi Surrette aurait-il enlevé Felicity Louviere ? En quoi peut-elle l'intéresser ? Il travaille avec Caspian ? »

Il a coupé la communication.

32

Clete avait appelé plusieurs personnes qu'il connaissait à Vegas, Reno et Atlantic City, et avait appris à propos de Caspian Younger peu de chose qu'il ne sût déjà. Il effectua une nouvelle tentative auprès d'un célèbre avocat de La Nouvelle-Orléans, Philo Wineburger, connu aussi sous le nom de Whiplash[1] Wineburger. Personne ne pouvait dire de Whiplash qu'il touchait le fond, car il n'avait pas de fond. Au fil de bien des années, il avait défendu des marchands de porno à Baton Rouge et Miami, contribué à ce que les combats de coqs restent autorisés en Louisiane, et représenté non seulement la Mafia, mais aussi un seigneur de la drogue du Nicaragua du nom de Julio Segura, jusqu'au jour où Clete et moi avons fait exploser Julio sur le siège arrière de sa Cadillac.

Mon histoire préférée concernant Whiplash, c'était celle de son indignation lors de son audience de divorce, quand sa femme avait raconté comment elle était entrée sans prévenir alors qu'il était au lit avec une autre femme. Quand le juge avait demandé à Whiplash ce qu'il avait à dire pour sa défense, il avait répondu : « Je suis pas snob, Votre Honneur ! »

Clete arriva à la maison principale tôt le dimanche matin. Il tenait un bloc-notes, dont les deux premières pages étaient noires d'encre. Il m'a demandé de m'asseoir avec lui derrière la maison, où nous pourrions être tranquilles. Il donnait l'impression qu'il venait de prendre une douche, de se raser, d'enfiler des vêtements propres et d'être maître de sa journée, mais je savais qu'il avait peu dormi la nuit dernière, ou pas du tout.

1. Coup de fouet, mais aussi « coup du lapin ».

« Voilà ce que j'ai trouvé, dit-il. Après que le père de Caspian lui eut coupé son crédit dans tous les grands casinos, il a fait un emprunt à six chiffres à un tandem de prêteurs de Miami, mais il n'a pas pu payer les intérêts. Alors il a emprunté encore plus, à des gars de Brooklyn, sans leur dire qu'il était coincé par des types de Miami. Cette fois-là, il a investi dans un gros transfert de coke. Tu as déjà entendu parler de La Familia Michoacana ?

– À Mexico ?

– Ouais. Ils sont accros à la meth et dingos de religion. Ils coupent la tête des gens et les laissent sur le trottoir avec des cigarettes qui leur pendent aux lèvres. Selon Whiplash, Younger a financé l'expédition de deux cent mille dollars de coke qui était censée franchir un tunnel sous la frontière quelque part autour de Mexicali. Et attends, encore plus beau : les prêteurs ont réuni une bande de cinglés avec des coupons bancaires, qu'ils ont fait passer à Caspian, qui les a utilisés pour payer les Mexicains. Tu arrives à imaginer ça, payer ces types sans argent liquide ? Ils étaient prêts à l'écorcher vivant.

– Comment il s'en est sorti ?

– Son père a payé sa caution et l'a réexpédié aux Joueurs anonymes, mais ça n'a servi à rien. Il est retourné direct à Vegas, pour recommencer. Écoute un peu : les prêteurs ont dit à Whiplash qu'ils n'aimaient pas traiter avec Caspian parce qu'ils n'avaient pas confiance en Felicity.

– Et pourquoi ?

– Elle était honnête. Ces mecs considèrent l'honnêteté comme un défaut.

– Wineburger savait-il quelque chose à propos de Surrette ?

– Le nom ne lui disait rien, mais il a dit que Caspian avait la réputation d'être une proie facile, et de traîner avec des gens bizarres. C'est le monde à l'envers. »

J'attendais que Clete continue. Il posa son bloc-notes, se mit les mains sur les genoux et regarda deux biches à queue blanche et un faon suivre une piste à travers les arbres. Des fleurs sauvages poussaient dans l'ombre et la biche se mit à brouter, indifférente à notre présence. « Je n'en peux plus, Dave. Quand j'imagine Felicity entre les mains de ces types, ça me rend fou.

– On va la récupérer. » J'ai mis une main sur son épaule ; on aurait dit du béton. « Tu m'as entendu ?

– Où il l'a emmenée, à ton avis ?

– Dans un lieu où il y a un sous-sol. »

Il baissa la tête, ferma les yeux. « Je vais trouver Caspian Younger. S'il ne me dit pas où est Surrette, je ferai des choses que je n'ai jamais faites. Il ne restera rien de lui.

– Tu veux que Surrette te remodèle à son image ? »

Sa nuque était brûlante, sa poitrine palpitait. Je sentais la chaleur dans ses vêtements.

« Elle a fait un choix, Clete. Nous devrions le respecter.

– C'est fou.

– Tu l'as dit toi-même, elle était prête à risquer sa vie pour la serveuse. À sa façon, peut-être qu'elle essaie de se racheter de la mort de sa fille. La culpabilité est un luxe qu'on ne peut pas se permettre, partenaire.

– J'aurais dû partir avec elle au Nevada.

– Elle est toujours mariée. Ce n'est pas ton genre.

– Ça ne m'a pas empêché de coucher avec elle. »

Quand les autres manifestent un degré de courage bien au-delà de nos propres capacités, on se sent rapetissé, et on se demande s'il nous manque une composante spirituelle. J'ai vu un jour la photo en noir et blanc d'une mère juive marcher avec sa fille vers une salle de douche dans un camp de la mort nazi. La mère tenait la petite fille par la main. Visiblement, il faisait froid ; elles portaient des manteaux de toile et avaient des foulards sur la tête. De chaque côté, elles étaient encerclées de barbelés, et entourées par d'autres enfants qui faisaient la queue devant la douche, dans un bâtiment de béton quelque part dans l'est de la Pologne. En dehors des gardiens nazis, il n'y avait pas d'autre adulte sur la photo.

Aucune légende n'expliquait l'incongruité de la présence de la mère parmi les enfants. On ne pouvait parvenir qu'à une seule conclusion : elle avait demandé de mourir avec sa fille. Une chaussette blanche au pied de la petite fille avait glissé sur sa cheville. Je n'ai jamais pu oublier cette image, ni le courage que la mère avait manifesté en refusant d'abandonner son enfant, au prix de sa propre vie.

Je suis persuadé que les vrais héros parmi nous sont ceux qu'on ne remarque jamais. Felicity Louviere en faisait partie.

« On va griller tous les feux rouges, dis-je. Si on doit repeindre les arbres, on s'en fout. À notre âge, qu'est-ce qu'on risque ? »

Cet après-midi-là, Wyatt Dixon gara son pick-up devant le domaine Younger. Le terrain était désert, et il ne voyait aucun signe de vie dans la maison. Sa Winchester 1892 était rangée dans le râtelier derrière lui. Il resta assis en silence, essayant d'organiser ses pensées, le bandage qu'il avait sur le ventre aussi plat que du carton sous sa chemise. Il crut entendre des voix derrière la maison, respirer une odeur de viande en train de cuire sur une fosse ouverte. Il sortit dans l'allée et sentit la terre trembler sous son poids, ses points de suture se tendant contre ses muscles comme si une fermeture éclair lui mordait la peau.

Il fit le tour de la maison, traversa une bordure de bougainvillées, de citronniers, de callistemons et d'orchidées de Hong Kong. Il vit Love Younger assis sur une chaise de toile près d'une table de pique-nique, le visage moucheté par le soleil. Younger portait un short de marche, des sandales et une chemise imprimée ouverte sur sa poitrine. Une carafe de whisky et un bol en argent rempli de glace pilée étaient posés au milieu de la table, ainsi qu'un plateau de crevettes sur des piques. Jack Boyd était assis en face de lui, ses longues jambes étendues, les chevilles croisées. Les deux hommes, le visage rouge d'alcool, regardèrent Wyatt sans rien dire.

« À la foire, vous avez dit sur mes parents quelque chose que j'ai pas tout à fait compris. Ou peut-être que les mots me sont sortis de la tête quand Buster's Boogie m'a envoyé à terre. Vous pouvez me rafraîchir la mémoire ? »

Younger paraissait sincèrement étonné. « Je ne me souviens plus de quoi on a pu parler.

– Vous disiez quelque chose à propos de petits Blancs, et de squelette dans le placard. Vous parliez de faire de moi un homme riche.

– Je vois. Vous êtes ici pour l'argent ?

– Non, je suis ici parce que j'aime pas la façon dont vous avez parlé de mes parents.

– Je vous dois des excuses, dit Younger. Je vous prenais pour quelqu'un d'autre. Comment avez-vous dit que s'appelait votre mère ?

– Je l'ai pas dit.

– Ça vous dérangerait de me le dire maintenant ?

– Elle s'appelait Irma Jean. Et son nom de jeune fille, c'était Holliday. Sa famille était de Géorgie.

– Comme Doc Holliday, le dentiste tuberculeux ? dit Younger.

– J'en sais rien.

– C'est intéressant. Vous vous appelez Wyatt. C'est peut-être plus qu'une coïncidence.

– Vous nous avez traités de petits Blancs ?

– Non, je disais que vous n'étiez pas un homme ordinaire. Je disais qu'on a sans doute pas mal de choses en commun. »

Le regard de Wyatt se perdit sur les parterres et les arbres fruitiers dans l'ombre, et sur les voitures astiquées garées près de la remise. « Je vois que votre mode de vie et le mien sont quasiment kif-kif. »

Younger prit dans un bol une feuille de menthe, et la déposa dans son verre qu'il remplit à nouveau de whisky et de glace. Il n'invita pas Wyatt à se joindre à eux. Wyatt regarda Love Younger lever son verre et le boire, sa gorge palpitant légèrement, comme s'il buvait de la bière au lieu de whisky. La blessure suturée sur le ventre de Wyatt se mit à l'élancer sous la pression de la boucle de sa ceinture.

« Vous voulez autre chose ? demanda Younger.

– Il y a une raison pour que votre fils m'en veuille, ou c'est juste que c'est naturellement une sale petite vermine ?

– J'apprécierais que vous n'utilisiez pas ce langage sur ma propriété.

– Où il est ?

– Il fait une sieste. Il ne vous verra pas.

– Directement, il le fera, d'une façon ou d'une autre.

– Vous voulez bien être plus clair ? dit Younger.

– Il a envoyé ces hommes qui nous ont attaqués, Miss Bertha et moi. Je sais pas pourquoi, mais il l'a fait. »

Younger posa un pied chaussé d'une sandale sur le banc de cèdre rouge. « On en discutera une autre fois. C'est une si belle journée. Pourquoi obscurcir inutilement le ciel ?

– Le nom d'Irma Jean ne vous dit rien ?

– Je crains que non. » Younger but une gorgée et reposa son verre sur la table. Il se gratta le coin de l'œil. « Il est mal élevé de regarder quelqu'un dans les yeux.

– Je sais toujours quand quelqu'un ment.

– Personne ne peut me traiter de menteur, monsieur Dixon.

– C'est le contraire

– Il va falloir m'expliquer ça.

– Le nom d'Irma Jean vous dit rien. Si vous aviez connu ma mère, son souvenir vous serait resté tatoué sur la bite. Dites à votre fils et à Jack-la-Merde, ici présent, d'oublier mon nom une bonne fois pour toutes. »

Wyatt commença à reprendre la direction de son véhicule, un peu rasséréné. Quand il traversa la bordure de bougainvillées et d'arbustes d'ornement, il entendit Boyd ou Younger rire dans son dos. Il ne savait pas de quoi. Ce qu'il avait entendu, ce n'était pas le rire, mais son degré avoué d'irrespect et de moquerie. Quand il se retourna et regarda à travers les branches, Younger se penchait vers Boyd, tel un homme descendu de ses hauteurs pour plaisanter avec l'un de ses laquais.

Comme les deux hommes n'étaient pas dans le sens du vent, ils étaient sans doute persuadés que Wyatt ne pouvait les entendre. Malheureusement pour eux, il n'avait pas besoin du vent.

Et pourtant j'avais prévenu Jack-la-Merde que je savais lire sur les lèvres, pensa-t-il. *Si vous êtes aussi malin, M. Younger, comment ça se fait que vous vous entouriez de types qui osent pas se moucher de peur de perdre un morceau de cervelle ?*

Il lisait le moindre mot de Younger, comme une bulle qui s'élève dans l'air et éclate silencieusement dans le vent. Puis les mots constituèrent une phrase, et la phrase fut suivie d'une autre phrase, et les phrases formèrent un paragraphe, et le paragraphe devint une lame de couteau qui sembla pénétrer dans le scrotum de Wyatt en traversant son abdomen.

Quand on forait dans l'est du Texas, j'ai vécu trois mois dans un motel, disait Younger. *Une nuit sur trois, je baisais cette femme de ménage, Josie quelque chose. Un cul aussi gros qu'un oreiller. À peu près un an plus tard, j'ai reçu une carte postale, elle me disait que j'étais le père de son enfant. Je l'ai déchirée, et je me suis dit que pas mal de types avaient dû la culbuter, mais de temps en temps ça me turlupinait. Je m'étais toujours occupé moi-même de mes affaires, et j'avais toujours payé mes dettes, y compris pour un ou deux bâtards. À la fin, j'ai engagé des détectives privés chargés de s'occuper de ça, et j'en suis venu à penser que Dixon pourrait être le produit de ma semence mal placée. Mais ce n'est pas le cas, Dieu merci. C'est juste un banal traîneur de rodéo, et sans doute, pour commencer, un déséquilibré.*

Qu'est-il arrivé à la femme de chambre ? demanda Jack Boyd.

Je ne sais pas exactement. Un des détectives m'a dit qu'elle et son mari avaient peut-être été assassinés. Les détails ne m'intéressaient pas. Un des détectives pensait que Dixon était peut-être l'enfant de Josie. Qui sait ? Les crétins sont tous pareils. Bref, la mère de Dixon s'appelait Irma Jean. L'affaire est close.

Dommage pour la fille.

Là, t'as raison. C'était le plus beau cul que j'ai jamais vu.

Le dimanche à midi, Clete me dit qu'il allait voir le shérif chez lui, puis qu'il se rendrait au domaine de Love Younger. Je n'ai pas discuté. Felicity était entre les mains d'un être bestial et, face à ça, Clete était impuissant. Je suis persuadé que, sur terre, les gens les plus forts, et ceux qui souffrent le plus, sont ceux dont des membres de la famille sont enlevés par des monstres, et qui ne revoient jamais ceux qu'ils aiment. Existe-t-il pire destin pour des êtres humains ?

À 15 h 17, quand Clete est revenu et qu'il a rangé sa voiture près du garage, j'étais sur la montagne. Son visage, je ne sais pourquoi, semblait plus mince, comme s'il n'avait pas mangé depuis plusieurs jours. Je suis descendu le rejoindre. « Comment ça s'est passé ?

– Younger était à moitié bourré, en train de faire un barbecue, a-t-il répondu. Trois ou quatre autres types buvaient dans le jardin avec lui. Je lui ai demandé s'il savait quel genre de journée passait sa belle-fille. Tu sais ce que cette espèce de bâtard arrogant m'a répondu ? "Elle est entre les mains du Seigneur."

– Depuis quand tu n'as pas mangé ?

– Je ne sais plus. Que faisais-tu sur la montagne ?

– J'essayais de comprendre comment Surrette pouvait aller et venir aussi facilement sur la propriété d'Albert.

– Si Felicity meurt, je buterai Love Younger. Et je buterai aussi son fils.

– Younger t'a dit quelque chose d'autre ?

– Rien. C'est un cube de glace. Et voilà ce qu'il y a de dingue : en allant chez lui, je crois que j'ai croisé Wyatt Dixon.

– Que ferait Dixon chez Love Younger ?

– Il sait peut-être quelque chose qu'on ignore. J'ai été chez le shérif, et je lui ai demandé pourquoi les journaux ne parlaient pas de l'enlèvement de Felicity. Il m'a dit que les fédés et lui voulaient obliger Surrette à prendre contact avec les médias.

– Ce n'est pas une mauvaise idée.

– Si, c'est une idée merdique. Tu sais pourquoi Love Younger est si détendu ? Surrette le débarrasse d'un gros problème. Felicity sait que Caspian était derrière le meurtre d'Angel Deer Heart. Surrette va effacer l'ardoise. Il faut que je boive quelque chose. »

Avant que j'aie pu répondre, j'ai vu une petite voiture remonter la route. La conductrice paraissait trop large pour son véhicule. Elle tourna sous l'arche et s'engagea dans l'allée, freina au dernier instant, faillit écraser le pied de Clete. Elle sortit de la voiture et regarda autour d'elle comme si elle ne savait pas trop où elle était. La densité de son parfum m'a fait penser à des fleurs de magnolia s'ouvrant par une nuit chaude dans une cour.

« Vous êtes celui qui a fait des ennuis à Wyatt, dit-elle à Clete.

– Comment ça va, Miss Bertha ? demandai-je. Je peux vous aider ?

– Vous, vous pouvez. Lui, il ne peut pas, dit-elle en montrant Clete.

– Il est arrivé quelque chose à Wyatt ?

– Oui, et j'ai très peur pour lui. Il faut je vous parle, monsieur Robicheaux. Il faut vraiment que cet homme reste là ?

– Oui, il le faut, dis-je.

– Je serai au chalet, dit Clete.

– Non, reste ici. Clete est de notre côté, Miss Bertha. Il faut que les bons se serrent les coudes. Est-ce que Wyatt est allé voir Love Younger, aujourd'hui ?

– Comment vous le savez ?

– Clete a été là-bas, lui aussi.

– Wyatt lit sur les lèvres. Love Younger racontait une histoire cochonne à un ancien inspecteur du comté, un type qui travaillait avec mon frère. C'était à propos de la mère de Wyatt. M. Younger se vantait d'avoir séduit une femme de ménage dans un motel, il y a des années. Un peu plus tôt, il avait demandé à Wyatt le nom de sa mère. Wyatt lui avait répondu qu'elle s'appelait Irma Jean. M. Younger disait à l'inspecteur que ce n'était pas la femme qu'il avait séduite.

– Je ne suis pas sûr de comprendre où vous voulez en venir, Miss Bertha.

– M. Younger disait que la femme de ménage s'appelait Josie, ce qui signifiait que ce n'était pas la mère de Wyatt, et que Wyatt ne pouvait donc pas être son fils. Ce que M. Younger ignorait, c'est que la mère de Wyatt s'appelait Josie Irma Jean Holliday. Elle prenait le nom de Josie à son travail, mais pour sa famille, elle était toujours Irma Jean.

– Love Younger est le père de Wyatt ? demandai-je, incrédule.

– Sa mère travaillait au motel quand la compagnie de Younger forait près de chez Wyatt.

– Vous êtes en train de me dire que Wyatt se sent trahi ou rejeté ?

– Vous avez vu son dos ? C'est ce que lui faisait son beau-père. Chaque jour de sa vie, il était puni de l'infidélité de sa mère. *Rejeté ?* Où avez-vous trouvé un mot aussi stupide ?

– Je peux lui parler ? dis-je.

– Je ne sais pas où il est allé. J'espérais qu'il serait ici.

– Pourquoi ici ?

– Il vous respecte.

– Pour quelle raison ?

– Il dit que vous êtes pareils, tous les deux, que vous voyez des choses qui ne sont pas là. Il dit aussi que vous avez du sang sur les mains, dont personne ne sait rien. Ce n'est pas vrai, n'est-ce pas ?

– Non, dis-je. Ce n'est pas vrai. »

Clete s'appuya sur sa Caddy et alluma une cigarette avec son Zippo, la fumée se dispersant dans le vent, ses yeux verts sans éclat, fixés sur les miens. Il retira de sa langue un brin de tabac qu'il expédia d'une chiquenaude. Sous sa veste de lin, je voyais son holster et son .38 à canon court. Combien de fois avions-nous agi sous le drapeau noir, tous les deux ?

« Wyatt a quitté la maison avec son couteau de chasse, dit-elle. Et il a aussi ce vieux fusil dans son pick-up. Il faut que je le retrouve.

– Si vous le voyez, dites-lui de fermer sa gueule à propos des Bobbsey Twins des Homicides, dit Clete.

– Je n'aime pas votre ton, dit Bertha.

– Rares sont ceux qui l'aiment », dit Clete.

Elle s'est retournée vers moi. « Il faut que vous l'aidiez, monsieur Robicheaux. Il est torturé par ce que Love Younger a fait à sa vie. Il a aussi des attitudes religieuses mal comprises qui lui ont été enseignées quand il était enfant. Wyatt en sait à la fois trop et trop peu à propos de certaines choses. Et il est troublé par le nom qu'a peut-être pris le tueur.

– Vous voulez parler d'Asa Surrette ?

– De qui parlerais-je d'autre ? Wyatt a mené sa propre enquête sur la disparition de la serveuse. Il dit que le tueur prenait le nom d'un empereur romain.

– Comme pseudonyme ?

– Il disait s'appeler le révérend Geta Noonen. »

J'avais déjà entendu le nom de Geta dans un contexte historique, mais, à brûle-pourpoint, j'étais incapable de le resituer.

« C'était le frère de Caracalla, dit-elle. Et un homme cruel, comme son frère. Tous les deux ont fait passer de sales moments aux chrétiens. »

Clete me regardait fixement, les connexions commençant à se faire dans ses yeux. « C'est sûrement des conneries, Dave. Non ? C'est des conneries, et elle le sait. Je n'y crois pas. Ces gens devraient se mettre la tête dans de la glace, et l'expédier ailleurs.

– Que diriez-vous d'un coup de poing au visage, monsieur Purcel ? proposa Bertha Phelps. Emmenez votre gros cul dans votre cabane, et restez-y, parce que vous commencez à m'énerver.

– Vous savez qui était sainte Félicité, Miss Bertha ? dis-je.

– Non. Qui c'était ?

– Elle est morte entre les mains de l'empereur Geta dans une arène carthaginoise.

– J'en ai assez », dit Clete. Il monta dans sa Caddy et recula tout le long de l'allée et sur le chemin de terre, puis continua à reculer jusqu'au portail de la pâture nord, comme si son pare-chocs dévorait à la fois la route et toute l'irrationalité du monde.

Quelques instants plus tard, un SUV bleu électrique aux vitres fumées, avec des plaques provisoires, passa près de l'arche surmontant l'allée d'Albert, en direction du fond du vallon, le reflet du soleil dansant comme une flaque de feu jaune sur sa vitre arrière.

« Si quelque chose arrive à mon homme, ça sera votre faute à tous les deux, dit Bertha Phelps. Il faudra peut-être que je règle ce problème moi-même. Dans ce cas, je reviendrai. »

Asa Surrette gara le SUV qu'il venait d'acheter devant la maison au fond du vallon, puis entra, son sac de voyage sur l'épaule. La nostalgie qu'il avait éprouvée en s'installant dans une maison qui lui rappelait le Kansas rural avait été remplacée par une irritation croissante qu'il ne parvenait pas à canaliser. Ça tenait peut-être aux plinthes crasseuses, aux ampoules nues, à la poussière incrustée dans le plancher et aux tapis usés jusqu'à la corde. Non seulement il s'agissait de rappels réalistes de sa maison natale, mais ça suscitait en lui d'autres images : des horizons sans arbres, des vents de quarante nœuds par une température de moins six ; des missiles Titan dormant dans des silos à blé ; le rapport quotidien sur les taupes soviétiques, le soir, à la radio locale.

Sa logeuse n'arrangeait pas les choses. Elle était Hollandaise ou Suédoise, avec une voix sonore et un accent du Dakota qui lui cassait les oreilles. La rhétorique évangélique de son gazouillement lui faisait papillonner inconsciemment des paupières, un peu comme au survivant d'un barrage d'artillerie.

Il entra dans la maison par l'escalier de derrière, espérant l'éviter. Mais avant qu'il soit parvenu à sa chambre, il entendit la chasse d'eau, et son pas lourd dans le corridor. « Oh, vous êtes là », dit-elle.

Il s'immobilisa dans le vouloir. « Oui, c'est *là* que je suis », dit-il.

Elle ne perçut pas son agacement. « Oh, mon dieu, qu'est-il arrivé à votre visage ? dit-elle en portant la main à sa bouche.

– Je me suis cogné dans un clou.

– Mon dieu. J'espère que vous êtes vacciné contre le tétanos », dit-elle. Ses cheveux étaient décolorés et frisottés, et on aurait dit une perruque. Elle arborait un rouge à lèvres rose corail brillant, et un fond de teint qui raidissait le duvet sur ses joues et le faisait, à la lumière, flamboyer comme des rouflaquettes. « Si vous avez la mâchoire bloquée, il faudra que vous vous nourrissiez à la paille. Vous avez déjà eu une piqûre ? Sinon, vous devriez le faire.

– Je vous ai entendue. Ça va. »

Elle regarda l'allée derrière lui. « On dirait que quelqu'un a acheté un nouveau SUV. Vous l'avez acheté à Polson ?

– Pourquoi vous pensez que je l'ai acheté là-bas ?

– La plaque provisoire, dit-elle. Quand j'étais petite fille, je me rappelais les numéros d'immatriculation. C'est comme ça que j'ai appris les maths. Vous vous êtes fait faire une piqûre ?

– Je l'ai acheté à quelqu'un qui l'avait acheté à Polson.

– Pas de souci, dit-elle. La prochaine fois, vous appellerez, Geta ?

– Appeler pourquoi ?

– Hier, vous n'êtes pas rentré. On était inquiets.

– J'ai eu un ou deux problèmes à régler. C'est la nature de mon travail.

– Je vois. Enfin, la prochaine fois, je suis sûre que vous penserez à appeler. Vous avez l'air fatigué. Vous devriez peut-être faire une sieste.

– Je n'ai pas besoin de sieste.

– Comme le dit l'Écriture, on doit toujours être sur le qui-vive. Mais en tant que pasteur, vous le savez déjà. Vous vous êtes cogné contre un clou ? C'est terrible.

– Maintenant, je vais dans ma chambre.

– À propos, on va refaire les peintures là-haut. Il va falloir qu'on vous déménage quelques jours dans le caisson.

– Qu'est-ce que c'est, le caisson ?

– C'est au sous-sol. Ce n'est que provisoire. Il y a une fenêtre et des toilettes. Vous pourrez monter pour prendre un bain.

– Ça ne me convient pas.

– Pardon ?

– Je ne vis pas dans des sous-sols. Je ne suis pas une chauve-souris. »

Elle renifla et fit la grimace. « D'où vient cette odeur ? dit-elle.

– Je ne sais pas. Je ne sens rien.

– Elle est très forte. Vérifiez sous vos semelles. »

Il entendait sa propre respiration, son irritation montant comme une tarentule le long de sa colonne vertébrale. La bouche de la femme évoquait pour lui une ventouse barbouillée de rouge à lèvres. « Qui est à la maison ? demanda-t-il.

– Ralph est en train de couper du bois. Les filles sont au cinéma. Pourquoi ?

– Je pensais que nos esprits se rencontraient.

– Vous vous conduisez de façon bizarre. Je crois que je devrais examiner votre joue. Elle est peut-être déjà infectée. Vous avez de la fièvre ?

– Ne me touchez pas.

– Jamais de la vie.

– Vous avez du fil métallique ?

– Ralph en a sans doute dans la cabane.

– Oui, les gens folkloriques de l'intérieur ont toujours du fil métallique à portée de main, n'est-ce pas ? Ralphie fend le bois, et ensuite vous le ficelez pour l'hiver avec du fil métallique. C'est ce que font ces gens folkloriques qui sont le sel de la terre.

– Qu'est-ce qui vous prend ?

– Un peu de ci, un peu de ça, dit-il en plongeant la main dans son sac. Surtout, je n'aime pas votre allure. Ou votre façon de parler. Ou votre expression stupide. »

Il leva un .22 avec silencieux, et lui tira au milieu du front une seule balle, qui fit un trou pas plus grand que la circonférence de la gomme à l'extrémité d'un crayon. Elle tomba droit sur le sol, en tas, comme une marionnette dont le marionnettiste a lâché les ficelles. C'était toujours comme ça qu'ils tombaient quand ils étaient pris par surprise. Pas comme dans les films, quand la victime gicle en arrière par la fenêtre.

Il observa son expression de surprise, et la flaque de sang qui se formait sur le sol. Puis il rangea le semi-automatique, ramassa la balle et sortit sur le perron. « Hé, Ralph ! cria-t-il. Vous pourriez m'apporter un peu de fil métallique ? Votre femme a besoin d'aide. »

Le mari enfonça sa hache dans la souche et leva la tête, plissant les yeux contre le soleil. « J'arrive dans une minute, Geta. On se demandait où vous étiez passé, dit-il. J'ai dit à ma femme de pas s'inquiéter, que vous accomplissiez l'œuvre du Seigneur. Content que vous soyez rentré. »

33

Après le départ de Bertha Phelps, Clete descendit au chalet, et je suis remonté sur la montagne, essayant de retrouver le chemin qu'Asa Surrette prenait pour aller et venir sur la propriété d'Albert. Il était 15 h 48, et sous les arbres l'ombre était fraîche, mais de l'autre côté de la vallée, j'apercevais des campanules, des asters, des callistemons, des seringas, des tournesols et de la mélisse sur le flanc de la montagne, où l'herbe était verte et haute, et les arbres rares à cause de la mince couche de terre. Puis j'ai vu Clete peiner sur la pente, son feutre sur la tête, une bouteille de Jack Daniel's dans la main droite, ses épaules paraissant aussi lourdes qu'un sac de pierres.

« J'ai pensé que tu aimerais un peu de compagnie », dit-il, en sueur, essoufflé. Il s'assit sur un rocher et s'essuya le front. « Je ne dois pas encore être habitué à l'altitude.

– Peut-être que tu devrais ralentir sur la bibine pour aujourd'hui », dis-je.

Erreur.

Il retira le bouchon et renversa la bouteille, un œil fixé sur mon visage. « Tu vois, pas de problème. C'est pas la fin du monde. Monsieur Daniel ne m'a jamais laissé tomber.

– De qui tu te moques ?

– Je te l'ai dit, j'avais besoin d'un verre. Alors j'en ai pris un. Je crois que mon foie est flingué. Maintenant, quand je prends une gorgée, c'est comme si j'étais bourré. Ça veut dire que je bois moins. » Il attendait que je discute avec lui, mais je n'en ai rien fait. « Que penses-tu trouver ici ? demanda-t-il.

– La dernière fois que Surrette est venu sur la montagne, il a essayé d'attirer Gretchen dans un piège à ours, dis-je. J'ai suivi ses traces de l'autre côté de la crête. Elles menaient à un affleurement rocheux, puis disparaissaient. Pour rejoindre la route, il a dû prendre vers le sud. Il y a deux ou trois pistes de cerfs qui auraient pu le mener là, mais je n'ai pas vu ses traces. Je ne comprends pas.

– Et s'il avait pris vers le nord ?

– Il aurait fini dans un canyon en cul-de-sac. Il faisait nuit. Pour en sortir, il aurait dû escalader dans le noir. Et où aurait-il laissé son véhicule ?

– Qu'y a-t-il, dans ce canyon ?

– Trois ou quatre maisons. Des gens qu'Albert connaît. »

Clete avala une nouvelle gorgée. Il posa la bouteille sur sa jambe. « Je ne devrais pas faire ça devant toi. Mais aujourd'hui je ne suis pas très bien, et j'en ai besoin.

– Ça ne me dérange pas.

– Vraiment pas ?

– Peut-être un peu. Comme une pensée enfouie dans l'inconscient. Comme une ancienne petite amie qui vous fait un clin d'œil depuis le coin de la rue.

– À ce point ?

– Ça va et ça vient. Je n'y pense pas si souvent que ça. Mais je rêve beaucoup. Et mes rêves sont toujours des cauchemars. Parfois je ne parviens pas à me réveiller, et je tourne en rond en pensant que je suis bourré.

– Ça t'arrive souvent de rêver ça ?

– Une nuit sur trois, vers 4 heures du matin.

– Depuis toutes ces années ?

– Sauf quand j'avais replongé. À ce moment-là, je n'ai pas rêvé une seule fois. Ma vie était un cauchemar vingt-quatre heures par jour. »

À travers les arbres, il fixait le soleil. Tout en bas, Albert arrosait l'herbe. J'entendais des oiseaux chanter, des tamias cliqueter dans les rochers. Je pensais à toutes les journées que Clete et moi avions passées à marcher à travers les bois pour parvenir à un étang isolé dans le bassin d'Atchafayala.

À plonger pour voir l'épave d'un sous-marin allemand qui avait arpenté les côtes de Louisiane, à chasser des canards, à l'affût, sur Whiskey Bay, et à pêcher à la traîne le marlin au sud de Key Largo, l'appât dansant dans notre sillage. Je pensais à tous les pêcheurs cubains, cajuns, texans, que nous avions connus le long de la côte sud des États-Unis, aux bars à huîtres en plein air dans lesquels nous avions mangé, aux bateaux sur lesquels nous avions hissé des tarpons aussi gros que des souches. À quel total se monte la vie d'un homme ? Je connaissais la réponse, et elle n'était pas compliquée. Dans la dernière ligne droite, on fait le compte des gens qu'on aime, amis et famille, on ajoute leurs noms aux endroits où on a passé de bons moments, aux bonnes actions qu'on a accomplies, et on y est.

Clete se leva et essuya l'arrière de son pantalon. « On va monter un peu plus haut, dit-il.

– Où est Gretchen ?

– J'aimerais bien le savoir. Quand il s'agit de son vieux business, c'est une solitaire. Elle a dit une chose à laquelle je n'avais pas pensé. Que Surrette va finir par craquer.

– Pourquoi ?

– Elle a connu des types comme lui, des types dont la Mafia s'est débarrassée. Elle dit qu'il s'agissait toujours de psychorigides. Ils ont un super-plan. Quand il ne fonctionne pas, leur univers part en morceaux.

– Quel est le super-plan de Surrette ?

– Détruire Felicity. »

Je n'ai pas regardé son visage : la tension dans sa voix m'en disait assez. Je l'ai entendu lever à nouveau la bouteille, dans le col de laquelle le whisky clapotait. « On doit parfois préserver un espace vide dans sa tête et ne pas laisser les mauvaises pensées y pénétrer, dis-je.

– C'est pour ça que je bois, et c'est pour ça que de temps en temps il me faut un peu de mou, noble ami. »

Je l'entendis prendre une autre gorgée, et faire grincer le bouchon en l'enfonçant à fond.

Nous sommes montés, moi devant, obliquant au nord-ouest en direction de la crête. L'herbe nouvelle apparaissait au milieu du chaume de l'hiver et, par places, là où une source s'était écoulée sur la pente, j'ai repéré, très nettes, les traces de biches et d'au moins un canidé.

« C'est une trace de loup ? demanda Clete.

– Je crois que oui.

– Encore une chose étrange. Surrette va et vient sans jamais sembler se préoccuper des loups.

– Tu veux dire qu'ils sont comme des frères ?

– Je n'ai pas dit ça. Mais ne prétends pas que ce n'est pas bizarre. Ici, sans mon arme, je ne me sens pas à l'aise.

– C'est un sociopathe. Il croit que le monde ne peut pas se passer de lui. »

Clete indiqua, en contrebas, une dépression où un gros animal, sans doute un ours, avait foui. Le sol était noir, riche en terreau, et creusé sous une souche. Au milieu de la terre, des feuilles et des aiguilles de pin remuées, j'aperçus un morceau de chaîne rouillée. Je suis descendu, et j'ai tiré sur la chaîne jusqu'à ce que le piège à ours à l'autre extrémité soit libéré du sol.

« C'est celui avec lequel il a failli avoir Gretchen ? » demanda Clete.

J'ai passé mon pouce sur les dents des deux bandes d'acier en demi-lune qui avaient claqué l'une sur l'autre. « Ouais, c'est probablement celui-là.

– Tu penses qu'il l'a enterré parce qu'il porte ses empreintes ?

– Il y a de fortes chances. Ou il avait prévu de revenir le chercher. »

Clete a regardé vers le nord, les arbres se balançant au-dessus de sa tête. Un faucon se laissait dériver dans le vent, les plumes ébouriffées. « Surrette est plus près qu'on ne croit, dit-il.

– Du moins il l'était.

– Il est peut-être temps de commencer à frapper à quelques portes », dit-il.

Je l'ai suivi en bas de la montagne, tirant le piège à ours à travers le chaume et les débris sur le sol de la forêt, la chaîne dans ma paume aussi froide et humide qu'un serpent.

Gretchen avait lu un jour une œuvre autobiographique intitulée *Something About a Soldier*, écrite par Charles Willeford, un romancier de Miami. À l'âge de treize ans, au plus fort de la Grande Dépression, l'auteur s'était enfui d'un orphelinat et avait vagabondé dans tout l'Ouest américain. Trois ans plus tard, il s'était engagé dans la cavalerie, et avait été affecté aux Philippines et à Schofield Barracks, à Hawaï. Dans son récit, Willeford évoquait certains individus, parfois des engagés comme lui, des gosses de vingt ans qui le regardaient droit dans les yeux et disaient, sans ciller : « Il n'y a pas de limites. » Ils parlaient de rapports sexuels avec des enfants philippins.

La leçon que Willeford avait retirée de cette expérience était simple : il y a toujours des limites. Aussi terrible que ç'ait été en Normandie, ou dans la forêt de Hürtgen, ou à Arnhem, où il commandait un tank, il y a des limites. Sous un drapeau noir, dans le ventre de la bête, dans un enfer manufacturé comme Auschwitz, il y a toujours des limites, et le jour où l'on affirme le contraire est celui où quelque chose s'envole de votre poitrine, pour ne jamais y revenir.

Gretchen avait lu l'autobiographie de Willeford deux semaines avant de buter Bix Golightly. Pendant des années, elle avait imaginé différents scénarios concernant la façon dont elle le ferait payer, un jour. Elle était persuadée qu'un homme capable de sodomiser une fillette de six ans méritait tout ce qui pouvait lui arriver.

Elle accepta le contrat sans rémunération, s'envola pour La Nouvelle-Orléans, et le suivit pendant deux jours à travers la ville. Le troisième soir, il traversa le pont menant à Algiers et se gara dans une ruelle déserte. Tandis qu'elle approchait de sa voiture, elle voyait son visage dans le moindre détail, les cicatrices sur ses sourcils, son front osseux, ses yeux de Mongol, l'arête tordue de son nez, son profil aplati par les coups reçus à Angola et sur le ring. Il fumait une cigarette parfumée et, au début, ne manifesta à sa présence aucun intérêt particulier. Puis il reconnut en elle la tueuse à gages qu'il ne connaissait que sous le nom de Caruso, un personnage presque mythique aux origines obscures, dans le Little Havana de Miami. Il n'avait peut-être pas fait le lien entre Caruso et la petite fille dont il avait gâché la vie, mais il savait que l'intersection de son existence et de celle de Caruso dans cette ruelle non loin des eaux huileuses du Mississippi n'était pas une coïncidence, et que la dernière feuille allait être arrachée à son calendrier.

Il se mit à lui parler par la vitre comme s'ils étaient de vieux amis, crachant des mots dépourvus de sens, son haleine puant la peur. Elle ne disait pas un mot. Elle le regardait comme elle aurait regardé un hamster tournant en rond dans une cage de verre. Elle avait prévu de lui tirer une balle dans la nuque et de le traîner ensuite sur l'asphalte, où elle aurait fini le travail. Mais elle ne le fit pas. Il y a toujours des limites.

Elle lâcha trois balles, si rapidement que Golightly ne sut jamais ce qui l'avait touché. Le côté de sa tête heurta le volant, sa bouche s'ouvrit tout grand, ses yeux fixèrent une poubelle sur le trottoir opposé, comme s'il s'agissait de l'objet le plus intéressant au monde.

Puis elle cracha sur son cadavre, indifférente à l'éventualité d'une analyse ADN, et s'éloigna.

Maintenant, elle se trouvait à nouveau troublée par la leçon de Charles Willeford concernant les limites. À l'hôpital, elle avait parlé pendant trois quarts d'heure avec Rhonda Fayhee, et en avait conclu que cette fille simple et innocente ferait des cauchemars pendant le restant de ses jours. Heureusement, elle avait été si lourdement sédatée par Surrette qu'elle avait oublié certaines des choses que, sans doute, il lui avait fait subir.

Pendant toute sa captivité, le sac n'avait pas quitté la tête de Rhonda, et elle n'avait jamais vu de ce qui était autour d'elle. Néanmoins, elle se rappelait des détails caractéristiques : une odeur de pierre ou de brique humide, un faible rayon de soleil par une fenêtre à l'aube, un bruit comme le clapotement de vagues contre un abri à bateau ou une plage.

Elle croyait aussi avoir entendu un avion, les moteurs accélérant pendant le décollage, leur bruit assourdi par le vent qui soufflait dans des arbres très rapprochés, aux feuillages épais. Il y avait un autre détail, un détail qui paraissait hors de contexte, irréel, un détail dont pourrait se souvenir un noyé attiré dans un tourbillon pendant que des gens, sur la rive, à quelques pas, continuaient à bavarder. Rhonda était certaine d'avoir entendu des gens chanter pendant qu'on la chargeait dans un véhicule. Les mots qu'elle avait entendus juste avant que la portière ne soit claquée étaient : « La vie est comme une voie ferrée en altitude, avec un chauffeur courageux. »

Plus tard, Gretchen chercha cette citation sur Google et s'aperçut qu'elle appartenait à un hymne souvent chanté dans les Églises du Sud.

Où Rhonda Fayhee avait-elle été retenue prisonnière ? Très probablement au même endroit où Felicity Louviere était détenue en ce moment.

« Rhonda, pensez-vous qu'il y avait une piste d'atterrissage proche ? Avez-vous entendu des avions s'approcher ? » demanda Gretchen.

La fille dit que le bruit de l'avion venait de quelque part en dessous.

« Sous le niveau du sous-sol ?

– Oui, répondit la fille. Il vrombissait un long moment avant de décoller. On aurait dit qu'il tournait en rond. Ça faisait un bruit de palpitation. »

Les détails concernant le lieu de captivité n'étaient pas cohérents.

Pour Gretchen, la réponse à l'énigme résidait sans doute en Caspian Younger, un homme à qui, toujours, tout avait été permis, un homme qui avait peut-être été complice du meurtre de sa fille adoptive. Les limites posaient-elles un problème ? Un homme comme Caspian Younger devait-il être dispensé de rendre des comptes alors que sa femme était torturée à mort ? *Quelle question stupide*, pensa Gretchen.

Elle roula jusqu'au domaine Younger, s'attendant à se trouver confrontée au personnel de sécurité qui ferait tout son possible pour se débarrasser d'elle. C'est ce qui aurait dû se passer. Mais elle devait apprendre que le drame de la famille Younger n'était pas fait de la même étoffe que celui de Macbeth, ou d'Œdipe roi, ou du roi Arthur et de Mordred, ou des cors le long du chemin de Roncevaux. Il était plutôt de l'étoffe des feuilletons télévisés, aussi sordide, sirupeux et minable que la façon dont se conduisent les participants de toute œuvre jouant sur le pathos. Le portrait d'un patricien et la description de sa chute tragique procurent un agréable moment de distraction, mais ont rarement à voir avec la réalité.

Gretchen se gara devant la propriété Younger et suivit le chemin dallé menant à la porte d'entrée. Le seul véhicule qu'elle aperçut était une petite voiture décolorée rangée près de la remise. Elle avait un pare-chocs cabossé, et du sparadrap argenté sur un rétroviseur. Le jardin était vide, la lourde porte de chêne entrouverte. Elle entendait des voix à l'intérieur, et un bruit comme si quelqu'un plongeait d'un plongeoir. Du bout des doigts, elle poussa la porte, traversa le vestibule et entra dans le salon. Au bout d'un couloir, elle vit Caspian Younger en maillot de bain et peignoir, debout près d'une porte-fenêtre ouvrant sur un patio. Il se remplissait un verre à vin de Cold Duck. Il n'était pas rasé, et son peignoir ouvert laissait voir sur sa poitrine un duvet de poils brillant de gouttelettes. Dans le fond, une fille qui n'avait pas plus de dix-neuf ans émergea de la piscine, son bikini collant à son corps, sans plus de densité qu'un Kleenex. Jack Boyd posa son cigare dans un cendrier sur une table de verre et lui tendit une serviette.

Caspian but une gorgée, son regard se promenant sur le visage de Gretchen, sa gorge, sa poitrine. « Encore vous, dit-il.

– Vous avez l'air sacrément bouleversé par l'enlèvement de votre femme.

– Je n'ai aucun contrôle sur le destin de Felicity. Elle va de son côté, moi du mien. Depuis le temps, vous devriez le savoir.

– Où est votre père ?

– Je ne sais pas trop. Il est sorti, je suppose. C'est ce qu'il fait le mieux. Ça n'a jamais été un homme d'intérieur. Vous savez que je peux lire dans vos pensées ?

– Ce m'étonnerait.

– Vous allez voir. Vous pensez que je sais où se trouve Felicity. Et tant que je ne vous l'aurai pas dit, vous me ferez des choses terribles.

– Quelle impression ça fait ?

– Quelle impression *quoi* fait ?

– D'être à la merci de quelqu'un comme Surrette. L'homme qui a étouffé votre fille. »

Il se frotta un œil comme si un cil s'était pris sous sa paupière. Il se tenait à côté d'un bar couvert de granit noir. Une feuille de papier à lettre, sur laquelle courait une écriture bleue déliée, était soigneusement placée sous un presse-papiers, sur le granit.

« Je sais tout de votre naissance illégitime, Miss Horowitz. Je sais que votre mère était une pute accro à l'héroïne, et je sais que vous avez tué pour de l'argent. Alors je vais vous dire quelques trucs qui vous aideront peut-être à comprendre une situation que j'ai connue pendant presque toute ma vie. »

Il prit la feuille sur le bar. Elle était épaisse, de la couleur de la glace à la vanille. Un blason de famille était délicatement embossé dans son grain. « Je vais vous donner les grandes lignes, dit-il. Un peu plus tôt, j'ai fait une sieste, et à mon réveil j'ai découvert que mon père avait décidé de m'apprendre qu'il craignait que Wyatt Dixon ne soit son fils. C'est une chose que je sais depuis des années, d'abord parce que mon père a baisé des femmes dans le monde entier, et qu'il s'en vantait. Dans sa lettre, il me disait avoir la preuve que Dixon n'est pas son fils, et qu'il en était soulagé. Il disait aussi que j'étais son unique fils survivant, et qu'il m'aimait. C'est pas mignon ? C'est un peu comme si mon père buvait un verre de champagne, puis le pissait dans un gobelet qu'il me tendait pour que je le boive. » Il se tut et observa l'expression de Gretchen, peut-être pour voir l'effet qu'avaient ses mots. « Un peu trop compliqué ? Je vais vous expliquer : si Dixon était le rejeton de mon père, son affection serait sans doute partagée. C'est pas super, de recevoir un compliment comme ça ? Ça y est, vous y êtes, maintenant ?

– Comment ça se passe pour votre femme, à votre avis ?

– Pendant toute ma vie, on m'a mis sur le dos ce type de culpabilité, Miss Horowitz. Vous n'avez toujours pas compris le sens de mon histoire, n'est-ce pas ? Je pensais que pour le genre de boulot que vous faites, la Mafia embauchait des gens intelligents.

– J'y suis entrée grâce à la discrimination positive.

– Mon père s'est trompé sur toute la ligne. Wyatt Dixon est *bien* son bâtard. Sa petite amie est venue me le dire. Dixon est mon demi-frère. C'est un peu dur à admettre. Ça vous plairait de découvrir que votre demi-sœur est la femme de Dracula ?

– Bertha Phelps est venue ici ?

– Il y a une heure. Je l'ai foutue dehors avec un coup de pied dans son gros cul. Je suppose qu'elle a couru rejoindre son cow-boy.

– Vous avez donné un coup de pied au cul à l'amie de Wyatt Dixon ?

– Et je vais en faire autant avec vous. Et à lui aussi, s'il revient traîner par là.

– Vous allez tabasser Wyatt Dixon ?

– On peut sûrement y arriver, dit-il. Qu'est-ce que vous faites ? »

Elle avança d'un pas sur le patio. La fille en bikini était assise sur une chaise longue, tirant une bouffée d'un joint au bout d'une pince. « Comment tu t'appelles, mon cœur ? demanda Gretchen.

– Dora, répondit la fille.

– Il faut que tu te tires, Dora. Mon père a foutu une peignée à ces deux connards. Et je risque d'être forcée de faire pareil. Il ne faut pas que tu voies ça. »

La fille regarda Jack Boyd. Il sourit et secoua la tête. « Elle plaisante, dit-il.

– Ce type a été viré des services du shérif du comté de Missoula parce que c'est un flic pourri, dit Gretchen. Son pote était un allumé qui s'appelait Bill Pepper. Il aimait attacher les filles et frotter son pénis contre elles. Un tueur en série, un certain Asa Surrette, a émasculé Pepper, près de Swan Lake. Surrette est copain avec Caspian Younger. Voilà le genre de gens que tu fréquentes. »

La fille regarda à nouveau Jack Boyd, et cette fois elle parut vraiment effrayée.

« Ne fais pas attention à elle », dit Boyd. Il souriait toujours. « J'ai eu un un accident de voiture. Elle fait des films. Demande-lui.

– Au revoir, Dora », dit Gretchen.

Dora regarda Jack Boyd, puis Gretchen. Elle enfila une paire de sandales, prit son sac de plage et traversa rapidement le jardin pour rejoindre sa voiture, les fesses ballottantes.

« Et si sous lâchiez un peu Caspian ? dit Boyd.

– Où est Surrette ? demanda Gretchen.

– Vous croyez que je le sais ? dit Boyd.
– J'espère qu'un de vous le sait.
– Ou sinon ça va mal se terminer ? dit Boyd.
– Je m'occupe de ça, Jack », dit Caspian. Il posa son verre et s'avança sur le patio. « Je ne veux pas être désagréable, Miss Horowitz, mais vous voulez bien vous tirer, s'il vous plaît ? Vous, votre père, M. Robicheaux et sa fille, vous n'avez pas cessé d'être de véritables nuisances. On aurait pu faire arrêter votre père pour agression, M. Boyd et moi, mais on ne l'a pas fait. Vous savez pourquoi ? Parce que n'est pas ma façon d'agir. Il me suffirait de passer un seul coup de fil, et votre père serait transformé en pâtée à poissons. Il disparaîtrait sans laisser de trace, à part une écume sanglante à la surface de Flathead Lake.
– Vous connaissez bien Vegas ?
– Je connais certains des gens que vous connaissez. Sauf qu'ils m'écoutent, parce que j'ai de l'argent. Vous ne changerez rien. J'ai commis quelques erreurs. Il n'y a pas moyen de les réparer. Ce qui est fait est fait.
– Vous allez me livrer Surrette. Avec celui-là, il n'y a pas de limites. »
Il détourna les yeux, comme s'il essayait de comprendre le sens de ses mots. « Je suis certain que vous savez ce que vous voulez dire. Mais moi, pas du tout. »
Elle regarda sa montre. « Votre créneau va prendre fin, dit-elle.
– Je vais vous accompagner à votre voiture. Vous êtes cinéaste. Peut-être que plus tard je pourrai vous aider. Je connais pas mal de gens dans le milieu. » Il la prit par le bras, et serra comme pour tester. « Joli. Vous soulevez de la fonte ? »
Jack Boyd affichait un grand sourire lascif.
Avant de répondre, Gretchen s'humecta la lèvre inférieure. « Je n'ai jamais été très douée pour la communication. Un psychologue me l'a déjà dit. Il m'a suggéré d'essayer ce

qu'il appelait la "thérapie du massage". Il était prêt à me faire ça pendant son temps libre. Gratuitement. »

Debout derrière elle, Caspian lui tenait le bras. Sans retirer sa main, il passa devant, la fixant d'un regard brûlant. Ses yeux étaient d'un bleu pâle, et ne semblaient pas assortis à sa peau grenue, comme un Mexicain qui aurait les cheveux blonds. Il avait un menton fuyant, et un nez petit et pointu. Elle avait vu des hommes efféminés comme lui sur la Riviera française. On aurait dit des caricatures d'aristocrates du XIXe siècle, des fins de race. Gretchen se demandait ce qu'aurait été la vie de Caspian Younger dans le genre d'école publique qu'elle avait fréquentée, à Miami et Brooklyn.

« Je vous ai dit que je pouvais lire vos pensées, dit-il, enfonçant les doigts un peu plus profondément dans sa chair avec un rictus de désir et d'impatience. Soyez gentille. Ne commettez pas d'imprudence. Si vous vouliez rester ici et passer un bon moment, je dirais que tous les péchés sont pardonnés, y compris ceux de votre père. »

Jack Boyd continuait à sourire. « Je ne serais pas contre le fait de prendre la suite, dit-il.

– Vous me demandez de baiser ? »

Caspian leva les sourcils et sourit. « Vous pourrez me parler de vos documentaires.

– Avant que nous n'allions plus loin, je peux vous poser une question ? Vous pensez vraiment que vous pouvez vous en prendre à un type comme Wyatt Dixon ?

– Ce qui compte, c'est ce qu'il y a sous le capot, dit-il. On va faire un essai sur route là-haut. »

Il enfonça son pouce dans le bras de Gretchen, rapprochant les doigts de son épaule, malaxant la chair le long de sa clavicule, approchant sa bouche de la sienne.

La réaction de Gretchen ne fut pas émotionnelle, ni même vindicative. Elle l'estimait sans grande conséquence, et se demandait si un des deux hommes s'attendait à autre chose.

« Qu'est-ce que t'en dis, mon chou ? demanda Caspian.

– Ce que je dis de quoi ?

– De monter. Tu as des bras magnifiques. Si la Vénus de Milo avait des bras, ils seraient comme les tiens.

– C'est une super réplique de drague. Si jamais je change de sexe, je la placerai.

– On y va ou pas ? dit Jack Boyd.

– Vous êtes sûrs que c'est ce que vous voulez, les gars ? dit Gretchen.

– Il suffit que tu dises oui, dit Caspian.

– Au diable, dit-elle.

– Tu ne le regretteras pas, dit Caspian.

– Mais vous, si. »

Elle envoya le coude dans le visage de Jack Boyd, et son poing entre les deux yeux de Caspian. Puis elle sortit sa matraque de sa poche, en fouetta la nuque de Boyd, et frappa en retour dans la mâchoire de Caspian, ce qui le fit baver. Elle le frappa sur la clavicule et les épaules, et l'expédia au sol à travers la porte-fenêtre. Derrière elle, elle entendit Jack Boyd essayer de se relever. « Foutez le camp, dit-elle.

– Quoi ? » dit Jack Boyd, qui avait du mal à se tenir debout et s'agrippait au dossier de la chaise. Elle lui donna un coup de matraque sur la main. Il blêmit et serra son bras contre sa poitrine.

« Foutez le camp ! Et ne revenez pas. Ici, pour vous, c'est fini. »

Elle fit un pas vers lui. Il fonça à travers le jardin, se retourna une fois, renversa la vasque de ciment d'un abreuvoir à oiseaux sur un piédestal. Elle se tourna vers Caspian Younger et sortit de sa poche arrière une paire de pinces pointues. Il était assis par terre, la paume sur la bouche, regardant l'épaisse tache rouge sur sa main. Elle se mit sur un genou. « Vous savez ce que je vais vous faire ? demanda-t-elle.

– J'ignore où est Surrette.

– Par où vous voulez que je commence ?

– Que vous commenciez quoi ?
– Vous couper en morceaux.
– Je vous en prie. Je n'avais pas le choix. Il n'est pas humain. On croit qu'il l'est, mais non. Il est ce qu'il dit qu'il est.
– Alors il est quoi ?
– Je ne sais pas. » Elle se pencha plus près de lui, la pince tendue devant elle. Caspian ferma les yeux, très fort. Une voix en elle dit : *Il y a toujours des limites.*

Il disait sans doute la vérité, pensa-t-elle. S'il livrait Surrette, les fédés élimineraient celui-ci, et quelles que soient les conséquences légales, Caspian Younger serait affranchi de l'homme qui lui avait sans doute extorqué de l'argent pendant des années.

Le problème n'avait rien à voir avec Surrette. Caspian avait dit ignorer où se trouvait son père. Il lui avait dit ça après que son père lui eut laissé une lettre de tendresse, une lettre dont il aurait dû conclure que, finalement, il avait une certaine valeur pour quelqu'un. Aurait-il amené une adolescente sur la propriété, avec l'intention de la débaucher, s'il n'avait aucune idée de l'endroit où se trouvait son père, ni de l'heure approximative de son retour ?

De la pointe de la pince, elle lui effleura la joue, juste en dessous de l'œil. « Où est allé votre père ? Et ne ne me racontez pas de connerie.
– Il a une maison sur Sweathouse Creek. Il y va parce que ça lui rappelle son enfance dans l'est du Kentucky. Des vallons pleins de brouillard, et toutes ces conneries de *hillbillies* qu'il aime tant.
– Vous avez amené la fille ici sans craindre qu'il ne rentre sans prévenir ?
– Elle était juste venue nager.
– Vous avez dit où il est à Bertha Phelps, n'est-ce pas ?
– Non, dit-il en se forçant visiblement à ne pas ciller.

– Vous savez ce que ne fait jamais un menteur professionnel ? Il ne cille pas. Ses paupières restent cousues à son front. C'est un signe qui ne trompe pas.

– J'ai survécu, exactement comme vous. Vous savez ce que j'ai de plus que Wyatt Dixon ? Je me fiche de vivre ou de mourir.

– Dixon est comme votre père. C'est un self-made man. Vous, je pense que vous n'êtes rien. Vous êtes une situation sociale, pas un homme. Je suis désolée pour vous.

– Répétez-moi ça quand je vous chierai sur le ventre, parce que c'est ce que je ferai quand je serai sorti d'ici. »

Elle lui tapota légèrement le bout du nez avec la pince, puis se leva. « Allez vous laver le visage. Et si vous vous approchez encore une fois, pour n'importe quelle raison, je vous explose la tête. »

Elle sortit par-devant, laissant la porte ouverte derrière elle. Des écureuils jouaient dans les arbres. Elle les regarda un instant, puis démarra sa voiture et s'éloigna. Elle essaya de réfléchir à tout ce qu'il venait de lui dire. Deux mots se détachaient, qui ne cadraient pas avec ses déclarations autosatisfaites sur ses liens avec la Mafia de Vegas. Quels étaient ces mots, déjà ?

Flathead Lake ? Pourquoi choisir précisément cet endroit pour sa métaphore concernant la façon dont il se débarrasserait de Clete Purcel ?

34

Il était 16 h 48 quand Clete et moi avons commencé à frapper aux portes au fond du vallon, au-delà du ranch d'Albert. La première maison où nous nous sommes arrêtés était une grange restaurée qu'un jeune couple de Californie avait louée pour l'été. Ils nous ont dit qu'ils enseignaient à Berkeley, qu'ils avaient entendu parler d'Albert et de ses travaux, et qu'il leur arrivait de marcher sur la crête au-dessus de sa maison, mais qu'ils n'avaient jamais vu d'autres promeneurs. C'étaient des gens gentils, et ils nous ont invités à prendre un café. Je ne voulais pas leur dire que Surrette était quelque part dans les environs. « Vous avez des enfants ? ai-je demandé.

– Non, on n'en a pas, a répondu le mari en essayant de ne pas se montrer choqué par la nature personnelle de ma question. Si vous me disiez ce que vous cherchez, les gars ?

– Un certain Asa Surrette est passé par ici. C'est un tueur en série qui s'est échappé d'un fourgon cellulaire au Kansas. Il se peut qu'il soit parti depuis longtemps, il se peut qu'il soit toujours dans le coin. Avez-vous remarqué un véhicule qui ne soit pas d'ici ? Ou quelqu'un dans les rochers au-dessus de chez vous ? »

La femme regarda son mari, puis tous deux ont secoué la tête. « C'est un peu troublant, dit le mari. Vous êtes le premier à nous parler d'un tueur en série.

– C'est le type qui a enlevé la serveuse sur Lookout Pass, dit Clete.

– Il y a un prêcheur qui habite dans cette maison à un étage, avec un cèdre devant, dit la femme. Il réunit sa congrégation le dimanche matin et le mercredi soir. Je crois qu'il s'appelle Ralph.

– Avez-vous remarqué quelqu'un de bizarre dans le coin ? » ai-je demandé.

Ils secouèrent à nouveau la tête. « Parfois, après leur service, ils font une petite partie de football dans le jardin, dit la femme. Tout à l'heure, j'ai vu Ralph couper du bois. Je crois que leurs amis de l'église vont et viennent. Ce tueur en série est sans doute parti, maintenant, n'est-ce pas ?

– Probablement, dis-je.

– À propos, tout à l'heure, j'ai vu la voiture des filles entrer dans l'allée. Je suis presque certaine qu'il y a quelqu'un », dit-elle.

J'ai noté mon numéro de portable à l'arrière de ma carte professionnelle, et l'ai laissée au couple.

Clete et moi avons frappé aux portes de deux autres maisons dans le vallon, avec les mêmes résultats. Les quatre habitations du cul-de-sac naturel étaient éloignées les unes des autres, toutes à l'ombre de la montagne, et leurs occupants, visiblement, entretenaient des relations de bon voisinage, mais sans intimité. De fait, il s'agissait d'une communauté pour laquelle l'isolement allait avec l'acte de propriété.

Notre dernière halte fut pour la maison du prêcheur. Une vieille Toyota Corolla était garée dans l'allée, et une Bronco dans le garage. Les stores étaient baissés, la porte d'entrée fermée. La balancelle sur le porche oscillait légèrement au bout de ses chaînes dans le petit vent qui soufflait du canyon.

« Apparemment, il n'y a personne », dit Clete.

J'ai regardé ma montre. « Ils sont peut-être en train de dîner », dis-je.

J'ai frappé à la porte. Je n'entendais aucun bruit à l'intérieur. J'ai réessayé. Rien. J'ai tenté de tourner le bouton de la porte. Elle était fermée à clef. « On va faire le tour », dis-je.

Nous sommes passés par le jardin. Les stores de la salle à manger n'étaient qu'à moitié baissés. La table n'était pas mise, et il n'y avait aucun signe de vie dans la maison. Dans le jardin à l'arrière, un abri fait de poteaux flanquait une vieille grange contre le mur de laquelle du bois pour le feu était soigneusement entassé. L'herbe était parsemée de morceaux de pin fraîchement coupés. La hache avait été laissée enfoncée sur le pourtour du billot, le manche à quarante-cinq degrés. Clete leva les yeux sur le ciel. Le soleil était caché par un banc de cumulo-nimbus. « J'aurais pensé qu'un type aussi soigneux aurait mis son bois à l'abri avant la pluie », dit-il.

Il gravit l'escalier de derrière et frappa à la porte. Pas de réponse. Il mit sa main en visière pour se protéger du reflet sur la vitre et essaya de voir à l'intérieur. Puis il suivit l'escalier extérieur jusqu'au premier étage, essaya la porte et colla son oreille à la fenêtre. « Je n'entends rien », dit-il. Il disparut à l'angle de la maison et revint. « Ils sont peut-être partis. »

Je regrettais de ne pas avoir demandé aux voisins combien la famille du prêcheur possédait de véhicules. « Possible. Mais la Bronco est dans le garage. Et ils ne doivent pas avoir trois voitures.

– Que veux-tu qu'on fasse ? »

J'ai jeté un coup d'œil sur mon portable. Pas de réseau. Un chat apparut au coin de la maison, et nous fixa. Son bol d'eau et son bol de nourriture étaient tous les deux vides. J'ai regardé la maison. À l'intérieur, le silence et l'obscurité étaient d'une densité telle que j'entendis une sonnerie dans ma tête. « Il y a quelque chose de bizarre dans cette maison, dis-je. On va casser un carreau. »

Avec une brique, Clete fit exploser un panneau de la porte de la cuisine, passa la main à l'intérieur et ouvrit la porte, le verre cassé crissant sous ses pas. Nous avons traversé la penderie et je l'ai suivi dans la cuisine. Le four était resté allumé et il faisait assez chaud pour décoller le papier peint. Clete coupa le propane, sortit son .38 à canon court de son holster et le laissa pendre à sa main droite, pointé vers le sol. On n'entendait d'autre bruit que le frottement d'une branche contre la corniche.

« Ici Clete Purcel et Dave Robicheaux, cria-t-il dans la salle à manger. Je suis détective privé, et Dave inspecteur de police en Louisiane. Nous sommes en visite chez Albert Hollister, au bout du chemin. On pense qu'il y a peut-être un problème dans cette maison. »

Ses mots ont résonné à travers le rez-de-chaussée. Nous avons commencé à explorer la maison, Clete devant, son .38 à angle droit. Nous avons ouvert les portes des placards, celle d'une chambre, celle d'un cellier et d'une lingerie. Aucune trace de désordre. Clete commença à monter l'escalier, une marche à la fois, le regard fixé sur le palier, sa main gauche sur la rampe. Son dos paraissait aussi large que celui d'une baleine, l'étoffe de sa veste tendue sur sa colonne.

Sur la gauche du palier se trouvait une autre chambre, la porte ouverte, le lit fait, des gouttes de pluie cliquetant sur la vitre. J'y suis entré et j'ai inspecté le placard. Il était rempli de vêtements qui devaient appartenir à une adolescente. Je suis ressorti sur le palier. Nous n'avons pas dit un mot, Clete et moi. Il a ouvert la porte de la salle de bains et fait la grimace. Sans même y entrer, j'ai senti une odeur fécale. Comme si quelqu'un venait d'utiliser les toilettes.

Les porte-serviettes étaient vides, il n'y avait pas de papier toilette sur le dérouleur. Un bol d'encens était posé sur le dessus de la panière à linge sale. Clete passa la main sur les murs et se frotta le bout des doigts contre le pouce. À l'évidence, quelqu'un s'était servi de ruban adhésif pour fixer sur tous les murs des images ou des morceaux de papier. J'ai essayé la porte sur la droite du palier. Elle a battu sur son montant, révélant une petite chambre meublée d'une commode et d'un lit étroit sans draps ni couvre-lit. Sur le sol, on voyait un rectangle propre, là où avait dû être posée une cantine. Clete tourna sur lui-même et leva les bras pour manifester son étonnement.

Nous avons quitté la chambre en refermant la porte derrière nous. Clete a allumé le plafonnier du palier. Le plancher de chêne avait été nettoyé au centre, mais on distinguait entre deux planches des traces minuscules, comme des cheveux, d'une substance sombre. Je me suis accroupi et j'ai passé mon mouchoir le long des veines du bois, puis je l'ai montré à Clete. Je suis retourné à la salle de bains, retenant ma respiration pour me protéger de l'odeur, j'ai ôté le bol d'encens et j'ai ouvert la panière à linge. J'avais trouvé les serviettes enlevées aux porte-serviettes. J'ai incliné la panière afin que Clete puisse voir à l'intérieur. Il a formé en silence les mots : *Le sous-sol.*

Nous sommes redescendus et avons traversé l'entrée. En ouvrant la porte du sous-sol, j'ai senti une odeur d'humidité nocturne, de mildiou, et peut-être de fuite d'égout, mais rien d'étonnant pour un sous-sol qui voit rarement la lumière. Nous avons attendu au moins dix secondes à la porte ouverte, l'oreille tendue. Puis j'ai tâtonné sur le mur à la recherche de l'interrupteur et j'ai allumé, inondant le sous-sol de la lumière crue de trois ampoules nues. Cette fois, je suis passé devant. Nous avons dû baisser la tête pour avancer sous des conduites d'eau et de chauffage. Nous nous sommes retrouvés au milieu de ce qui semblait le décor normal du sous-sol d'une ferme du début du XXe siècle. Il y avait une chaudière à propane rongée par la rouille, un baril de clous, une brouette pleine de briques cassées posée dans un coin, deux cartons remplis de décorations de Noël et des guirlandes d'ampoules de couleur sous une fenêtre dont le cadre était pourri. Clete s'est retourné et a scruté, dans l'ombre, une chose qu'aucun être humain n'a envie de voir, une vision à laquelle même des années d'expérience ne peuvent vous préparer. « Saint Mère de Dieu », dit-il.

Les deux corps avaient été mis dans des sacs à vêtements transparents, et les sacs suspendus à une poutre par du fil métallique pour les bottes de foin. Le poids avait étiré les sacs, et leur avait donné la forme et la texture fibreuse de cocons. L'un des corps était celui d'une femme. Ses cheveux étaient écrasés contre le plastique en un fouillis sanglant. Elle était sans doute déjà morte quand elle avait été glissée dans le sac. L'autre était celui d'un homme. Ses poignets étaient croisés dans son dos et attachés avec du sparadrap. Il avait un œil entrouvert, l'autre sorti de son orbite. Sa bouche était collée au plastique, comme une ventouse.

Clete alla dans un coin et vomit, ses bras épais appuyés au mur, me dissimulant son visage, l'odeur de whisky montant du ciment.

L'averse avait déjà cessé quand arriva le premier véhicule de police, suivi des infirmiers, des techniciens de scène de crime, du coroner, du shérif, et de James Martini, l'agent spécial du FBI avec lequel j'avais eu des mots un peu plus tôt. Il est descendu cinq minutes au sous-sol. Quand il est remonté, sa cravate était desserrée et il avait l'air essoufflé, alors que c'était un homme mince et musclé d'une petite quarantaine d'années, qui faisait sans doute régulièrement de l'exercice. Il semblait ne pas trop savoir quoi dire. « Quelqu'un a vomi en bas ? demanda-t-il.

– Mon ami Clete Purcel. »

Il acquiesça, le regard errant. « Vous avez déjà eu une affaire comme ça ? En Louisiane ?

– Pas exactement.

– Pourquoi Surrette rôde-t-il autour de cette crête ? demanda-t-il.

– Ça a en partie à voir avec Albert Hollister.

– L'écrivain ?

– Il possède un ranch juste au bout du chemin. Il a été le professeur d'écriture d'Asa Surrette à Wichita State University, en 1979. Surrette lui en veut, quelque chose à propos d'une nouvelle qu'il avait écrite, et qu'Albert a refusée.

– C'est pas banal, ça.

– Pour un type comme lui, n'importe quel prétexte est bon.

– Votre fille a interviewé Surrette en prison, et la pression est montée ?

– C'est à peu près ça. Et pour l'instant, mon problème, c'est qu'elle reste en vie.

– Vous pensez qu'on ne fait pas notre boulot ?

– Il la tuera s'il en a l'occasion. Il y a des années que Surrette aurait dû être éviscéré, mis dans du sel et cloué à une barrière.

– C'est la faute du Bureau ?

– Un jour, j'ai arrêté un chauffard ivre, et je l'ai laissé filer parce qu'il n'avait pas d'antécédents et qu'il était à deux rues de chez lui. Trois heures plus tard, il tuait sa femme.

– Le Bureau a un accès limité aux affaires concernant Surrette au Kansas. »

C'était un homme consciencieux, de ceux qui ne lâchent rien. Je ne pouvais lui en vouloir. J'avais le sentiment qu'il supportait mal ce qu'il avait vu au sous-sol. Aucun être normal ne l'aurait pu. Le jour où un officier de police n'est plus troublé par certaines choses, il doit rendre son insigne. Martin sortit de sa poche un bloc-notes qu'il ouvrit. C'était un bel homme, avec des pommettes hautes, des joues colorées et des cheveux en brosse qui commençaient à se clairsemer. Il donna l'impression d'étudier son bloc-notes, puis cessa de faire semblant.

« Je vous comprends, dit-il. J'ai une fille adolescente. Si elle était enlevée par un maniaque, je deviendrais dingue, comme n'importe quel parent.

– Vous êtes sûr que les deux filles sont avec lui ?

– Kate, l'aînée, devait prendre son service au Dairy Queen à six heures. On ne l'y a pas vue. Ce soir, Lavern était censée aller à un anniversaire. Il y a plusieurs messages pour elle sur le répondeur. On ne sait absolument pas où ce type se trouve. À votre avis, pourquoi n'a-t-il pas tué les filles à l'intérieur, quand il en avait l'occasion ?

– Un ami à moi pense qu'il va péter un fusible et se venger sur elles.

– Pourquoi il péterait un fusible ?

– Felicity Louviere est plus solide que lui, et il le sait. »

Clete Purcel parlait à un inspecteur près d'un véhicule de police. L'agent du FBI le regarda avec curiosité. « Selon moi, vous vous conduisez comme des miliciens privés, tous les deux, inspecteur Robicheaux, dit-il. Selon moi, vous avez l'intention de refroidir Surrette.

– Première nouvelle.

– Un type du bureau de La Nouvelle-Orléans dit que Clete Purcel aurait versé du Drano dans la gorge d'un ancien criminel de guerre nazi.

– À votre place, je ne croirais pas ce qu'on raconte là-bas.

– Le type dit que quand ça s'est passé, vous étiez sans doute présent.

– Il m'arrive de penser que je suis atteint d'Alzheimer.

– Vous devriez voir un médecin. Et emmenez aussi Purcel.

– Pourquoi ?

– Il y a du sang dans son dégueulis. Il a dû boire une partie du Drano. »

À huit heures et quart ce soir-là, Gretchen Horowitz entra dans la chambre d'Alafair. Alafair travaillait à son bureau, en jean, mocassins sans chaussettes, et chemise d'homme kaki à manches longues. L'ombre avait déjà commencé de descendre sur les pâtures et la grange, et les crêtes des montagnes avaient pris un éclat doré dans le crépuscule. « Je me demandais où tu étais », dit Alafair.

Gretchen s'assit sur le bord du lit. « Je suis allée voir Caspian Younger.

– Dave t'a dit ce qui est arrivé dans la maison au bout du chemin ?

– Clete me l'a raconté. Il faut que je te dise un truc.

– Tu es au courant, pour l'enlèvement de ces filles ? Elles donnaient des carottes aux chevaux d'Albert.

– Oui, je suis au courant de tout ça, Alafair. Tu as entendu ce que je viens de te dire ? Il faut que je te parle. »

Alafair posa la feuille sur laquelle elle travaillait et retira ses lunettes. « Il faut te maîtriser, Gretchen.

– J'ai tabassé Caspian Younger et cet ancien inspecteur, Boyd.

– Clete les avait déjà mis en morceaux.

– J'ai pensé qu'une deuxième couche ne ferait pas de mal. J'ai la tête comme une citrouille. Tu veux bien m'écouter, s'il te plaît ?

– Ne me cache *rien*, je t'en prie

– Pas de quoi t'affoler. Rhonda Fayhee m'a dit qu'elle avait été détenue dans une espèce de sous-sol. Elle entendait de l'eau clapoter contre un bateau, ou un ponton, ou une plage. Elle entendait aussi un avion décoller et se poser. Mais c'était en dessous du niveau de sa fenêtre. Elle entendait le vent dans les arbres, beaucoup d'arbres, tout près. Et le mieux : non loin de là, des gens chantaient un hymne. Rhonda se souvenait des paroles : « La vie est comme une voie ferrée en altitude, avec un chauffeur courageux. »

– Tous ces détails ne collent pas très bien ensemble, dit Alafair. L'avion était sous le niveau du sol ?

– Et en même temps elle entendait un petit bruit d'eau.

– Elle était sur une montagne près d'un lac ? Assez grand pour un hydravion ?

– C'est ce que j'aurais tendance à croire, dit Gretchen. Un lac avec des rives très arborées.

– Dans cette région, il y a des lacs partout. Et dans l'Idaho aussi.

– Elle dit que le vent se déchaînait dans les arbres, comme s'il y en avait partout, et que leur feuillage était épais.

– Un verger ?

– Ouais, un verger, dit Gretchen. C'est la saison de la cueillette des cerises. Ça nous amène où ?

– À Flathead Lake ? proposa Alafair.

– Je suis contente que tu dises ça.

– Pourquoi ?

– Parce que Caspian se vantait de ses relations à Vegas. Il a dit qu'il pourrait faire transformer Clete en pâtée à poissons. Il a dit qu'il ne resterait rien de lui, à part une écume sanglante à la surface de Flathead Lake. Quel rapport entre Flathead Lake et Vegas ?

– Il associait le lac aux anciens contrats de Surrette avec les casinos ?

– C'est possible, dit Gretchen.

– C'est plus que possible, dit Alafair.

– Il y a autre chose. Caspian Younger a dit à Bertha Phelps où se trouvait son père.

– Je ne te suis plus.

– Wyatt Dixon est le fils illégitime de Love Younger. Le mari de sa mère l'a traité de façon horrible. À qui il en veut, à ton avis ?

– Et il va agir ?

– Peut-être.

– Et tu te demandes si tu devrais prévenir Love Younger ?

– Oui, je me le demande. Que ferais-tu à ma place ? demanda Gretchen.

– C'est leur problème.

– C'est aussi simple que ça ?

– Wyatt Dixon peut prendre soin de lui-même. Quant à Love Younger, c'est un fils de pute professionnel, et il serait le premier à te dire ça. »

Gretchen se leva. « Tu ne veux pas qu'on aille faire un tour au lac ?

– Laisse-moi prévenir Dave », dit Alafair.

Wyatt Dixon était torse et pieds nus dans sa cuisine, sur la Blackfoot, un cercle de flammes brûlant sur l'une des plaques de son poêle, où il avait mis sa cafetière à bouillir. Par la fenêtre sur le côté, il voyait les branches des *cottonwoods* se gonfler dans le vent sur la rive, les truites commençant à monter et à rider le courant sous le pont suspendu métallique. À travers la moustiquaire, il humait la soirée comme s'il s'agissait d'une présence vivante, les fleurs jaunes et pourpres dans son jardin et l'humidité d'un vert sombre de la fétuque appartenant à une chanson supposée éternelle. Sauf qu'il sentait les choses se déliter, perdre leur assise, sans qu'il sache pourquoi.

« Tu as été chez Younger, n'est-ce pas ? demanda Wyatt.

– Je te cherchais. Je ne savais pas où tu étais, dit Bertha.

– Le vieux était là ?

– Non.

– Et son taré de fils, il était là, non ? »

Elle détourna les yeux, le regard douloureux.

« Il t'a fait quelque chose ?

– Je ne vais pas te mentir.

– Il a posé la main sur toi ?

– Je t'ai dit que je ne te mentirais pas, mais ça ne veut pas dire qu'on doive tomber dans son piège. Je déteste les Younger. Je déteste ce qu'ils t'ont fait.

– Dis-moi ce qu'il a fait, Bertha.

– J'allais sortir. Il m'a donné un coup de pied. En riant. »

Le café se mit à bouillir. Wyatt retira le couvercle de la cafetière, empoigna l'anse. Il porta la cafetière à sa bouche, le visage aussi dépourvu d'expression qu'un masque de cuir, ses pupilles comme des mouches emprisonnées dans du verre. « Où t'a-t-il donné un coup de pied ? demanda-t-il.

– Dans le derrière. »

Il regarda dans le vide, but une nouvelle gorgée de la cafetière, ses lèvres rendues grises par la chaleur. « Il t'a dit où se trouvait le vieux ?

– Ne me pose pas une question dont tu connais déjà la réponse.

– Je veux juste savoir où est Love Younger.

– Pour faire exactement ce que Caspian Younger a envie de te voir faire ? »

Il reposa la cafetière sur le poêle. Il avait une trace rouge en travers de la paume. « Tu as entendu ? dit-il.

– Entendu quoi ?

– Un train. Sur la voie ferrée.

– Ces rails sont arrachés depuis des dizaines d'années. Il ne reste plus rien, à part la falaise et une voie déserte.

– Je l'ai entendu arriver sur la voie, siffler dans le canyon.

– C'est le vent.

– Non, m'dame, c'est pas le vent. J'ai entendu des sifflets comme ça toute ma vie. Il est à Sweathouse Creek, c'est ça ?

– Comment tu le sais ?

– Je l'y ai suivi une fois. Love Younger est pas si malin que ça. Il a engendré quelqu'un comme moi, non ? »

Il chaussa ses bottes, mit son couteau de chasse dans son étui dans la poche arrière de son Wrangler, puis enfila une chemise à manches longues à pressions, traversa le désordre de son salon et sortit.

« Je viens, dit-elle. Tu ne pars pas sans moi. »

Il se retourna et la regarda. Elle avait une expression disjointe, sa structure osseuse semblant se désintégrer au fur et à mesure qu'elle approchait, comme un dessin digital qui s'effondre en un tas de points. Il se pressa un doigt sur la tempe, jusqu'à ce que cette vision se corrige d'elle-même.

« Dans cette affaire, on est ensemble », dit-elle. Des deux mains, elle lui prit le bras droit, et s'y agrippa plus que personne ne s'y était agrippé de sa vie. « On ne sera plus jamais séparés. Je te suivrai jusque dans la tombe, Wyatt Dixon. Tu entends ce que je te dis ? N'essaie jamais de me quitter. »

Love Younger se tenait derrière son chalet sur Sweathouse Creeek, les yeux fixés sur les parois du canyon. Dans le canyon se dressaient des rochers de la taille d'une maison d'un étage, et même encore plus gros, entourés d'arbres géants qui poussaient tout contre la paroi. Il voyait des mouflons sur une saillie qui ne faisait pas plus de deux pieds de large. Ils montaient péniblement vers le sommet de la montagne, de petits cailloux roulant sous leurs sabots par-dessus le bord de la piste et tombant de plus de cent mètres dans la canopée des *cottonwoods* qui poussaient le long du cours d'eau. Un faux pas, une erreur d'estimation, un point faible dans la pierre qui se fendait sous leur poids, et l'un d'eux, ou tous ensemble, plongerait vers la mort. Pourtant, ils n'hésitaient jamais, ne manifestaient aucune peur, comme si la connaissance de la topographie était inscrite dans leurs gènes. Love Younger se demandait pourquoi la race humaine n'éprouvait pas pareil sentiment de sécurité. Le soleil se trouvait maintenant à l'est des Bitterroots, l'air dans le canyon était devenu froid, et la teinte magenta au-dessus se fondait en une ombre bleu-noir qui lui rappelait un rideau se fermant sur une scène.

Il avait pris un revolver à poudre noire pour tirer sur des cibles qu'il choisissait au hasard le long du cours d'eau : un rocher mouillé dansant dans la vapeur, une rose sauvage suspendue au bout d'une tige verte au-dessus du courant, une souche de cèdre désagrégée en une pulpe couleur de rouille. Il visait toutes ces cibles, mais ne parvenait pas à s'obliger à presser sur la détente. Le silence qui régnait à l'entrée du canyon avait quelque chose de sacré. Il leva les yeux vers la saillie et s'aperçut que les mouflons avaient disparu dans un nuage bas, comme si la montagne leur avait procuré un sanctuaire contre son regard, ou son coup de feu. Quel était son rôle dans le monde ? Était-il l'oiseau de malheur qui annonce la destruction ? Le représentant au XXe siècle d'un empire pétrochimique souillant le sol de la trace grasse de ses pas ?

Ce n'était peut-être pas un bon moment pour se trouver seul, pensa-t-il. Mais qu'était la vie d'un homme s'il craignait la solitude ? Love Younger avait créé des centaines de milliers d'emplois, dans le monde entier. Ses pipelines et ses plates-formes de forage fournissaient le pétrole et le gaz naturel dont dépendait la totalité du monde industriel. Quel être sensé pourrait croire qu'il voulait délibérément polluer la planète et susciter de la part les écologistes des procès pouvant coûter à sa compagnie des milliards de dollars ? Love Younger était un type correct. Personne ne pouvait prétendre le contraire. L'ennemi, c'était la pauvreté, pas les raffineries. Combien d'écologistes avaient porté, enfants, des vêtements taillés dans des sacs de nourriture pour animaux ?

Pour Love Younger, la dépression était synonyme d'apitoiement sur soi. Il avait un seul problème : il ne parvenait pas à se raisonner et à sortir de la caisse sombre dans laquelle il se trouvait enfermé. Quelle était l'ultime vérité de sa vie ? La vérité, c'est qu'il s'éveillait chaque matin avec une *bête noire* qu'il chassait de son esprit à coups de chiffres et de préoccupations concernant le prix du baril de pétrole saoudien, de la même façon qu'un ivrogne se remplit de whisky pour éviter de regarder en face la catastrophe qu'il a fait de sa vie. L'histoire de Love Younger était simple. Il avait commis le pire crime dont un être humain ordinaire pût se rendre coupable : il avait détruit sa famille.

Il posa son lourd Navy Colt .44 sur une table constituée d'une bobine en bois, et pénétra dans l'eau. Le froid submergea ses souliers et pénétra dans ses chaussettes avec un tel mordant qu'il se revit aller puiser de l'eau avec un seau dans le torrent qui coulait dans Snakey Hollow, Kentucky, là où il était né. En fixant le long ruban argenté qui serpentait dans le canyon, il se rendit compte que l'éclat à la surface, qu'il avait tenu pour permanent, était en train de mourir, comme si le ciel tirait à lui la lumière à travers les arbres et les parois du canyon, une clôture du jour qui ressemblait plus à un vol qu'à un phénomène naturel.

Il se demanda ce qui se passerait s'il commençait à remonter le torrent jusqu'à la faille dans la montagne qui aboutissait aux immenses étendues sauvages de l'Idaho, disparaissant dans son obscurité, faisant crisser le doux lit de sable et de galets cuivrés aussi polis que des pièces d'un penny. Pourrait-il continuer jusqu'au sommet des Bitterroots, où les neiges, en fondant, forment des chaînes de lacs entourés de kilomètres de velours vert sur lesquels, à l'aube, paissent les cerfs, les élans et les orignaux ?

Comme les chasseurs de cerfs de l'Amérique prérévolutionnaire, pourrait-il marcher jusqu'aux Missouri Breaks[1], et remonter les sentiers des tribus indiennes jusqu'à la source du Mississippi, puis retrouver le chemin de Louisville, et partir vers l'ouest à travers les prairies jusqu'aux Cumberlands ? Son lieu de naissance aurait-il changé de façon significative ? Y aurait-il là-bas un enfant en haillons ressemblant à un autre petit pauvre du Kentucky, né sous l'administration de Herbert Hoover ? Existait-il un moyen de remonter le temps, de réparer ses erreurs, de mener une vie droite qui rendrait son héritage acceptable aux yeux des autres ?

Il savait que ses pensées étaient vaines et stupides, mais si un homme éprouvait de la contrition, un Créateur miséricordieux ne ferait-il pas une exception et ne lui rendrait-il pas, fût-ce de manière symbolique, les enfants qui avaient choisi la mort, physique ou spirituelle, plutôt que de vivre sous la domination de leur père ?

Il remonta plus haut dans la rivière, jusque dans un bassin où l'eau lui arrivait aux genoux, où le courant était si froid qu'il avait l'impression que ses tibias avaient été frappés par des maillets de bois. S'accrochant à une branche, il

1. Terres accidentées du centre du Montana.

continua de s'enfoncer dans le canyon, se tirant le long des rives jusqu'à avoir de l'eau jusqu'aux cuisses, et ne sentir plus rien en dessous de la ligne sombre et humide qui coupait sa braguette. Il se demanda si ce ne serait pas une bonne façon de partir. Il lui suffisait de continuer à remonter le cours d'eau dans des bassins de plus en plus profonds, jusqu'à ce que tout son corps soit engourdi, et qu'il soit avalé par les bois, les rosiers sauvages sur les rives et la vapeur bouillonnant au pied des cascades. *Sois mon bâton et ma canne*[1], pensa-t-il.

Ces mots l'agacèrent : *Suis-je en train de devenir une brebis, l'un de ces imbéciles qui se roulent dans la sciure lors des réunions religieuses, et plongent les mains dans des boîtes remplies de vipères ? Reprends-toi !*

Il sortit du ruisseau, de l'eau s'écoulant des revers de son pantalon, le vent aussi froid qu'un glaçon à travers sa mince chemise. Il avait réfléchi à la façon de sortir de ses problèmes, et fait son possible. Le seul souci qui le picotait, à la frontière de sa conscience, c'était sa belle-fille, Felicity Louviere. Mais elle n'était pas une Younger. D'après ce qu'il en savait, elle était la progéniture d'une bonne âme professionnelle, une fille d'ouvrier dévergondée qui avait décidé de s'enrichir en épousant son pitoyable fils. Son destin à elle n'avait rien à voir avec lui.

Il commença à suivre la rive en direction du chalet. Il croyait entendre des chauves-souris lui frôler la tête, la palpitation de leurs ailes tannées, et il se rappela comme elles l'effrayaient quand il était petit garçon, le soir, lorsque le vallon, quelle que soit la saison, plongeait dans l'hiver. Maintenant il n'y pensait plus, même s'il était persuadé que certaines portaient la rage, comme à Snakey Hollow. Pourquoi ne lui

1. Allusion au psaume 23 : « Je ne crains aucun mal, car tu es avec moi : ton bâton et ta canne, voilà qui me rassure. »

faisaient-elles plus peur ? La réponse n'était pas compliquée. Un roi ne meurt pas de la morsure d'un rongeur.

Il rentra avec son .44 à capsules qu'il accrocha, dans son holster, sur le dossier d'un fauteuil en osier. Puis il ressortit et ramassa une brassée de bois qu'il avait fendu et entassé sous un abri de rondins. Il crut voir un pick-up, avec un caisson monté sur son plateau, émerger du crépuscule et avancer dans sa direction, ses feux avant dansant dans une étrange lumière blanche teintée de bleue que Love Younger associait aux contes de fées plus qu'aux véhicules motorisés.

Il faut bien que les fornicateurs aillent quelque part, pensa-t-il. *Dans la grange, ou dans les bois, ou sur une palette de maïs. Jamais rien ne les empêchera de s'accoupler, et d'engendrer des légions de ces mêmes créatures mentalement déficientes dont le monde semble ne jamais se lasser. Et bien, amusez-vous. J'espère que vous aurez plus de chance que moi avec le produit de votre semence gâchée.*

Il alluma un feu dans la cheminée de pierre. Debout dans sa chaleur, de la vapeur montant de son pantalon de treillis humide, il éprouvait une sensation de calme qu'il n'avait pas connue depuis des années. En contrebas, il entendit un véhicule brinquebaler sur la *cattle guard*[1]. S'agissait-il de fornicateurs ? Ou peut-être d'un membre du personnel de sécurité de Caspian, constitué d'anciens détenus, venu lui annoncer que Felicity avait été relâchée par le prédateur du Kansas ? Peu importait.

Love Younger s'approcha de la porte, un bourbon à l'eau plate à la main. Il commença à tourner le bouton de la porte, puis s'interrompit et jeta un coup d'œil derrière lui au six-coups bleu sombre à la crosse en noyer suspendu au dossier du fauteuil. *Quelle belle arme*, pensa-t-il. *Elle frappe comme un marteau-piqueur et, dans le noir, il en sort un*

1. Grille à même la route, laissant passer les voitures, mais pas le bétail.

éclair de vingt centimètres à faire bondir le démon. Cent cinquante-deux ans, et aussi mortelle que le jour où elle a été fabriquée. Il alluma le porche, sans déverrouiller la porte, et écarta le rideau de la fenêtre. Un pick-up orange à la calandre chromée quittait le chemin de terre pour pénétrer sur la propriété de Younger. Un homme au chapeau de cow-boy d'un blanc immaculé était au volant, son bras sur l'appui de la fenêtre, une jarretière violette autour du bras. L'homme au chapeau blanc s'arrêta à moins de quatre-vingts mètres du chalet et coupa le moteur.

Revoilà Dixon, pensa Younger. *Il s'agit bien d'argent, finalement. Ils affirment qu'ils n'en veulent pas. Ils aiment Jésus, leur pays et leur mère. Mais il s'agit toujours d'argent, d'encore plus d'argent, et s'ils le pouvaient ils se mettraient tout nus et se vautreraient dedans en plein supermarché. OK, M. Dixon. Il est peut-être temps que vous entendiez la voix de la colère, puisqu'il semble que vous ne compreniez rien d'autre.*

Love Younger posa son verre et ouvrit la porte, son irritation l'emportant sur sa prudence. Il regardait droit dans les phares du pick-up, les yeux humides et aveugles à ce qui pouvait se passer à l'intérieur du véhicule.

« Allez-vous-en, Wyatt Dixon, dit-il. Disparaissez dans le terreau primitif qui vous a nourri, et ne prononcez jamais le nom de ma famille. »

Le vent était tombé, et il crut entendre la chaleur du moteur cliqueter sous le capot.

35

À 20 h 47, le téléphone a sonné dans la cuisine. C'est Molly qui a décroché. J'entendais une voix d'homme à l'autre bout du fil. Molly lui a coupé la parole. « Si vous vous contentiez de faire votre boulot et de cesser de nous importuner, shérif ? dit-elle. Je ne voudrais pas vous vexer, mais vraiment, sans aller jusqu'à dire que vous êtes un emmerdeur, je trouve que vous exigez beaucoup de la charité chrétienne. »

Puis elle m'a tendu l'appareil. *Bon début*, pensai-je.

« Que puis-je pour vous ? dis-je.

– L'agent Martini pense que Purcel et vous nous dissimulez des informations », dit le shérif.

Quelques minutes plus tôt, Alafair m'avait parlé des spéculations de Gretchen concernant l'endroit où se trouvait Asa Surrette. « Qu'est-ce qui vous fait penser ça ?

– Surrette vivait à moins de six kilomètres de la maison d'Albert Hollister, mais vous n'aviez aucun soupçon. C'est bien ça ?

– Oui.

– L'agent n'en croit rien.

– Si j'avais pensé que Surrette vivait au bout du chemin, pourquoi ne vous l'aurais-je pas dit, ou ne l'aurais-je pas dit au FBI ?

– Parce que vous vouliez le buter vous-même.

– C'est ridicule. »

Il est resté un instant silencieux. « Peut-être. Et voici la seconde raison de mon appel. Il y a un petit moment, Wyatt Dixon a semé le bazar au relais routier de Lolo. Il voulait gonfler ses pneus, mais le tuyau fuyait, et il a perdu cinq kilos de pression sur un pneu qui était déjà dégonflé. Il a tiré l'employé par-dessus le comptoir et l'a balancé dans un tas de bidons d'huile.

– Pourquoi me dites-vous ça ? ai-je demandé, de plus en plus mal à l'aise.

– Parce que tabasser un vendeur n'est pas dans le style de Dixon. Il était accompagné d'une femme, sans doute Bertha Phelps. Vous avez une idée de ce qu'ils pourraient manigancer ?

– Dixon sait qu'il est le fils illégitime de Love Younger. Il se peut qu'il aille au chalet de Younger, sur Sweathouse Creek.

– Vous êtes au courant depuis longtemps ?

– Ma fille vient de me le dire. Elle l'a appris par un tiers. Mais tout ça, ce ne sont que des suppositions. Si vous vous détendiez un peu, shérif ?

– Je vais être franc avec vous, monsieur Robicheaux. Avant que cette affaire ne soit terminée, je pense que vous serez inculpé.

– Inculpé de quoi ?

– Je vais voir ça avec le procureur, et je vous le dirai. À propos, il était en poste à Fort Polk, et il déteste l'État de Louisiane.

– Ce n'est pas donné à tout le monde.

– Y a-t-il autre chose que vous ayez caché à mes services ?

– Il se peut que Surrette soit sur Flathead Lake. Quelque part près d'un verger, au bord de l'eau. Il y a peut-être un hydravion tout près. Je vais y aller dans quelques minutes.

– Vous n'allez rien faire du tout, monsieur Robicheaux. Je ne peux pas vous dire à quel point vous m'énervez… »

Molly m'a arraché le récepteur et se l'est porté à l'oreille. « Écoutez, espèce de débile, dit-elle. Mon mari a consacré sa vie à la défense de la loi. Il n'a pas pas besoin qu'un crétin chiqueur lui apprenne les procédures légales. Et mon mari a été dans la gadoue, aussi. Vous savez ce que ça veut dire ? Il a été décoré de la Silver Star et de deux Purple Hearts.

Ne rappelez pas, sauf si vous avez à dire quelque chose qui en vaille la peine. Si vous essayez encore de le harceler, de quelque façon que ce soit, vous aurez affaire à moi. » Elle raccrocha violemment, les joues enflammées.

« Je ne crois pas qu'il chique, dis-je.

– Peu importe », a-t-elle répondu.

Wyatt coupa le moteur mais laissa les phares allumés. Un crâne argenté, poli comme du vieil étain, les orbites vides, pendait au bout de son trousseau de clefs et se balançait sous le tableau de bord. Quand il s'immobilisa, il lui donna une chiquenaude de l'index. Il n'y avait pas d'autre bruit dans la cabine. Il regarda par la fenêtre et vit des lumières dans le ciel.

« Tu ne m'as toujours pas dit ce que tu as l'intention de faire, dit Bertha.

– Je vais peut-être me buter un vieux. J'ai pas encore décidé.

– Cette fois, ce ne sera pas la prison. Ils vont t'exécuter. »

Il prit la Winchester de collection sur le râtelier derrière lui et l'installa, la crosse sur le sol, le canon appuyé sur le siège. Il coupa un interrupteur sur le plafonnier pour que la lumière ne s'allume pas quand il ouvrirait la portière.

« Celui-là ira pas en prison, dit-il. Quoi qu'il arrive.

– Tu me brises le cœur, Wyatt.

– Il y a trois mille dollars scotchés dans des enveloppes sous les tiroirs de ma commode. Il y a un pot rempli de dollars en argent sous le rosier dans le parterre. Dans ma cantine, tu trouveras ma boucle de ceinture de champion, et un poignard nazi au manche en nacre avec une croix gammée en rubis. Tu m'écoutes ?

– Laisse tomber.

– C'est pas moi qui fais tout ça. Le temps est venu. Quand ça arrive, il n'y a plus rien à dire.

– On pourrait juste partir. Abandonner ce vieux misérable.

– J'ai vu des images dans ma tête cet après-midi dont je t'ai pas parlé. Je t'en aurais parlé avant, mais je savais pas qu'elles étaient là.

– Des images de quoi ?

– Quelque chose qui s'est passé dans un bois de pins. C'était l'été et sous les arbres il faisait vraiment chaud, si chaud que j'avais du mal à respirer. Je sentais la sève qui coulait de l'écorce. J'avais jamais été dans un bois avec une odeur aussi forte, comme l'odeur d'une scie circulaire quand on y met du pin fraîchement coupé. Pap et ma mère étaient là, ils me regardaient. Depuis le sol, je veux dire. Tous les deux levaient les yeux sur moi.

– Qu'est-ce que tu me racontes ? demanda-t-elle d'une voix qui commençait à faiblir.

– Je sais pas trop. Je leur ai dit de se lever, mais ils étaient morts, pas de doute là-dessus. Quelqu'un s'en était assuré. Dans les images dans ma tête, j'ai quinze ans. C'est à ce moment-là que je suis parti à Dallas, dans un pullman à portière coulissante. J'ai toujours su que je reprendrais ce train. Ça fait des années qu'il m'attend. »

Il abaissa la poignée de la portière et commença à sortir, sa main droite serrant la Winchester 1892. Son couteau de chasse dans sa gaine était posé sur le tableau de bord. Elle le retint par le bras. « On a quelque chose de spécial entre nous, dit-elle. Ne laisse pas cet homme te le prendre.

– Je vais m'arranger pour qu'il fasse plus jamais de mal à personne, Bertha. Ce qui se passera ensuite, ça dépend pas de moi.

– Ils te détruiront, Wyatt. Tu sais pourquoi ? Parce que tu es trop bon pour eux. Ils détestent les hommes braves, ils les craignent. Tu ignores que tu es fondamentalement bon, et tu n'arrêtes pas de dilapider ton pouvoir. »

La porte du chalet s'ouvrit. Love Younger se tenait sur le seuil, clignant des yeux dans la lumière des phares. « Allez-vous-en, Wyatt Dixon », dit-il, l'air menaçant.

Wyatt Dixon n'écoutait plus la rhétorique théâtrale de Love Younger. Bertha Phelps prit le couteau de chasse sur le tableau de bord. La lame au bout épais mesurait trente centimètres de long, sa garde nickelée plus grosse que la main que Bertha refermait dessus. « Toi, tu restes là. N'essaie pas de m'arrêter, dit-elle.

– Qu'est-ce que tu fais ?

– Je te sauve de toi-même. Je rembourse une dette. Je juge les Méchants. Appelle ça comme tu veux. Mais on va en finir. »

Elle sortit de la cabine, sa grosse croupe glissant du siège, portant avec elle son nuage de parfum, la lame toujours glissée dans son étui indien à perles.

Love Younger leva la main pour se protéger de l'éclat des phares. Ses yeux le brûlaient, son canal lacrymal l'élançait. Il se frotta les joues avec le poignet, un peu comme un enfant en train de se consoler d'une réprimande injustifiée. L'air semblait imprégné d'une iridescence huileuse qu'il pouvait presque palper. « Qui va là ? » dit-il, se sentant comme un de ces personnages grandioses découverts dans les romans médiévaux que la bibliothèque itinérante apportait dans le vallon.

Il la devina avant de la voir. L'odeur lui évoquait des fleurs par une nuit chaude. Où l'avait-il déjà sentie ? Quelque part dans le Sud, peut-être dans le pays des marées, un lieu où les chênes couverts de mousse et les palmiers poussent à profusion, et où, à chaque aube, la gloire d'une nation défaite cliquette et bat en haut d'un mât. Puis il la vit, et la réalité qu'elle représentait.

Il ne savait pas qui c'était, mais reconnut très vite la rage qui animait son visage. Il l'avait rencontrée bien des fois au cours des années, et y reconnaissait un élément de la longue marche lugubre menant de l'Éden au pays de Canaan. La malédiction des femmes, c'était la grossesse, l'arrière-cuisine, le dos d'une main d'homme et le souffle licencieux d'un ivrogne contre leur joue au milieu de la nuit. Jusqu'aux temps modernes, un grand nombre d'entre elles succombaient en donnant la vie, ou étaient hagardes et épuisées à quarante ans, avec les souvenirs en lambeaux des attentes qui étaient les leurs pendant leur nuit de noces. Il avait toujours considéré que c'était leur triste sort à elles, et qu'il n'y était pour rien.

Elle jeta la gaine du couteau qu'elle tenait dans la main droite, sa lame aussi brillante et affûtée qu'une épée arthurienne arrachée à la pierre.

« Vous avez corrompu et détruit mon frère, dit-elle. C'est vous le responsable de sa mort, pas le tueur en série. Et maintenant, vous vous apprêtez à me prendre mon homme.

– Votre frère ? Quel frère ? » dit-il. Dans sa confusion, il essaya de répondre à sa propre question. Les hommes sans visage qu'il avait détruits étaient trop nombreux pour qu'il pût les compter. Il vit la lame monter à la hauteur de ses yeux, sortir de l'éclat des phares, et se demanda comment quelqu'un qu'il n'avait jamais rencontré pouvait à ce point le haïr.

« Votre robe est violette », dit-il.

Elle lui plongea le couteau dans la poitrine. Il sentit sa pointe pénétrer profondément en lui, coupant des muscles et des tendons, fouillant à la recherche de la source du sang qui palpitait dans ses tempes et ses poignets quand il était en colère, sondant maintenant la partie externe de son cœur, l'acier pointu s'enfonçant plus profond chaque fois que le muscle se gonflait et se rétractait. Le visage de la femme n'était pas à plus de dix centimètres du sien, sa bouche comme une couture, ses yeux fouissant les siens tandis qu'elle poussait sur le couteau, coupant le flux de lumière dans son cerveau, figeant la violence et le bourbier du sang dans ses veines et son cœur, ce sang qui, sa vie durant, avait nourri ses pensées, lui avait donné son pouvoir libidinal et lui avait permis de construire un empire financier qui l'excitait comme l'aurait fait le tintement de sabres et d'éperons.

Il sentit que son corps se dégageait de la lame et qu'il glissait en arrière par la porte ouverte du chalet. Il voyait le colt suspendu au dossier du fauteuil en osier, et se demandait s'il pourrait ramper sur le sol et atteindre le holster, sortir le pistolet, le soulever et armer le percuteur dans un dernier effort pour sauver sa vie.

« Qu'est-ce que ça peut vous faire, que je m'habille en violet ? » dit-elle.

Cette couleur convient à la royauté, et ne devrait être portée que par le bourreau du roi, essaya-t-il de dire. Mais les mots ne sortirent pas de sa gorge.

Il roula sur le flanc et tenta de ramper en direction du fauteuil. Ou bien est-ce qu'il se voyait, et voyait la femme, depuis les poutres, comme s'il avait quitté son propre corps ? Il n'en savait rien. Il sentit qu'elle mettait les doigts dans ses cheveux, qu'elle lui tirait la tête en arrière, lui étirant la gorge, son ombre tombant sur lui comme celle d'un bourreau.

« Où t'es parti, Buster Brown[1] ? Je n'en ai pas fini avec toi. Voilà pour Bill Pepper. »

Après ma conversation avortée avec le shérif, j'ai demandé à Albert la permission de lui emprunter son M-1.

« Pour quoi faire ? a-t-il demandé.

– Il y a une chance qu'on trouve Surrette. Gretchen pense qu'il peut être tapi quelque part au bord de l'eau.

– Le lac fait trente-six kilomètres de long.

– Cette nuit, je ne pourrai pas dormir. Je penserai aux filles du prêcheur qu'il a kidnappées. »

1. Jeune garçon héros d'une bande dessinée des années 1900.

Il me tendit les clefs de l'une des vitrines à armes, dans le couloir. « Il y a une bandoulière pleine de chargeurs dans le tiroir sous la porte vitrée. Dave ?

– Oui.

– Tu sais ce qu'il y a de pire, avec l'âge ? On commence à se dire qu'on a tout vu, un peu de la façon dont on regardait le monde à dix-sept ans. Tout ça a commencé à cause de moi. C'est moi qui ai attiré Surrette dans les parages.

– Tu te trompes. Tout ça a commencé à la naissance de Surrette.

– Prends soin de toi, mon garçon. Et prends soin de Clete, aussi. »

Il y avait dans sa voix un caractère définitif qui m'a troublé. Peut-être s'agissait-il de résignation de sa part. Avec le temps qui passe, nous aimerions avoir le sentiment qu'il existe une réponse à tous nos problèmes, mais parfois il n'y en a pas. Le prêcheur et sa femme avaient été assassinés dans leur maison, non loin du ranch d'Albert. Les filles étaient entre les mains d'un monstre. Et nous ne pouvions rien y faire. Comment se résigner à pareille situation ? La réponse, c'est qu'on ne le peut pas. On se munit d'une arme d'infanterie de la Seconde Guerre et d'une bandoulière de toile remplie de chargeurs de huit balles, dont au moins un avec des balles perforantes, et on roule vers un énorme réservoir naturel dans l'espoir de trouver un psychopathe qui s'est montré plus malin que nous tous, et par « nous », je veux dire toute personne décente qui a envie de voir la terre débarrassée d'hommes comme Asa Surrette.

Il nous avait tous changés. Il s'était emparé de nos modes de pensée, avait envahi nos rêves, et nous avait dressés les uns contre les autres. Le mal qu'il représentait lui survivrait longtemps. Écarter Surrette comme une aberration transitoire relevait du déni de réalité. Surrette laissait ses empreintes sur l'âme de la même façon qu'un caillou peut laisser un bleu enfoui profondément sous la peau tendre de nos pieds.

En attendant, on pouvait essayer de sauver les autres. En l'occurrence, Felicity Louviere et les deux filles du bout du chemin. Si nécessaire, je frapperais à chaque porte le long de Flathead Lake.

Je me suis enfilé sur l'épaule le M-1 et la bandoulière, et j'étais presque à la porte quand le téléphone a de nouveau sonné dans la cuisine. Molly a décroché, puis m'a tendu l'appareil. « Devine qui c'est ?

– Allô ? dis-je.

– Vous savez où se trouve Sweathouse Creek ? demanda le shérif.

– À l'ouest de Victor ?

– Je veux que vous veniez, Purcel et vous. *Immédiatement.* Compris ?

– Non, je ne *comprends* absolument pas.

– Des marcheurs ont appelé le 911. Je veux que vous voyiez ce qu'ils ont trouvé.

– Love Younger n'a pas une maison par là-bas ?

– Il *avait* une maison là-bas. Soit vous vous magnez le cul, soit je vous inculpe de complicité, monsieur Robicheaux. Je vous en donne ma parole. Répétez ça à Purcel. J'en ai ras le bol de vous deux, les gars. »

J'avais vraiment envie d'abandonner toute retenue et de lui dire d'aller se faire foutre, mais il avait déjà raccroché.

Je doutais que nous ayons enfreint la loi au point que le shérif pût nous inculper de complicité de quoi que ce soit, mais Clete et moi avons fait ce qu'il nous demandait et pris la nationale 93 en direction de la petite ville bordée d'arbres de Victor, couchée sur un fond de montagnes bleu-gris dentelées dont les pics restaient veinés de neige pendant la plus grande partie de l'été. Ç'avait été une dure journée pour le shérif, et je ne lui en voulais pas de son exaspération. Le processus d'enquête qui se déroulait devant le chalet de Love Younger ne nous était que trop familier. Les services légaux n'empêchent pas les crimes : ils arrivent alors qu'ils viennent de se produire. Dans le cas présent, je soupçonne que Love Younger ne s'était jamais imaginé pareil destin. Quand j'ai regardé par la porte, j'ai prononcé, même si je ne l'aimais pas, une prière silencieuse pour que sa fin ait été plus rapide que ç'avait sans doute été le cas.

« Attention où vous mettez les pieds », dit le shérif. Il jeta un coup d'œil à l'extérieur. « Vous aussi, Purcel. Entrez.

– Pourquoi nous avoir demandé de venir ici ? demanda Clete.

– Vous saviez que Dixon et la femme étaient en route pour faire du mal à M. Younger, les gars. Mais vous ne nous en avez informés que quand j'ai mis la main sur vous », dit le shérif. Il s'écarta pour laisser le technicien photographier le corps sur le sol. « Ça vous plaît ? Prenez une photo avec votre téléphone, si vous voulez.

– Je crois que je vais aller m'asseoir dans le pick-up de Dave. Je peux ? dit Clete.

– C'est un revolver, sous votre veste ?

– Un trente-huit spécial. À l'ancienne, dit Clete en soulevant sa veste pour montrer son holster et sa bride.

– Vous avez un permis de port d'armes ?

– Je ne me souviens plus, dit Clete. Avec tout le respect que j'ai pour vous, shérif, on n'a rien à voir avec ça. Vos gars suçaient la bite à Love Younger bien avant qu'on arrive à Missoula. Ne nous collez pas vos problèmes sur le dos.

– Qu'est-ce que vous venez de dire ? demanda le shérif.

– Vous avez trouvé une arme, shérif ? ai-je demandé. Des indices qui impliquent Wyatt Dixon ?

– Pas encore, dit-il en détournant les yeux du visage de Clete. Je crois que celui qui a fait ça, qui que ce soit, s'est assis dans ce fauteuil rembourré, là, et a essuyé le sang avec ce torchon, sur le sol. Je veux que vous veniez sentir quelque chose.

– Je ne pense pas que nous vous soyons d'aucun secours ici, dis-je.

– Assez de baratin », dit-il. Il s'approcha du fauteuil et prit sur son dossier un appuie-tête à franges qu'il me tendit. « Quand on est arrivés, toute la pièce sentait comme une fabrique de parfum. Respirez un coup. Ça vous rappelle quelque chose ?

– Non, ai-je menti. Ça ne me rappelle rien.

– Pour moi, ça sent la fleur d'oranger, ou le magnolia, dit-il. C'est ma femme qui est spécialiste en fleurs. Et vous, monsieur Purcel ? Ça éveille en vous des souvenirs ?

– Désolé, je suis enrhumé », répondit Clete. Il montra du doigt un blouson en cuir qui avait servi à recouvrir un objet rond sur le sol. « C'est le reste de son corps ?

– Oui, c'est ça, dit le shérif. Je veux que vous le voyiez, tous les deux. » Il se pencha et prit le blouson de cuir par une manche, le dégageant du sang qui s'était congloméré dans les cheveux de Love Younger. « Vous n'aviez pas idée que Wyatt ferait un truc pareil, les gars ? Un type qui, c'est évident, était persuadé que les Younger avaient envoyé des violeurs après sa petite amie ? »

Clete acquiesça comme s'il adhérait à une vérité profonde. « Les Vietcongs faisaient ça, parfois, dit-il. Un type dans mon groupe de reconnaissance, un vrai *medivac*[1], l'a fait, lui aussi. Par "medivac", je veux dire qu'il était cinglé, vous pigez ? Il a fait rouler une tête dans le feu alors que nous y faisions cuire un porc. Ça nous a foutu une trouille bleue. Et puis nous avons tous éclaté de rire. Je n'ai pas pris de photo, sinon je vous l'aurais montrée.

– Disparaissez de ma vue, tous les deux », dit le shérif.

À la lumière artificielle, le visage de Clete semblait enflé, ses yeux verts fixes et sans expression ; il se gonflait une

1. Medical Evacuation (par hélicoptère).

joue, puis l'autre, comme un homme qui se gargarise avec un bain de bouche. La cicatrice sur ses sourcils ressemblait à une bande de caoutchouc sur un pneu de bicyclette. « Un de vos gars vient de marcher dans le sang de Younger, dit-il. On va presque regretter Bill Pepper et Jack Boyd. »

Et on dira que Clete ne savait pas s'y prendre.

Nous avons traversé Missoula, avant d'entrer dans la Jocko Valley, puis sur la réserve indienne de Salish. Nous sommes passés sous un pont fait de pierre, de boue et d'arbres à l'intention du gros gibier, et à travers l'enchevêtrement d'arbustes et de bouleaux plantés le long du mur de soutènement, j'apercevais les multiples pointes des bois d'une demi-douzaine d'élans qui traversaient juste au-dessus de nos têtes.

« Un jour, tous les deux, on viendra ici, on s'installera au campement sur la Jocko, et on pêchera pendant une semaine, et ensuite on ira en Colombie-Britannique, dit Clete. Un type m'a dit que dans l'Elk River, on pouvait prendre tous les jours une douzaine de truites fardées de trente centimètres. On n'a même pas à louer de canoë. On peut en choper une dizaine de maousses depuis le rivage.

– Ça me paraît super, Clete.

– Tu vois, on arrive à Fernie, et on se trouve au milieu de montagnes encore plus hautes que celles-là. C'est comme en Suisse, je suppose. Tu pourrais aller à tes réunions. Je pourrais faire un peu d'entraînement, lever le pied sur la bibine, et perdre un peu de poids. On se débarrasserait de tous ces clowns. Qu'est-ce que t'en penses ?

– Bien sûr, dis-je. Quand on aura réglé tout ça, j'en parlerai à Molly.

– Gretchen et Alf aimeraient peut-être venir aussi, dit-il. Le Canada est le pays de l'avenir. Tu vois, des endroits comme la Colombie-Britannique et l'Alberta vous donnent une chance de repartir de zéro. Ils savent s'y prendre, là-haut. »

Inutile de préciser que les forages canadiens de pétrole de schiste détruisaient des chaînes de montagnes entières. Clete s'était transporté dans un lendemain plus lumineux, de façon à éviter de penser à ce que nous avions vu aujourd'hui. Avec un peu de chance, nous irions un jour à Fernie, mais je savais qu'il n'arrêterait jamais de boire, ni de se gaver de crème, de beurre et de friture. Si nous avions encore une ou deux saisons devant nous, nous serions sans doute impliqués dans le même genre d'affaire qu'aujourd'hui. Quand on a certains gènes, on est toujours en mouvement, on vit selon son propre rythme, tout ça en quatre temps, évitant les conventions, la prévisibilité et le contrôle comme autant de maladies, et le monde entier vous attend comme un énorme pavillon de danse éclairé de lumières de couleur et entouré de palmiers. Et je ne parle pas de bibine. La musique des sphères joue sous la fenêtre de votre chambre. C'est juste que, parfois, elle est gravée sur un CD bizarre.

J'ai appelé Alafair de mon portable. « Où es-tu, petite ? dis-je.

– Tu remets ça avec cette histoire de “petite” ?

– Je parle toujours comme ça à mes nanas.

– Eh bien, oublie ça, Pops, dit-elle. On est près de Yellow Bay. La piste de l'avion amphibie ne nous mène pas à grand-chose. Jusque-là, on en a vu quatre, éparpillés sur le lac. Il y en peut-être d'autres plus au nord.

– Ne faites rien avant qu'on arrive, d'accord ? On se retrouve à Polson, et on recommence à zéro.

– Pour ces filles, le temps tourne, Dave. »

À l'ouest, l'étoile du soir scintillait. Même si leur grosse masse était plongée dans l'ombre, les sommets des Mission Mountains étaient éclairés par des bandes de lumière se reflétant sans doute sur les nuages après le crépuscule. Le monde était un endroit merveilleux, bien sûr, qui valait largement qu'on se batte pour lui. Mais quel genre d'endroit était-il pour deux filles innocentes dont les parents avaient été assassinés, et qui, tandis que nous passions près d'elles sans les voir, étaient peut-être enterrées dans un sous-sol à la merci d'un monstre ?

« On est en route, dis-je. Je t'aime, Little Squanto. »

C'était son surnom quand elle était petite. Il était emprunté aux livres du petit Indien Baby Squanto, qu'elle adorait, et je ne l'utilisais plus que rarement. J'ai refermé le téléphone pour ne pas l'embarrasser encore davantage.

Nous avons traversé Ronan, longé le Salich Kootenai College, et sommes entrés dans Polson, qui se trouve sur la pointe sud de Flathead Lake. Alafair et Gretchen nous attendaient à côté d'un Dairy Queen fermé pour la nuit. Je voyais la grande étendue noire du lac et un hydravion blanc ancré près d'une île, se balançant dans les courants, les cerisiers sur la pente le long du lac animés par le vent et les éclairs de chaleur. Tout ça appartenait à la chaîne glaciaire qui avait plissé le Montana il y a des millions d'années, créant des lacs qui cachent des pics à quelques mètres sous la coque de votre bateau, comme si, au lieu de flotter sur un lac, on flottait à travers le ciel.

Je mentionne tout ça parce que le choix du lieu ne semblait pas être une coïncidence. La topographie était primitive. Le terrain de jeu des dinosaures et autres mastodontes. Certains archéologues étaient persuadés qu'il y avait eu là un peuplement antérieur aux Indiens, du moins à ceux qui avaient migré depuis l'Asie par le détroit de Behring. Avions-nous, à un moment ou à un autre, permis à Asa Surrette de nous attirer dans un paysage recelant une histoire séminale inscrite dans notre inconscient collectif ? Espérait-il récrire le dernier acte ? L'idée paraissait saugrenue, mais une question nous taraudait : pourquoi un psychopathe du Kansas se donnerait-il le surnom de Geta s'il ne connaissait pas la signification historique de ce nom, et ne voulait pas remonter dans le temps, rassembler le sable d'une arène carthaginoise et nous le jeter au visage ?

Quand nous sommes entrés sur le parking, Alafair et Gretchen sortirent du pick-up à caisse coupée et s'approchèrent. « Molly est en rogne, dit Alafair.

– Qu'est-ce qui ne va pas ? demandai-je.

– Tu t'es tiré sans elle.

– Je lui ai dit où on allait.

– Ça ne suffit pas, Dave. Elle était en train de prendre son manteau quand vous vous êtes barrés. Ils sont en route, Albert et elle.

– Ne me dis pas une chose pareille.

– Elle a dit qu'elle avait appelé le shérif et le FBI. Elle était en pleine forme.

– Pourquoi ne m'a-t-elle pas appelé ?

– Parce qu'elle était tellement en rogne qu'elle avait peur de ce qu'elle aurait pu dire.

– Pourquoi vous avez apporté ça ? demanda Gretchen, debout à côté du plateau de mon pick-up.

– Apporté quoi ? »

Elle souleva une chaîne rouillée. « Le piège à ours dans lequel Surrette a failli m'attirer », dit-elle.

J'ai regardé Clete.

« C'est moi qui l'ai mis là, dit-il. On ne sait jamais.

– On ne sait jamais quoi ?

– Quand on risque d'en avoir besoin. » Il fixait la luminosité sombre du lac, sa fatigue et son impuissance l'emportant visiblement sur tout espoir de sauver Felicity Louviere et les deux adolescentes.

36

Asa Surrette n'aimait pas l'électricité. Pendant l'hiver, dans la maison où il était né, l'électricité statique était toujours nichée dans les murs : dans les tapis incrustés de poussière, sur les boutons de porte et les poignées du réfrigérateur, sur les tuyaux dans la cave, dans l'effleurement de la main d'un autre être humain. Elle était symptomatique d'un pays cruel et impitoyable, de vents d'hiver capables de sabler la peinture d'un château d'eau, d'horizons semblant se perdre dans l'infini.

Il n'aimait pas non plus l'électricité dans le ciel, quand elle rampait silencieusement à travers les nuages, éclatant en flaques jaunes qui sautaient tels les maillons d'une chaîne jusqu'aux confins de la terre, comme si, dans le monde naturel, étaient à l'œuvre des forces et des esprits qu'il ne pouvait contrôler ni comprendre. Il était assis sur une chaise à dossier droit au rez-de-chaussée d'une maison en pierre d'un étage qui avait appartenu à une femme de Californie qui n'en avait plus besoin. C'est de cette façon qu'il se souvenait d'elle. Elle était la femme de Californie qui n'avait plus besoin de rien, pas même de son nom. En cet instant, il était assis dans le salon presque vide de son ancienne maison, le regard perdu sur le spectacle de lumière dans le ciel, réfléchissant à ce qu'il devait faire maintenant, les doigts agrippés sous les cuisses, ses cheveux blond sable lui pendant dans les yeux, une croûte de la taille d'une pièce de monnaie collée à sa joue.

Il n'entendait aucun bruit venant du sous-sol. Il quitta ses mocassins et appuya les pieds contre le sol, se demandant s'il sentirait un mouvement en dessous, ou les vibrations d'une voix, même un simple murmure, à travers le plancher. Ce n'était pas impossible. Du moins pas pour lui. Quand il était à l'isolement vingt-trois heures par jour, il en était arrivé à se persuader qu'il possédait non seulement un troisième œil, mais des pouvoirs sensoriels allant bien au-delà des talents que les aveugles développent par nécessité. Cela dit, il devait maîtriser son ego. Son QI, sa lecture des classiques, le fait qu'il ait étudié les gens et leurs faiblesses, lui donnaient une vertigineuse confiance en lui dans ses rapports avec autrui, mais le rendaient vulnérable. L'excès de confiance pouvait le mener à des ennuis avec les femmes.

Les femmes étaient, par nature, trompeuses et séduisantes, sirènes attendant sur les rochers, la poitrine nue, agitant leurs bras pâles pour que le navire s'approche juste un peu plus, à travers l'écume d'une mer couleur de vin, montrant leurs dents blanches et leurs lèvres s'entrouvrant comme des fleurs pourpres.

Il n'aimait pas ces visions. Elles l'inquiétaient et l'attiraient en même temps, un peu comme l'odeur de la fumée d'opium, ou celle d'hommes dans une étuve, ou les cris heureux d'enfants en train de jouer dans un parc. Chacune de ces expériences était une épine à l'intérieur d'une rose et quand il essayait de réfléchir à leurs rapports, rien n'avait de sens, et le sentiment de colère et d'impuissance qu'il en éprouvait lui faisait s'enfoncer les ongles dans les paumes.

Il avait d'autres problèmes : sa position sur une chaise à dossier droit, et la façon dont il en agrippait inconsciemment les bords. Le psychiatre de la prison avait pigé ça – après qu'il eut surpris Asa Surrette en train de cracher dans son café alors qu'il était sorti une minute. Il avait dit que le langage corporel de Surrette traduisait le stress résiduel, la colère et la rébellion caractéristiques de ceux qui, enfants, ont dû apprendre la propreté à la dure. Le psychiatre, enflammé par sa propre rhétorique, commença à improviser sur le sujet, y prenant un immense plaisir. « Certains adultes qui ont eu des parents anormaux, des gens comme vous, Asa, ont sans doute été attachés avec des sangles pendant des heures, en général par leur mère. Vous vous souvenez d'elle en train de vous faire des lavements ? Vous n'avez plus à écarter ces souvenirs. Vous éprouvez de la colère à ce sujet ? Vous pouvez parler franchement. Oh, pardon, vous n'éprouvez pas de colère ? Alors pourquoi avez-vous le visage aussi rouge ? Est-ce que votre maman vous récompensait quand vous alliez sur le pot ? »

Asa Surrette décida que, quand tout serait réglé dans le Montana, il retournerait au Kansas, pour voir son vieil ami le psychiatre. Et peut-être lui préparer une tasse de café dont il se souviendrait.

Pour l'instant, il devait décharger dix sacs de glace pilée, de quinze kilos chacun, du SUV Mercedes dont la femme de Californie n'avait plus besoin. La Mercedes était parquée dans le garage, au bord du lac. Et la femme de Californie était parquée à un mètre sous les cerisiers à côté du garage. Que ce sac de graisse à grande gueule repose en paix.

Peu de gens réalisaient à quel point il était facile d'avoir de l'influence sur les autres. Un mot gentil au supermarché, un salut du chapeau, une manifestation de sympathie à un enterrement, ou après une réunion des Alcooliques anonymes, il ne fallait rien de plus pour arranger les choses, et rendre la cible confiante et demandeuse.

L'introspection était un luxe qu'il ne pouvait se permettre pour l'instant, et les faiblesses des *gens* n'avaient rien à voir avec les problèmes que Felicity Louviere lui causait. Elle lui échappait, elle était prête à être sauvée par son caractère mortel, l'arme même qu'il avait toujours brandie au-dessus de la tête de ses victimes. Elle l'avait même remercié de sa souffrance. C'était *dingue*, non ?

Il se leva dans la pièce vide. La maison était en pierre, mais elle semblait pourtant se gonfler sous la force du vent qui la balayait depuis les montagnes, au nord. *Je suis ton maître, et devant moi tu plieras le genou*, s'entendit-il prononcer.

Je possède un pouvoir que tu ne peux imaginer. Je peux tendre la main dans ta tombe, t'arracher ton âme et faire de toi ma servante pour l'éternité. Le choix dépend de moi, pas de toi. Tu ne me rejetteras pas. Tu ne comprends pas ça, espèce de femme stupide ?

Il s'aperçut qu'il grinçait des molaires. Ses mots semblaient prétentieux, et remplis de dérision. « Qu'elle aille au diable », dit-il dans sa barbe, se demandant si quelqu'un avait perçu la peur dans sa voix.

Nous avons pris la nationale Est, et à onze heures du soir nous sommes arrêtés au bord du lac. Nous avons réveillé des riverains, troublé la plupart d'entre eux, et sans doute en avons effrayé quelques-uns. Il était tard, et je ne pouvais leur en vouloir de leur réaction. Nous n'avions là aucune autorité légale, et ce qu'impliquaient nos questions n'était pas ce à quoi on a envie de penser un dimanche soir. Flathead Lake et ses environs étaient supposés être un coin tranquille, à l'abri des problèmes du reste du pays. Les résidents regardaient dans l'obscurité au-delà de nous, ne sachant pas trop qui nous étions, et craignant cependant que nous ne leur disions la vérité. Comment expliquer à des gens fondamentalement bons et confiants que leurs vies dépendent d'une terrible présomption, à savoir que le système judiciaire fonctionne et maintient les méchants en dehors de leur existence.

On pouvait mépriser Surrette, le considérer comme une aberration psychologique dont la mère aurait mieux fait d'élever une gerbille. Le problème, c'est qu'il n'est pas le seul. Quand on a été en prison, soit comme membre du personnel, soit comme détenu, on sait ce que veut dire « une sagesse de taulard ». La majorité de ceux qui effectuent des peines, hommes ou femmes, ne sont pas différents du reste d'entre nous. Ils ont des familles, un passé et des qualifications professionnels, et ils sont étonnamment patriotes. Certains ont un grand courage, et résistent à un environnement qui briserait un homme ou une femme plus faibles. La plupart sont aussi des tordus. En d'autres termes, ils font partie de la famille humaine, même s'ils en sont à la limite.

Mais demandez à quiconque a été dans une prison ce qu'il pense de ceux qui sont à l'isolement. Ce sont des gens qui vous terrorisent, même s'ils sont couverts de chaînes depuis la taille jusqu'aux pieds, et ils vous terrorisent parce que le simple fait de les regarder dans les yeux vous assure qu'ils aiment le mal pour lui-même. Discutez avec les *trustees*[1] qui passent la serpillière dans l'unité d'isolement, et poussent le chariot de nourriture de cellule en cellule. Ils évitent de croiser leur regard. Il en va de même pour les membres du personnel pénitentiaire à qui il arrive de pénétrer dans une cellule avec le visage et le corps protégé et munis de bombes de gaz poivré, et qui parfois, comme quiconque a assisté à une exécution, doivent s'arrêter dans un bar avant de rentrer chez eux ce soir-là.

Voici ce qu'il y a de plus troublant chez les hommes condamnés à l'isolement : ils parviennent à entendre les pensées les uns des autres. Ils constituent un réseau ; ils échangent des cerfs-volants faits de bouts de fil de fer comme pourraient le faire des correspondants ; ils partagent des histoires qu'aurait pu inventer un inquisiteur du Moyen Âge. Ils sont évités et honnis par le reste de la population carcérale, mais entre eux ils se réjouissent de leur iniquité. Regardez la vidéo de Richard Speck en train de se défoncer dans une cellule avec quelques-uns de ses copains, sa poitrine nue gonflée aux hormones, tandis qu'il plaisante à propos des infirmières qu'il a violées et assassinées.

1. Détenu bénéficiant d'un aménagement de peine, lui permettant de participer à certaines tâches à l'intérieur de la prison.

À mi-parcours du lac, mon portable a carillonné. C'était Molly.

« Je suis désolé qu'on soit partis, dis-je. Je croyais que tu avais compris que le shérif voulait nous voir avant qu'on aille à Flathead Lake.

– Tu imagines que je vais laisser ma famille prendre des risques sans que je sois là ? a-t-elle répondu. C'est ce que tu penses de moi, Dave ?

– Non, ce n'est pas ce que je pense de toi.

– Alors pourquoi m'as-tu laissée en arrière ? »

Dans mon agacement, j'ai écarté le téléphone de mon oreille, avant de le remettre en position. « Peut-être qu'il y a une chose que je ne voulais pas que tu voies, dis-je.

– *Quoi*, par exemple ?

– Peut-être que Surrette ne va plus nous ennuyer longtemps.

– Je n'aime pas ce que tu sous-entends.

– C'est pourtant comme ça.

– Non, ce n'est pas comme ça. Ce n'est pas comme ça qu'on fait les choses.

– Où es-tu ?

– On vient de passer devant une marina. Je n'ai pas retenu le nom. Il y a une maison plus bas, avec des épaves de voitures dans la cour. Il y a une cabane avec une pancarte de garagiste. »

Je n'avais aucune idée de l'endroit où elle se trouvait.

« Je te rappelle, dit-elle.

– Non. Écoute-moi. »

Elle a interrompu la communication. J'ai essayé de la rappeler, mais nous avions abordé un virage en hauteur au-dessus du lac et il n'y avait plus de réseau. « Tout ira bien pour elle, dit Clete.

– Albert est avec elle. »

Clete se gratta la joue. « Je suppose que ça fait une petite différence. »

J'essayais de me concentrer. Un détail dans la conversation de Molly m'avait échappé. Lequel ?

Clete mit la main sur le volant. « Regarde où tu vas. De l'autre côté de cette rambarde, il y a un dénivelé de trente mètres.

– Le dépanneur, dis-je.

– Quel dépanneur ?

– Essaie d'avoir le shérif au téléphone.

– Tu plaisantes ? Je peux pas blairer ce mec.

– Pour une fois, ne discute pas, Clete. Je sais que c'est difficile, mais essaie. Je suis sûr que si tu fais un effort, tu peux y arriver.

– Qui t'a mis dans cet état ? »

Un semi-remorque nous a croisés, puis un camping-car, et ce qui ressemblait à une Cherokee. Devant nous, j'ai vu s'allumer les feux de stop de Gretchen. Je l'ai suivie jusqu'au bas de la pente puis sur une aire de stationnement, bordée d'un rail, qui dominait le lac. Il était presque minuit, et les éclairs de chaleur avaient déserté les nuages et disparu dans un vacillement mourant derrière les montagnes. De petites vagues clapotaient sur le lac, giflant la plage avec la morne régularité d'un métronome.

Gretchen sortit de son pick-up. « Vous avez reconnu le type dans la Cherokee ?

– Je n'y ai pas fait attention, dis-je.

– Je crois que c'était Jack Boyd.

– Tu en es sûre ?

– Je suis payée pour le savoir. Je lui ai botté le cul aujourd'hui.

– J'ai le shérif en ligne », dit Clete.

Quand il la posa sur le sommier, et attacha ses mains et ses pieds aux quatre montants du lit, les yeux de Felicity étaient bandés. Elle supposa que le courant électrique venait d'un interrupteur mural, mais elle n'en était pas certaine. La première décharge lui fit perdre conscience. Quand il lui jeta de l'eau dessus et lui envoya un nouveau choc, elle entendit des grincements dans sa tête, qui pouvaient provenir d'un générateur, ou de la vibration du châlit contre le sol de ciment.

Il y avait des interludes quand il s'absentait, montant lourdement l'escalier de bois, un peu comme un enfant boudeur. Pendant qu'il était parti, elle reprenait et reperdait conscience, et avait des rêves ou des hallucinations qu'elle ne parvenait pas à distinguer de la réalité. Il l'avait bâillonnée et avait laissé une fenêtre ouverte, sans doute pour purifier l'atmosphère de l'odeur de sueur qui semblait imprégner les murs du sous-sol. Au début, elle crut entendre le vent souffler dans un bosquet d'arbres touffus, puis elle se rendit compte qu'il ne s'agissait pas d'un bruissement de feuilles, mais de voix humaines, plusieurs à la fois, créant un bourdonnement qui lui rappelait une ruche.

Les tampons de coton scotchés sur ses yeux n'émettaient pas de lumière, mais elle était persuadée qu'elle voyait des plantes et des fleurs tropicales, des palmiers, et elle se demanda si son épreuve ne lui avait pas ouvert un passage vers l'endroit d'Amérique du Sud où son père était mort parmi les Indiens.

Tout son ressentiment envers son père avait disparu. Elle aurait voulu tendre la main et lui effleurer les doigts, et lui dire qu'après sa mort, elle n'avait pas eu une sale vie. Elle aurait voulu lui dire qu'elle s'était débrouillée toute seule, qu'elle était fière du sacrifice qu'il avait accompli, et que tant qu'il était avec elle dans le sous-sol, aucun mal n'arriverait ni à l'un ni à l'autre.

Puis elle se rendit compte qu'elle n'était pas en contact avec son père, mais se trouvait dans un pays aride, où les palmiers dattiers poussaient au bord des routes, où la pierre des amphithéâtres était assez chaude en plein midi pour brûler les mains des spectateurs, et où la seule ombre qu'il y eût se trouvait au-dessus de la loge réservée à la noblesse romaine.

Ses gardiens étaient des Nubiens si noirs que leur peau avait un éclat pourpre. Avec des lances, ils les poussèrent, ses compagnons et elle, du cachot où ils étaient, sous les gradins, dans la brillance du jour, et ce n'est qu'alors qu'elle sentit l'odeur du sang qui avait séché dans le sable, et qu'elle vit la rangée de bourreaux munis de tridents, de fouets, de glaives et d'instruments gainés de métal qu'elle ne connaissait pas.

Ils vont commencer par t'écorcher, murmura une voix à son oreille. *Alors tu auras une chance de changer d'avis. Une étincelle d'encens sur le feu, et tu seras libre.*

Je ne le ferai pas, répondit-elle.

Un certain nombre d'autres l'ont fait. Tu es trop fière ? Tu te crois spéciale ?

Oui.

Ne te moque pas de moi. Je peux te faire très mal.

Je veux mourir.

Pas vraiment. Tu te crois meilleure que les autres. Ton orgueil veut vivre. Tu supplieras. Je te le garantis. Voilà un autre petit quelque chose pour te rappeler la réalité.

Elle savait que la douleur l'avait rendue folle. Ça lui était égal. Le choc qui suivit fut si violent qu'il sembla ébranler toute la pièce.

Je pris le portable de la main de Clete. La lune était basse, et le lac semblait aussi sombre que de l'huile. « Dans quoi est-ce que vous vous êtes encore lancés, les gars ? demanda le shérif.

– Le connard qui a été tué par ici – comment s'appelle-t-il, déjà ? –, il a été traîné par une dépanneuse ? demandai-je.

– Le connard ? Vous parlez de Kyle Schumacher ?

– J'ai oublié son nom. Celui qui est tombé pour viol d'enfant, ou je ne sais quoi, en Californie.

– Et alors ?

– Il a été traîné par une dépanneuse, n'est-ce pas ?

– On n'en est pas certains. Il n'y avait qu'un seul témoin, un type qui revenait d'un bar. Quand il a appelé le 911, il était complètement bourré.

– Vous avez retrouvé le véhicule qui l'a traîné ?

– Le shérif de par là-bas a été voir un endroit où l'assassin aurait pu le piquer.

– L'assassin ?

– D'accord, *Surrette*. S'il l'a piqué, il l'a ramené. Alors on n'est sûrs de rien.

– Merci.

– Merci ? C'est tout ?

– Ouais, c'est tout. On ne voulait pas vous causer d'ennuis, shérif. Vous avez une idée de l'endroit où peut se trouver Jack Boyd ?

– Qu'est-ce qu'il a à voir là-dedans ?

– Gretchen Horowitz pense qu'elle vient de le voir dans une Cherokee. C'est ce qu'il a, comme voiture ?

– De fait, oui, c'est ce qu'il a comme voiture.

– On reste en contact, dis-je.

– Vous avez couvert Bertha Phelps, les gars.

– Ce n'est pas l'impression que j'ai eue.

– Son parfum. Vous l'avez senti tous les deux, Purcel et vous. C'est sa marque de fabrique. Et vous avez menti à ce sujet. Je ne l'oublierai pas, monsieur Robicheaux.

– Je pense que Love Younger a eu ce qu'il méritait. Et j'espère que Dixon et Bertha Phelps s'en sortiront.

– Vous ne manquez pas de culot.

– Pas vraiment. Dans mes meilleurs jours, je n'ai jamais obtenu plus de C – en aucune matière. »

Ma dernière déclaration ne voulait sans doute pas dire grand-chose pour lui, mais je m'en fichais complètement. J'ai refermé le portable et l'ai tendu à Clete.

« Où on va ? demanda-t-il.

– Molly dit qu'elle est passée devant un garage, avec des épaves, au sud d'ici. Le garage a peut-être un service de dépannage. C'est peut-être le dépanneur qui a mis Kyle Schumacher en morceaux en le traînant sur trois kilomètres sur la nationale.

– Ça me paraît un peu hasardeux, Dave.

– Surrette a bien pris cette dépanneuse quelque part. S'il ne l'a pas prise ici, il l'a prise où ? »

Clete se pinça les yeux entre le pouce et l'index et scruta la route. La nuit était noire. Il regarda le cadran lumineux de sa montre. « Qu'est-ce qui retarde Molly et Albert ? » dit-il.

Ils étaient dans le pick-up diesel d'Albert, si couvert de boue qu'on n'en distinguait ni la marque ni les plaques d'immatriculation. C'était le même véhicule dans lequel un certain nombre de chasseurs auraient voulu mettre une balle, après qu'Albert eut entrepris de traîner des troncs au milieu des routes publiques pour bloquer l'accès à la forêt protégée. Tandis qu'il descendait une longue pente dans une zone non éclairée, il roula sur un gros morceau de rocher qui avait dévalé de la montagne et se coinça sous le châssis, arrachant des étincelles au bitume. Albert s'arrêta sur l'accotement.

Une Jeep Cherokee arrivait de la direction opposée. Le conducteur resta en pleins phares et ralentit pour regarder Albert en face en passant. Puis les feux de stop de la Cherokee s'allumèrent et le conducteur commença à reculer.

C'était un homme au teint sombre. Son visage était couvert de bleus, et il avait un morceau de sparadrap blanc sur l'arête du nez. « Qu'est-ce que vous foutez ici, vous, putain ? demanda-t-il.

– Pas grand-chose. J'essaie d'éviter la racaille qui a dérivé dans cet État », répondit Albert.

Un homme était assis sur le siège passager. Il portait un imperméable noir en matière synthétique. Il se pencha en avant pour mieux voir Albert. « Je vous ai posé une question, dit le chauffeur.

– Je le sais. Et je sais aussi qui vous êtes. Vous avez été viré de la police. Vous vous appelez Boyd.

– Vous en savez peut-être plus que vous ne devriez, dit Boyd. Peut-être que vous n'avez jamais appris à pas fourrer le nez dans les affaires des autres.

– C'est parce que c'est un mec intelligent, dit le passager. Un prof de fac. Je l'ai déjà vu.

– Je vous présente Terry, dit Jack Boyd. Vous avez pas intérêt à faire sa connaissance.

– Allons-y », murmura Molly.

Mais la transmission était bloquée. Albert essaya de reculer pour la dégager et entendit quelque chose heurter bruyamment le châssis et se mettre à vibrer.

« J'ai dit que vous pouviez partir ? demanda Boyd.

– Je vais m'occuper de ce problème, dit Terry.

– Vous voyez ? Vous allez connaître Terry, finalement », dit Jack Boyd.

Terry sortit de la Cherokee et s'approcha de la fenêtre d'Albert. Son imperméable battait dans le vent comme du vinyle déchiré. Il avait un petit visage étroit, des yeux minuscules, et ne portait pas de chapeau. Ses cheveux sur son crâne ressemblaient à du blé poussant sur de la pierre blanche. « Vous êtes descendus au bord de l'eau, à fouiner, à déranger des familles qui essaient de dormir ?

– Vous devriez prendre des pastilles de menthe, mon gars, dit Albert.

– Sortez de cette voiture. Vous aussi, madame. »

Albert ouvrit son portable. Du revers de la main, Terry le fit tomber. Sous son imperméable, il portait un maillot et un bas de survêtement bleu marine. Il mit la main à sa ceinture et sortit un .25 semi automatique qu'il appuya sur le rebord de la fenêtre. Il inspecta des yeux la route derrière lui, l'air détendu, pianotant de sa main gauche sur son poignet. Il sourit en regardant Albert. « À l'ouest rien de nouveau, dit-il.

Moi aussi je lis des livres. J'ai lu un des vôtres, professeur. Je l'ai noté entre médiocre et merdique.

– Donnez-moi le titre, votre nom et votre adresse, et je suis sûr que l'éditeur vous remboursera, dit Albert.

– Je me suis déjà torché le cul avec, dit Terry. Montez à l'arrière de la Jeep.

– Avec mon mari, vous ne tiendrez pas plus de trente secondes », dit Molly.

Terry souriait toujours quand il fit le tour du pick-up et arracha Molly au siège passager, la jetant sur le gravillon et reglissant le .25 auto dans sa ceinture. « Il me tarde de rencontrer votre mari. Mais pour l'instant on n'est que tous les deux. Alors m'emmerdez pas. »

Asa Surrette retira le bâillon de la bouche de Felicity, et le sparadrap et les tampons de coton qu'elle avait sur les yeux. Il plaça délicatement la main sous son menton et lui agita la tête d'avant en arrière. « Vous êtes réveillée ? » dit-il.

Elle ne savait pas trop. Peut-être qu'elle rêvait. Elle avait entendu dans le sous-sol un cliquetis, ou un bruit de cascade, comme si on versait de la glace dans un grand récipient. Elle avait aussi entendu les gémissements des filles. Maintenant il n'y avait aucun bruit dans la pièce, en dehors de la respiration régulière d'Asa Surrette, inspirant de l'air dans ses poumons comme un asthmatique, et le gardant aussi longtemps qu'il le pouvait, avant de le libérer uniquement parce qu'il était forcé de le faire.

« J'ai bouché la fenêtre, dit-il. Maintenant je vais allumer la lumière. Attention que ça ne vous fasse pas mal aux yeux. » Il tira une chaîne ornée de perles accrochée à une ampoule. « Vous voyez, j'ai mis un sac à feuilles sur la fenêtre. Comme ça, le soleil ne vous dérangera pas et vous pourrez vous reposer les yeux.

– Où sont les filles ?

– Juste là. Elles vont bien. Vous savez que vous ne pouvez pas m'échapper, n'est-ce pas ? Les filles ne font pas vraiment partie de la relation qu'il y a entre nous deux.

– Je vais bientôt mourir. Et à ce moment-là, qu'est-ce que vous ferez ?

– Je vous garderai. Juste là, dans la baignoire pleine de glace. Vous serez toujours mienne, du moins jusqu'à ce que je décide de me débarrasser de vous. Personne ne saura jamais ce qui vous est arrivé. »

Elle ferma les yeux pour se protéger de l'éclat de l'ampoule. « Vous étiez dans mes rêves.

– J'en suis flatté.

– Vous étiez debout dans un conduit qui traversait un nuage, vous empêchiez les autres de monter. Ensuite vous avez été jeté dans un endroit sans fond.

– À votre place, je ferais attention à ce que je dis.

– Tout le monde était désolé pour vous. Mais après votre départ, personne ne se souvenait de vous, tout le monde s'en fichait. Vous ne valez pas la peine qu'on vous haïsse. »

Il lui mit la main sur la bouche, lui pressant les pommettes. « On ne me parle pas comme ça.

– Des gens vont venir vous chercher. Ils vont mettre fin à votre misère, dit-elle.

– Il vaudrait mieux pour eux qu'ils ne me trouvent pas. »

Elle tourna la tête. Dans un coin, elle apercevait les deux filles. Elles se trouvaient à l'intérieur d'une cage grillagée dont le fond était tapissé d'une couette.

« Les filles vous ont appelé Geta, dit-elle.

– C'est un nom dont je me sers parfois. Je pense que vous savez pourquoi.

– Oui, vous vous faites des illusions de grandeur. »

Il s'apprêta à la frapper, puis retint sa main. Un véhicule venait d'apparaître dans l'allée. Il s'arrêta près de la maison, les vibrations de son moteur traversant les murs du sous-sol.

J'ai appelé Molly sur son portable, mais je suis tombé directement sur un répondeur. Nous avons longé le lac en direction du sud, Alafair et Gretchen derrière nous. Presque toutes les maisons au bord du lac étaient éteintes. Nous avons gravi une montée et sommes redescendus de l'autre côté, et nous avons vu un panneau de garagiste sur une baraque près d'épaves de voitures. Juste à côté, une maison, toutes lumières éteintes. J'ai braqué les phares de mon pick-up sur le jardin. La pelouse n'était pas tondue, le porche jonché de feuilles et de journaux soufflés par le vent, la porte moustiquaire battante. J'ai déplacé le rayon de mes phares à travers la propriété, jusqu'à ce qu'il tombe sur une dépanneuse bleue garée près d'une grange.

« On dirait que ça fait un moment que personne n'est venu là, dit Clete. Surrette a pu prendre cette dépanneuse parce qu'il savait que personne ne s'en apercevrait. Il est peut-être caché près d'ici. »

J'étais d'accord avec Clete. Le problème, c'est que je ne pouvais m'arrêter de penser à Molly et à Albert. Je n'avais pas le numéro du portable d'Albert. Je n'étais pas sûr qu'il en eût un. J'ai essayé à nouveau Molly. En vain. Clete savait à quoi je pensais.

« Gretchen n'est pas certaine que ce soit Jack Boyd qu'elle a vu dans la Cherokee, dit-il. En plus, quelles sont les chances que Boyd ait reconnu Molly et Albert sur la route ?

– Alors où sont-ils passés ?

– Peut-être qu'ils ont vu quelque chose sur une petite route et qu'ils sont sortis ?

– Alors pourquoi a-t-elle coupé son portable ?

– Elle n'a sans doute plus de réseau. Pour les portables, c'est une zone merdique. »

Nous nous trouvions sur le bas-côté, regardant vers le bas, par-dessus la cime des cerisiers, les ombres qui jouaient sur la maison et le garage. La lune avait émergé de derrière les nuages, et plus loin au bord du lac j'apercevais une maison d'un étage construite avec ce qui semblait une pierre d'un gris jaunâtre. Il y avait une marina près du lac, et un certain nombre de bateaux de plaisance se balançaient dans leur mouillage. J'ai regardé dans le rétroviseur. Gretchen et Alafair étaient garées derrière nous, leur moteur en marche.

« Il faut que je retrouve Molly, dis-je.

– OK, noble ami, dit Clete. On va faire ça. »

37

Asa Surrette monta au rez-de-chaussée et regarda la route par la fenêtre latérale. Il n'en croyait pas ses yeux. Il ouvrit la porte à la volée. « T'as perdu ta putain de tête ? » dit-il. Jack Boyd et l'un des gardes du corps de Caspian Younger poussaient Albert et une femme dans la maison. « Ils en avaient après toi, Asa, dit Boyd.

– Qu'est-ce que tu veux dire, ils en avaient "après moi" ?

– Sinon, qu'est-ce qu'ils auraient fait là ?

– Il y a un millier de raisons, pauvre con. Tu te rends compte de ce que tu as fait ?

– Il fallait prendre une décision.

– Que lui est-il arrivé à *elle* ? dit Surrette.

– Elle est tombée sur le gravillon quand Terry l'a aidée à sortir de leur pick-up.

– C'est comme ça que tu t'appelles ? *Terry ?*

– Je m'appelais comme ça quand je me suis réveillé ce matin.

– Tu sais qui je suis ? » demanda Surrette.

Terry tordit le cou. « Je suis pas bon pour les noms. D'après ce que je sais, t'es un gars qui laisse de grosses empreintes.

– Tu n'en sais pas la moitié, dit Surrette.

– Où tu veux qu'on mette ces deux-là ? » dit Terry.

Surrette avait du mal à se contenir. « Où je veux que vous les mettiez ? Je voudrais les voir sur la lune. Mais ce n'est pas possible, parce que vous les avez amenés chez moi. » Il scruta le visage d'Albert Hollister. « Vous vous souvenez de moi ? Wichita State University, 1979 ?

– Difficile à dire. Je me souviens qu'il y avait dans mon séminaire un pervers qui avait écrit une nouvelle artistiquement nulle, et pleine de fautes d'orthographe. C'était votre travail ?

– Love Younger est mort », dit Boyd.

Surrette le regarda, clignant des yeux, incertain de ce qu'il venait d'entendre.

« Quelqu'un lui a coupé la tête. C'était sans doute Wyatt Dixon, dit Boyd. Ils l'ont dit aux informations.

– Où est Caspian ?

– Sans doute en train de vider les comptes de son vieux », dit Boyd.

Surrette avait les lèvres plissées, le regard pensif, et sa respiration était assez forte pour remplir la pièce de son écho.

« Tu crois que ton ticket restaurant va se barrer ? dit Boyd.

– Qu'est-ce que ça veut dire ?

– Rien, dit Boyd.

– Où est Wyatt Dixon ? demanda Surrette.

– Comment je le saurais ? Et qui ça intéresse ? Ce type est cinglé.

– Il sait qui je suis, dit Surrette.

– Tout le monde sait qui tu es. Qu'est-ce que tu racontes ? dit Boyd. Ah, il est au courant pour ta mission, ou je ne sais quoi ? Cette connerie de la Bible sur la paroi de la grotte ?

– Fais-les descendre au sous-sol », dit Surrette en respirant par le nez.

Molly était assise sur une chaise près de la porte. Elle serrait un tissu roulé en boule, imbibé de sang. « Je m'appelle Molly Robicheaux, dit-elle. J'ai vu les escadrons de la mort à l'œuvre au Guatelama et au Salvador.

– C'est censé m'impressionner ? demanda Surrette.

– Ils avaient les mêmes yeux que vous, dit-elle. Quand ils venaient dans le village, ils sentaient toujours l'alcool. Ils ne parlaient qu'en hurlant. Ils choisissaient soigneusement leurs ennemis – des villageois innocents et pas armés. Vous me faites penser à eux.

– Fais-les descendre, Jack. Et n'essaie pas de réfléchir », dit Surrette. La chaleur sembla déserter son visage. Il sourit. « Tu ne prends pas d'initiative.

– Sûr, dit Boyd. Je suis complètement avec toi. Tu le sais.
– Qu'est-ce que tu veux que je fasse ? demanda Terry.
– Je te le dirai quand je serai prêt. En attendant, inutile que tu parles. »

Albert regarda Boyd et Terry. « J'ai une question pour vous, les gars, dit-il. Vous croyez tous les deux que ce type vous laissera partir pour que puissiez lui extorquer de l'argent plus tard ?
– Asa est un plaisantin. Il sait qui sont ses amis, dit Boyd. Tu as parié sur le mauvais cheval, *old timer.* »

Il y eut un silence. Terry ne disait rien, concentré vers l'intérieur, comme s'il examinait une tache dans sa tête.

« Pas vrai, Asa ? dit Jack Boyd. M. Hollister ne devrait pas parier à Vegas, hein ? T'as de quoi grignoter au réfrigérateur ? Je meurs de faim. »

Nous avons fait demi-tour sur la deux-voies, ralentissant en passant devant les chemins qui menaient aux maisons sur le lac, ou qui montaient à travers les vergers de cerisiers. Nous avons gravi une côte avant de redescendre une longue pente jusqu'à une zone non éclairée et inhabitée et où, sur le rivage, les arbres et les broussailles étaient denses. À la lueur de mes pleins phares, j'ai vu une grosse pierre en partie fracassée sur le bitume. On aurait dit qu'elle avait été traînée sous un véhicule.

« Elle n'était pas là quand on est passés tout à l'heure, dis-je.
– Non, elle n'était pas là, dit Clete. Arrête-toi. »

J'ai contourné la pierre et je me suis garé. Gretchen et Alafair se sont arrêtées derrière moi. Plus loin devant nous, un chemin de terre coupait à travers la montagne et disparaissait dans un fouillis d'arbres enchevêtrés de broussailles et d'arbustes.

« Vous aviez vu cette pierre, tout à l'heure, les filles ? ai-je demandé.

– Non, elle n'était pas là », dit Alafair. Elle la souleva et la posa sur l'accotement. « Quelqu'un a roulé dessus. Tu vois la trace de poussière, sur une dizaine de mètres ? »

J'ai pris une lampe-torche dans la boîte à gants et marché jusqu'à un chemin qui obliquait vers le haut de la montagne. Les traces fraîches de pneus d'un gros véhicule étaient gravées dans la boue. J'ai dirigé le rayon de ma torche sur un virage à une quarantaine de mètres plus haut. Au début, je n'ai vu que des arbres et leurs ombres qui bougeaient dans le vent. Puis les phares se sont reflétés sur une surface brillante, peut-être un pare-chocs, ou un pare-brise, ou une bande de chrome.

J'ai gravi la côte. On ne pouvait pas se tromper sur la forme du pick-up diesel d'Albert, tel un Béhémoth incrusté de boue séchée. Celui qui l'avait laissé là avait reculé sur la pente et l'avait garé le moteur vers l'avant. « Ici ! » ai-je crié aux autres.

La cabine était vide, pas de clefs sur le contacteur, aucune trace de lutte. Mais je connaissais ma femme. Non seulement elle était intelligente et courageuse, mais elle ne suivait jamais le courant. J'ai ouvert les deux portières de la cabine et cherché sous les sièges, derrière, et dans la boîte à gants. Je savais que quelque part, de quelque façon que ce soit, Molly m'avait laissé un message.

« Appelle-les, Clete, dis-je.

– Tu sais ce que ces têtes de nœud vont faire, non ? a-t-il répondu.

– Ouais, je le sais, mais appelle-les quand même, dis-je en tâtant les sièges.

– Il leur faudra au moins une demi-heure pour envoyer quelqu'un ici, et ensuite il nous dira de remplir de la paperasse pour signaler une disparition.

– Je le sais. Mais appelle, dis-je.

– Et ensuite on attendra que quelqu'un se pointe ? Merde ! »

J'ai sorti mon portable et commencé à composer le 911.

« Bon, je vais le faire », dit Clete en s'éloignant, son portable à l'oreille.

Je n'avais rien trouvé dans la cabine. Mon cœur battait, et malgré la fraîcheur de la nuit, mes yeux étaient brûlés d'humidité. *Où es-tu, Molly ?* pensais-je. Je me suis redressé, et j'ai refermé la portière passager. *Où a-t-elle pu me laisser un indice ? Il est là, quelque part, je le sais, je le sais, je le sais.* J'ai tourné sur moi-même. *Sur le pick-up*, pensai-je. J'ai dirigé la torche sur la portière. Il était là, juste sous mes yeux, deux initiales sur le panneau extérieur. Elle avait sans doute tendu le bras par la fenêtre, et s'était servi de son pouce pour tracer la lettre J, puis la lettre B, dans l'éclaboussure de boue qui avait séché sur la portière.

« Tu avais raison à propos de Jack Boyd, Gretchen, dis-je. Il les a enlevés. Jusqu'à quel point tu l'avais tabassé ?

– Je lui ai fait autant de mal que j'ai pu dans le temps dont je disposais », a-t-elle répondu en soutenant mon regard.

Et c'est Molly qui va payer, pensai-je.

« Tu as dit quelque chose ? a-t-elle demandé.

– Non.

– Ils ne peuvent pas être loin, Dave », dit Alafair.

Je n'en étais pas si sûr. Peut-être Boyd ou Surrette avait-il un bateau. Peut-être Boyd avait-il pris de l'avance en empruntant un chemin à travers la montagne. Peut-être avait-il changé de véhicule. Nous avions besoin des autorités. Nous avions besoin de barrages routiers. Nous avions besoin d'un hélicoptère de la police muni d'un projecteur. Nous avions besoin de tout ce à quoi j'aurais eu accès en tant qu'officier de police dans l'État de Louisiane. Auprès des locaux, notre crédibilité était nulle.

J'avais dans la tête plus d'informations que je ne pouvais en gérer. Surrette était terré dans un endroit qui possédait un sous-sol. Il était à portée d'oreille d'une baie où atterrissaient et d'où décollaient des hydravions. Quelqu'un avait organisé un *revival*, ou une réunion de prière, non loin de là. Mais où ? L'été, la région se remplissait de cueilleurs de fruits saisonniers, qui arrivaient avec leurs psautiers et leurs églises en plein air, et allaient et venaient avec le vent.

« La marina, dis-je.

– Ouais ? dit Clete en pliant la main droite à son côté.

– Les gens riches ont des bateaux. Ils ont aussi des hydravions.

– Ils n'ont pas nécessairement les deux, observa-t-il.

– Il y a un bar à la marina. C'est un petit bar. Mais il est ouvert jusqu'à deux heures du matin.

– Comment tu le sais ? »

Parce que je pense tout le temps à ça. « Je l'ai repéré un jour où je faisais du ski nautique avec Alafair », répondis-je.

Il ne nous a pas fallu longtemps pour arriver à la marina, mais nous manquions d'opportunités et de temps. Je regrettais de m'être aliéné le shérif Elvis Bisbee. Je regrettais de ne pas avoir soutenu, avec Alafair, que Surrette avait survécu à la collision entre le véhicule pénitentiaire et le camion-citerne. Je regrettais de n'avoir pas été d'accord avec Wyatt Dixon quand il disait que Surrette représentait une forme de mal aveugle, sans aucune origine dans le pool génétique ni dans l'environnement. Je regrettais de me trouver aussi impuissant face à des adversaires comme les Younger et les autres, dont la vision du monde impérieuse est rarement défiée.

Avais-je appris quelque chose en repensant à l'histoire de nos relations avec Asa Surrette ? Non, rien du tout. À un certain stade, j'en arrivais à une conclusion personnelle sur ce qu'il était et ce qu'il n'était pas, mais cette conclusion n'était pas de celles que je voulais partager. Pourquoi ? Parce qu'il y a des choses qu'on ne connaîtra jamais, et que l'origine du mal en fait partie.

En attendant, je voulais voir Surrette et ses sbires fourrés dans des sacs de la morgue, et honteusement versés dans une fosse commune.

Il y avait des lampadaires sur les pontons de la marina, et des papillons de nuit grouillaient tout autour, qui parfois tombaient dans l'eau. La plupart des bateaux de plaisance au mouillage étaient éteints, leurs coques se balançant dans le ressac, leurs câbles d'amarrage tendus. Le bar avait un comptoir avec six tabourets, et une table où avait été installé un jeu d'échecs. Quand nous sommes entrés, le barman a regardé sa montre. Il était jeune et bronzé, avec un débardeur jaune. C'était sans doute un nageur plus qu'un haltérophile. Dans le dos de son débardeur, on lisait LIBRAIRIE DE LA GALAXIE MYSTÉRIEUSE, SAN DIEGO, CA. « Ce soir, je m'apprêtais à fermer un peu plus tôt, dit-il.

– Vous connaissez un certain Jack Boyd ? ai-je demandé.

– Il a un bateau ici ?

– J'en doute.

– Je ne crois pas le connaître. Quel est le problème ?

– Il y a des hydravions qui se posent par là ? demanda Clete.

– Quelques types d'Hollywood venus pour le week-end. Ils sont repartis ce matin.

– Vous avez entendu parler du mec qui s'est fait traîner sur la nationale est ? poursuivit Clete.

– Qui n'en a pas entendu parler ?

– On cherche celui qui a fait ça. »

Le barman regarda Gretchen et Alafair derrière nous. « Je ne voudrais pas être insultant, mais je ne pense pas que vous soyez des flics, les gars, et je ne sais pas pourquoi vous me posez toutes ces questions. »

J'ai ouvert mon badge. « Je m'appelle Dave Robicheaux. Je suis inspecteur à New Iberia, en Louisiane. Et je vous présente Clete Purcel. Il est détective privé là-bas. Voici ma fille Alafair, et son amie Gretchen. On apprécierait toutes les informations que vous pourriez nous donner. »

J'ai reçu dans ma vie deux types de conseils que je n'ai jamais oubliés.

Le premier m'est venu d'un sergent qui avait été à Heartbreak Ridge. Lors de mon troisième jour au Vietnam, on m'a donné l'ordre de suivre une piste de nuit, jusqu'en territoire indien, et de monter une embuscade. Cette piste de nuit était sans doute truffée de mines chinoises, ou d'obus de 105 entourés de fil de déclenchement. Le sergent a lu sur mon visage la peur et l'hésitation, comme on peut discerner des lignes de niveau sur une carte topographique. « Je vais vous donner la recette, lieutenant, dit-il. Avant de faire une chose, on n'y pense pas et on n'en parle pas. Et une fois qu'elle est faite, on n'y pense plus et on n'en parle plus. »

L'autre conseil, je le tiens d'un officiel du syndicat des routiers à Baton Rouge, corrompu et notoirement incapable, un homme dont les cordes vocales avaient été rongées par les cigarettes et le whisky. Il m'a dit : « C'est pas une question de fric, Robicheaux. C'est une question de respect. C'est ce que veut n'importe quel travailleur, ou travailleuse, sur cette planète. Tous ceux qui savent pas ça, on devrait leur planter un poteau dans le cul. »

Mon regard s'est perdu sur la pente, sur les vergers agités par le vent, sur la maison à un étage faite de blocs de pierre d'un gris jaunâtre, sur le garage et plusieurs emplacements de ciment pour caravanes qui semblaient depuis longtemps inutilisés.

« Qui vit dans la maison en pierre ? ai-je demandé.

– Une dame de Malibu, dit le barman. Du moins, elle *était* la propriétaire. Elle venait ici, et elle se couchait tard, vous voyez ce que je veux dire ?

– Et maintenant, où est-elle ?

– J'ai entendu dire qu'elle avait rejoint son mari, ou un truc comme ça. Un tas de gens de Californie viennent dans le coin, mais ils ne restent pas. On appelle ça la Riviera du Montana, mais une température de moins cinquante, c'est difficile à vendre.

– Il ne fait pas moins cinquante, dit Clete.

– La femme avait des problèmes. Elle sortait avec des types avec qui je n'aurais pas traîné mes guêtres.

– Quels types ?

– Des types qui cherchent à gagner du fric, des types à la pêche aux vieilles femmes, dit-il. Quiconque se trouve dans un bar à deux heures du matin a un problème. Vous savez lequel ?

– C'est qu'il n'a pas de maison, ni de famille à rejoindre », dis-je.

Par la fenêtre, je voyais les papillons de nuit voltiger dans la lueur électrique des lampadaires et tomber dans l'eau, leurs ailes semblables à du papier se dissolvant dans l'éclat noir des vagues. Je sentais mon énergie décroître, ma concentration m'échapper. « Je peux vous préparer quelque chose, les gars ? proposa le barman.

– Est-ce qu'il y a parfois dans le coin des *revivals*, ou des réunions de prière ? demandai-je.

– C'est marrant que vous me posiez cette question. Certains des saisonniers se retrouvent justement là, dans ce vieux caravaning.

– Ce sont des Latinos ?

– Peut-être ceux qui font des veillées le samedi soir. Mais il y a un groupe de bluegrass qui déménage vraiment. En hiver, je joue dans un groupe à La Jolla. J'aimerais emmener quelques-uns de ces types avec moi. »

J'ai attendu, sans lui donner de piste, évitant de fournir le moindre indice sur ce que j'aurais voulu l'entendre dire. J'ai entendu Alafair et Gretchen se rapprocher du comptoir. « Ils sont vraiment bons, alors ? dis-je.

– Quand ils chantent "The Old Rugged Cross", ça ferait pleurer un athée. »

J'ai secoué la tête.

« Vous connaissez la vieille chanson de l'Union, "A Miner's Life Is Like A Sailor's"[1] ? demanda-t-il.

– Je la connais, dis-je.

1. « La vie d'un mineur est comme celle d'un marin. »

– Ça vient d'un morceau qui s'appelle "Life Is Like A Mountain Railway". Ces gars, ils savent vraiment la chanter.

– Fils de pute, dit Clete.

– Qu'est-ce que vous avez dit ? demanda le barman.

– Pas toi, mon pote », dit Clete. Il pointa le doigt pour indiquer la maison à un étage, dans l'obscurité, sur le rivage. « Ça doit être celle-là, Belle Mèche, dit-il. On va pendre ces enculés par la peau du cou, et on va le faire tout de suite. Sans réfléchir, sans regarder en arrière. À fond les ballons, et on s'en fout, d'accord ?

– Message reçu, dis-je.

– Qui êtes-vous, les gars ? demanda le barman.

– Les Bobbsey Twins des Homicides, dit Clete. Tu le savais pas ?

– Les quoi ?

– Hé, beau gosse ? dit Gretchen.

– Quoi ? dit le barman.

– T'es un gars gentil, dit-elle. Tu as joué ton rôle. Maintenant, c'est à nous. On s'occupe de téléphoner, d'accord ?

– Je suppose que oui, dit-il.

– J'aime ton tonus musculaire. Peut-être que je repasserai te voir. Penses-y », dit-elle avec un clin d'œil.

Il la regarda, bouche bée.

Molly et Albert étaient assis sur le ciment du sous-sol, les poignets attachés dans le dos par du fil de fer entortillé autour d'une conduite d'eau. Molly voyait, contre le mur opposé, une femme les membres en croix sur un sommier, un drap jeté sur le corps. Derrière une chaudière, deux filles étaient assises dans une cage de fer. Elles étaient blotties l'une contre l'autre, les genoux remontés devant elles. À côté de la cage, une échelle montait à une trappe dans le plafond. Dans un autre coin, elle entendait Jack Boyd verser du liquide d'un grand bidon de plastique blanc dans l'une des deux baignoires posées l'une à côté de l'autre. Quand il eut terminé, il posa le bidon vide sur le sol et en prit un autre sur une étagère murale. Tandis qu'il versait, il paraissait retenir sa respiration, et fermer le nez pour se protéger de la puanteur de l'acide.

Asa Surrette était descendu deux fois pour regarder la femme sur le sommier, mettant les doigts sur sa gorge pour sentir son pouls, la fixant longtemps avant de remonter au rez-de chaussée.

Terry descendit l'escalier en bois et observa Jack Boyd en train de remplir la deuxième baignoire. Il jeta un coup d'œil sur Molly et Albert, derrière lui, puis regarda à nouveau Boyd. « Ton copain, là-haut, il lui manque un lobe frontal.

– Tu as découvert ça tout seul ? dit Boyd.

– Il vient de me dire ce qu'on allait faire.

– Tu veux me donner un coup de main ?

– J'ai un problème de sinus. » Terry scruta l'ombre derrière la chaudière. « Seigneur Jésus, il y a des gamines, dans la cage, là.

– Tiens-t'en au programme, Terry. Surrette a son monde à lui. Un jour, il se perdra dedans. En attendant, ne cherchons pas les complications. »

Terry baissa la voix et courba les épaules, comme le font les gens idiots quand ils ne veulent pas être entendus. « Il m'a demandé de sortir la scie électrique du placard.

– Pourquoi tu ne parles pas un peu plus fort, pour que tout le monde entende ?

– Si j'avais envie de rejoindre le syndicat des bouchers, j'irais à Chicago.

– Tu balances une bonne femme la tête la première sur les gravillons, et soudain tu as des scrupules ? »

Terry leva un doigt dans le dos de Jack Boyd. « Hé, dit-il.

– Quoi, hé ?

– Attention à ce que tu dis. »

Boyd reboucha le bidon vide qu'il posa sur le sol. « Je comprends tes inquiétudes. Moi-même je vais me tirer. Mais pour l'instant il faut la jouer fine. Ce qui arrive ici, ça concerne ces gens. Peut-être que ça te retourne l'estomac, mais parfois il faut se conduire en homme, faire le nécessaire, et laisser filer. Compris ?

– Il disait que la femme sur le lit est à lui. Il va la mettre dans la glace ?

– Avec Miss Louviere, il est un peu bizarre.

– Miss ?

– Elle est de la haute.

– Tu touchais du fric des Younger ? C'est comme ça que t'as fini par bosser pour un cinglé ?

– J'ai été viré parce que j'ai fait mon boulot. Maintenant, il est temps que tu fasses le tien, dit Boyd.

– Dans cet État, ils pratiquent l'injection.

– Pour les adultes, on touche dix plaques par balle.

– Et pour les gamines ?

– C'est pas notre affaire.

– À la fin, je toucherai dix plaques pour chacun ?

– Tu m'as bien entendu. »

Terry se frotta la nuque, jetant un regard de côté sur Molly et Albert. « Je serai payé quand ? demanda-t-il.

– Pas plus tard qu'à midi. »

Terry ouvrit un placard et alluma la lumière. Molly vit au moins trois armes semi-automatiques appuyées dans un coin. Elle vit aussi ce qui ressemblait à un gilet pare-balles suspendu à un crochet de bois. Terry se mit sur la pointe des pieds et prit quelque chose sur l'étagère du haut. Puis il coupa la lumière pour qu'elle ne puisse voir quoi.

Clete et moi avons roulé de la marina à la deux-voies avant de prendre le premier chemin de terre vers le sud, qui menait au garage et, par-delà un verger, à la maison d'un gris jaunâtre qui, au clair de lune et soulignée par les ombres, semblait dotée de la masse et du mystère impérial d'un château d'autrefois. Alafair et Gretchen étaient juste derrière nous. Nous avions coupé nos phares. Le ciel s'était éclairci, et les étoiles étaient d'un blanc dur au-dessus des crêtes dentelées des montagnes au nord. J'avais l'impression d'une menace que je n'aurais pu préciser, comme si nous glissions tous vers un précipice. Ce n'était pas très différent du rêve que les psychiatres appellent rêve de destruction du monde, un rêve que je ne cessais de faire, enfant. Clete était penché en avant sur le siège passager, fixant la maison à travers le pare-brise, la mâchoire crispée.

« Je crois avoir aperçu une lumière au rez-de-chaussée, dit-il. Elle était allumée, puis éteinte. C'était peut-être un reflet sur le lac.

– Tu vois des véhicules ?

– Je ne peux pas dire. Les cerisiers bouchent la vue. Tu veux la jouer comment ? »

Bonne question. « Il faut qu'on soit bien sûrs que c'est la bonne maison, dis-je.

– Il est là-dedans, Dave. Je sens ce type à travers les murs. »

J'ai arrêté le pick-up et coupé le moteur. Gretchen a fait de même. Le vent venait de l'ouest, et je l'entendais souffler bruyamment à travers les cerisiers. J'entendais aussi des vagues clapoter sur le rivage, et je percevais presque l'écho des travailleurs saisonniers chantant une ode à un ingénieur légendaire qui prend un train à travers les Blue Ridge et les Smoky Montains, pour aller au-delà des étoiles. Tous les indices concernant l'endroit où se trouvait Surrette concordaient. Restait juste à savoir si on devait ou non appeler le shérif.

Clete a lu dans mes pensées. « Ne fais pas ça, dit-il. Il leur faudra au moins deux heures pour monter une équipe. Soit ils arriveront trop tard, soit ils foutront tout en l'air. »

Nous savions tous les deux que telle n'était pas la raison de son objection. Clete avait décidé que Surrette et tous ceux qui travaillaient avec lui devaient être « morts à l'arrivée ». Au cas où j'en aurais douté, il ajouta : « On coupe leur moteur, et ils tombent tout droit, morts avant que leurs genoux touchent le sol. Les méchants perdent, les otages rentrent chez eux. Fin de l'histoire. Écoute-moi, Belle Mèche. La vie de Molly et celle d'Albert dépendent de nous, et de personne d'autre. »

J'ai entendu une sorte d'explosion et j'ai compris que quelqu'un lançait des fusées par-dessus le lac. Alafair s'est approchée de ma portière. « Qu'est-ce qu'on attend ? demanda-t-elle.

– On n'a pas droit à l'erreur », dis-je. Mon regard est tombé sur sa main droite. « Où as-tu pris ce Beretta ?

– C'est celui de Gretchen. Allons-y, Dave. Tu n'as jamais rencontré ce type. Moi, si. Il lui faut dix secondes pour saboter la vie de quelqu'un. Réfléchis bien à ça. »

Je suis sorti du pick-up avec le M-1 d'Albert et la bandoulière remplie de clips de .30-06. Clete est sorti de l'autre côté, tête nue, le vent lui balayant les cheveux sur le front. Son visage avait une expression d'innocence qui me faisait penser au petit garçon allant chez une femme riche dans le Garden District, s'attendant à des glaces et à des gâteaux, et s'apercevant qu'il n'avait été invité que par pitié, comme l'un des nombreux enfants en loques qu'en réalité la femme riche n'aurait touchés qu'avec des pincettes. Il a ouvert la boîte à outils en fonte soudée au plateau de mon pick-up et en a sorti une paire de cisailles et un pied-de-biche. Gretchen est arrivée derrière nous, un AR-15 à l'épaule, des jumelles dans sa main droite.

« Vous avez vu une lumière à l'intérieur ? demanda-t-elle.

– Il y a quelques minutes, dit Clete.

– Où ?

– Au rez-de-chaussée, peut-être dans le salon.

– Pendant un instant, j'ai vu une lumière à ras de terre, comme si quelqu'un avait tiré un rideau sur une ouverture, dit-elle. Je crois qu'on est au bon endroit. Écoutez-moi avant qu'on commence à enfoncer les portes. Je pense que Felicity

Louviere est morte. Peut-être que les filles aussi. Avec un peu de chance, Molly et Albert sont toujours vivants. À mon avis, voilà ce qui va se passer quand on va entrer : Surrette tuera tout le monde autour de lui, et ensuite il se suicidera. C'est un lâche, et il aura une mort de lâche aux dépens de tous les autres.

– Quelle est l'alternative ? ai-je demandé.

– Il n'y en a pas, dit-elle. Je pensais juste que vous aimeriez savoir ce qui nous attend. »

Nous nous sommes avancés tous les quatre de front sur le chemin, tandis que quelqu'un sur un bateau, ou sur une île au milieu du lac, continuait à lancer des fusées dans le ciel, qui toutes explosaient en tentacules géants de mousse rose très haut au-dessus de l'immensité des eaux.

J'ai parlé un peu plus tôt des conseils que j'avais reçus et jamais oubliés. À cet instant, j'entendais une voix sans nom me répéter une leçon que j'avais mise de côté, un principe que presque tous les officiers de police n'oublient jamais. *Le crime est affaire d'argent, de sexe et de pouvoir. Avec l'argent, on peut acheter le sexe et le pouvoir. Il faut donc suivre l'argent.*

L'autre leçon que j'avais oubliée me venait de mon vieil ami le sergent : *Ne les laisse jamais derrière toi.*

38

La combinaison de la peur, de la fatigue, et des bleus et des coupures sur son visage avait rongé comme un cancer la combativité de Molly. Quels que soient ses efforts pour se tenir droite, ses yeux n'arrêtaient pas de se fermer, et son menton de tomber sur sa poitrine. Elle se sentait s'éloigner, comme si elle se dissolvait dans de l'eau chaude, la décomposition de son corps devenant son propre analgésique, comme si une voix lui murmurait que ce n'était pas un péché de laisser l'âme quitter le corps, et s'en aller de son côté.

Asa Surrette était remonté, laissant Jack Boyd et Terry en charge de la situation.

Elle entendit Albert demander : « Vous savez ce que c'est qu'un *fall partner*[1], les gars ?

– Un pédé qui se balade au mois d'octobre ? proposa Boyd.

– Le type avec qui on se fait pincer ? suggéra Terry.

– Surrette n'a jamais eu de *fall partner*, dit Albert.

– Ça veut dire qu'il travaille seul ? dit Terry. Quoi de neuf, à part ça ?

– Il n'est pas malin à ce point, dit Albert Mais quand tout est fini, il est le seul à rester debout. Ça vous dit quelque chose ?

– Je sais où vous voulez en venir, dit Terry. Écoutez, partez avec un peu de dignité, *old timer*. Ne commencez pas à manipuler la mauvaise personne et à traiter les gens comme des débiles. »

1. Jeu de mots sur *fall*, qui signifie à la fois « chute » et « automne ».

Il y eut une explosion haut dans le ciel. Terry grimpa sur une chaise sous la fenêtre obstruée par un sac à feuilles noir. Il souleva un angle du sac et regarda à l'extérieur.

« Qu'est-ce que tu fous ? dit Boyd.

– Ce bruit. Il y a des gens qui tirent des feux d'artifice sur le lac.

– Rebouche cette fenêtre !

– Ça va, te chie pas dessus. Je voudrais pas te vexer, Jack, mais je pense que tu joues pas dans ta division. Tu devrais te contenter de toucher des pots-de-vin. »

Surrette ouvrit la porte de l'étage et descendit. « Que se passe-t-il, ici ? Que faisais-tu sur cette chaise ?

– Des gens tirent des feux d'artifice sur le lac, dit Terry. J'en ai un peu marre de la façon dont on me parle. J'aimerais en finir avec tout ça, être payé et partir de mon côté, si ça vous dérange pas trop. Et j'aime pas trop non plus cette histoire avec les gamines. »

Surrette s'approcha, son costume informe flottant sur son corps, ses sandales romaines glissant sur le ciment, une expression malveillante sur le visage. Il prit un rouleau de fil à linge dans sa poche. Quand il le mit dans celle de Terry, il sembla tomber de sa main comme un serpent blanc. « Alors montre-moi ce que tu sais faire.

– La nana et le vieux mec ?

– Ouais. Tu te sens à la hauteur ? dit Surrette.

– Je ferai mon boulot.

– Bien sûr, dit Surrette. Vas-y, commence.

– Et la femme sur le lit ? Elle arrête pas de gémir, dit Terry.

– Ça va se terminer. Tu as laissé tomber la corde. Ramasse-la. »

Terry secoua la tête. « Je suis pas fait pour ça. Je rentre à Reno.

– Tu y vas à pied ? dit Surrette.

– Je te dis de pas compter sur moi. Sur cette affaire, je suis SMS. Sourd, Muet, Sais rien. J'ai pas de problème avec toi. J'ai pas de problème avec ces gens. Tu me dois rien. Je suis parti. OK ?

– Non, pas OK, dit Surrette. Laisse-moi te montrer comment on fait. Peut-être que tu y prendras goût. » Il s'approcha du lit et sortit un couteau de sa poche. Il libéra le cran d'arrêt. La lame, longue de vingt centimètres, avec l'éclat ondulant bleu et blanc d'un glaçon, jaillit dans sa main. Felicity ouvrit les yeux.

« Il est temps, n'est-ce pas ? dit-elle.

– Peut-être, dit Surrette.

– Allez-y.

– Vous le voulez vraiment ?

– Je le veux. Détachez-moi la main, s'il vous plaît.

– Quoi ?

– Je vous aiderai. N'ayez pas peur.

– Que *moi*, je n'aie pas peur ?

– Je vous en prie. Juste la main droite.

– Pour quoi faire ?

– Vous toucher. »

Ses lèvres bougèrent, comme s'il voulait sourire. « Vous êtes un peu chamboulée », dit-il.

Le poignet droit de Felicity tira sur la corde. « Je vous en prie, dit-elle.

– Bien, Votre Altesse », dit-il. Il saisit la corde et la coupa en deux. « Et maintenant ? »

Elle mit les doigts autour du poignet de Surrette et guida la lame vers sa propre poitrine. « Enfoncez, dit-elle. Et vite.

– Asa ! Écoute ce bruit dehors ! dit Boyd.

– Quel bruit ?

– Comme si des milliers de gens grondaient dans un stade.

– C'est le vent, dit Surrette. Par ici, presque toutes les nuits il y a des tempêtes qui viennent du lac. Le vent gronde en passant dans les vergers.

– Tu entends *ça* ? Tu dis que c'est le vent ? C'est quoi, putain, mec ? dit Terry.

– Je n'entends rien, dit Surrette.

– Je me tire », dit Terry.

Surrette allait répondre, mais quelqu'un se mit à cogner à la fenêtre, celle qu'il avait obstruée avec un sac à feuilles.

« Vous m'entendez, monsieur Surrette ? dit une voix. Je suis Alafair Robicheaux. Comment allez-vous ? On a encerclé votre maison et coupé votre téléphone. On n'a pas appelé la police. Les gens qui sont avec moi ont prévu de vous infliger d'innombrables blessures, mais on ne fera pas de mal à vos amis. Si vous libérez vos prisonniers, vous vivrez. Sinon vous mourrez, et sans doute pas d'un seul coup. Dites-nous quelles sont vos intentions. »

Surrette devint blême, pareil à une prune qui n'a jamais vu la lumière, les yeux écarquillés, les narines frémissantes comme celles d'une bête sauvage.

Alafair resta accroupie d'un côté de la fenêtre du sous-sol, attendant une réponse. Elle se releva et s'écarta de l'ouverture.

« Tu as entendu quelque chose ? ai-je demandé.

– Je crois avoir entendu parler Surrette. Et peut-être aussi Jack Boyd. Il se peut qu'il y ait aussi un autre type avec eux.

– Tu as entendu Molly ou Albert ? »

Elle a secoué la tête, évitant mon regard.

Clete s'était installé à l'arrière de la maison ; Gretchen était dans la cour de devant. Je leur ai fait signe à tous les deux. Clete prit sur le patio une chaise en fer forgé qu'il jeta à travers la porte-fenêtre, avant de casser deux vitres à l'arrière avec des pierres du jardin japonais de la taille d'un pamplemousse. Quelques instants plus tard, Gretchen lança un pot de fleurs dans la fenêtre panoramique du salon. Alafair et moi avons fait le tour par-derrière, en nous tenant près des murs de façon à ne pas fournir de cible facile à un tireur au premier étage. Il n'y avait aucun bruit dans la maison, aucun mouvement.

« Il me déplaît de devoir l'admettre, Dave, mais cette affaire me fout les jetons, dit Clete.

– Pourquoi ?

– Il n'y a aucune logique là-dedans. C'est comme une histoire que quelqu'un aurait écrite pour nous. Felicity se livre à ce cinglé, et maintenant Molly, Albert et ces filles se trouvent entre ses mains. Un seul type ne peut être aussi puissant, ni causer autant de dégâts.

– Hitler l'a fait.

– Mauvaise comparaison. Ils attendaient juste que le mec qu'il fallait se pointe pour leur dire que c'était bien de transformer les gens en pains de savon. On va appeler du renfort.

– Vas-y », dis-je.

Il ouvrit son portable. « Pas de réseau.

– Parfait. Lui non plus n'en a pas. Je ne pense pas que Surrette se débrouille trop bien tout seul. Tu veux le M-1 ? »

Il sortit son .38 de son holster. « Non, dit-il. Écoute, Belle Mèche. Même s'il me colle une balle dans la tête, je vais le tuer. Mais si c'est ma dernière fanfare, je veux que tu me promettes une chose. Prends soin de Gretchen. Elle ne se rend pas compte du talent quelle a, ni à quel point elle est intelligente. Elle a eu la vie dure depuis qu'elle est sortie du ventre de sa mère, tout ça parce que son vieux était un alcoolo bon à rien.

– Ne dis jamais une chose pareille, Clete. Du moins pas devant moi. » Je voyais la souffrance dans ses yeux, et je savais qu'il ne comprenait pas ce que je lui disais. « Tu es quelqu'un de formidable, continuai-je. Aucune fille n'aurait pu avoir un meilleur père. Tu as sauvé la vie de Gretchen, et tu as sauvé la vie de Molly et la mienne. Tu as changé l'existence de dizaines de personnes, peut-être de centaines. Ne dis jamais de mal de toi. »

Il avait les yeux brillants, le visage dilaté. « On va les éclater.

– Message reçu », dis-je.

Clete donna un coup de pied dans la porte de derrière, puis un deuxième. Au troisième, il fit éclater le bois des gonds et du verrou et la porte tomba sur le sol de la cuisine. Alafair est entrée derrière nous. Dans le salon, j'entendis Gretchen racler avec un objet dur le verre d'un cadre de fenêtre avant d'entrer.

Le rez-de-chaussée était plongé dans l'obscurité. Je voyais les ombres des arbres bouger sur la pelouse, et des vagues glisser sur la plage éclairée près de la marina. J'entendais toujours dans ma tête la voix du sergent : *Leurs sapeurs sont les meilleurs, lieutenant. Ils ont battu les Français avec leurs pelles, pas avec leurs armes. Ils sont derrière vous, lieutenant. Ils arrivent à travers l'herbe.*

J'avais l'impression qu'on m'arrachait la peau, ce que l'on ressent quand on est désarmé et que quelqu'un vous braque une arme dessus. Clete était devant moi. Il s'immobilisa, leva un poing. Il se retourna et pointa deux doigts sur ses yeux, puis sur une porte entrouverte dans le couloir.

Je n'arrivais pas à me concentrer sur ce qu'il me disait. Je savais que notre vulnérabilité ne venait pas du sous-sol, mais de derrière nous. *Il faut suivre l'argent*, pensais-je. *Depuis le départ, c'est une question d'argent. Surrette s'est débarrassé de la fille de Caspian Younger pour que Caspian puisse s'approprier les terrains pétrolifères qu'elle devait hériter d'un fond de fidéicommis institué par ses parents. Surrette est devenu riche en tuant Angel Deer Heart, et Caspian s'est libéré de la tutelle de son père.*

Je n'avais aucun doute sur le fait qu'Asa Surrette et Caspian Younger agissaient de concert. J'ai mis la main sur l'épaule de Clete. Il s'est retourné et m'a regardé en face, les yeux étrécis. « Il faut qu'on les chope tout de suite, murmurai-je. On n'est plus couverts. »

J'avais mal choisi mes mots. Clete secoua la tête, m'indiquant qu'il ne comprenait pas.

« Caspian Younger vient d'hériter de l'empire de son père, murmurai-je. Il va arriver. Peut-être qu'il a envie de refroidir Surrette, lui aussi.

– Je n'y crois pas. Caspian est un nul.

– Un nul avide d'argent. »

Depuis la direction opposée, Gretchen s'approcha de la porte dans le couloir, son AR-15 au port d'armes, deux chargeurs, un de trente balles et un de vingt, attachés ensemble et insérés dans la carcasse du fusil. Elle s'est avancée entre nous et la porte. Elle agrippa d'une main la nuque de Clete et attira son oreille près de sa bouche. « Je crois que j'ai entendu quelque chose en haut, je n'en suis pas sûre, dit-elle. Gare à vos fesses. Je descends. Si je suis touchée, ne vous arrêtez pas. Enjambez-moi, et nettoyez le sous-sol.

– Non », lui dis-je.

Elle m'a souri, puis elle a ouvert plus grand la porte avec son pied et a descendu l'escalier, intrépide, magnifique, une chaude odeur de fleurs m'effleurant dans l'obscurité.

Je n'ai vu qu'un ou deux films dans lesquels une fusillade est montrée de façon réaliste. La raison de cet échec artistique est simple. L'expérience est chaotique et terrifiante, la succession des événements est irrationnelle, et n'obéit à aucun ordre qu'on puisse se rappeler clairement. Il n'y a aucune dignité dans une fusillade. Les participants gambadent comme les ombres de marionnettes dansant sur le mur d'une grotte. L'instinct de survie l'emporte souvent sur la morale et sur l'humanité, et la moindre parcelle de l'ancien moi disparaît dans un vortex de peur, de douleur, et parfois d'explosions dont le bruit et la chaleur évoquent des trains entrant en collision et partant en fumée.

Plus tard, dans le sommeil, naissent des images qu'on ne peut supporter pendant les heures de veille : on abat un homme qui essaie de se rendre ; on tire à l'arme automatique jusqu'à ce que le canon en devienne presque transparent et que les mains tremblent à ce point qu'on n'arrive pas à recharger ; on se trouve allongé sur le dos dans la boue, paralysé, pendant qu'un infirmier vous chevauche les hanches comme le ferait une amante, essayant d'obturer une blessure à la poitrine avec l'emballage de cellophane d'un paquet de cigarettes.

C'est intense et aussi rapide que ça, et tout est inscrit de façon irréversible dans l'inconscient. Revivre pareille expérience et essayer de la raisonner, c'est comme essayer de raisonner un désir sexuel, ou une addiction aux opiacés.

Les premiers coups de feu sont partis d'un coin du sous-sol, et ont arraché une partie du mur et du plafond. Puis j'ai vu Gretchen commencer à tirer, vidant son chargeur au rythme de trois ou quatre .223 à la seconde, les douilles de cuivre s'éjectant dans la lumière avant de rebondir sur le ciment du sol.

Pour Molly, la fusillade dans l'espace confiné du sous-sol était assourdissante et lui martelait le crâne. Terry s'était armé le premier et, depuis l'arrière d'un pilier de béton, avait commencé à tirer en direction du haut de l'escalier. Molly crut voir Gretchen Horowitz sur les marches, qui tirait avec un semi-automatique, la partie supérieure de son corps dans l'ombre, les balles ricochant sur le pilier, l'air se remplissant de la poussière du ciment écorché. Albert essayait de se redresser sur les genoux, le fil de fer lui ensanglantant les poignets.

Jack Boyd s'était caché derrière le montant du lit, ses doigts agrippés au sommier. Il scrutait par-dessus le corps à plat ventre de Felicity, l'air terrifié. « Je ne suis pas armé ! Je n'ai rien à voir là-dedans, hurlait-il. J'étais un infiltré ! Vous allez blesser des innocents, ici ! »

Albert arracha une main au fil de fer, puis entreprit de libérer son deuxième poignet. L'air était lourd de fumée et de poussière, les ampoules nues au plafond se balançant dans leurs douilles. Asa Surrette rampa jusqu'au placard et en tira sur le sol un fusil semi-automatique à canon court et crosse noire. Il plongea à nouveau la main dans le placard et en sortit un gilet pare-balles et une boîte de balles, un autre fusil et deux chargeurs banane. Il portait toujours sa veste, ses sandales, et une chemise jaune pâle imprimée d'oiseaux aux longues ailes, comme s'il venait de descendre de l'avion d'Hawaï. « La ferme, Jack. Et bats-toi », dit-il. Il fit glisser l'une des armes sur le sol.

« N'écoutez pas ce qu'il dit ! cria Jack Boyd en direction des marches. Demandez à Caspian ! J'essayais d'aider !

– Bats-toi, espèce de petit menteur de merde, ou tu meurs tout de suite », dit Surrette.

Jack Boyd s'accroupit plus bas derrière le sommier, les lèvres tremblantes, ses pattes évasées poudrées de poussière de brique. « Demandez-lui à *elle*, dit-il. J'ai essayé d'être gentil avec elle. Je l'ai respectée. Elle vous le dira. Maintenant je vais sortir. Ne tirez pas. »

Surrette était sur un genou. Il se mit à tirer en direction des marches tandis que Terry rechargeait, les balles arrachant au plafond des échardes de bois, ricochant sur les murs de pierre, cognant contre la chaudière. Surrette se leva et fonça à travers le sous-sol, faisant éclater les ampoules dans leurs douilles, plongeant la pièce dans l'obscurité. « Vous pensiez que ça serait facile, hein ? Vous n'avez aucune idée de la puissance qui est en moi. »

Molly aurait juré que la voix qu'elle entendait n'était pas celle de Surrette, qu'elle était désincarnée, qu'elle ne provenait pas d'une source humaine et montait d'un puits fétide et insondable.

« Vous voulez me défier ? dit Surrette. Vous verrez dans une heure si vous avez fait les bons choix. Contemplez mes œuvres, ô puissants, et désespérez[1] ! »

---

1. Citation d'*Ozymandias*, de Shelley.

Gretchen s'écarta de l'escalier. La culasse de son AR-15 s'était bloquée en position ouverte sur une chambre vide. Elle sortit le chargeur de la carcasse et rechargea avec le deuxième magasin. Elle referma la culasse. « Vous avez entendu ce type ? dit-elle.

– Ne te laisse pas prendre. C'est son chant du cygne », dis-je.

En dessous, on entendait quelqu'un qui se déplaçait, et des douilles rouler sur le ciment.

« Je vais sortir pour tirer par la fenêtre, dit-elle.

– Tu as entendu ? dit Alafair.

– Entendu quoi ? demandai-je.

– En haut. » Elle dirigea une lampe de poche sur le plafond. « Il y a quelqu'un là-haut.

– Moi aussi, j'ai entendu, dit Clete. Je vais monter. Alafair, descends à la marina et appelle le shérif depuis la cabine.

– La marina est fermée », dit-elle.

Clete entra dans le salon. Le sol était nu, et j'entendis ses chaussures sur le plancher, puis le craquement de la rampe quand il monta l'escalier.

« Vous m'entendez, M. Boyd ? » ai-je crié en direction du sous-sol.

Pas de réponse.

« Vous pouvez vous tirer de là, mon vieux. On va peut-être vous croire. Vous vouliez essayer de faire tomber Surrette et de regagner votre insigne. N'y restez pas avec lui.

– Dave ! dit Molly. Il y a quelqu'un d'autre dans la maison ! Asa Surrette est un monstre ! Tuez-le.

– Quand tout ça sera fini, je prendrai mon temps pour m'occuper de toi, salope », dit Surrette.

En arrivant sur le palier, Clete vit une porte de chaque côté, une troisième en face de lui, et une alcôve donnant sur un balcon qui surplombait le lac. Il marqua une pause, sans bouger, l'oreille tendue, son .38 à canon court pointé des deux mains devant lui. Il ouvrit la porte de droite et la laissa claquer contre le mur tandis qu'il visait dans le noir. Il n'y avait rien à l'intérieur, juste un appareil de musculation. Il recula sur le palier, une planche craquant sous son poids, et ouvrit la deuxième porte. Il aperçut des toilettes, un lavabo et une baignoire avec un rideau de douche. Il écarta le rideau en jetant un coup d'œil par la porte ouverte derrière lui.

Il y avait de l'eau au fond de la baignoire, et ses parois étaient couvertes de crasse. Il retourna sur le palier et longea le mur pour arriver à la troisième porte sans passer devant. Il tourna le bouton et la poussa doucement.

« Je m'appelle Clete Purcel. Je suis détective privé à La Nouvelle-Orléans, dit-il. Je ne sais pas qui vous êtes, mais notre problème, c'est Asa Surrette, et personne d'autre. Si vous avez une arme, faites-la glisser vers moi et dites-moi qui vous êtes. »

Une odeur de graisse corporelle, de torchons humides et de cheveux sales frappa le visage de Clete avec une telle force qu'il suffoqua et dut se couvrir la bouche de la main.

« Vous êtes prisonnier ici ? » demanda-t-il.

Il entendit une voix, comme si quelqu'un formait des mots dans sa gorge sans parvenir à assembler les syllabes.

« Qui êtes-vous, mon pote ? demanda Clete. Vous êtes blessé ? »

Pas de réponse. Clete s'approcha du cadre de la porte, son .38 baissé, son bras et son épaule collés au mur. Dans la pièce, il entendait une respiration rauque et encombrée, comme celle d'un animal blessé acculé dans sa tanière.

« Vous avez entendu cette fusillade en bas, dit-il. Ca signifie que d'autres gens vont bientôt arriver, y compris des infirmiers. Tout va bien se passer. Sortez, *podjo.* »

Il compta jusqu'à dix, la gorge sèche, les yeux picotant de transpiration. « Vous voulez que je balance une grenade ?

Ça fait très mal aux oreilles. Allons, mon gars, évitez nous ça à tous les deux ! »

Qui que ce soit, celui qui était dans la pièce n'était pas prêt à coopérer. Était-ce ainsi que ça allait se terminer, sur un affrontement avec un suspect barricadé, quelqu'un qu'il n'avait jamais vu, à qui il ne souhaitait pas de mal ? Clete prit sa respiration, et agrippa le .38 des deux mains, son dos et ses épaules massives collés au mur. *Que la fête commence, fils de pute,* pensa-t-il. Puis il se balança dans l'encadrement de la porte, son arme tendue devant lui, le canon court braqué sur le visage d'un homme qui avait les proportions d'un accro aux stéroïdes, dont les yeux écartés et la lèvre supérieure allongée étaient les indices classiques d'un syndrome d'alcoolisme fœtal, dont les joues étaient couvertes d'une douce toison simiesque, et dont la bouche déformée évoquait du caoutchouc.

« Jette ça, dit Clete. Tu n'as aucune raison d'avoir peur. On peut t'aider. Surrette a tué un tas de gens, et il doit payer. Des types comme toi et moi, on fait juste notre boulot. Quel que soit ton problème, on pourra le régler. Pose ton arme, et recule. »

Il savait comment ça allait se passer, un peu comme une bande de pellicule cassée qui tourne sur la bobine, hors de tout contrôle. Il se vit, lui et l'homme handicapé, pour toujours enfermés dans une série de scènes en noir et blanc dont il ne pourrait jamais nettoyer ses rêves. L'homme handicapé pointa un fusil .410 à canon simple sur la poitrine de Clete.

Clete commença à tirer, sans compter le nombre de balles qu'il déchargeait, les oreilles tintantes ; l'homme tomba droit sur les genoux, les yeux levés sur Clete. Clete continuait à presser sur la détente, le cylindre à tourner, le percuteur à frapper sèchement sur des cartouches utilisées, ses deux mains tremblantes même après que la cible se fut affaissée sur le flanc.

Clete actionna l'interrupteur. L'intérieur de la bouche du mort, pendante, était éclairé par le plafonnier. « Seigneur dieu », dit-il, l'estomac retourné.

Il s'appuya contre le mur, les yeux fermés, sa tête explosant de sons et de couleurs, se demandant qui il était, ou qui il était devenu, et le chemin qu'il devrait parcourir pour rester vivant.

Clete est descendu. Le vert de ses yeux était la seule couleur sur son visage. Il s'arrêta et vida les cartouches utilisées dans sa paume, puis les versa, cliquetantes, dans sa poche, comme s'il avançait à l'intérieur d'un rêve.

« Que s'est-il passé là-haut ? ai-je demandé.

– J'ai tué un type. Il avait un petit calibre. J'ai essayé de le convaincre de le poser. Il émettait des sons, comme s'il essayait de parler, et je l'ai descendu.

– Qui c'était ?

– Je ne l'avais jamais vu. Il avait la langue coupée, Dave. J'ai buté un type qui ne pouvait pas parler. Peut-être que c'était un attardé mental. Je ne sais pas ce qu'il était.

– Du calme. Tu es certain de ce que tu as vu ?

– Tu crois que j'imaginerais une chose pareille ? Ça devait être un type qui travaillait pour Asa Surrette. Il y en a peut-être d'autres comme lui sur la propriété. Comme une espèce de culte.

– Il faut te reprendre, mon vieux. Surrette n'a rien de surnaturel. Les psychopathes constituent un réseau. »

Mais visiblement l'esprit de Clete était concentré sur l'image de l'homme qui était mort devant son revolver, et ce que je pouvais dire ne l'intéressait pas.

« J'ai essayé deux fois de descendre au sous-sol, mais je me suis fait repousser dans l'escalier, dis-je. Il y a quelqu'un dans le coin avec un semi-automatique et un chargeur à haute capacité.

– Où est Alafair ?

– Dehors, avec Gretchen.

– Elles attendent quoi ?

– Je ne sais pas, Clete. Qu'est-ce qu'elles sont censées faire ? Asperger le sous-sol par la fenêtre ?

– Peut-être que le type en haut essayait de me parler. Peut-être qu'il n'avait pas compris ce que je lui avais dit. Je me suis mis à tirer sans pouvoir m'arrêter.

– Écoute-moi. Le programme est simple. On sort d'ici tous les innocents, et on nettoie le reste. C'est pas plus compliqué que ça.

– Je crois qu'on a merdé. Je crois que tout nous claque dans les mains.

– Erreur. »

Soit Gretchen, soit Alafair, avait cassé et envoyé se fracasser sur le sol la vitre du sous-sol sur laquelle était scotché un sac à feuilles en plastique.

« Je descends, dit Clete. Je vais faire sortir ces enculés, ou j'y laisse la peau. »

Et c'est ce qu'il a fait.

39

Je l'ai suivi sur les marches dans l'obscurité. L'air était humide et sentait la poudre brûlée et l'eau stagnante. On percevait aussi une autre odeur, l'odeur que j'avais sentie devant la grotte derrière la maison d'Albert. Encore et encore, et même il y a quelques instants, je n'avais cessé de nier la possibilité qu'Asa Surrette fût plus grand que la somme de ses parties. Sa rhétorique pompeuse était empruntée à la Bible, et même à Percy Shelley. Son arrogance et son narcissisme me rappelaient les mots de Freud à propos des alcooliques : « Et oui, Sa Majesté l'Enfant ». Je ne pouvais cependant expliquer la puanteur fécale qui émanait de ses glandes, le degré de cruauté qu'il faisait subir aux autres ; le fait qu'il tuait des enfants de sang-froid sans éprouver aucun remords ; et, finalement, sa capacité à recruter des adeptes et à les convaincre qu'ils pourraient tirer profit de leur association, et s'en tirer indemnes.

Nathaniel Hawthorne, Herman Melville et André Schwarz-Bart, l'écrivain français dont la famille avait péri à Auschwitz, avaient posé la même question sans jamais y trouver de réponse, du moins pas à ma connaissance. Pouvais-je m'attendre à avoir plus de succès ? Je voulais oublier Surrette et penser aux mots fameux de Shakespeare dans *La Tempête*. Quels étaient-ils, déjà ? *Nous sommes de la même étoffe que les songes, et notre vie intime est cernée de sommeil.* Ces vers sont poignants de compassion et d'humilité. Les mots de Surrette suggèrent une obscure complexité qui souille l'âme dès qu'on essaie de s'y intéresser. Je crois que c'est de là qu'il tenait son pouvoir. Nous nous décarcassions à essayer d'élucider un mystère qui n'en était pas un.

En descendant dans le sous-sol, dans son odeur nauséabonde de sueur, d'urine et de souffrance humaine, j'ai compris que le sort en était jeté pour nous tous, et que lorsqu'on a affaire au démon, les spéculations ne sont pas d'une grande utilité. On essaie de protéger les innocents et de punir les méchants, et on ne réussit bien ni l'un ni l'autre. Pour finir, on adopte les méthodes de nos adversaires, on les balaie de la surface de la terre, et on ne change rien.

C'étaient ces mêmes pensées qui m'habitaient quand je suivais une piste nocturne truffée de mines chinoises, près de cinquante ans plus tôt. Si mon vieil ami le sergent était encore de ce monde, je me demandais ce qu'il aurait à dire. Sans doute me dirait-il que la plus grande illusion de l'existence, c'est d'être persuadés que nous pouvons tout contrôler.

Nous sommes arrivés en bas des marches sans qu'il y ait eu un seul coup de feu. Clete et moi étions accroupis, les douilles vides, la poussière de brique et de ciment et le verre brisé des ampoules crissant sous nos pas. Je distinguais sur notre droite une silhouette voûtée. « C'est toi, Albert ? » ai-je murmuré.

Il n'a pas répondu. Il libérait les poignets de Molly. D'une main, il m'a fait signe de m'approcher. J'ai traversé le sous-sol, appuyé le M-1 contre le mur, puis me suis mis à genoux, et j'ai fini de retirer le fil de fer restant aux poignets de Molly. Je l'ai serrée contre ma poitrine et j'ai enfoui mon visage dans ses cheveux. Ses deux mains étaient agrippées à mon bras. Je sentais la chaleur de son corps, la dureté de son dos, le bourdonnement de son sang quand je lui ai effleuré la nuque.

« Il y en a au moins un qui est monté à l'échelle, murmura Albert. Peut-être deux.

– Ils étaient combien en bas ? ai-je demandé.

– Surrette, Boyd et un nommé Terry. Boyd est le maillon faible. Terry, c'est celui qui a commencé à vous tirer dessus.

– Tu n'as vu personne d'autre ?

– On a entendu Surrette parler à quelqu'un en haut, quelqu'un dont la voix était altérée. Surrette lui hurlait après.

– Et Caspian ? dis-je.

– Il n'est pas là, dit Albert.

– Les filles sont dans une cage, Dave, dit Molly. L'échelle est de l'autre côté de la cage.

– Où est Felicity Louviere ?

– Sur un lit contre le mur du fond, dit Albert.

– Elle est toujours vivante ?

– Je n'en sais rien. Elle a beaucoup souffert.

– Il lui a fait des choses terribles, Dave, dit Molly. Cet homme n'est pas humain. »

Je me suis relevé et j'ai pris le M-15. J'essayais de réfléchir à la façon dont Surrette allait réagir. Il était un survivant de l'espèce la plus cynique. Si dans un avion qui s'écrasait il n'y avait qu'un seul parachute, Surrette se l'accrocherait sur le dos. Je supposais que Boyd, Terry et l'homme handicapé que Clete avait tué ne s'étaient jamais doutés que Surrette avait sans doute utilisé d'innombrables gens comme eux, avant de les expédier d'une chiquenaude, comme une rognure d'ongle, une fois qu'il s'en était servi.

D'après ce qu'avait dit Albert, encore au moins un homme se trouvait dans le sous-sol. Qui pouvait-il être ? Certainement pas Surrette, et probablement pas Jack Boyd.

Je me suis écarté du mur et j'ai tapoté l'épaule de Clete, puis lui ai montré le pilier de ciment. Il a commencé à s'approcher pas à pas du fond du sous-sol et du lit sur lequel Felicity Louviere était attachée.

« Salut, Terry, dis-je. Je m'appelle Dave Robicheaux. Je suis officier de police en Louisiane. Examinons un peu les perspectives que vous avez. »

Il y eut un silence. Puis il m'a désarçonné. « Allez-y, dit-il.

– Vous pouvez renoncer et coopérer avec nous, ou devenir immédiatement de la viande hachée. Qu'avez-vous fait au visage de ma femme ?

– C'était un accident.

– Cogner une femme, c'est un accident ?

– Elle est tombée. Et alors, putain ? Je suis le gardien de ma sœur, ou quoi ?

– Faites glisser votre arme, et vous vivrez un jour de plus.

– J'ai une voie d'eau. Je ne crois pas que j'aie encore un jour.

– Vous avez été touché ? »

Je distinguais son ombre et je l'entendais se déplacer, ses souliers raclant sur le ciment, comme s'il se hissait le long du mur pour trouver une meilleure position.

« Une ambulance ne va pas tarder à arriver, dis-je.

– Épargne-moi tes salades, ducon. Il n'y a pas de réseau, et vous avez coupé la ligne. Personne ne va venir. Au cas où vous auriez pas entendu, depuis une demi-heure, quelqu'un fait un feu d'artifice sur le lac. On fait partie du show.

– Vous m'avez l'air intelligent. Pourquoi ne pas agir maintenant de façon intelligente ? Un lever de soleil, ça peut être très joli. Pourquoi y renoncer ?

– J'ai fait le guet lors du plus gros casse de fourgon blindé de l'histoire de Boston. Je faisais pas le sale boulot pour des gens comme Surrette. Je vais pas tomber pour kidnapping et agression sexuelle. » Son ton était décidé.

J'ai effectué une nouvelle tentative. « On est toujours dans la première manche, dis-je. Demandez-vous quel est le meilleur choix, un lit d'hôpital à St. Pat, ou le club des Morts à l'arrivée.

– Mon nom complet est Terry McCarthy. Merci de la fête, ducon. Ma famille habite à Haverhill, Massachusetts. J'aimerais qu'on m'expédie là-bas. »

Il se redressa péniblement le long du mur, jusqu'à ce qu'il se trouve debout, puis se leva, un semi-automatique Bushmaster pointant de sa hanche. Il avait la cuisse et un bras humides de sang, les dents blanches à la lumière qui pénétrait par la vitre brisée. Il a commencé à marcher sur moi en traînant une jambe, soulevant le Bushmaster de façon qu'il soit au niveau de Molly, d'Albert et moi. J'ai dirigé le M-1 droit sur son visage, pour que la balle lui coupe son moteur et l'envoie droit au sol avant qu'il ait pu tirer. Terry McCarthy souriait, comme s'il avait prouvé la supériorité de sa volonté sur le pouvoir de son exécuteur. Je n'avais pas envie de l'abattre. Comme nombre de ses congénères, il manifestait au bout du chemin un degré de dignité qui amenait à se demander si, pour lui, les choses auraient pu tourner différemment. J'ai plissé un œil dans la visée du M-1, et j'ai raidi mon doigt.

C'est à cet instant que Gretchen Horowitz a balancé trois balles par la fenêtre, juste comme ça, et lui a fait exploser le crâne.

***

Clete s'est servi de son couteau de poche pour couper les liens des mains et des pieds de Felicity. Il l'a emballée dans le drap jeté sur son corps, l'a soulevée et l'a portée dans l'escalier puis, par la porte-fenêtre cassée, dans la nuit. Il avait le bras gauche de Felicity autour de son cou, sa tête sur son épaule. Il sentait son souffle sur sa poitrine. « On va te tirer d'ici, petite, dit-il. Mais je dois savoir qui d'autre se trouve dans les parages.

– Je l'ignore, murmura-t-elle.

– Dave pense que Caspian est mêlé à ça.

– Non, il a peur de son père. Caspian m'a lâchée, mais il ne me fera pas de mal.

– Le père de Caspian est mort.

– Love est mort ?

– On risque plus rien à le dire. Wyatt Dixon, ou sa petite amie, ou les deux, lui ont coupé la tête.

– Je n'y crois pas.

– Tu penses qu'un type comme ça ne peut pas mourir ? C'était un bon à rien, comme son fils. » Clete la posa dans le pick-up de Gretchen et lui écarta les cheveux des yeux. « Tu connais la différence entre les gens riches et les gens comme nous ? Ils établissent les règles, et nous pas. Ils baisent dans le ruisseau et se marient dans la haute, alors que le reste d'entre nous se contente de se faire baiser. »

Il vit qu'elle souriait malgré sa douleur. Il inclina légèrement le siège de façon qu'elle se sente plus à l'aise. Il y avait des taches de sang et de graisse sur le drap là où il était en contact avec sa peau. « Que t'a fait Surrette, Felicity ? demanda-t-il.

– Tout.

– Tu sais où il a pu passer ?

– Il est là. Il ne partira pas. Il croit qu'il va prévaloir sur vous. C'est son mot “prévaloir”. Il pense que tel est son destin. »

Alafair et Gretchen s'étaient avancées derrière Clete. « Pourquoi on est ses ennemis ? demanda Gretchen.

– Il est psychotique. Il dit que la terre doit être conquise en prévalant sur les gens ordinaires. Il dit que les dirigeants ne comptent pas, parce qu'on peut toujours les acheter.

– Surveille Felicity pour moi, dit Clete.

– Où vas-tu ? demanda Gretchen.

– Briser tous les os de ce mec », dit Clete.

J'ai trouvé un morceau de tuyau sur le sol derrière la chaudière, et j'ai fait sauter le verrou de la cage dans laquelle les filles étaient enfermées. Toutes deux avaient cette expression hantée que je ne n'ai vue que deux fois au cours de mon existence, une fois sur des bandes d'actualité militaires montrant les déportés de Dachau le jour de leur libération, et la seconde au Vietnam, quand j'ai regardé en face les survivants d'un village bombardé au napalm.

J'ai jeté le M-1 sur mon épaule et j'ai gravi l'échelle dont Surrette et Jack Boyd s'étaient servis pour s'échapper du sous-sol. Elle dépassait d'une trappe dans une souillarde juste à côté de la cuisine. La trappe donnait l'impression d'avoir été taillée et munie de charnières récemment. J'ai traversé le rez-de-chaussée, puis je suis monté et j'ai fouillé les pièces que Clete avait fouillées un peu plus tôt. Surrette et Boyd étaient partis. Mais où ? Nous n'avions pas entendu de véhicule s'éloigner, ni aucun bruit de bateau à moteur sur le lac.

Je suis sorti sur le balcon, qui offrait une belle vue sur le terrain, les cabanes des saisonniers et les cerisiers chargés de fruits. Je me suis rendu compte qu'un phénomène surnaturel avait eu lieu pendant que nous étions au sous-sol, un phénomène qui semblait dépourvu de cause. J'avais entendu parler des aurores boréales, sans savoir vraiment de quoi il s'agissait. J'avais aussi été dans des parties du monde – le triangle des Bermudes, et une zone maritime similaire au large des côtes du Japon – où les lois de la physique ne s'appliquent pas toujours, et où les influences électromagnétiques semblent se jouer des compas, des gyroscopes et des radars, et même susciter des tourbillons et des marées.

Ici, c'était différent. La lune avait disparu, soit derrière un pic, soit dans un banc de nuages descendant de la Colombie-Britannique. Il ne faisait pas de doute que le lac et les montagnes qui l'entouraient auraient dû se trouver submergés par l'obscurité. Mais ce n'était pas le cas. Une lueur omniprésente venait de l'autre côté des montagnes. Elle était d'un bleu cobalt, et paraissait s'exhaler de la terre dans le ciel, plutôt que le contraire. Le lac lui-même, vaste et profond et, même en juillet, suffisamment froid pour vous pincer la peau, était absolument noir, et pourtant ourlé d'une radiance nocturne.

Je me suis demandé si la fatigue, l'adrénaline et le dégoût n'avaient pas altéré à la fois mes sens et ma capacité de réflexion. J'étais convaincu que tel n'était pas le cas. Je suis également convaincu que tous les événements auxquels j'étais sur le point d'assister, et auxquels j'allais participer, se sont passés exactement tels que je vais les décrire. Je n'ai jamais accordé beaucoup de crédit à la stabilité psychologique, ni à ce qu'on appelle la normalité. Je ne suis pas persuadé que le monde soit un lieu rationnel ; et je ne le suis pas non plus que la science ou la métaphysique puissent expliquer aucun des grands mystères. J'ai toujours fui ceux qui affirment détenir la vérité à propos de tout. Je suis d'accord avec George Bernard Shaw, quand il dit que l'on apprend peu, sinon rien, des gens rationnels, car les gens rationnels s'adaptent au monde et, en conséquence, sont rarement des visionnaires.

Je suis descendu avec le M-1 au port d'armes et j'ai franchi la porte-fenêtre ouvrant sur le jardin. Les lumières de la marina étaient éteintes, mais les coques des bateaux de plaisance dans leurs ancrages étaient blanches et luisantes dans le courant, se balançant doucement contre le caoutchouc des pneus accrochés aux poteaux d'amarrage. N'y avait-il pas au moins une personne dans la cabine de l'un de ces bateaux qui ait été alarmée par la fusillade, et ait appelé le 911 depuis une ligne fixe ? Peut-être que si. Ou peut-être n'y avait-il personne dans les bateaux. Ou peut-être qu'ils s'en fichaient.

J'ai vu Clete s'approcher de moi, l'AR-15 de Gretchen jeté sur son épaule droite. « Où sont Molly et Albert ? m'a-t-il demandé.

– Avec les filles, sur l'escalier de derrière. Molly ouvrait des boîtes de conserve. »

Il a acquiescé et regardé autour de lui, balayant des yeux la rive du lac, les ombres près des cabanes, et les cerisiers qui se gonflaient dans le vent. « Il fait froid, dit-il. Aucun d'eux n'est couvert.

– Tu veux qu'on se tire ?

– Surrette est toujours par là. Si on part, il se barre. On va demander à Molly et Albert de conduire Felicity et les filles à l'hôpital de Polson.

– Je n'aime pas l'idée de les voir partir seuls sur la route.

– Tu n'as pas tort.

– On va fouiller les cabanes, les vergers et la maison devant laquelle la dépanneuse est garée », dis-je.

Il a de nouveau acquiescé, puis j'ai vu son expression changer tandis qu'il regardait la pente en direction de la deux-voies. « Merde », dit-il.

Trois paires de phares descendaient depuis l'extrémité sud du lac. Le premier véhicule a ralenti et tourné dans l'allée menant à la maison de pierre à un étage. Les deux autres l'ont suivi. Aucun n'avait de signal d'urgence. Les conducteurs ont coupé leurs feux avant d'arriver à la maison de pierre. En quelques secondes, les trois véhicules avaient disparu au milieu des cabanes et des vergers.

« Tu avais raison, dit Clete. C'est Caspian Younger. Il s'apprête à hériter de milliards, et nous sommes les seuls à lui faire obstacle. Comment a-t-on a pu laisser ces fils de putes arriver derrière nous ? »

Parce que je n'ai pas écouté mon vieil ami le sergent, ai-je pensé.

« Qu'est-ce que tu veux faire, Belle Mèche ?

– Ce que tu as dit.

– Qu'est-ce que j'ai dit ?

– On va les exploser », ai-je répondu.

Clete et moi avons commencé à nous diriger vers les cabanes situées au bout des deux vergers de cerisiers descendant de la deux-voies jusqu'au bord de l'eau. La bandoulière garnie de .30-06 cliquetait doucement dans mon dos. Clete portait l'AR-15, la main droite dans la garde de l'arme, la crosse contre sa hanche. « J'ai un mauvais pressentiment à propos de cet endroit, Belle Mèche.

– Pourquoi ?

– Je ne sais pas comment le dire. C'est un vieux pays. On dirait que c'est rempli de fantômes, comme si on venait de tomber sur quelque chose qui est plus grand que nous.

– Ne pense pas ça. Un criminel est un criminel. Comme tu l'as toujours dit, on les coince ou on les efface.

– Ça paraît logique. Sauf que tu sais que ce n'est pas ainsi que ça se passe. Surrette pose un vrai problème, Dave.

– Comment ça ?

– Un type sur qui on ne peut pas mettre d'étiquette. Un type qui a réussi à tuer des gens pendant vingt ans. Comment on a fait pour tomber dans cette merde ? Pourquoi nous ? C'est comme si on n'avait pas eu le choix, comme si on en était destinés à croiser ce mec-là. »

Je n'avais pas envie de ruminer ce que ça impliquait. Clete n'était pas enclin à la rhétorique extravagante. Qu'il ait dit ce qu'il avait dit me coupait le souffle.

Nous avons continué à travers le verger, à cinq mètres d'écart. La première cabane était un long bâtiment délabré en forme de wagon, au toit pointu couvert de bardeaux. À travers les arbres, j'apercevais deux SUV et une Chrysler garés sur une chaussée gravillonnée. Clete et moi nous sommes tous deux laissés tomber sur un genou, et nous sommes restés immobiles dans le verger, les branches s'agitant au-dessus de nous, des ombres se balançant sur nos corps.

Dans une zone boisée, le vent est l'ennemi de tout infiltré. Quand il souffle, tout bouge, sauf l'infiltré. L'autre ennemi est le reflet de la lumière sur le visage. Clete et moi avons baissé la tête et fixé le sol. Nous entendions un homme qui s'adressait aux autres. Il n'y avait pas à se tromper sur ce ton impérieux, et ce qu'il sous-entendait de légitimité et d'autorité. Je suis certain que dans l'esprit de Caspian Younger, il était non seulement un meneur d'hommes aux corps de gladiateurs dont la vie avait été marquée par la dureté et l'éthique de violence des mercenaires, mais qu'il était aussi leur frère d'armes, connaissait leurs besoins et suscitait leur respect. Je suis sûr que Caspian Younger se voyait comme un combattant parmi les combattants.

Tout en regardant son chapeau de brousse, son treillis enfoncé dans ses bottes de daim bordées de fourrure, sa chemise de flanelle à manches longues, sa veste matelassée et ses bras semblables à des cure-pipes, je me demandais s'il avait la moindre idée de la silhouette ridicule qui était la sienne. Ses subordonnés devaient rire de lui dans son dos. Il avait les mains sur les hanches, comme un officier aguerri s'adressant à ses troupes. Nous entendions tout ce qu'il disait.

« Écoutez, les gars. Vous êtes maintenant mes employés en tant que détectives privés et gardes du corps. Nous interrompons un crime qui est en train de se commettre. Nous sauvons deux adolescentes innocentes. Je pense que ma femme est déjà morte. Avant que le soleil se lève, il se peut que sur cette propriété tout le monde soit mort, sauf les deux filles. Telle n'est pas notre intention, mais c'est probablement ce qui va arriver. »

Plus haut, sur la nationale, deux phares arrivèrent au sommet de la côte et entamèrent la descente, leur rayon creusant un tunnel dans l'obscurité entre les vergers et les pentes des montagnes. Caspian ne fut pas déconcerté plus d'un instant. « Quoi qu'il arrive, il y a un homme qui ne quittera pas cette propriété. Cet homme, c'est Asa Surrette. Ceux qui l'auront se partageront un crédit de vingt mille dollars à Vegas. Je veux qu'on l'explose. Tout le monde a bien compris ? »

Le vent tomba et la nuit devint silencieuse. Sur la route, un pick-up ralentissait, comme si le chauffeur cherchait une sortie. Le pick-up passa sous un lampadaire allumé dans un carré de cerisiers. Il était orange métallisé et un caisson était niché dans son plateau.

« Encore une chose, dit Caspian. Il y a un gros type là qui s'appelle Purcel. C'est un flic révoqué de La Nouvelle-Orléans, et il a violé ma femme. Je le veux vivant. Vous pouvez lui faire quelques trous, mais il ne prend pas la grande sortie avant que j'aie eu une petite discussion avec lui. Des questions ?

– Et s'il y a des PI ? demanda un homme.

– Des personnes innocentes ? dit Caspian. Il n'y a pas de personnes innocentes. C'est pour ça que les gens sont baptisés. Tu le savais pas ? On ne fait pas d'omelette sans casser d'œufs. Un bébé meurt, un autre vit. Quand l'un de nous marche sur une fourmilière, toute une société est détruite. Il y a des centaines de milliers de morts pour contrôler le prix d'un baril de pétrole. C'est comme ça que le monde fonctionne. Ce n'est pas nous qui avons établi les règles. D'autres questions ? »

Il souriait. Je me demandais ce que pensait Clete. Je me demandais aussi comment une créature aussi exécrable que Caspian Younger, avec son ricanement sarcastique et son arrogance, avait obtenu un pouvoir de vie et de mort sur d'autres gens.

« Allez-y, commencez votre balayage, dit-il. Si vous avez un doute, tirez.

– Et ce pick-up sur la route ? demanda un homme.

– Et bien quoi, ce pick-up ?

– Il vient de s'arrêter et de tourner. »

La vision nocturne de Clete Purcel n'était pas ordinaire. Pendant les heures nocturnes, il ne voyait pas le monde extérieur plus clairement que quiconque, ni moins. Simplement, il le voyait de façon différente. À son retour d'Asie du Sud-Est, il s'était rendu compte du changement fondamental qui s'était produit dans son système neurologique. Et il ne comprit pas ce changement, du moins pas avant de lire dans un magazine de loisirs un article sur la façon dont les chevaux voient le monde. Selon l'article, les chevaux ont deux écrans dans la tête et regardent simultanément les deux.

À la différence du cheval, Clete n'avait pas deux écrans dans la tête. Il avait deux transmetteurs, rivalisant pour occuper l'espace sur un seul écran. Un certain nombre de déclencheurs pouvaient le renvoyer dans le temps, animer des images en direct des années 1966 à 1968, et l'obliger à regarder des scènes d'un spectacle d'horreur qui ne se terminait jamais bien.

Pendant que Caspian s'adressait à ses hommes, Clete n'avait pas bougé, ni levé les yeux. Dans sa tête, il voyait une vallée tourbillonnante d'herbe à éléphant qui n'était jamais verte, mais toujours grise ou jaune ou marron, comme si la terre avait été systématiquement empoisonnée et ne pouvait se plier aux exigences de la saison. À l'extrémité de la vallée montaient des collines aux contours ondulants comme des seins de femme, et pour les atteindre il devait suivre la rive d'un torrent boueux nappé de moustiques et strié d'excréments de buffles. On n'entendait dans la vallée que les bruits de succion de ses bottes dans la boue et le vrombissement des hélicoptères dans un ciel couleur de cuivre. Même si Clete était maintenant accroupi dans un verger de fruitiers au bord d'un lac de montagne, il sentait l'odeur de pourrissement de la jungle dans ses pieds et la puanteur corporelle dans ses sous-vêtements, il sentait la sueur dégouliner le long de ses flancs comme des colonnes de fourmis noires.

« Deux d'entre vous vont inspecter ce pick-up et dire au type de s'occuper de ses affaires, entendit-il dire Caspian.

– J'ai déjà vu ce pick-up, dit l'un des hommes. Vous savez à qui il est ?

– Non, je l'ignore, dit Caspian. C'est pour ça que je t'ai dit d'aller voir.

– C'est un fouteur de merde, dit le même homme. Comment il s'appelle, déjà ?

– J'ai embauché une bande de débiles ? demanda Caspian.

– On s'en occupe, monsieur Younger, dit un autre homme.

– Ce type a une cage à écureuils en guise de cervelle, reprit le premier homme. Je ne me souviens plus de son nom.

– Alors tais-toi et va voir qui c'est. »

Trois fusées partirent d'une île au milieu du lac et explosèrent dans le ciel en une averse de mousse rose, bleue et blanche, éclairant le verger comme le flash d'un pistolet.

« Derrière vous, monsieur Younger », dit l'un des hommes de Caspian en montrant les cerisiers.

C'est à cet instant que tous ont fait feu.

Ils avaient vu Clete, mais pas moi. Ils étaient au moins six ou sept à tirer dans sa direction, les balles ricochant à travers les arbres, cisaillant des branches et faisant pleuvoir des cerises noires sur le sol. J'ai levé mon M-1 à niveau d'épaule, j'ai collé un œil à la visée et commencé à tirer. Je n'avais jamais tiré avec un M-1 sur une cible humaine. Le premier homme que j'ai touché courait vers la cabane, essayant de se placer de façon à choisir ses cibles tandis que ses compagnons essuyaient notre feu. J'ai vu des fleurs rouges s'épanouir sur l'arrière de sa chemise, tandis que son corps faisait un bond en avant et heurtait le mur.

Un autre homme s'était installé à l'abri de l'aile de la Chrysler, et tirait avec un semi-automatique muni d'un silencieux et d'un chargeur à grande capacité ; il ne visait pas et ne comptait sans doute pas les balles. Chaque coup évoquait l'air comprimé libéré d'une bouteille d'eau gazeuse. Comme le silencieux diminuait la rapidité des balles, celles qui passaient près de mes oreilles faisaient une sorte de ronronnement, comme un boomerang qui fouette l'air. Mon premier coup toucha le phare et expédia du verre dans son visage. La deuxième rebondit en haut de l'aile et frappa le mur de la cabane. La troisième toucha sa cible, détacha l'homme de la voiture et le précipita au sol, où il resta en position fœtale.

La culasse s'ouvrit sur une chambre vide, et j'entendis le bruit métallique de la balle éjectée. J'en ai fait monter une autre, j'ai libéré la culasse et recommencé à tirer, la crosse, à chaque coup, reculant violemment dans mon épaule. J'ai vu Clete Purcel venir vers moi, courbé, se tenant la hanche, comme s'il avait heurté l'angle d'une table. Il avait le visage pâle, et les yeux agrandis. Il s'est effondré à côté de moi. J'ai ramassé la bride de son fusil et me la suis passée à l'épaule. « Tu es salement touché ? ai-je demandé.

– Je pense qu'elle m'a traversé. Elle a peut-être cassé un os », dit-il. Une tache de sang s'étalait en travers de sa chemise. « Il y en d'autres qui arrivent.

– Non, il n'étaient que huit ou neuf en plus de Younger. J'en ai eu au moins deux.

– Je les ai vus descendre la côte. Je n'ai pas rêvé. »

J'ai secoué la tête. « C'est impossible. Il n'y a personne d'autre ici. Vois les choses simplement, Cletus. Younger est un amateur, et les types qui travaillent pour lui aussi. Il n'a plus que quelques hommes.

– Je sais ce que j'ai vu. » Il sortit son .38 de son holster. « Continue. Je vais les retarder.

– Pas question, Clete. Lève-toi.

– J'ai le tournis. Ce fils de pute m'a vraiment touché. »

Je me suis levé et je l'ai soulevé en passant son gros bras par-dessus mon épaule. « Tu viens avec moi, ou on tombe ensemble. Si on peut arriver à l'allée, on va asperger le verger, et ils auront Gretchen et Alf sur le flanc. On va les couper en morceaux. »

Il ferma les yeux et les rouvrit, comme s'il ne savait pas vraiment où il était. « On fonce », dit-il.

Nous nous sommes avancés à travers les arbres, les cerises nous battant le visage, les branches comme des fouets sur notre peau. Puis j'ai entendu un coup de fusil dans le jardin de la maison de pierre, et une balle filer à travers les arbres et frapper la cabane, suivie d'une deuxième, puis d'une troisième, et j'ai compris que Gretchen nous couvrait avec le Mauser à répétition qu'elle avait dans son pick-up. « Tu vois ? dis-je. On va y arriver. Mets juste un pied devant l'autre.

C'est facile. Comme le dit Rudyard Kipling à propos de la passe de Khyber, on avance un pied sanglant à la fois. »

Je sentais que les genoux de Clete commençaient à le lâcher. « Il faut que je me repose, murmura-t-il. Laisse-moi, Dave. Ça va aller. Il faut juste que je m'assoie et que je me repose un moment. Je ne me suis jamais senti aussi fatigué. »

40

Clete s'est assis dans un creux herbu sur la pelouse de la maison de pierre, une rigole qui servait sans doute de trop-plein au moment des crues de printemps. Il a regardé derrière lui le verger et le vent au sommet des arbres. Dans sa tête, il était revenu dans la vallée menant aux collines qui ressemblaient à des seins de femme. Dans la vallée, c'était le crépuscule, et dans la lumière tombante, il entamait l'ascension de la première d'une série de collines qu'il devait traverser avant de pouvoir se décharger de son sac, de son fusil et de son casque, s'allonger et s'endormir dans un trou sec, sans moustiques ni reptiles, et rêver à une Eurasienne qui vivait sur un sampan sur les rives de la mer de Chine.

Il ne vit jamais la grenade à manche qui sortit de l'ombre, bascula en un arc-de-cercle, rebondit sur un tronc, explosa à moins de deux mètres de lui, et tua deux autres marines. Il était tout aussi incapable de raisonner les événements qui se déroulaient autour de lui – le feu des armes automatiques ressemblant aux éclairs d'une ligne à haute tension dansant dans l'obscurité, quelqu'un qui hurlait pour avoir le lance-grenades, le vrombissement des pales d'hélicoptère et le fracas d'une mitrailleuse Gatling qui déchirait les feuilles et arrachait à la colline des geysers de boue.

Tout ce qui se passait autour de lui semblait ne plus le concerner, parce qu'il savait qu'il était sur le point de mourir. La sensation n'était pas celle qu'il avait imaginée. Il avait l'impression d'être tiré en arrière dans un tunnel, un tunnel translucide rose et bleu, un endroit où il avait déjà été. C'était le canal utérin, il en était certain, et à son autre extrémité il croyait voir une présence chaude et lumineuse à laquelle sa naissance aurait dû lui donner droit, mais qui lui avait été refusée pendant le temps qu'il avait passé sur la terre.

Puis le visage d'un aide soignant de la marine apparut au-dessus de lui. « Pique pas une crise, dit le marine. Accroche-toi. Tu vas faire le raid de ta vie. Et ensuite tu seras loin d'ici, mec. Tu seras sur le Golden Gate en 68. Reste avec moi. »

Le marine essuya le visage de Clete et desserra son gilet pare-balles, puis le roula dans un poncho et le tira, telle une luge humaine, jusqu'au bas de la colline.

Clete était allongé sur le dos dans la rigole et regardait les étoiles dans le ciel. Il entendait Gretchen tirer, il sentait l'herbe et l'engrais, et le froid qui semblait soufflé depuis un champ de neige là-haut dans les montagnes.

« On n'est jamais revenus de là-bas, dit-il. On croyait l'avoir fait, mais ils nous ont emballés dans des sacs à cadavres et ont oublié de nous le dire. Ils nous ont volé nos vies, Dave. »

Puis il a roulé sur le flanc et vomi dans l'herbe.

Je lui ai essuyé la bouche avec mon mouchoir et lui ai dégagé les cheveux du visage. « Tu ne vas pas m'abandonner, Clete, dis-je.

– Qui a dit que j'allais le faire ?

– Tu délirais. Le Vietnam, c'était l'affiche d'hier. Oublie le Vietnam et tout ce qui s'est passé là-bas.

– Je parlais du Nam ? Je ne m'en rendais pas compte. Je rêvais, c'est tout.

– Il faut qu'on y aille, partenaire. Tu peux y arriver ?

– Qu'on aille où ?

– Rejoindre Gretchen et Alf. Il faut qu'on épingle ces types quand ils sortiront du verger. Et il faut toujours qu'on règle le cas de Surrette. »

Il a écarquillé les yeux comme s'il essayait de retrouver une vision nette. « Je sais que j'ai buté au moins trois de ces trous-du-cul, Dave. C'est ce que tu ne veux pas comprendre. Il y en a beaucoup plus que tu ne crois. Je les ai vus arriver dans l'herbe.

– Il n'y a pas d'herbe ici, Clete. Tu perds la tête. Allons, debout ! »

Il arracha l'AR-15 de mon épaule et essaya de se lever, puis tomba sur le côté, comme un ivrogne. « Je crois que je suis un peu KO.

– C'est bon, tu t'en sors bien », dis-je. J'ai repassé son bras sur mon épaule, j'ai agrippé d'une main l'arrière de sa ceinture, et je l'ai soulevé. « On a connu bien pire que ça.

– Quand ? »

Je n'ai pas réussi à trouver d'exemple. Nous avons traversé la pelouse jusque dans l'ombre de la maison de pierre. Je voyais Gretchen et Alafair venir vers nous. À l'arrière-plan, le lac était d'un vert sombre, les rochers dans les bas-fonds illuminés par une lumière étrange dépourvue de source, le vent poussant des moutons sur le rivage, chacun aussi net qu'un coup de pinceau sur une toile.

« Il se passe ici des choses qui ne sont pas réelles, Dave, dit Clete. Ça me fout les chocottes.

– On n'a rien à craindre. »

Je crois qu'il a essayé de rire. Je l'ai serré plus fort, accroché à sa ceinture, mes genoux commençant à flancher.

Gretchen tenait d'une main son Mauser à répétition sur son épaule. Elle prit l'autre bras de Clete. « On va le mettre dans ton pick-up, dit-elle.

– Allez vous faite foutre, dit Clete.

– Tu vas faire ce que je te dis, mon grand, rétorqua-t-elle.

– Notre route est coupée, Dave, dit Alafair. Ils ont deux véhicules garés en travers de l'allée.

– Il y a quelqu'un dans ces bateaux ? demandai-je.

– Je n'ai réussi à réveiller personne. J'y suis descendue deux fois, dit-elle. Quelqu'un a coupé la ligne téléphonique du bar.

– Surrette ? dis-je.

– Je ne sais pas. Qu'est-ce que tu veux qu'on fasse ?

– Vous avez vu un pick-up orange sur la route, avec un caisson sur le plateau ? demandai-je.

– On a vu des phares s'arrêter sur la route, dit Gretchen. Tu crois que c'est le pick-up de Wyatt Dixon ?

– Je suppose qu'il ne possède pas le seul pick-up orange de l'ouest du Montana, dis-je.

– On a trop de blessés ici. Il faut se décider, dit-elle.

– On est dans une boîte, dis-je. C'est un avantage et un inconvénient. L'avantage, c'est qu'ils doivent venir à nous. Et on leur a infligé des dégâts.

– Ils sont combien ? demanda Alafair.

– Pas plus d'une poignée », dis-je.

Clete était assis sur le pare-chocs du pick-up de Gretchen, courbé en avant, la tête penchée. « Faux, dit-il sans lever les yeux.

– Clete a vu plus d'hommes que moi, dis-je.

– Dave, regarde ! », dit Alafair en montrant la côte.

Je ne sais d'où ils venaient. Je voyais des lampes-torches se déplacer de chaque côté de la propriété. Je ne savais qui c'était, et n'avais aucune idée de la façon dont ils étaient arrivés là, ni s'ils travaillaient pour Caspian Younger ou non. Je n'étais même plus certain que ce que je voyais était réel.

« Donne-moi l'AR-15, dit Clete, la tête sur la poitrine J'ai laissé tomber mon arme dans l'herbe. »

Gretchen serra mon bras plus fort, son visage proche du mien. « Il est temps d'en buter quelques-uns, Dave. On réfléchira plus tard. » Elle prit l'AR-15 et laissa le Mauser à Clete.

Elle avait raison. Nous étions dépassés en nombre, coupés de la route, pris sur les deux flancs, dos au lac.

« Allez, Dave, donne le départ », dit Gretchen.

Je voyais Molly, Albert et les deux filles sur l'escalier arrière de la maison et Felicity Louviere endormie sur le siège arrière du pick-up de Gretchen. Clete avait du mal à bouger. Du sang avait coulé de son flanc jusque sur ses genoux. Je me sentais complétement perdu.

« On fonce, dis-je.

– On fait quoi ? dit Alafair.

– On fonce dans le tas. Si Caspian Younger veut de la bagarre, il va en avoir. »

En toute bonne logique, c'était une idée folle, peut-être une résurgence d'un roman médiéval, ou du discours que Henri V adressa à ses troupes avant la bataille d'Azincourt. Mais il est des moments où la probabilité de voir surgir la mort est si forte qu'on franchit une ligne et qu'on cesse de la redouter. Je suis persuadé que c'est ce qui nous est arrivé, acculés à un lac glaciaire où autrefois les dinosaures et autres mastodontes se nourrissaient et jouaient parmi les lis et les boutons d'or.

Nous avons laissé Clete avec Felicity Louviere et nous sommes avancés à trois de front sur l'herbe, Alafair, Gretchen et moi, nous ruant vers Caspian Younger qui venait d'émerger des cerisiers, accompagné de ses hommes.

Comme la plupart des lâches, il n'avait pas anticipé notre réaction. Il aurait pu ouvrir le feu sur nous, ou ordonner à ses hommes de le faire, mais il savait que tous l'observaient, attendant de lui qu'il soit plus que la silhouette qui posait en veste matelassée de chasseur, et usait de la rhétorique martiale d'un sergent instructeur. Il se tenait maladroitement devant ses hommes, ses cheveux soulevés par la brise. Un revolver bleu sombre à la crosse blanche pendait à sa main droite. C'était sans doute une arme de collection, du genre de celles qu'un officier m'as-tu-vu aspirant à faire de la politique aurait pu porter dans un holster.

« Alors, où on en est ? dit-il.

– Continuez à réfléchir, vous finirez par comprendre, répondis-je.

– C'est le moment crucial pour vous et votre petite équipe, monsieur Robicheaux ?

– Vous allez me le dire, monsieur Younger. C'est vous l'homme qui a livré sa femme à la miséricorde d'un sadique comme Asa Surrette, le même qui a assassiné votre fille.

– Vous avez tout faux, comme toujours.

– Il l'a étouffée avec un sac plastique et a éjaculé sur ses jambes, dis-je. Elle avait dix-sept ans. Elle a peut-être prononcé votre nom en appelant au secours. »

Sur ses joues et son menton, ses pattes ressemblaient à des bavures de crasse. Quand il vit qu'il avait le choix entre me laisser parler, ou ordonner à ses hommes de tirer pour m'empêcher de révéler ses échecs en tant que père, que mari et, finalement, en tant qu'être humain, il détourna les yeux. Je tenais le M-1 au port d'armes, le cran de sécurité ôté. Quoi qu'il arrive, j'étais déterminé à lui couper le sifflet avant de mourir.

« J'ai compris, dit-il. C'est votre moment de gloire. Le philosophe égalitaire qui fait son grand discours à la multitude. Malheureusement, ce rôle ne vous convient pas. Nous avons fouillé toute votre vie, monsieur Robicheaux. On a vos dossiers psychiatriques, vos pitoyables déclarations concernant votre dépendance à votre salope de mère, vos histoires sexuelles à Manille et Yokohama, la possibilité d'une relation homosexuelle avec votre gros copain, vos continuelles pleurnicheries à propos des injustices subies par le malheureux carré de marais sur lequel vous avez grandi. Le fait que vous critiquiez les erreurs des autres a établi de nouveaux standards d'hypocrisie.

– Le problème pour vous, monsieur Younger, c'est que lorsque je serai mort et enterré, vous serez toujours vous-même. Vous vous réveillerez chaque matin en sachant que Wyatt Dixon est votre demi-frère, et que, même dans un mauvais jour, il pourrait d'un coup de pouce vous enfoncer dans une boîte d'allumettes. À propos, comment un loser comme vous a-t-il pu persuader tous ces types de travailler pour lui ? Est-ce qu'ils savent que vous avez fait assassiner votre fille pour hériter de ses terres ? Si vous lui avez fait ça à elle, que leur ferez-vous à eux ?

– Vous êtes en face de votre exécuteur, monsieur Robicheaux. Vous voulez ajouter quelque chose à vos derniers mots ?

– Ouais. Vous allez partir avec moi, dis-je.

– Quoi qu'il arrive, j'ai donné instruction à mes hommes de profiter d'Horowitz et de votre fille, chacun son tour. Elles vont être très occupées. Que telle soit votre ultime pensée, monsieur Robicheaux. Et maintenant, je pense qu'on devrait lancer les festivités, de façon que vous puissiez voir ce que vous avez semé. D'après mes informations, Miss Horowitz a pas mal d'heures au compteur, alors ça devrait lui plaire.

– Allez vous faire foutre, espèce de petit maquereau, dit Alafair.

– Bien reçu », dit Gretchen.

Nous savions tous les trois que notre dernière heure était arrivée, et notre désinvolture était un moyen de nier le destin qui nous attendait. Nous avions jeté les dés, et nous avions perdu. *C'est donc ainsi que tout se termine,* pensai-je. *Tous nos rêves et nos espoirs réduits à néant, et les méchants pourront suspendre leurs lanternes sur nos pierres tombales. Qu'y a-t-il de plus absurde ?*

J'ai dégluti et regardé le sol, puis levé la tête. Je savais que si je balançais devant moi le canon de mon M-1 et commençais à asperger, je ferais peut-être pas mal de trous dans la carcasse de Caspian Younger. Mais il y avait aussi des chances que non. Trop d'armes étaient pointées sur moi. Je supposais que j'avais environ encore trois ou quatre secondes à vivre.

J'ai vu un éclair dans les nuages. Il sembla sauter dans le ciel depuis un champ de neige niché entre deux montagnes et onduler à travers le ciel jusqu'au bout de l'horizon. En ce bref instant, j'ai vu une silhouette debout au sommet du toit pointu de la cabane des journaliers, comme un paratonnerre humain attendant la foudre. J'étais trop loin pour distinguer ses traits, mais j'étais sûr de voir le chapeau de cow-boy au bord raide, les larges épaules, les hanches fuselées et les cuisses moulées dans un Wrangler étroit.

J'ai vu aussi le fusil. C'était un fusil à levier à canon long à répétition, et j'ai supposé qu'il s'agissait de la Winchester 1892 avec hausse à crémaillère que Wyatt Dixon gardait dans le caisson à l'arrière de son pick-up.

Le tireur n'a fait feu qu'une seule fois. La balle devait être une dum-dum avec une croix entaillée dans le cuivre pour faire bonne mesure. Quand elle a touché l'arrière du crâne de Caspian Younger, elle y a fait un trou pas plus gros que le bout du petit doigt, mais son front a explosé comme une pastèque. Il est tombé en avant dans un épicéa, raide mort, sa gorge émettant un gargouillis, ses genoux touchant simultanément le sol.

L'éclair dans le ciel s'éteignit, et le toit de la cabane s'est fondu dans une obscurité d'un bleu noir qui semblait s'étendre depuis le lac sur la totalité de la vallée. Les hommes qui se tenaient de part et d'autre de Caspian Younger s'écartèrent de son cadavre, qu'ils contemplaient d'un regard vague, jetant un coup d'œil derrière eux sur le verger, la cabane et les montagnes dentelées et effilées contre le ciel comme une plaque d'étain découpée.

J'essayais de distinguer leurs visages. S'agissait-il de mercenaires, d'aventuriers, ou de gibier de potence ? Ils semblaient ne pas avoir plus d'épaisseur ni de singularité qu'une illusion générée par un ordinateur. « On n'a rien contre vous, les gars, dis-je. À mon avis, M. Younger a eu ce qu'il méritait. Si on arrêtait là ? »

Pas un mouvement, pas un mot.

« Il y a une autre façon de voir les choses, dis-je. Sur le toit, c'était sans doute Wyatt Dixon. Si vous connaissez le coin, vous savez la réputation qu'il a. Qui aurait envie de se mettre un type comme ça à dos ? Wyatt est une insulte à la folie. »

Je vis qu'ils commençaient à reculer, comme des gens qui s'écartent d'une présence dont ils ont vraiment peur, non pas en raison de l'expérience qu'ils en ont, mais en raison d'un instinct atavique antédiluvien.

Puis j'ai compris ma terrible erreur.

Surrette n'a jamais quitté la maison, pensai-je.

Clete était toujours assis sur le pare-chocs du pick-up, nauséeux : la tête lui tournait à cause du sang qu'il avait perdu. Il regardait ses pieds et l'éclat de son sang sur le dessus de ses mocassins, les yeux à demi clos.

« Je t'ai eu, mon gros », dit une voix.

Clete leva les yeux et regarda droit devant lui. Il sentit le canon d'un pistolet effleurer son oreille. « C'est toi, Boyd ? dit-il.

– Surpris de me voir ?

– Qu'est-il arrivé à la lumière ?

– Quelle lumière ?

– L'aurore boréale, ou je ne sais quoi. C'est toi, hein, Jack ? T'es toujours dans le coin ?

– On n'est jamais partis, imbécile. On vous a bien eus. » Il enfonça le canon dans l'oreille de Clete. De l'autre main, il prit le Mauser qu'il se passa à l'épaule. « Si tu veux mon avis, vous êtes dans de sales draps.

– Ouais, c'est pas faux ! dit Clete.

– Selon toi, ça fait quelle impression, de mourir ?

– Je te dirai.

– T'aurais dû être clown dans un spectacle pour gosses. Tu pourrais être Captain Animal, un vieux pervers qui traîne autour du jardin d'enfants.

– C'est une idée, dit Clete.

– Tu penses que je vais pas te buter ?

– Pas si Surrette ne t'en donne pas l'ordre. T'es comme moi. Tu seras toujours un flic pourri, où que tu ailles. Moi, j'ai un insigne de privé ; toi, tu as Surrette. Pour le restant de tes jours, t'iras pas chier sans sa permission.

– Je peux le quitter quand je veux. »

Clete tourna lentement la tête, essayant de se concentrer sur le visage de Jack Boyd.

« Si tu fais quoi que ce soit à Molly, à Albert et aux filles, je te ferai très mal.

– *Toi*, tu me feras très mal à *moi* ?

– Tu peux parier.

– T'es vraiment un marrant, dit Boyd.

– Je suis comme ça », dit Clete.

Jack Boyd se dirigea vers l'avant de la maison, le fusil allemand renversé sur son épaule, son pantalon rentré dans ses bottes faites main. Sans qu'il l'ait voulu, la tête de Clete tomba sur sa poitrine, ses yeux se fermèrent, ses épaules s'affaissèrent. Pendant un instant, il crut qu'il allait glisser dans l'herbe. Il se força à se remettre debout et marcha vers l'arrière du pick-up de Gretchen, dans l'éclat froid des étoiles sur un ciel de velours pourpre. Il avança la main et tâtonna le long du plateau jusqu'à ce que ses doigts touchent le bout d'une chaîne d'acier.

Je ne pouvais me tromper sur l'odeur derrière moi. Je me suis retourné et me suis retrouvé face à Asa Surrette. Il souriait. Il portait un gilet pare-balles, et tenait un Bushmaster semi-automatique. « On finit par se rencontrer », dit-il. Du canon de son arme, il effleura la nuque d'Alafair. « Posez vos armes, s'il vous plaît.

– Ne le fais pas, Dave », dit Alafair.

Surrette m'adressa un clin d'œil. « Faites-moi plaisir, dit-il.

– Voilà », dis-je. J'ai posé le M-1 dans l'herbe. Gretchen a posé son AR-15, qu'elle a écarté du pied.

« Obéis, Alafair », dis-je.

Elle tenait un Browning calibre 12 à canon scié que lui avait donné Gretchen. Elle s'accroupit lentement et le posa sur l'herbe, avant de se relever. Elle fixa longuement Surrette. « On a vu ce que vous avez fait à Felicity, dit-elle.

– C'est ce qu'elle voulait. Vous avez publié d'autres articles dans des magazines ?

– Non, j'ai publié un roman. Et vous ? dit-elle. Est-ce que Creative Artists ou William Morris ont essayé de vous contacter ?

– Très drôle, dit-il.

– J'ai inspecté la maison. Où étiez-vous ? ai-je demandé.

– Dans la mansarde. Le seul endroit que vous n'avez pas fouillé.

– Très malin, dis-je. Qui sont ces types ?

– Vous ne le savez pas ? »

J'ai secoué la tête.

« Je vais reformuler ma question, dit-il. Vous n'avez pas encore compris qui je suis ? Vous êtes si long à la détente ?

– Votre vie entière a été caractérisée par la médiocrité, dis-je. Vous vous êtes fait choper parce que vous avez été assez bête pour croire les flics quand ils vous ont dit que la clef USB que vous leur avez envoyée ne pouvait pas être pistée. »

Il continua de sourire sans broncher. Il fit un pas vers moi. L'odeur qui émanait de son corps me fit suffoquer. « Un problème respiratoire ? dit-il.

– Ouais, dis-je. Je n'ai jamais senti une odeur pareille. »

Jack Boyd émergea de l'obscurité, le Mauser renversé sur sa bride. « Où est Clete Purcel ? demandai-je.

– Il se détend, je suppose, dit Boyd.

– Tu ne l'as pas achevé ? dit Surrette.

– Tu m'avais pas dit de le faire.

– Je vais m'occuper de toi dans un instant, dit Surrette.

– Ça veut dire quoi, tu vas t'occuper de moi ? »

Surrette nous regarda, Gretchen, Alafair et moi. « À genoux, dit-il.

– Désolé, dis-je.

– Si vous voulez, je peux vous y obliger immédiatement. Avez-vous déjà vu quelqu'un se prendre une balle dans les deux rotules ? Est-ce que ça ferait plaisir à papa de voir sa fille se faire démolir les rotules ? Dites-moi.

– Baise-moi le cul, connard, dit Alafair.

– Ne t'inquiète pas, dit-il. Pour toi, j'ai en tête quelque chose de très spécial. Je vais te transformer en œuvre d'art. Malheureusement, tu ne seras pas là pour voir le succès de mon chef-d'œuvre, même si tu en seras la pièce centrale.

– Regardez-moi, Surrette, dis-je.

– Vous regarder ? Pourquoi je ferais ça ? Vous croyez que vous pouvez me traiter de haut et me donner des ordres en un moment pareil ? Vous êtes vraiment très stupide, monsieur Robicheaux.

– Vous avez raison sur ce point, dis-je en soutenant son regard. Mais au moins je n'ai jamais écrit une nouvelle tellement nulle que le professeur n'a pas accepté qu'elle soit lue devant la classe. »

Je vis sa poitrine palpiter, ses yeux s'étrécir, ses lèvres blêmir. Il brandit un doigt devant mon visage. « Écoutez… », dit-il

Il n'a pas été plus loin. Clete est pesamment sorti de l'ombre, tenant le piège à ours par une poignée soudée au bas du cadre, les mâchoires ouvertes. Il le balança sur la tête d'Asa Surrette comme une poêle à l'envers, le mécanisme heurtant son crâne. Les mâchoires se refermèrent sur ses oreilles, qu'elles lui écrasèrent dans le crâne. Surrette laissa tomber le Bushmaster et se mit à tourner en rond, bataillant pour dégager le piège de sa tête, grinçant des dents, du sang lui coulant dans le cou jusque sur le col de sa chemise, la chaîne lui pendant dans le dos comme une natte chinoise.

J'ai pris le M-1 et abattu Jack Boyd, puis j'ai suivi Asa Surrette en direction du lac. Je suppose qu'il souffrait terriblement. Je suppose aussi que sa souffrance n'était en rien comparable à celle qu'il avait infligée à ses victimes pendant deux décennies. Sa silhouette se découpait contre la lumière des étoiles sur le lac, essayant de s'arracher le piège des deux mains. Tandis qu'il titubait sur le ponton, j'ai ajusté la visée du M-1 et j'ai tiré trois balles.

Il ne manifesta aucune réaction. J'étais tenté de croire que Surrette était véritablement démoniaque, sans rien d'humain, et par conséquent invulnérable aux balles. Puis je me suis souvenu de son gilet pare-balles ; j'ai rechargé avec un clip de balles perforantes et recommencé à tirer.

Il était sur le ponton quand ma première balle l'a touché. J'ai vu sa mâchoire se tordre, ses pieds trébucher. J'ai continué à tirer et entendu une balle résonner sur le piège d'acier. Une autre balle a déchiré le flanc de son gilet et touché sa cage thoracique. Mais je dois lui reconnaître une chose : quand je me suis avancé sur le ponton, il était toujours debout.

Je serais malhonnête si je disais qu'à ce stade j'agissais mû uniquement par la passion et le feu de l'action. Je ne serais pas exact non plus si je disais que j'ai pris une décision consciente concernant le destin immédiat d'Asa Surrette. J'ai créé dans mon esprit un espace vide, au cœur duquel je ne pensais absolument à rien, sauf aux visages des innocents que cet homme avait torturés et tués. En particulier, je voyais les visages des enfants. Dans cet espace, j'ai pressé sur la détente encore et encore jusqu'à ce que la culasse s'ouvre et que le chargeur tombe en tintant dans l'obscurité. Je suis persuadé qu'aucune balle n'est partie trop haut, ou à côté, et qu'il les a toutes avalées avant de tomber à l'extrémité du ponton.

Une seule chose me dérange. Je pensais qu'avec le poids du piège à ours, il plongerait directement au fond du lac. Au lieu de ça, je l'ai vu rouler sur le dos, ses vêtements, même le gilet pare-balles, se gonflant d'air. Il a levé les yeux sur mon visage et il a eu un large sourire, les mâchoires du piège incrustées de plusieurs centimètres dans son crâne. Ce n'est qu'à cet instant que le lac s'est refermé sur sa tête. Je me suis demandé si ce n'était pas Asa Surrette qui avait ri le dernier.

J'ai entendu Clete derrière moi. Je l'ai pris par le bras. « Tu ferais mieux de t'asseoir.

– Où est Surrette ? demanda-t-il.

– Là-dessous, dis-je avec un geste en direction de l'eau. En plongeant, il souriait. Je n'y comprends rien. Je l'ai criblé de trous.

– Ah ouais ? dit-il. Juste là ?

– Juste là. »

Clete se hissa contre un pilier du ponton, baissa la fermeture éclair de sa braguette, et je vis un arc doré frapper la surface de l'eau. « Waou, qu'est-ce que ça fait du bien, dit-il, tournant vers le ciel un visage exprimant le soulagement. Regarde les étoiles. Tu as déjà vu un endroit plus magnifique ? Seigneur, Seigneur, Belle Mèche, je crois que je vais m'évanouir. »

Je lui ai passé un bras autour de la taille et, tous les deux, nous avons péniblement remonté la pente, comme un couple de vieux routiers venus d'une autre ère, à la saison que les Indiens appellent la Lune où les Cerises Éclosent, dans un pays magique qui charme et envoûte les sens, et pousse à se demander si la divinité n'est pas cachée juste de l'autre côté du monde tangible.

Épilogue

Même rétrospectivement, je ne peux dire avec la moindre exactitude ce qui s'est passé sur le lac en cette nuit maudite de l'été 2012. Je peux vous dire ce que je pense qu'il s'est passé. Je n'ai jamais cru à la linéarité du temps, de la même façon que je suis persuadé que les lignes droites sont surimposées au monde naturel et contredisent l'élan qui l'anime. Toutes choses aspirent à la rotondité et à la symétrie, de même que les saisons sont cycliques et que Dieu, à Sa façon, Se tue lui-même dans la moindre feuille qui vole. En d'autres termes : dans l'éternité, l'alpha et l'oméga se rencontrent et finissent au même endroit. Je suppose qu'une façon plus simple d'exprimer ça serait de dire que souvent les choses ne sont pas ce qu'elles semblent être.

La plupart des gens concluraient que le passé ne peut être modifié. Je n'en suis pas certain. Felicity Louviere a modifié sa vie en endossant d'une certaine façon le rôle historique d'une esclave morte dans l'arène de Carthage au début du troisième siècle. Je suppose que ça semble absurde jusqu'à ce qu'on considère la possibilité que les morts soient toujours parmi nous, nous faisant signe depuis les ténèbres, nous rappelant que nous sommes les acteurs d'un même drame qui a déjà été vécu, et que, si nous le leur permettons, ils peuvent nous aider dans nos vies.

Qui étaient les autres hommes présents le matin de la mort d'Asa Surrette ? Je l'ignore. Les seuls corps que les autorités aient trouvés à l'aube étaient ceux des hommes que nous avions abattus. J'ai deux théories à propos de ces silhouettes surgies de l'ombre et qui y ont replongé. Elles appartenaient peut-être à un groupe plus vaste, peut-être des mercenaires internationaux payés par une grande entreprise dirigée par les associés de Love Younger. Mais qui croirait une supposition aussi rocambolesque ? Une seconde possibilité serait peut-être plus crédible. Les hommes comme Caspian Younger et son père sont toujours parmi nous. Ce ne sont pas eux qui s'emparent du pouvoir, ce sont nous qui le leur donnons. Les armées de la nuit sont sans visage et sans âme, l'équivalent moderne des Wisigoths, mais quand elles ont un chef, leur moment dans l'Histoire revient.

Surrette s'était approprié le nom du frère de Caracalla. Surrette n'était pas un démon, c'était un ver de terre. Ce qu'il y a d'ironique, c'est qu'il s'était approprié le nom d'un ver de terre, et qu'il n'en avait pas conscience.

Clete Purcel est doté d'une incroyable résilience. Ses blessures guérirent pendant l'été et au début de l'automne, en octobre nous avons pu monter en Colombie-Britannique et pêcher dans l'Elk River, puis continuer jusqu'à Banff et Lake Louise, au cœur des Rocheuses canadiennes. Molly, Alafair, Albert et Gretchen nous ont accompagnés, et chaque matin nous petit-déjeunions ensemble sur une terrasse dominant des jardins remplis de fleurs sur le fond des montagnes les plus hautes et les plus bleues que j'aie jamais vues. Nous ne parlions pas des événements de l'été, ni du sang que nous avions fait couler, ni de la mort d'Asa Surrette, de Love Younger et de son fils Caspian. C'était l'automne, une saison où mieux vaut laisser le vent balayer la paille. S'étendre sur le mal que font les hommes donne une seconde vie à leurs actes, et transforme en héros des poseurs et des minables qui ne seront jamais plus que des notes de bas de page dans le grand livre de l'Histoire.

Quand Clete et moi sommes montés au-dessus de Lake Louise, il dut s'asseoir pour reprendre son souffle à cause de l'altitude. Comme toujours, il n'accordait aucun crédit à la gravité de ses blessures physiques et psychologiques ; il considérait le monde comme un gigantesque terrain de jeu où le malheur ne devenait un problème que si on l'y autorisait. Mais tandis que nous étions assis dans l'ombre mouchetée des pins et des cèdres, regardant à nos pieds les eaux d'un vert laiteux de Lake Louise, et les coquelicots d'or en pleine floraison, je vis dans la poche de sa chemise la lettre que, le matin même, il avait reçue à l'hôtel, et je savais à quoi il pensait.

« Felicity est en Amérique du Sud, hein ? dis-je.

– Ouais, c'est ce qu'elle me dit. Elle travaille pour les Indiens, comme le faisait son vieux.

– Un jour elle reviendra.

– Non, elle ne reviendra pas. Quand les gens comme elle partent, ils partent pour de bon.

– Tu sais que j'ai reçu une carte de Wyatt Dixon ? Il n'a pas signé, mais je sais qu'elle était de lui.

– Ne me parle pas de ce type, Dave.

– OK, c'est la dernière fois. »

Il a déballé un bonbon à la menthe qu'il s'est mis dans la bouche, et l'a sucé. « Alors, qu'est-ce qu'il disait ?

– De souhaiter bonne chance à Miss Gretchen pour ses films.

– C'est tout ?

– C'est tout, dis-je. Tu es prêt ?

– J'aimerais rester là un instant. Ce lac ressemble à une larme verte géante, au pied d'un champ de neige. Je n'ai jamais vu de fleurs aussi dorées.

– Je crois que tu as raison.

– Dave ? dit-il.

– Quoi ?

– Tu crois qu'on a réussi nos vies ? Tu crois que le bon l'emporte sur le mauvais ?

– C'est ce que je dirais. » Je lui ai posé une main sur l'épaule. « Dis-moi quand tu seras prêt, et on finira notre promenade et on emmènera tout le monde déjeuner. La journée est parfaite pour ça.

– Message reçu, mon noble ami. »

Nous nous sommes levés et avons marché le reste du chemin jusqu'au salon de thé en rondins au sommet de la montagne, les arbres si denses et hauts de chaque côté de nous qu'ils semblaient toucher les nuages, et ressemblaient plus à des piliers soutenant le ciel qu'à des plantes terrestres.

conception
réalisation
mise en page
pca
44405 Rezé cedex

[illegible]

Achevé d'imprimer en décembre 2015
sur les presses de Normandie Roto Impression s.a.s.
61250 Lonrai (Orne)
pour le compte des Éditions Payot & Rivages
18, rue Séguier – 75006 Paris
N° d'imprimeur : 1505713
Dépôt légal : décembre 2015

Imprimé en France